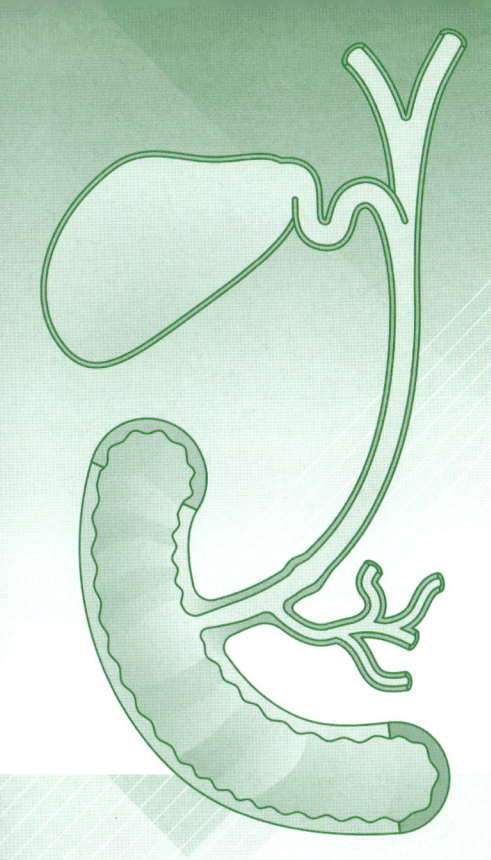

エビデンスに基づいた

胆道癌診療
ガイドライン

改訂第4版

日本肝胆膵外科学会
胆道癌診療ガイドライン作成委員会 編

医学図書出版

目次

第Ⅴ章. 胆道ドレナージ

第Ⅵ章. 外科治療

第4版の序

　胆道癌診療ガイドラインは2007年11月に第1版が出版されて以降，2014年11月に改訂第2版が，そして2019年6月に改訂第3版が出版されています。胆道癌診療にあたる臨床医にも本ガイドラインは浸透し，以前CQであった課題が，一般的に普通に行われるようになったため，BQに変わったものもあります。一方，改訂第3版が発刊されてから6年が経過し，薬物療法では大きな変革がみられ，その他，診療内容も少しずつ変化が認められるようになってきました。しかしながら，RCTの行いやすい薬物療法以外は，必ずしもエビデンスレベルの高い知見が得られているわけでなく，最初に出版された当時からの課題は十分に克服できた，とは言い難いものがあります。

　そのようななか，今回の改訂では，日々の日常診療において，ともすれば各施設の独自の経験に基づいた診療が行われ，内容に格差があるであろうものを少しでも解決すべく，「Minds診療ガイドライン作成マニュアル2020」に準拠し，システマティックレビューをもとに論文エビデンスの質評価を行い，それに加えて，利益と害・負担のバランスに関する確実性，患者の嗜好性，資源の影響を考慮し，エビデンスレベルだけに推奨度の決定が左右されることがないよう，より実臨床での応用が行えるよう，心がけるようにしました。最終的には委員の80％以上の意見の集約が得られるまで討論を繰り返し，推奨度を決定しています。最終的な投票結果は各CQに記載してありますので，ぜひ参考にしてください。本ガイドラインが胆道癌患者にとって益となり，またその患者を診療する医師にとって少しでも参考となり，有用と感じていただければ，作成者としては嬉しい限りです。

　一方で，ガイドラインがいかに日常診療において利用され，医師以外の職種あるいは胆道癌患者がどのように感じているか，については十分な検討ができていません。次回の改訂では，この点を明らかにして作業をすすめていただきたいと考えています。

　最後に，この胆道癌診療ガイドライン第4版作成にあたり，お忙しい中，快くご協力いただき，多くの時間を費やしていただいた，すべての作成委員，協力委員，評価委員の先生方に心より感謝申し上げます。

2025年（令和7年）5月吉日

胆道癌診療ガイドライン第4版作成委員長
千葉大学大学院臓器制御外科学教授
大塚将之

胆道癌診療ガイドライン第4版作成委員会

役職名	氏名（敬称略）	所属
委員長（担当理事）	大塚　将之	千葉大学大学院医学研究院臓器制御外科学
副委員長	平野　聡	北海道大学大学院医学研究院消化器外科学教室Ⅱ
作成委員（外科系）	青木　琢	獨協医科大学医学部肝・胆・膵外科
	上坂　克彦	静岡県立静岡がんセンター肝胆膵外科
	海野　倫明	東北大学大学院医学系研究科外科病態学消化器外科分野
	江畑　智希	名古屋大学大学院医学系研究科腫瘍外科学
	加藤　宏之	藤田医科大学ばんたね病院消化器外科
	小西　大	国立がん研究センター東病院肝胆膵外科
	佐野　圭二	帝京大学医学部外科学講座
	清水　宏明	帝京大学ちば総合医療センター外科（肝胆膵）
	杉浦　禎一	静岡県立静岡がんセンター肝胆膵外科
	高屋敷　吏	千葉大学大学院医学研究院臓器制御外科学
	七島　篤志	宮崎大学医学部外科学講座肝胆膵外科学分野
	樋口　亮太	東京女子医科大学八千代医療センター消化器外科
	日比　泰造	熊本大学大学院生命科学研究部小児外科学・移植外科学講座
	松山　隆生	横浜市立大学医学部消化器・腫瘍外科学
	若井　俊文	新潟大学大学院医歯学総合研究科消化器外科学分野
作成委員（内科系）	伊佐山　浩通	順天堂大学大学院医学研究科消化器内科学
	奥坂　拓志	国立がん研究センター中央病院肝胆膵内科
	川嶋　啓揮	名古屋大学大学院医学系研究科消化器内科学
	露口　利夫	千葉県立佐原病院消化器内科
	廣岡　芳樹	藤田医科大学消化器内科
	古瀬　純司	地方独立行政法人神奈川県立病院機構 神奈川県立がんセンター消化器内科
作成委員（放射線科系）	鈴木　耕次郎	愛知医科大学放射線科
	山﨑　秀哉	京都府立医科大学大学院放射線診断治療学講座
作成委員（病理系）	鬼島　宏	弘前大学大学院医学研究科病理生命科学講座
	全　陽	Institute of Liver Studies, King's College Hospital and King's College London
GL作成法担当	吉田　雅博	国際医療福祉大学市川病院人工透析センター・一般外科
事務局	久保木　知	千葉大学大学院総合医科学講座東千葉メディカルセンター
	高野　重紹	千葉大学大学院医学研究院臓器制御外科学
	細川　勇	千葉大学大学院医学研究院臓器制御外科学
協力委員（外科）	石塚　満	獨協医科大学下部消化管外科
	今村　直哉	宮崎大学医学部外科学講座肝胆膵外科学分野
	大塚　新平	静岡県立静岡がんセンター肝胆膵外科

協力委員（外科）	尾上　俊介	名古屋大学大学院医学系研究科腫瘍外科学
	貝沼　雅彦	帝京大学医学部外科学講座
	川勝　章司	名古屋大学大学院医学系研究科腫瘍外科学
	菊地　祐太郎	横浜市立大学大学院医学研究科消化器・腫瘍外科学
	国村　祥樹	藤田医科大学ばんたね病院消化器外科
	小池　大助	藤田医科大学ばんたね病院消化器外科
	小西　孝宜	千葉大学大学院医学研究院臓器制御外科学
	小林　信	国立がん研究センター東病院肝胆膵外科
	坂田　純	新潟大学消化器一般外科学分野
	櫻井　悠人	熊本大学大学院生命科学研究部小児外科学・移植外科学講座
	椎原　正尋	東京医科大学茨城医療センター消化器外科
	杉下　敏哉	東京女子医科大学八千代医療センター消化器外科
	鈴木　謙介	千葉大学大学院医学研究院臓器制御外科学
	高野　奈緒	名古屋大学医学部附属病院先端医療開発部
	高橋　邦彦	帝京大学医学部外科学講座
	谷　大輝	藤田医科大学ばんたね病院消化器外科
	土持　有貴	宮崎大学医学部外科学講座肝胆膵外科学分野
	中西　喜嗣	北海道大学大学院医学研究院消化器外科学教室II
	奈良　聡	国立がん研究センター中央病院肝胆膵外科
	西野　仁惠	千葉大学大学院医学研究院臓器制御外科学
	野島　広之	帝京大学ちば総合医療センター外科（肝胆膵）
	濵田　剛臣	宮崎大学医学部外科学講座肝胆膵外科学分野
	旭吉　雅秀	宮崎大学医学部外科学講座肝胆膵外科学分野
	蛭川　和也	熊本大学大学院生命科学研究部小児外科学・移植外科学講座
	廣瀬　雄己	新潟大学消化器一般外科学分野
	松井　あや	北海道大学大学院医学研究院消化器外科学教室II
	水野　隆史	名古屋大学大学院医学系研究科腫瘍外科学
	薮下　泰宏	横浜市立大学大学院医学研究科消化器・腫瘍外科学
	油座　築	横浜市立大学大学院医学研究科消化器・腫瘍外科学
協力委員（内科）	石井　重登	順天堂大学大学院医学研究科消化器内科学
	石川　卓哉	名古屋大学大学院医学系研究科消化器内科学
	植月　康太	名古屋大学大学院医学系研究科消化器内科学
	上野　誠	地方独立行政法人神奈川県立病院機構 神奈川県立がんセンター消化器内科
	大野　栄三郎	藤田医科大学消化器内科
	小林　智	地方独立行政法人神奈川県立病院機構 神奈川県立がんセンター消化器内科
	田中　浩敬	藤田医科大学消化器内科
	戸塚　雄一朗	地方独立行政法人神奈川県立病院機構 神奈川県立がんセンター消化器内科

協力委員（内科）	中岡　和徳	藤田医科大学消化器内科
	藤澤　聡郎	順天堂大学大学院医学研究科消化器内科学
	森實　千種	国立がん研究センター中央病院肝胆膵内科
協力委員（放射線）	渋谷　圭	群馬大学医学部附属病院 放射線科／画像診療部／重粒子線医学センター
	成田　晶子	愛知医科大学放射線科
	松永　望	愛知医科大学放射線科
	山本　貴浩	愛知医科大学放射線科
協力者（文献検索）	荒巻　なほみ	宮崎大学附属図書館医学分館利用係
	大嶋　一恵	藤田医科大学図書館
	奥澤　喜代	藤田医科大学図書館
	川村　路代	北海道大学附属図書館研究支援課医系グループ
	杉山　陽子	藤田医科大学図書館
	鈴木　俊也	獨協医科大学図書館参考調査係
	長岡　智子	獨協医科大学図書館参考調査係
	根本　萌	北海道大学附属図書館研究支援課医系グループ
	三浦　さと子	帝京大学医学総合図書館
	山口　直比古	聖隷佐倉市民病院図書室
評価委員	高田　忠敬	帝京大学医学部外科
	梛野　正人	社会医療法人宏潤会大同病院
	安田　一朗	富山大学学術研究部内科学第三講座

第3版の序

　胆道癌診療ガイドラインは 2007 年 11 月に第 1 版が，そして 2014 年 11 月に第 2 版が出版されています。今回の第 3 版は第 2 版から丁度 5 年が経過したことになり，改訂するには良いタイミングであったと思います。皆様ご存知のように，胆道癌領域では大規模なランダム化比較試験を含む高いエビデンスレベルの研究はほとんど無いのが特徴です。特に外科治療の領域では high volume center といえども胆道癌の切除例は年間数十例程度であり，数百例規模の大腸癌や胃癌とは大きな差があり，新しいエビデンスレベルの高い知見が得られにくい要因となっています。しかしながら，胆道癌の日常臨床においては非常に多くの選択肢が存在し，その判断に苦慮することが少なくありません。第 3 版では，なるべくそのような問題を取り上げて CQ を作成いたしました。推奨度については各委員の意見がコンセンサスを得られない場合には，投票により 70％ 以上の意見の集約が得られるまで議論を繰り返し行ってコンセンサスを得るようにしてガイドラインを作成してきました。本ガイドラインが胆道癌患者の益となり，その患者を診療する医師にとって有用なものになることを期待しております。

　最後にこの第 3 版の胆道癌診療ガイドライン作成に当たり，多忙な中，快くご協力下さった全ての作成委員及び協力委員，評価委員の先生方に深謝いたします。

　2019 年 5 月吉日

胆道癌診療ガイドライン第 3 版作成委員長

名古屋大学大学院医学系研究科腫瘍外科学教授

梛野正人

第 2 版の序

　胆道癌診療ガイドラインは 2007 年，平成 19 年 11 月に第 1 版が出版され，それから 7 年が推移したわけであります。第 1 版を出版した際には 5 年後には改訂を要するであろうと予定していたのでありますが，胆道癌領域の新たなエビデンスとなる知見が出される状況をみて 2014 年，平成 26 年の今回改訂第 2 版を出版することになりました。初版の時に比して第 2 版の改訂においてはガイドライン作成委員の構成において大幅に内科医師および病理医・放射線科医を増員してその作成に加わっていただきました。その目的は GRADE システムという新たなガイドライン作成方法の考え方を導入することを目的としたため，様々な領域のエキスパートの意見を十二分に反映できる構成が必須であったからです。確固たるエビデンスが多数存在する場合は別ですが，胆道癌の診療領域では必ずしも充分なエビデンスが得られていないテーマが多々存在しています。しかし，胆道癌の日常臨床においては多くの選択肢が存在してその判断に臨床医が苦慮することも少なくないと判断し，そのようなテーマおよび CQ においての各委員の意見がコンセンサスを得られない場合に，全委員の投票によって 70％以上の意見の集約が得られるまで討議を繰り返し行ってコンセンサスを得るようにして今回本ガイドラインを作成して参りました。したがって，各委員の先生方には大変に多くの時間をこのガイドライン作成にあたり費やしていただいたことを改めて感謝申しあげたいと思います。臨床医学というジャンルにおいてもその学問は日々進歩していきます。したがってこの本が出版される時にはもうすでにこのガイドラインには掲載されていない新たな知見が一部には見られてくるかも知れません。これはガイドラインの宿命でもあると思いますし，胆道癌領域に携わる専門医がそのような新たなエビデンスを得るために常に新たな臨床研究を行って結果を出していき続けることも義務であります。

　しかしながら，そのようなことを踏まえても臨床医学における新たなエビデンスの確立には一つの画期的な論文発信のみでは充分とは言えず，その後の validation すなわち検証結果が出て初めて多くの患者さんに貢献できうるエビデンスとしての質が高まるものと思われます。本ガイドラインが胆道癌に悩める一人でも多くの患者さんにとって有益なものとなれるよう，その患者さんを診療する臨床医に役立つものになることを強く期待いたします。

　最後にこの第 2 版の胆道癌診療ガイドライン作成に当たりお忙しい中を快くご協力下さったすべての作成委員および協力委員・評価委員の先生方に深謝するとともに，特に事務局として多くの時間その作業にあたってくれた吉富秀幸講師，高屋敷吏助教に心より感謝申しあげます。

2014 年（平成 26 年）9 月吉日

胆道癌診療ガイドライン作成委員長
日本肝胆膵外科学会理事長
千葉大学大学院臓器制御外科学教授
宮崎　勝

第 1 版の序

　胆道癌ガイドラインは，厚生労働省科学研究班（医療安全・医療技術評価総合研究事業）の癌対策としての
ガイドライン作成事業の一端として，2004 年に日本癌治療学会を介して臨床腫瘍データベースおよび抗ガン
剤適正使用ガイドラインの作成について日本胆道外科研究会に打診があり，日本胆道外科研究会が「胆道癌診
療ガイドライン」の作成を行うこととなった。

　その後，日本胆道外科研究会は，2005 年 6 月に日本肝胆膵外科学会に吸収合併され，日本胆道外科研究会
の事業は日本肝胆膵外科学会において続けて行われることとなった。したがって，胆道癌診療ガイドラインの
作成と出版は日本肝胆膵外科学会が責任をもって行うこととなった。そこで，さっそく，2006 年 11 月に広島
にて，まず方法論を主体とした draft の作成に関する主任会議を行い，ひきつづき 2007 年 6 月の第 19 回日本
肝胆膵外科学会において第 1 回の公聴会を開催し，同時に draft を配布しひろく意見を求めた。また，第 2 回
の公聴会は 2007 年 9 月の第 43 回日本胆道学会において開催された。これらに平行して，2007 年 3 月以降は
出版委員会を発足させ，細部にわたりチェックするとともに，推奨度についても再検討した。ただし，この胆
道癌診療ガイドライン作成については，レベルの高い論文が少ないことが大きな問題であった。また，切除か
非切除か，いかなる術式がのぞまれるかについても明確な回答はない。これらについては，通常行われている
ものにのっとって，厳密な判定については今後の臨床比較試験を待たざるをえない。

　このガイドラインでは，現時点でえられたエビデンスをもとに築きあげた胆道癌診療ガイドラインの出版を
行うこととした。このガイドラインが，臨床医に適切な情報を提供し，なによりも患者に対し最良の医療が行
われることに役立てば幸いである。

　なお，本ガイドラインの出版にあたって労苦をともにした以下の出版委員，作成委員の各位に感謝する。

2007 年（平成 19 年）10 月吉日

胆道癌診療ガイドライン作成委員会出版責任者
日本肝胆膵外科学会理事長
高田忠敬

BQ, CQ, FRQ 一覧

章の項目	Q No	BQ/CQ/FRQ	要約／推奨	推奨の強さ／エビデンスの確実性
予防・疫学	BQ1	胆道癌の危険因子にはどのようなものがあるか？	胆管癌の危険因子には胆管拡張型の膵・胆管合流異常，原発性硬化性胆管炎があげられる。胆嚢癌の危険因子には膵・胆管合流異常があげられる。	
	BQ2	膵・胆管合流異常には予防的手術を行うか？	膵・胆管合流異常は胆道癌の危険因子であり，診断確定後は積極的な手術加療が必要である。胆管拡張型には肝外胆管切除＋胆道再建を，胆管非拡張型では，胆嚢摘出術を行う。	
	BQ3	無症状の胆嚢結石症に対して胆嚢摘出術を行うか？	胆嚢壁を十分に評価できる場合には胆嚢癌予防目的の胆嚢摘出術は行わない。	
	BQ4	どのような胆嚢ポリープに対して癌を疑うのか？	胆嚢ポリープが 10 mm 以上，大きさにかかわらず広基性の場合，あるいは画像上増大傾向を認める場合，胆嚢癌を疑う。	
診断	BQ5	胆道癌の診断に ultrasonography（US），computed tomography（CT），magnetic resonance imaging（MRI）は有用か？	US と CT は胆道癌の鑑別診断，局在診断，進展度診断に有用で，この結果をもとに治療方針が決定されるため，胆道癌の診断において行う検査である。MRI（MRCP）は US，CT と異なる情報が得られ，行うことを考慮する検査である。	
	BQ6	乳頭部癌の診断に内視鏡検査は有用か？	乳頭部の異常を拾い上げるのに内視鏡診断は有用である。特に十二指腸鏡を使った検査は乳頭部病変の観察，生検診断を行う際に有用である。	
	CQ1	胆道癌の診断に EUS は推奨されるか？	肝外胆管癌では鑑別診断，局所進展度診断に有用であり，行うことを提案する。	推奨度2（レベルC）
			胆嚢癌では鑑別診断，局所進展度診断に有用であり，行うことを提案する。	推奨度2（レベルC）
			乳頭部癌では鑑別診断，局所進展度診断に有用であり，行うことを提案する。	推奨度2（レベルB）
	CQ2	胆道癌の診断に FDG PET/PET-CT は推奨されるか？	FDG PET/PET-CT は遠隔転移やリンパ節転移の診断に有用であり，進行癌病変では行うことを提案する。	推奨度2（レベルB）
	CQ3	胆道癌の診断に胆道造影（ERC・PTC）は推奨されるか？	胆道癌の診断において，肝外胆管癌の進展度診断やそれ以外の胆道癌で胆管浸潤を疑う場合，胆道造影（ERC）を行うことを提案する。	推奨度2（レベルC）
	CQ4	胆道癌の診断に管腔内超音波検査（IDUS）は推奨されるか？	胆嚢癌に対する IDUS の有用性は限定的であるが，肝外胆管癌，乳頭部癌の鑑別診断，局所進展度，深達度診断に IDUS は有用であり，行うことを提案する。	推奨度2（レベルC）
	CQ5	胆道癌の診断に経口胆道鏡検査（POCS）は推奨されるか？	POCS 以外の各種検査で診断が確定しない胆道病変に対し，POCS を行うことを提案する。	推奨度2（レベルB）
	BQ7	胆道癌の診断に胆汁細胞診・生検を行うか？	胆管癌（肝門部領域胆管癌，遠位胆管癌，乳頭部癌）では，術前（治療前）に経乳頭の生検または細胞診を行う。一方，胆嚢癌では，胆管狭窄を伴う場合には診断と治療を兼ねて経乳頭的生検または細胞診を行うことを考慮する。	
	CQ6	胆道癌における組織採取法として EUS-TA は推奨されるか？		
	a	胆道癌が疑われる胆管狭窄病変に対する組織採取法として EUS-TA は推奨されるか？	EUS-TA は胆管狭窄病変の確定診断に有用な検査法である。ERC 下生検，細胞診を行っても診断困難な胆道狭窄病変に対して実施されることが考慮される。	推奨なし（レベルC）
	b	胆嚢腫瘍性病変に対して組織採取方法として EUS-TA は推奨されるか？	EUS-TA は胆嚢病変の確定診断に有用な検査法である。胆嚢内腔を介さずに穿刺可能である場合に実施されることが考慮される。	推奨なし（レベルC）
	CQ7	胆道癌に対して包括的がんゲノムプロファイル検査は推奨されるか？	胆道癌に対して包括的がんゲノムプロファイリング検査をすることを提案する。	推奨度2（レベルC）

章の項目	Q No	BQ/CQ/FRQ	要約／推奨	推奨の強さ／エビデンスの確実性
胆道ドレナージ	BQ8	閉塞性黄疸を有する胆道癌切除企図例に対して，胆道ドレナージ前に造影 CT を行うか？	胆道ドレナージ前に造影 CT あるいは造影 MRI，もしくは両者の撮像を行う。	
	CQ8	肝門部領域胆管癌切除企図例に対する経乳頭的ドレナージは推奨されるか？	広範肝切除（肝葉切除以上）を予定する肝門部領域胆管癌には，経乳頭的な予定残肝ドレナージを推奨する。	推奨度 1（レベル C）
	CQ9	閉塞性黄疸を有する肝門部領域胆管癌切除企図例の第一選択術前胆管ドレナージ方法として，内視鏡的経鼻胆管ドレナージ（ENBD）は内視鏡的胆管ステント留置術（EBS），インサイドステント（IS）と比べて推奨されるか？	ENBD，EBS，IS いずれの選択も提案される。	推奨度 2（レベル C）
			胆管炎合併時，細胞診や胆管造影の必要時は ENBD が提案される。	推奨度 2（レベル C）
	CQ10	閉塞性黄疸を有する遠位胆管癌切除企図例に対し，経乳頭的胆道ドレナージは推奨されるか？	遠位胆管癌の術前胆道ドレナージは経皮経肝ドレナージ（PTBD）に比し，内視鏡的経乳頭的ドレナージ（EBD）を行うことを推奨する。	推奨度 1（レベル B）
	CQ11	閉塞性黄疸を有する遠位胆管癌切除企図例に対する経乳頭的胆道ドレナージで covered self-expandable metallic stent（covered SEMS）を留置することは推奨されるか？	Plastic stent（PS）と比較して covered SEMS 留置を推奨する十分なエビデンスは存在しない。ただし，手術待機期間が長い場合は SEMS も考慮しても良い。	推奨なし（レベル D）
	FRQ1	EUS ガイド下胆道ドレナージは，閉塞性黄疸を有する切除企図胆管癌に対して有用か？	経乳頭的ドレナージ困難例に EUS ガイド下胆道ドレナージを行うことを考慮する。	
	CQ12	閉塞性黄疸を有する非切除肝門部領域胆管癌に対して，uncovered self-expandable metallic stent（uncovered SEMS）は推奨されるか？	Re-intervention の必要がなく，予後が限定される患者には uncovered SEMS による胆道ドレナージを行うことを提案する。	推奨度 2（レベル B）
			Re-intervention を要する可能性の高い患者に対するドレナージの第一選択として plastic stent を考慮する。	推奨なし（レベル D）
	CQ13	閉塞性黄疸を有する非切除遠位胆管癌に対して，covered self-expandable metallic stent（covered SEMS）を用いた経乳頭的胆道ドレナージは，uncovered SEMS と比較して推奨されるか？	Covered SEMS による胆道ドレナージを行うことを提案する。	推奨度 2（レベル B）
	コラム	放射線治療を企図する胆管癌に対してはメタリックステントの留置を避けるか？		
	FRQ2	閉塞性黄疸を有する非切除胆道癌に対する胆管ドレナージ時の胆管内ラジオ波焼灼療法は有用か？	胆管内ラジオ波焼灼療法の有益性については一定のエビデンスが得られておらず，対象症例・焼灼方法・併用療法・機器の改良などに関する研究が必要である。	
	FRQ3	閉塞性黄疸を有する非切除胆道癌肝門部胆管閉塞では肝容積 50% 以上のドレナージが必要か？	肝容積 50% 以上のドレナージが考慮されるが，現時点ではエビデンスが弱く一定の見解は得られていない。	
	BQ9	術前胆道ドレナージ中の発熱にはどのように対応するか？	血液検査，血液培養を施行し，抗菌薬を投与する。既存のドレナージのトラブルであれば交換を，非ドレナージ領域の胆管炎を疑う場合，ドレナージの追加を行う。胆管炎時のドレナージは ENBD を行う。	
	BQ10	外瘻胆汁はどのように利用するか？	胆汁培養（術前症例では監視培養）を行い，また，胆道癌が疑われる症例においては，胆汁細胞診を行う。	

章の項目	Q No	BQ/CQ/FRQ	要約／推奨	推奨の強さ／エビデンスの確実性
外科治療	BQ11	胆道癌切除後の予後因子はどのようなものか？	リンパ節転移，胆管切離断端および剥離面での癌遺残，リンパ管・神経周囲浸潤および組織学的分化度などがあげられる。	
	BQ12	腫瘍の進展度からみた切除不能胆道癌とはどのようなものか？	遠隔転移を伴う胆道癌は切除不能と考えられる。局所進展による切除不能病変については明らかなコンセンサスは得られていない。	
	BQ13	門脈塞栓術（PVE）はどのような症例に行われるか？	切除率 60％ 以上の肝切除を予定する胆道癌に行う。技術的難度が高い術式や，患者の全身状態や肝機能を考慮し PVE の適応基準を緩和する。	
	BQ14	術前の残肝予備能評価はどのように行われるか？	残肝予備能評価は CT による残肝容積の測定と，黄疸および胆管炎のない条件で ICG 排泄試験を行う。	
	BQ15	胆道癌肝切除後の死亡率の現状はどうか？	胆道癌に対する肝切除術後の在院死亡率は 3.2 ～ 9.0％ である。本邦も含めたアジア地域の施設では非アジア施設と比べて在院死亡率が低いことも報告されている。	
	CQ14	肝動脈切除再建を伴う肝切除は推奨されるか？	肝動脈切除再建を伴う肝切除は胆道外科の十分な経験を持つ外科医，血行再建に熟達した外科医の揃った専門施設で行うことを提案する。	推奨度 2（レベル C）
	CQ15	肝葉切除を伴う膵頭十二指腸切除は推奨されるか？	広範囲に進展した胆管癌に対しては施行することを提案する。	推奨度 2（レベル C）
			胆嚢癌に対する臨床的意義は明らかでない。	推奨なし（レベル C）
	CQ16	遠位胆管癌，十二指腸乳頭部癌に対する低侵襲手術（腹腔鏡下／ロボット支援下膵頭十二指腸切除術）は推奨されるか？	腹腔鏡下あるいはロボット支援下膵頭十二指腸切除術が開腹手術と比較して有用とする報告はあるが，対象症例が胆道癌に限定されていないことなどから，胆道癌に対して妥当な術式かは明らかではない。	推奨なし（レベル C）
	CQ17	深達度 T2 までの胆嚢癌に対する低侵襲手術（腹腔鏡下／ロボット支援下）は推奨されるか？	深達度 T2 までの胆嚢癌に対する低侵襲手術（腹腔鏡下／ロボット支援下）は胆道癌に対する手術，および腹部の低侵襲手術いずれの経験も豊富な施設で行うことを提案する。	推奨度 2（レベル B）
	FRQ4	肝門部領域胆管癌に対する低侵襲（腹腔鏡下／ロボット支援下）手術は有用か？	肝門部領域胆管癌に対する低侵襲（腹腔鏡下／ロボット支援下）手術は現時点では有用性に関する根拠が不十分である。	
	BQ16	肝外胆管に直接浸潤のない胆嚢癌に肝外胆管切除を行うか？	原則として肝外胆管切除は行わない。	
	BQ17	肝浸潤を疑う胆嚢癌にはどのような肝切除を施行するか？	十分な surgical margin を確保した胆嚢床切除を行う。	
	BQ18	胆嚢摘出後深達度 ss 以上の胆嚢癌が判明した場合に追加切除を行うか？	一期的ないし二期的に追加根治術を行う。	
	CQ18	十二指腸乳頭部腫瘍に内視鏡的／外科的乳頭切除は膵頭十二指腸切除術に比し推奨されるか？	十二指腸乳頭部腺腫には膵頭十二指腸切除術に比し，行うことを提案する。	推奨度 2（レベル C）
			十二指腸乳頭部癌には膵頭十二指腸切除術に比し，行わないことを提案する。	推奨度 2（レベル C）
			ただし，完全切除が見込まれる病変に対しては患者因子や併存疾患の状態により行うことを提案する。	推奨度 2（レベル C）
	CQ19	術中胆管切離断端上皮内癌陽性例に胆管の追加切除は推奨されるか？	リンパ節転移などの予後不良因子を認めない場合には，益と害のバランスを考慮して行うことを提案する。	推奨度 2（レベル C）
			リンパ節転移などの予後不良因子を認める場合には，行わないことを提案する。	推奨度 2（レベル C）
	CQ20	術前生検で確定診断がつかないが，胆管癌を否定できない症例に対する外科治療は推奨されるか？	胆管癌を否定できない症例では，肝機能や全身状態に問題がなければ外科治療を行うことが提案される。	推奨度 2（レベル C）
章の項目	Q No	BQ/CQ/FRQ	要約／推奨	推奨の強さ／エビデンスの確実性

章の項目	Q No	BQ/CQ/FRQ	要約／推奨	推奨の強さ／エビデンスの確実性
外科治療	CQ21	胆道癌の周術期における胆汁返還，シンバイオティクス投与，運動・栄養療法は推奨されるか？	周術期における胆汁返還，シンバイオティクス投与，運動・栄養療法は有用であり，行うことを提案する。	推奨度2(レベルC)
	CQ22	胆道癌手術は手術数の多い施設が推奨されるか？	肝切除および膵頭十二指腸切除は，high-volume の専門施設，例えば本邦では日本肝胆膵外科学会指定の修練施設など，で実施することが提案される。	推奨度2(レベルC)
	FRQ5	胆道癌における borderline resectable 症例とはどのようなものか？	胆道癌における borderline resectable 症例とはどのようなものか，明らかなコンセンサスは得られていない。	
	FRQ6	切除不能胆道癌に対するコンバージョン手術は有用か？	現時点では根拠が不十分であり，有用性は明らかではない。	
	FRQ7	肝門部領域胆管癌に対する肝移植は有用か？	欧米からの報告ではリンパ節・肝内・肝外転移を伴わず局所進行のため切除不能な肝門部領域胆管癌に対し，厳格な患者選択の下での肝移植は長期予後をもたらし治癒を期待し得る。今後，本邦でのエビデンス創生が期待される。	
	FRQ8	残肝容積不足例に対する計画的二期的肝切除術，liver venous deprivation は有用か？	いずれの手技も胆道癌に限定したデータに乏しく，臨床研究によるエビデンスの蓄積が必要である。	
	FRQ9	胆道癌に対する術後経過観察はどのように行うか？	再発危険因子を有する症例に対しては術後3年目までは短い間隔でCTを中心とした画像診断と腫瘍マーカー測定により再発チェックを行う。術後観察期間に関しては，できるだけ長期間に渡り継続する。	
薬物療法	CQ23	切除不能胆道癌に対してファーストラインの薬物療法は何が推奨されるか？	切除不能胆道癌に対するファーストラインの薬物療法として，ゲムシタビン＋シスプラチン＋S-1併用療法，ゲムシタビン＋シスプラチン＋デュルバルマブ併用療法，ゲムシタビン＋シスプラチン＋ペムブロリズマブ併用療法を推奨する。	推奨度1(レベルA)
			ただし，全身状態や併存症などから上記治療が適さない患者に対しては，ゲムシタビン＋シスプラチン併用療法，ゲムシタビン＋S-1併用療法を提案する。	推奨度2(レベルB)
	CQ24	切除不能胆道癌に対するセカンドラインの薬物療法は推奨されるか？	1　切除不能胆道癌に対するセカンドラインの薬物療法を提案する。 1-1　FOLFOX* を提案する 1-2　S-1を提案する 2　ただし特定の遺伝子異常を有する場合は当該遺伝子異常に対する標的療法を推奨あるいは提案する。 2-1　*FGFR2* 融合遺伝子・再構成陽性胆道癌に対する FGFR 阻害薬 2-2　*IDH1* 変異陽性胆道癌に対する IDH1 阻害薬 * 2-3　*HER2* 陽性胆道癌に対する HER2 阻害薬 * 2-4　*BRAF* V600E 変異陽性固形癌に対する BRAF 阻害薬＋MEK 阻害薬 2-5　MSI-H 陽性固形癌に対する抗 PD1 抗体薬 2-6　TMB-H 陽性固形癌に対する抗 PD1 抗体薬 2-7　*NTRK1/2/3* 融合遺伝子陽性固形癌に対する TRK 阻害薬 *2025 年3月現在保険適用外	 推奨度2(レベルB) 推奨度2(レベルC) 推奨度1(レベルC) 推奨度2(レベルB) 推奨度2(レベルC) 推奨度1(レベルC) 推奨度1(レベルC) 推奨度1(レベルC) 推奨度1(レベルC)
	CQ25	切除可能胆道癌に対する術前化学療法は推奨されるか？	切除可能胆道癌に対する術前補助化学療法については，現時点で明確な推奨を提示できない。	推奨なし（レベルD）
	CQ26	根治切除後胆道癌に対する補助化学療法は推奨されるか？	根治切除後胆道癌の患者に対して，S-1補助化学療法を行うことを推奨する。	推奨度1(レベルA)
	CQ27	閉塞性黄疸を伴う切除不能胆道癌に対する薬物療法はどこまで減黄して開始することが推奨されるか？	総ビリルビン値が少なくとも 3.0 mg/dL 以下または基準値上限の 2.5 倍以下に改善した状態で開始することを提案する。	推奨度2(レベルC)

章の項目	Q No	BQ/CQ/FRQ	要約／推奨	推奨の強さ／エビデンスの確実性
放射線治療	FRQ10	切除不能胆道癌に放射線治療，または化学放射線療法は有用か？	放射線治療，化学放射線療法の有用性は，現時点では根拠が不十分であり，明確な推奨はできない。今後の臨床研究に期待する。	
	FRQ11	胆道癌切除例に対する術後放射線療法・術後化学放射線療法は有用か？	断端陽性例もしくはリンパ節転移例に対しては行うことを考慮してよいが，臨床研究として行うことが望ましい。	
病理	BQ19	胆道における腫瘍類似病変にはどのようなものがあるか？	胆道における腫瘍類似病変には，①硬化性胆管炎，②黄色肉芽腫性胆囊炎，③胆囊腺筋腫症，④非腫瘍性胆囊ポリープなどがあげられる。	
	BQ20	胆道の IPNB，BilIN，dysplasia とはどのようなものか？	IPNB（intraductal papillary neoplasm of bile duct）は，肉眼的に病変が認識される胆管内乳頭状腫瘍である。 BilIN（biliary intraepithelial neoplasia）は，組織学的に病変が認識される胆道上皮内腫瘍である。 Dysplasia は，癌か癌でないか鑑別が難しい異型を有する上皮性病変である。	
	BQ21	がんゲノム医療に対応した病理検体はどのように取扱うのか？	癌患者から採取された組織標本はゲノム解析への利用を念頭に適切に固定，保管する必要がある。 切除不能例の生検診断の際，不必要な染色は避け，治療関連の分子・ゲノム解析に組織が利用できるように心がける。 組織検体が利用できない症例ではリキッドバイオプシーも考慮する。	

略語一覧

（アルファベット順）

ADC	apparent diffusion coefficient
ALPPS	associating liver partition and portal vein ligation for staged hepatectomy
AUC	area under the curve
BED	biological equivalent dose
BilIN	biliary intraepithelial neoplasia
BR	borderline resectable
BSA	body surface area
BT	brachytherapy
BW	body weight
CAI	celiac axis infusion chemotherapy
C-D	Clavien-Dindo
CE-EUS	contrast-enhanced endoscopic ultrasonography
CGP	comprehensive genomic profiling
CI	confidence interval
CRT	conformal radiation therapy
CT	computed tomography
DCP	1,2-dichloropropane
EBD	endoscopic biliary drainage
EBS	endoscopic biliary stent
ENBD	endoscopic nasobiliary drainage
EP	endoscopic papillectomy
EQD2	equivalent dose in 2Gy fraction
ERC	endoscopic retrograde cholangiography
ERCP	endoscopic retrograde cholangiopancreatography
ESMO	European society for medical oncology
ETBD	endoscopic transpapillary biliary drainage
ETGD	endoscopic transpapillary gallbladder drainage
EUS	endoscopic ultrasonography
EUS-BD	endoscopic ultrasonography-guided biliary drainage
EUS-CDS	endoscopic ultrasonography-guided choledochoduodenostomy
EUS-HGS	endoscopic ultrasonography-guided hepaticogastrostomy
FAP	familial adenomatous polyposis
FFPE	formalin-fixed paraffin-embedded
FLRV	future liver remnant volume
FNA	fine needle aspiration
Gd-EOB-DTPA	gadolinium-ethoxybenzyl-diethylenetriamine-pentaacetic acid
HPD	hepatopancreatoduodenectomy
HR	hazard ratio
HVC	high-volume center

IAPN	intra-ampullary papillary-tubular neoplasm
ICC	intrahepatic cholangiocarcinoma
ICG	indocyanine green
ICI	immune checkpoint inhibitor
ICPN	intracystic papillary neoplasm
ID-RFA	intraductal-radiofrequency ablation
IDUS	intraductal ultrasonography
IEE	image-enhanced endoscopy
IgG4-SC	IgG4-related sclerosing cholangitis
IMRT	intensity modulated radiation therapy
IPMN	intraductal papillary mucinous neoplasm
IPNB	intraductal papillary neoplasm of bile duct
irAE	immune-related adverse events
IS	inside stent
ITT	intention to treat
IVR	interventional radiology
LVD	liver venous deprivation
MDCT	multidetector-row computed tomography
MELD	model for end-stage liver disease
MIPD	minimally invasive pancreatoduodenectomy
MIS	minimally invasive surgery
MRCP	magnetic resonance cholangiopancreatography
MRI	magnetic resonance imaging
MSI-H	microsatellite instability high
MST	median survival time
NBI	narrow-band imaging
NCCN	national comprehensive cancer network
NCD	national clinical database
NCDB	national cancer database
NPPN	non-invasive pancreaticobiliary papillary neoplasm
NS	not significance
OPTN	organ procurement and transplantation network
PCB	polychlorinated biphenyl
PD	pancreatoduodenectomy
PET	positron emission tomography
PHCC	perihilar cholangiocarcinoma
POCS	peroral cholangioscopy
PS	plastic stent
PSC	primary sclerosing cholangitis
PTBD	percutaneous transhepatic biliary drainage
PTC	percutaneous transhepatic cholangiography
PTCD	percutaneous transhepatic cholangiodrainage
PVE	portal vein embolization

QOL	quality of life
RA	Rokitansky-Aschoff
RBE	relative biological effectiveness
RBO	recurrent biliary obstruction
RCT	randomized controlled trial
ROC	receiver operating characteristic
RR	relative risk
SBRT	stereotactic body radiotherapy
SEER	surveillance, epidemiology, and end results database
SEMS	self-expandable metallic stent
SUV	standardized uptake value
SWOG	south west oncology group
TA	tissue acquisition
TARE	transarterial radioembolization
TDA	transduodenal ampullectomy
TLV	total liver volume
TMB-H	tumor mutation burden high
TRBO	time to recurrent biliary obstruction
US	ultrasonography
WLI	white-light imaging
XGC	xanthogranulomatous cholecystitis

第 I 章.
胆道癌診療ガイドラインの
目的・使用法・作成法

1. 本ガイドラインの目的

　胆道癌はいまだ予後不良な疾患群であり，その治療成績の向上には多くの課題が，診断の面からも治療の面からも残されており，近年，様々な診療指針が発表されている。海外では Cholangiocarcinoma に関する診療指針が The British Society of Gastroenterology より 2002 年に発表され（Gut 2002；51 Suppl 6：iv 1-9），2012 年（Gut 2012；61：1657-1669），2024 年（Gut 2024；73：16-46）に改訂されている。また，イタリア（Dig Liver Dis 2020；52：1282-1293, 1430-1442）やブラジル（Arq Gastroenterol 2016；53：5-9）からも診療指針が示されている。さらにフランスからは，intrahepatic と perihilar cholangiocarcinoma に特化した診療指針（Liver Int 2024；44：2517-2537）が発表された。一方，胆道癌全般に関しては，米国の National Comprehensive Cancer Network（NCCN）から，Gallbladder and Bile Duct Cancers として診療指針（https://www.nccn.org/guidelines/guidelines-detail?category＝patients&id＝47）が掲載され，European Society for Medical Oncology（ESMO）からも 2023 年に，胆道癌の診療指針が示されている（Ann Oncol 2023；34：127-140）。本邦においては 2007 年に胆道癌診療ガイドラインが初めて出版され，その後 2014 年に改訂第 2 版が，2019 年に改訂第 3 版が出版され，胆道癌の診断・治療の向上に大きく寄与してきた。しかし，改訂から 5 年が経過し，新たなエビデンスを包括したガイドラインの改訂の必要性が高まり，ここに胆道癌診療ガイドライン改訂第 4 版の作成を行うに至った。本ガイドラインの対象は胆道癌診療にあたる臨床医とし，専門医のみならず，一般臨床医が胆道癌診療に効率的かつ適切にあたれるよう，その一助となりうるように配慮した。

　胆道癌診療の問題として，相変わらずレベルの高いエビデンスが少ないことがあげられる。特に，診断および治療の実際は，各施設で独自の経験に基づいた診療が行われており，その内容に格差が大きくなっているのが日本のみならず世界の現状である。胆道癌診療において行われている医療行為にはエビデンスの高さに問題のあるものが少なからず存在する。本ガイドラインではシステマティック・レビューからエビデンスに基づいた推奨度を心がけたが，かかる理由によりガイドライン改訂委員によるコンセンサスによるものも含まれていることは否定できない。改訂第 4 版においても，各 CQ に対する委員の投票結果も記載した。作成委員は外科，内科，放射線治療，病理，ガイドライン作成などの専門医から構成し，多分野の専門家による討論を行い内容に偏りがないように努力した。「Minds 診療ガイドライン作成マニュアル 2020」に準拠し，可能な限り推奨を明確にし，本ガイドラインを参考とする医療従事者がより使いやすくなるようにした。

　本診療ガイドラインが胆道癌診療に携わる医療者にとって適切な診療を行うための目安となり，胆道癌患者が安心して医療を受けられる指標になることを願っている。

2. 本ガイドラインの対象

診療対象：

　成人の胆道癌患者を対象とし小児患者は除いた。本文中の薬剤使用量などは成人を対象としたものである。

使用対象：

　胆道癌診療に当たる臨床医を対象とし，本疾患の専門医のみならず一般臨床医が胆道癌に効率的かつ適切に対応できるように配慮した。また，本ガイドラインを通して，患者・家族をはじめとした市民にも本疾患の理解を深めていただけることが望まれる。

3. 本ガイドラインの使用法

　本ガイドラインの全内容は，ガイドライン作成委員全員による討論の上，承認されたものである。ガイドライン本体は Minds 診療ガイドライン作成マニュアル 2020 に準拠し，JPN Guidelines for the Management of Acute Pancreatitis や Tokyo Guidelines for the Management of Acute Cholangitis and Cholecystitis に推奨

されているごとく，クリニカルクエスチョン（CQ）の形式を採用した。すなわち，本疾患は治療方針に関する施設間のばらつきが依然大きい疾患であるため，本疾患に携わる医療従事者が抱くことが多いと考えられる臨床上の問題点を明確化し，それに対する現時点での指針を明らかにすることを目的として全体を7分野に分け，それぞれの分野での疑問点をCQの形にし，システマティックレビューを行い，エビデンスを評価し，その総体としての質，益と害のバランス，患者の価値観，費用対効果を考慮して推奨，その度合い（推奨度），推奨に至る解説を記載した。また，本疾患の認知度・理解度を高めるために，一般的・基本的事項はバックグラウンドクエスチョン（BQ）として記載した。さらに，現状では推奨度の決定できない臨床上重要な問題点はフューチャーリサーチクエスチョン（FRQ）として今後のエビデンス創出に期待した。

4．本ガイドラインの位置づけ

本ガイドラインは作成時点で最も標準的な指針を示したものであり，実際の診療行為を強制するものではない。各施設の状況（人員，経験，機器など）や個々の患者の個別性を加味して，患者，家族と診療に当たる医師やその他の医療者などと話し合いの上，最終的に対処法を決定すべきである。また，ガイドラインの記述の内容については日本肝胆膵外科学会が責任を負うものとするが，治療結果に対する責任は直接の診療担当医師に帰属するものであり，学会および本ガイドライン作成委員はこの責を負わない。

5．本ガイドラインの作成法

本ガイドラインはEvidenced Based Medicine（EBM）の概念に従うことを旨として，2021年12月8日に第1回胆道癌診療ガイドライン改訂第4版作成委員会を開催した。本ガイドラインの作成方法は以下の手順に従った。1）改訂第3版で検索をしていない2017年5月1日以降に発表された胆道癌に関係する論文を各CQで決定したキーワードを用いて網羅的に検索した。2）選択された文献を参照し，委員全体会議により改訂第3版のCQの追加・改正案を作成した。3）CQの解説を担当分野ごとに作成した。4）全体会議にて，作成された各CQの推奨，推奨度，解説を検討し，最終草案を全委員により校正した。5）公聴会を開催し，広く意見を受けた。6）かかる手順により作成されたものについて評価委員による評価を受けた。7）各CQの推奨文および解説文の統一性を図るとともにより理解しやすいように修正し，最終版を作成した。

1）網羅的文献検索について

後述するように各CQで文献検索を行った。ただし，文献検索には限界があり，必要な論文を見落とす可能性もあるため，各作成委員の判断でハンドサーチを行い網羅できなかった文献も採用した。

2）クリニカルクエスチョン（CQ）案の作成

2022年12月14日に全体会議を開き，第3版におけるCQに追加・改訂を行い7分野，33題のCQ，15題のBQ，7題のFRQにてガイドラインの骨格をなすことを決定した。

3）エビデンスの確実性と推奨の強さの決定

推奨度提示の目的は患者に対して最も安全かつ適切な治療を提供しようとする医療者に，その医療行為の"お勧め度"を提示することにある。推奨度については全体会議により度重なる検討を行った。

本ガイドラインでは，いままでの版を踏襲し，2024年5月12日，7月14日の全体会議を通して，GRADEシステムの考え方を参考にして各CQのエビデンスの確実性と推奨の強さについて討議を行った。論文エビデンスの質評価とそれに加えて，利益と害・負担のバランスに関する確実性，患者の嗜好性，資源の影響を考慮し，エビデンスだけに推奨度の決定が左右されることがないよう，より実臨床での応用が行えるようにした。

推奨の強さを決定する要因	判定
高いまたは中等度の質のエビデンス（「高」または「中」の質のエビデンスはあるか？） エビデンスの質が高いほど，強い推奨の可能性が高くなる。エビデンスの質が低いほど，条件付き／弱い推奨の可能性が高くなる。	☐ A ☐ B ☐ C ☐ D
利益と害・負担のバランスに関する確実性（確実性があるか？） 望ましい帰結と望ましくない帰結の差が大きいほど，その差についての確実性が高くなり，強い推奨の可能性が高くなる。正味の利益が小さいほど利益の確実性が低くなり，条件付き／弱い推奨の可能性が高くなる。	☐ はい ☐ いいえ
患者の嗜好性（価値観の確実性または類似点（確実性があるか？）） 価値観や好みにばらつきが少ないほど，または確実性が大きいほど，強い推奨の可能性が高くなる。	☐ はい ☐ いいえ
資源の影響（消費される資源は期待される利益に見合うか） 考慮された代替よりも介入のコストが高く，意思決定に関連したほかのコストが高いほど，すなわち消費される資源が多いほど，条件付き／弱い推奨の可能性が高くなる。	☐ はい ☐ いいえ

　これらの結果から推奨決定のための投票を行った。投票に際しては，委員・実務委員の2/3の参加，COIのある委員・実務委員は棄権することとし，原則，行うことを強く推奨する，行うことを弱く推奨する（または，提案する），行わないことを弱く推奨する（または，提案する），行わないことを強く推奨する，推奨なし，のいずれかに投票した。その結果，80%以上の票が特定の項目に集中するか，または一定の方向に集中を得た場合，同意とし，同意が得られない場合は結果を公表した上で，討論の後，再投票を繰り返し，3回まで本行程を繰り返した。委員の投票結果は推奨度とともに各CQに記載した。"推奨なし"とは胆道癌診療の専門家でもコンセンサスが得られないという意味であり，これらのCQが臨床上重要な問題であることは間違いない。したがって，ガイドラインで取り上げる意義はあると判断し，エビデンスが乏しい現時点での状況を踏まえて作成委員の解説を記載した。

> 推奨度1：「実施すること」または「実施しないこと」を推奨する
> 推奨度2：「実施すること」または「実施しないこと」を提案する

4）CQ確定とアルゴリズムの検討

　各CQの解説を担当委員が修正し，全CQを確定した。その結果，CQは27題，BQは21題，FRQは11題に改訂された。また，診断アルゴリズムについては削除し，治療アルゴリズムについては改訂，作成した。

5）公聴会の開催

　第60回日本胆道学会において公聴会を開催し，広く本領域に関わる医師の意見を拝聴し，校正を行った。

6）評価委員による評価

　担当委員欄に示すように，本疾患の診療の中心となりうると考えられる外科系，内科系の評価委員に内容を評価いただいた。評価の方法は自由記載の形式をとった。これらの結果得られた点につき加筆訂正を行った。

6．出版後のモニタリングと改訂版作成の予定

　日本肝胆膵外科学会において，本ガイドラインの普及度，診療内容の変化などをモニタリングするとともに，エビデンスの評価および蓄積のための作業を継続し，約5年毎に改訂版を出版する予定である。なお，医療の

進歩などにより改訂時期を適宜調整する。

7．資金

このガイドライン作成に要した費用は，すべて日本肝胆膵外科学会の支援によるものであり，企業からの資金提供はない。

8．利益相反

1）利益相反の申告

ガイドライン作成委員・実務委員・評価者に対して利益相反（COI）に関する申告を行った。利益相反に該当する事実は以下の通りであった。

(1)　企業または営利を目的とした団体の役員，顧問職（1つの企業または団体からの報酬額が年間100万円以上。）

　　　該当なし

(2)　株の所有（1つの企業についての1年間の株による利益（配当，売却益の総和）が100万円以上，あるいは当該企業の全株式の5％以上。）

　　　該当なし

(3)　企業または営利を目的とした団体からの特許権使用料（1つの特許権使用料が年間100万円以上。）

　　　該当なし

(4)　企業または営利を目的とした団体から，会議の出席（発表）に対し，研究者を拘束した時間・労力に対して支払われた日当（講演料など）（1つの企業または団体からの年間の日当が合計50万円以上。）

　　　大塚　将之

　　　　アストラゼネカ㈱（2023年）

　　　海野　倫明

　　　　アストラゼネカ㈱　（2023年）

　　　　MSD㈱（2024年）

　　　江畑　智希

　　　　アストラゼネカ㈱（2024年）

　　　伊佐山　浩通

　　　　アストラゼネカ㈱（2024年）

　　　　MSD㈱（2024年）

　　　古瀬　純司

　　　　アストラゼネカ㈱（2023年）

(5)　企業または営利を目的とした団体からパンフレットなどの執筆に対して支払われた原稿料（1つの企業または団体からの報酬額が年間50万円以上。）

　　　該当なし

(6)　企業または営利を目的とした団体が提供する研究費（1つの臨床研究に対して支払われた総額が年間300万円以上。奨学寄付金（奨励寄付金）については，1つの企業または団体から，1名以上の研究代表者に支払われた総額が年間100万円以上。）

　　　大塚　将之

　　　　デンカ㈱（2022年，2023年，2024年）

　　廣岡　芳樹
　　　伊藤忠製糖㈱（2022 年，2023 年，2024 年）
　　　大鵬薬品工業㈱（2023 年）
　　　ノーベルファーマ㈱（2023 年）
　　　伊那食品工業㈱（2023 年，2024 年）
　　　FINAL ANSWER㈱（2022 年，2023 年，2024 年）
　　　セントラルケア㈱（2023 年）
　　　ヤンセンファーマ㈱（2022 年，2023 年）
　　　アスパック企業㈱（2022 年，2024 年）
　　　日本メジフィジックス㈱（2022 年）
　　　INCLUSION PARTNER㈱（2023 年）
　　　橋本食糧工業㈱（2023 年）
　　　サンエイ糖化㈱（2023 年，2024 年）
　　　帝人㈱（2024 年）
　　　㈱ MY HONEY（2023 年）
　　　㈱ 生物技研（2024 年）
　　　㈱ ミルテル（2024 年）
　　　保齢宝生物股份有限公司（2024 年）
　　　江南化工㈱（2024 年）
　　　うま味研究会（2022 年）
　　　大塚製薬㈱（2022 年，2023 年）
　　　公益財団法人大川情報通信基金（2022 年）
　　　持田製薬㈱（2023 年）
　　鈴木　耕次郎
　　　キヤノンメディカルシステムズ㈱（2024 年）
　　　ゲルベ・ジャパン㈱（2022 年）
（7）　その他の報酬（研究とは無関係な旅行，贈答品等）（1 つの企業または団体から，1 名以上の研究代表者に支払われた総額が年間 5 万円以上。）
　　該当なし
（8）　企業や営利を目的とした団体が提供する寄付講座（企業等からの寄付講座に所属している場合に記載）
　　平野　聡
　　廣岡　芳樹

2）利益相反に対する対応，対策

　経済的および学術的 COI に対して，当ガイドライン作成委員会では作成委員を各々の領域から選択することにより幅広い委員構成とした。また，推奨を決定する全体会議においては，各 CQ の投票前に経済的利益相反（Economic COI）と学術的利益相反（Academic COI）の申告を行い，"COI あり"の場合は投票を棄権とし，意見の偏りを防ぐように努めた。

9．文献検索

　59 の CQ，BQ，FRQ について文献検索を行った。第 3 版のための文献検索以降の 2017 年 5 月 1 日から 2023 年 2 月 28 日までを検索対象とした。ただし，新規 CQ やキーワードの追加などもあったため，検索年限が異なる場合があった。検索したデータベースは医中誌 Web と PubMed，Cochrane である。言語は英語および日本語に限定した。また，必要に応じて作成委員によりハンドサーチを行い，論文を追加した。検索期間以降でも発刊までに委員が極めて重要と認めた新しいエビデンスが発表された場合，委員の総意を確認した上で，これを採用した。検索したデータベース，検索年限，検索式，検索件数については巻尾に記載した。

第Ⅱ章.
治療アルゴリズム

1．治療アルゴリズム

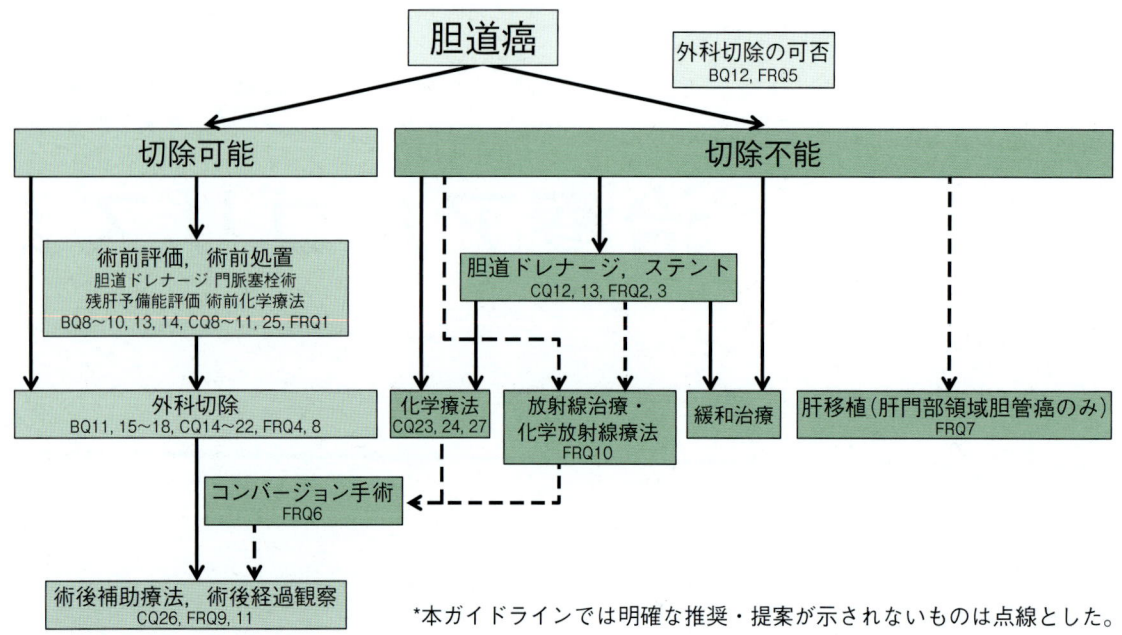

*本ガイドラインでは明確な推奨・提案が示されないものは点線とした。

①外科切除の可否（BQ12, FRQ5）

　胆道癌の根治的治療法は外科的切除である。遠隔転移を有する症例はその転移部位にかかわらず切除の意義が乏しく，切除不能として取り扱われる[1~3]。局所進展については，どこまでの手術が治療として許容されるかは，各施設の状況に応じて設定されているのが現状であり，腫瘍の進展度による切除不能については十分なコンセンサスは得られていない。胆道癌において，resectable, unresectable からは独立した borderline resectable（BR）の概念や定義について述べている文献はわずかである[4~8]。一方で，コンバージョン手術の報告[9,10] や，本邦でも切除不能肝門部領域胆管癌に対する肝移植の前向き試験が進んでいることなど，切除可能性が変化することは念頭におく必要がある。

②切除可能

1）術前評価，術前処置

a．術前胆道ドレナージ（BQ8~10, 13, 14, CQ8~11, 25, FRQ1）

　閉塞性黄疸を有する胆道癌診断においては，胆道ドレナージ施行前に造影 computed tomography（CT）や造影 magnetic resonance imaging（MRI）を撮像する。広範肝切除（肝葉切除以上）を予定する肝門部領域胆管癌には，経乳頭的な予定残肝ドレナージが推奨され，方法としては，胆管炎合併時，細胞診や胆管造影の必要時には endoscopic nasobiliary drainage（ENBD）が提案されるが，その他の時は患者の苦痛も考慮し endoscopic biliary stent（EBS）も選択されうる。また，閉塞性黄疸を有する遠位胆管癌に対しても，高度の閉塞性黄疸症例，胆管炎を併発した症例[11,12]，さらには手術までに長期間を要する症例[13~15] などは積極的に術前胆道ドレナージをする。ステントの種類に関しては，plastic stent（PS）と比較して covered self-expandable metallic stent（covered SEMS）留置を推奨する十分なエビデンスは存在しないが，手術待機期間が長い場合は SEMS を考慮しても良い。術前減黄処置として経乳頭的ドレナージ困難例に対しては endoscopic ultrasonography（EUS）ガイド下胆道ドレナージを行うことを提案する。EUS ガイド下胆道ドレ

ナージと endoscopic retrograde cholangiopancreatography（ERCP）のどちらを選択するかについては，熟練した術者が行えば両者には差がないとする報告が多い[16~21]。

　胆管炎が疑われるときは，抗菌薬治療を開始し，胆道ドレナージ施行あるいは交換などを考慮する。交換後も解熱不良であれば，他の原因を鑑別した上で，非ドレナージ領域の胆管炎（区域性胆管炎）を疑い，非ドレナージ領域に対してドレナージを追加する必要がある[22]。胆道ドレナージ後には，そのほとんどの症例で胆汁感染が認められることから[23,24]，胆汁培養（術前症例では監視培養）を行い，また，胆道癌が疑われる症例においては胆汁細胞診を行う。

b. 術前門脈塞栓術（BQ13）

　胆道癌肝切除に対する門脈塞栓術（portal vein embolization：PVE）の有効性および至適肝切除率基準を検討した前向き比較試験は存在しておらず，また，PVE の適応率はいまだ国内外で異なっている。一方で，本邦からのメタアナリシスの結果からは，積極的な PVE の適応が術後肝不全や周術期死亡率の改善に寄与することが示唆されている[25]。その適応については，国内の専門施設におけるアンケート調査でも，肝門部領域胆管癌に対する術前治療として PVE はすべての施設で積極的に適応されており，PVE の適応基準として肝切除率 60％以上とする施設が最も多かった[26]。

c. 術前肝予備能評価（BQ14）

　画像を用いた予定残肝機能の予測法としては，CT 画像を用いた予定残肝容積の計測[27]があげられ，全肝容積に対する予定残肝容積の割合（予定残肝容積率）として評価される。色素負荷試験である indocyanine green（ICG）15 分停滞率や ICG 消失率（ICGK）[28,29]などが，日本を含むアジア地域を中心として最も一般的，かつ有用な評価法として位置づけられている。ICG 排泄試験は胆道ドレナージにより，胆汁うっ滞による影響を排除した後（血清総ビリルビン値が 2.0～3.0 mg/dL 未満に減少した場合）[30,31]に行う必要がある。

d. 術前化学療法（CQ25）

　切除可能胆道癌に対する術前補助化学療法は，体力がある時期に実施できることによる完遂割合の増加，また，微小転移消失や原発巣縮小による R0 切除割合の増加が期待される。ただし，これまでに前向きランダム化比較試験（randomized controlled trial：RCT 第Ⅲ相試験，および第Ⅱ相試験）の報告はなく，現時点でその有効性・安全性に関して高いエビデンスは存在しない。現在，欧米およびアジアにおいて術前治療の有効性を検証する第Ⅲ相試験が実施されており[32~35]，それらの結果により，その有効性・安全性が明らかになると思われる。

2）外科切除

　胆道癌に対する肝切除術後の在院死亡率は 3.2～9.0％と報告されている[36,37]（BQ15）。National Clinical Database（NCD）データに基づいた解析からは[38]，肝切除および膵頭十二指腸切除は high-volume の専門施設で実施されることが推奨される。しかし，地域性や修練施設数の違い，高度技能専門医の移動などによる影響なども考慮されうる（CQ22）。周術期管理においては，周術期における胆汁返還[39~41]，シンバイオティクス投与[42,43]，運動・栄養療法[44,45]は有用であり，行うことを提案する（CQ21）。残肝容量不足症例に対しては，計画的二期的肝切除術（associating liver partition and portal vein ligation for staged hepatectomy：ALPPS）や，PVE に加え肝静脈も塞栓する liver venous deprivation（LVD）の報告があるが，国内での十分なエビデンスはなく，十分な周術期管理のもとでの前向き臨床試験としての検討を要する（FRQ8）。

a. 胆管癌（CQ14, 15, 16, 19, 20, FRQ4）

　胆道癌に対する肝動脈切除再建を伴う肝切除に関する前向き研究，RCT はなく，肝動脈合併切除例と非施行（不要）例もしくは非切除例との比較といった単施設の後ろ向き研究またはメタアナリシスがあるのみであり[46~49]，肝動脈浸潤例に対する合併切除例と温存例の比較検討の報告はない。専門施設では肝動脈切除再建が

比較的安全に行われ，一定の長期生存例も存在することが明らかになりつつある。したがって，R0 切除のために肝動脈合併切除が必要な，特に肝門部領域胆管癌に対しては，胆道癌肝切除の手術・周術期管理に習熟した外科医，血行再建に熟達した外科医などの揃った high-volume center（HVC）においては肝動脈切除再建を伴う肝切除を考慮してよいと思われる。

胆管癌に対する major hepatopancreatoduodenectomy（major HPD）については，膵液瘻や肝不全といった致死的となりうる術後合併症はいまだ高率であるが，在院死亡率は HVC では許容されうる数値まで低下してきていることから有効と考えられる[50]。ただし，安全性に十分配慮した患者選択および手術適応の決定と周術期管理が重要である。

遠位胆管癌に対する腹腔鏡下あるいはロボット支援下膵頭十二指腸切除術は，手術成績，安全性の面からは妥当と結論づけている RCT は報告されているが[51~54]，そのほとんどが minimally invasive surgery（MIS）に熟達した HVC からであり，その検討には膵頭部癌が対象症例に含まれていることに注意を要する。また，海外を中心に肝門部領域胆管癌に対する腹腔鏡下手術[55]あるいはロボット支援下手術[56]の報告が散見されるが，現在までに前向き研究や RCT は認められていない。肝門部領域胆管癌に対する MIS に関する報告は，MIS 手術に熟達した HVC からの後方視的研究であること，患者選択を行った上での成績であることが示唆されることから，ガイドラインで推奨するには時期尚早と考える。

術中迅速組織診断で胆管切離断端上皮内癌陽性と診断された場合，リンパ節転移がない比較的早期の胆管癌では，胆管の追加切除が生存率を改善する可能性があるため[57,58]，患者の状態を考慮して追加切除の適応を慎重に検討する。

複数回の生検診断を行い，原発性硬化性胆管炎（PSC）や IgG4 関連硬化性胆管炎（IgG4-related sclerosing cholangitis：IgG4-SC）などを十分除外診断した上で胆管癌を否定できない症例においては，施設における予定術式の短期成績を考慮しつつ，十分な説明と同意のもと外科切除を考慮しても良い[59,60]。

b. 胆囊癌（BQ16, 17, 18, CQ17）

リンパ節転移陽性 T2 胆囊癌などの限られた症例に対しては肝外胆管切除に意義が認められたという報告もあるが[61]，一方で肝外胆管切除により術後合併症率が高くなることも明らかであり，肝外胆管に直接浸潤のない胆囊癌に対しては一律には肝外胆管切除を行わない。

肝浸潤を疑う胆囊癌に対する肝切除については，S4b + S5 切除*が胆囊床切除よりも安全性と腫瘍根治性の両面で優れる根拠は乏しいことから[62~64]，胆囊床切除を選択する害が益を上回るとは言えず，微小転移を含めた十分な surgical margin を確保することを前提に，胆囊床切除を施行する。

胆囊癌動脈浸潤例に対する動脈合併切除の意義に言及した報告はないことから，その推奨を提示しない。また，広範に進展した胆囊癌に対する major HPD は肝切除例との比較で予後に差がないとする報告[65]と予後不良とする報告[66]があり，その臨床的意義は明らかではない。

胆囊摘出術後の病理組織学的検索で深達度が m（T1a）にとどまる症例では追加切除は不要であるが，深達度が ss（T2）以上の症例に対しては一期的ないし二期的に追加根治術を行う[67~69]。

腹腔鏡下あるいはロボット支援下による胆囊癌手術は，短期成績においていくつかの点で開腹手術よりも優れ，また癌の根治性の観点からもおおむね妥当である可能性が高い[70~76]。しかし本邦を含めいずれも低侵襲手術に精通した施設からの報告であり，適応や術式の標準化に向けて様々な課題が残されていること，さらにロボット支援下手術に特化したメタアナリシスは存在せず長期成績は不明であることを考慮する必要がある。

*従来日本では胆管の合流形態に基づき S4a + 5 切除と称されてきたが，本ガイドラインでは 2020 年に発表された terminology of liver anatomy[77]に準拠し，S4 は S4a（apical）と S4b（basal）に分けられ，S4a は S4 の頭側領域，S4b は S4 の尾側領域を指す定義に則り，S4b + 5 切除の記載で統一する。

c. 十二指腸乳頭部癌（CQ16, 18）

　十二指腸乳頭部腫瘍に対する内視鏡的乳頭切除術（endoscopic papillectomy：EP）と経十二指腸的乳頭切除術（transduodenal ampullectomy：TDA）は，腺腫には膵頭十二指腸切除術に比し，行うことが提案されるが[78]，癌には行わないことを提案する[79~85]。ただし，完全切除が見込まれる病変に対しては患者因子や併存疾患の状態により行うことを考慮しても良い。

　十二指腸乳頭部癌のみを対象とした腹腔鏡下あるいはロボット支援下膵頭十二指腸切除術を比較検討している研究は認めなかった。

3）術後補助療法，術後経過観察（CQ26, FRQ9, 11）

　ASCOT 試験は，本邦 38 施設で肝内胆管癌，肝外胆管癌，胆嚢癌，十二指腸乳頭部癌の肉眼的根治切除例を対象にして，S-1 補助化学療法の全生存期間における有効性を証明した[86]。本邦において，S-1 は胆道癌に対する保険適用がすでに得られており，根治切除後胆道癌の患者に対して S-1 補助化学療法を行うことを推奨する。一方で，術後放射線療法は，現在主流となってきた高精度放射線治療を用いた RCT がなく，後ろ向き観察研究が主体でエビデンスに乏しい。化学放射線療法は放射線治療単独に比して予後を延長する傾向にあるが，化学療法との比較で有意性を示す研究はなく今後の研究が必要である。したがって，術後放射線療法，化学放射線療法は，断端陽性例もしくはリンパ節転移例に対しては行うことを考慮してよいが，臨床研究として行うことが望ましい。

　胆道癌術後経過観察については，再発危険因子を有する症例に対しては術後 3 年目までは短い間隔で CT を中心とした画像診断と腫瘍マーカー測定により再発チェックを行う。術後観察期間に関しては，肝門部領域胆管癌と遠位胆管癌に関する報告[87] では，再発率は両者においてともに術後 3 年間ほぼ時間に比例して増加し，術後約 3 年目以降に減少していた。遠位胆管癌では術後約 6 年目以降では再発をほぼ認めなかったが，肝門部領域胆管癌では術後 3 年目以降も再発は少数ながらも一定数存在し，術後 10 年後まで再発を認めていた。よって，サーベイランスの間隔は術後 3 年，6 年，それ以降で徐々に広げていきつつ，患者の状況を勘案し，可能な限り長期間継続することが適切と考えられる。

③切除不能

1）胆道ドレナージ，ステント（CQ12, 13, FRQ2, 3）

　閉塞性黄疸を有する非切除肝門部胆管癌に対しては，re-intervention の必要がなく，予後が限定される患者には uncovered SEMS による胆道ドレナージを行うことを提案する[88~91]。Re-intervention を要する可能性の高い患者に対するドレナージの第一選択として，PS を考慮する[92~94]。ドレナージを要する肝容積は 50% 以上が考慮されるが，現時点ではエビデンスが弱く一定の見解は得られていない[95~98]。

　一方で，閉塞性黄疸を有する非切除遠位胆管癌においては，胆管閉塞状態の再発（recurrent biliary obstruction：RBO）およびステント留置から RBO をきたすまでの期間（time to RBO：TRBO）は covered SEMS が uncovered SEMS と比較して同等ないしは優れている結果であった[99~108]。また，covered SEMS は，閉塞時，膵炎や胆嚢炎発症時に抜去が可能であるという uncovered SEMS にはない利点を有しており，術者にとって留置時のストレスが少ない。さらに患者としても，遠位胆管癌が進行し肝門部浸潤をきたした際にもステントを留置し直すことができ，状況に応じた適切な対応をとることができる利点がある。したがって，非切除遠位胆管癌においては covered SEMS の選択を提案する。

2) 化学療法（CQ23, 24, 27）

　我が国で行われたランダム化第Ⅲ相試験（MITSUBA）[109]，国際共同ランダム化第Ⅲ相試験（TOPAZ-1）[110]，国際共同ランダム化二重盲検第Ⅲ相試験（KEYNOTE-966）[111] の結果から，切除不能胆道癌に対するファーストライン薬物療法として，ゲムシタビン＋シスプラチン＋S-1 併用療法，ゲムシタビン＋シスプラチン＋デュルバルマブ併用療法，ゲムシタビン＋シスプラチン＋ペムブロリズマブ併用療法を推奨する。ただし，全身状態や併存症などから上記治療が適さない患者に対しては，ゲムシタビン＋シスプラチン併用療法，ゲムシタビン＋S-1 併用療法を提案する。

　セカンドラインとしては FOLFOX[*112]，S-1 を提案する[113~115]。ただし，*FGFR2* 融合遺伝子・再構成陽性胆道癌に対する FGFR 阻害薬[116,117]，*IDH1* 変異陽性胆道癌に対する IDH1 阻害薬[*118]，*HER2* 陽性胆道癌に対する HER2 阻害薬[*119~123]，microsatellite instability high（MSI-H）陽性固形癌に対する抗 PD1 抗体薬[124]，tumor mutation burden high（TMB-H）陽性固形癌に対する抗 PD1 抗体薬[125]，*NTRK1/2/3* 融合遺伝子陽性固形癌に対する TRK 阻害薬[126,127]，*BRAF* V600E 変異陽性固形癌に対する BRAF 阻害薬＋MEK 阻害薬[128] といった特定の遺伝子異常を有する場合の当該遺伝子異常に対する標的療法も，推奨あるいは提案される。（*2025 年 3 月現在保険適用外）

　閉塞性黄疸を伴う症例に対する薬物療法は，総ビリルビン値が少なくとも 3.0 mg/dL 以下，または基準値上限の 2.5 倍以下に改善した状態で開始することを提案する。

3) 放射線治療，化学放射線療法（FRQ10）

　切除不能胆道癌に対する放射線療法の目的は，延命（姑息的治療）あるいはステント開存性の維持，減黄，疼痛緩和（対症的治療）などである。その有効性を示唆する報告は多いが，大規模なランダム化比較試験は実現していないことから，現時点では根拠が不十分であり，明確な推奨はできない。

　集学的治療の一環として化学療法による放射線増感効果・照射野以外の転移抑制，転移病巣の制御を目的として化学放射線療法が行われてきた。今後，前向き臨床試験の蓄積によって，胆道癌に対する放射線療法と化学療法との併用療法が生存期間（率）や quality of life（QOL）の向上に寄与するか否かを明らかにしていく必要がある。

4) コンバージョン手術（FRQ6）

　コンバージョン手術とは初回切除不能と判断された場合でも，化学療法／化学放射線療法により腫瘍が縮小し切除が可能となり行われる手術のことである。切除不能胆道癌に対するコンバージョン手術の施行率は 14~53% と報告されている[129~136]。しかし，これらの報告は少数例の検討，対象疾患が同一でない，術式も様々で血管合併切除や HPD の割合は少ない，各研究における切除不能の定義が一定でない，使用されている薬物療法のレジメンが異なる，施設間で成績に差を認める，などの背景を有するため，現時点では根拠が不十分で明確な推奨はできない。

引用文献

1) Nagino M, Ebata T, Yokoyama Y, Igami T, Sugawara G, Takahashi Y, et al. Evolution of surgical treatment for perihilar cholangiocarcinoma：a single-center 34-year review of 574 consecutive resections. Ann Surg 2013；258：129-140.
2) Matsuo K, Rocha FG, Ito K, D'Angelica MI, Allen PJ, Fong Y, et al. The Blumgart preoperative staging system

for hilar cholangiocarcinoma：analysis of resectability and outcomes in 380 patients. J Am Coll Surg 2012；215：343-355.

3）Jarnagin WR, Fong Y, DeMatteo RP, Gonen M, Burke EC, Bodniewicz BJ, et al. Staging, resectability, and outcome in 225 patients with hilar cholangiocarcinoma. Ann Surg 2001；234：507-519.

4）Matsuyama R, Morioka D, Mori R, Yabushita Y, Hiratani S, Ota Y, et al. Our rationale of initiating neoadjuvant chemotherapy for hilar cholangiocarcinoma：a proposal of criteria for "borderline resectable" in the field of surgery for hilar cholangiocarcinoma. World J Surg 2019；43：1094-1104.

5）Matsuyama R, Mori R, Ota Y, Homma Y, Yabusita Y, Hiratani S, et al. Impact of gemcitabine plus S1 neoadjuvant chemotherapy on borderline resectable perihilar cholangiocarcinoma. Ann Surg Oncol 2022；29：2393-2405.

6）Kuriyama N, Usui M, Gyoten K, Hayasaki A, Fujii T, Iizawa Y, et al. Neoadjuvant chemotherapy followed by curative-intent surgery for perihilar cholangiocarcinoma based on its anatomical resectability classification and lymph node status. BMC Cancer 2020；20：405.

7）Gyoten K, Kuriyama N, Maeda K, Ito T, Hayasaki A, Fujii T, et al. Safety and efficacy of neoadjuvant chemotherapy based on our resectability criteria for locally advanced perihilar cholangiocarcinoma. Langenbecks Arch Surg 2023；408：261.

8）Miura F, Sano K, Amano H, Toyota N, Wada K, Yoshida M, et al. Evaluation of portal vein invasion of distal cholangiocarcinoma as borderline resectability. J Hepatobiliary Pancreat Sci 2015；22：294-300.

9）Oh MY, Kim H, Choi YJ, Byun Y, Han Y, Kang JS, et al. Conversion surgery for initially unresectable extrahepatic biliary tract cancer. Ann Hepatobiliary Pancreat Surg 2021；25：349-357.

10）Noji T, Nagayama M, Imai K, Kawamoto Y, Kuwatani M, Imamura M, et al. Conversion surgery for initially unresectable biliary malignancies：a multicenter retrospective cohort study. Surg Today 2020；50：1409-1417.

11）Akashi M, Nagakawa Y, Hosokawa Y, Takishita C, Osakabe H, Nishino H, et al. Preoperative cholangitis is associated with increased surgical site infection following pancreaticoduodenectomy. J Hepatobiliary Pancreat Sci 2020；27：640-647.

12）Darnell EP, Wang TJ, Lumish MA, Hernandez-Barco YG, Weniger M, Casey BW, et al. Preoperative cholangitis is an independent risk factor for mortality in patients after pancreatoduodenectomy for pancreatic cancer. Am J Surg 2021；221：134-140.

13）Wang D, Lin H, Guan C, Zhang X, Li P, Xin C, et al. Impact of preoperative biliary drainage on postoperative complications and prognosis after pancreaticoduodenectomy：a single-center retrospective cohort study. Front Oncol 2022；12：1037671.

14）Bineshfar N, Malekpour Alamdari N, Rostami T, Mirahmadi A, Zeinalpour A. The effect of preoperative biliary drainage on postoperative complications of pancreaticoduodenectomy：a triple center retrospective study. BMC Surg 2022；22：399.

15）Oehme F, Hempel S, Pecqueux M, Müssle B, Hau HM, Teske C, et al. Short-term preoperative drainage is associated with improved postoperative outcomes compared to that of long-term biliary drainage in pancreatic surgery. Langenbecks Arch Surg 2022；407：1055-1063.

16）Paik WH, Lee TH, Park DH, Choi JH, Kim SO, Jang S, et al. EUS-guided biliary drainage versus ERCP for the primary palliation of malignant biliary obstruction：a multicenter randomized clinical trial. Am J Gastroenterol 2018；113：987-997.

17）Park JK, Woo YS, Noh DH, Yang JI, Bae SY, Yun HS, et al. Efficacy of EUS-guided and ERCP-guided biliary drainage for malignant biliary obstruction：prospective randomized controlled study. Gastrointest Endosc 2018；88：277-282.

18）Bang JY, Navaneethan U, Hasan M, Hawes R, Varadarajulu S. Stent placement by EUS or ERCP for primary biliary decompression in pancreatic cancer：a randomized trial (with videos). Gastrointest Endosc 2018；88：9-17.

19）Teoh AYB, Napoleon B, Kunda R, Arcidiacono PG, Kongkam P, Larghi A, et al. EUS-guided choledocho-duodenostomy using lumen apposing stent versus ERCP with covered metallic stents in patients with unresectable malignant distal biliary obstruction：a multicenter randomized controlled trial (DRA-MBO Trial). Gastroenterology 2023；165：473-482.e2.

20）Chen YI, Sahai A, Donatelli G, Lam E, Forbes N, Mosko J, et al. Endoscopic ultrasound-guided biliary drainage of first intent with a lumen-apposing metal stent vs endoscopic retrograde cholangiopancreatography in malignant distal biliary obstruction：a multicenter randomized controlled study (ELEMENT Trial). Gastroenterology 2023；165：1249-1261.e5.

21) Gopakumar H, Singh RR, Revanur V, Kandula R, Puli SR. Endoscopic ultrasound-guided vs endoscopic retrograde cholangiopancreatography-guided biliary drainage as primary approach to malignant distal biliary obstruction: a systematic review and meta-analysis of randomized controlled trials. Am J Gastroenterol 2024; 119: 1607-1615.

22) Jo JH, Chung MJ, Han DH, Park JY, Bang S, Park SW, et al. Best options for preoperative biliary drainage in patients with Klatskin tumors. Surg Endosc 2017; 31: 422-429.

23) Svatoň R, Procházka V, Hanslianová M, Kala Z. Influence of bacteriobilia on postoperative complications in patients with periampullary tumors. Asian J Surg 2023; 46: 1193-1198.

24) Irrinki S, Kurdia K, Poudel H, Gupta V, Singh H, Sinha SK, et al. "Impact of preoperative biliary drainage in patients undergoing pancreaticoduodenectomy" - a prospective comparative study from a tertiary care centre in India. Indian J Surg Oncol 2022; 13: 574-579.

25) Higuchi R, Yamamoto M. Indications for portal vein embolization in perihilar cholangiocarcinoma. J Hepatobiliary Pancreat Sci 2014; 21: 542-549.

26) Chaudhary RJ, Higuchi R, Nagino M, Unno M, Ohtsuka M, Endo I, et al. Survey of preoperative management protocol for perihilar cholangiocarcinoma at 10 Japanese high-volume centers with a combined experience of 2,778 cases. J Hepatobiliary Pancreat Sci 2019; 26: 490-502.

27) Glantzounis G, Tokidis E, Basourakos S, Ntzani E, Lianos G, Pentheroudakis G. The role of portal vein embolization in the surgical management of primary hepatobiliary cancers. A systematic review. Eur J Surg Oncol 2017; 43: 32-41.

28) Nagino M. Fifty-year history of biliary surgery. Ann Gastroenterol Surg 2019; 3: 598-605.

29) Li M, Wang J, Song J, Shen F, Song L, Ni X, et al. Preoperative ICG test to predict post hepatectomy liver failure and postoperative outcomes in hilar cholangiocarcinoma. BioMed Res Int 2021; 2021: 8298737.

30) Roayaie S, Guarrera JV, Ye MQ, Thung SN, Emre S, Fishbein TM, et al. Aggressive surgical treatment of intrahepatic cholangiocarcinoma: predictors of outcomes. J Am Coll Surg 1998; 187: 365-372.

31) Yamamoto Y. Evaluation of liver function and the role of biliary drainage before major hepatic resections. Visc Med 2021; 37: 10-17.

32) Goetze TO, Bechstein WO, Bankstahl US, Keck T, Konigsrainer A, Lang SA, et al. Neoadjuvant chemotherapy with gemcitabine plus cisplatin followed by radical liver resection versus immediate radical liver resection alone with or without adjuvant chemotherapy in incidentally detected gallbladder carcinoma after simple cholecystectomy or in front of radical resection of BTC (ICC/ECC) - a phase Ⅲ study of the German registry of incidental gallbladder carcinoma platform (GR) - the AIO/ CALGP/ ACO- GAIN-trial. BMC Cancer 2020; 20: 122.

33) Khan TM, Verbus EA, Hong H, Ethun CG, Maithel SK, Hernandez JM. Perioperative versus adjuvant chemotherapy in the management of incidentally found gallbladder cancer (OPT-IN). Ann Surg Oncol 2022; 29: 37-38.

34) JCOG1920: 切除可能胆道癌に対する術前補助化学療法としてのゲムシタビン＋シスプラチン＋S-1 (GCS) 療法の第Ⅲ相試験. https://jrct.mhlw.go.jp/latest-detail/jRCTs031200388

35) Phase Ⅱ-Ⅲ Clinical Trial of PD1 Antibody (Toripalimab), Lenvatinib and GEMOX neoadjuvant treatment for resectable intrahepatic cholangiocarcinoma with high-risk recurrence factors. https://clinicaltrials.gov/study/NCT04669496

36) Mueller M, Breuer E, Mizuno T, Bartsch F, Ratti F, Benzing C, et al. Perihilar cholangiocarcinoma - Novel benchmark values for surgical and oncological outcomes from 24 expert centers. Ann Surg 2021; 274: 780-788.

37) Franken LC, Schreuder AM, Roos E, van Dieren S, Busch OR, Besselink MG, et al. Morbidity and mortality after major liver resection in patients with perihilar cholangiocarcinoma: a systematic review and meta-analysis. Surgery 2019; 165: 918-928.

38) Mise Y, Hirakawa S, Tachimori H, Kakeji Y, Kitagawa Y, Komatsu S, et al. Volume- and quality-controlled certification system promotes centralization of complex hepato-pancreatic-biliary surgery. J Hepatobiliary Pancreat Sci 2023; 30: 851-862.

39) Welsh FK, Ramsden CW, MacLennan K, Sheridan MB, Barclay GR, Guillou PJ, et al. Increased intestinal permeability and altered mucosal immunity in cholestatic jaundice. Ann Surg 1998; 227: 205-212.

40) Parks RW, Clements WD, Smye MG, Pope C, Rowlands BJ, Diamond T. Intestinal barrier dysfunction in clinical and experimental obstructive jaundice and its reversal by internal biliary drainage. Br J Surg 1996; 83: 1345-1349.

41) Kamiya S, Nagino M, Kanazawa H, Komatsu S, Mayumi T, Takagi K, et al. The value of bile replacement during

external biliary drainage : an analysis of intestinal permeability, integrity, and microflora. Ann Surg 2004 ; 239 : 510-517.

42）Yokoyama Y, Miyake T, Kokuryo T, Asahara T, Nomoto K, Nagino M. Effect of perioperative synbiotic treatment on bacterial translocation and postoperative infectious complications after pancreatoduodenectomy. Dig Surg 2016 ; 33 : 220-229.

43）Yokoyama Y, Nishigaki E, Abe T, Fukaya M, Asahara T, Nomoto K, et al. Randomized clinical trial of the effect of perioperative synbiotics versus no synbiotics on bacterial translocation after oesophagectomy. Br J Surg 2014 ; 101 : 189-199.

44）Otsuji H, Yokoyama Y, Ebata T, Igami T, Sugawara G, Mizuno T, et al. Surgery-related muscle loss and its association with postoperative complications after major hepatectomy with extrahepatic bile duct resection. World J Surg 2017 ; 41 : 498-507.

45）Nakajima H, Yokoyama Y, Inoue T, Nagaya M, Mizuno Y, Kayamoto A, et al. How many steps per day are necessary to prevent postoperative complications following hepato-pancreato-biliary surgeries for malignancy? Ann Surg Oncol 2020 ; 27 : 1387-1397.

46）Sugiura T, Uesaka K, Okamura Y, Ito T, Yamamoto Y, Ashida R, et al. Major hepatectomy with combined vascular resection for perihilar cholangiocarcinoma. BJS Open 2021 ; 5 : zrab064.

47）Kuriyama N, Komatsubara H, Nakagawa Y, Maeda K, Shinkai T, Noguchi D, et al. Impact of combined vascular resection and reconstruction in patients with advanced perihilar cholangiocarcinoma. J Gastrointest Surg 2021 ; 25 : 3108-3118.

48）Mizuno T, Ebata T, Yokoyama Y, Igami T, Yamaguchi J, Onoe S, et al. Combined vascular resection for locally advanced perihilar cholangiocarcinoma. Ann Surg 2022 ; 275 : 382-390.

49）Rebelo A, Friedrichs J, Grilli M, Wahbeh N, Partsakhashvili J, Ukkat J, et al. Systematic review and meta-analysis of surgery for hilar cholangiocarcinoma with arterial resection. HPB（Oxford）2022 ; 24 : 1600-1614.

50）Ebata T, Yokoyama Y, Igami T, Sugawara G, Takahashi Y, Nimura Y, et al. Hepatopancreatoduodenectomy for cholangiocarcinoma : a single-center review of 85 consecutive patients. Ann Surg 2012 ; 256 : 297-305.

51）Palanivelu C, Senthilnathan P, Sabnis SC, Babu NS, Srivatsan Gurumurthy S, Anand Vijai N, et al. Randomized clinical trial of laparoscopic versus open pancreatoduodenectomy for periampullary tumours. Br J Surg 2017 ; 104 : 1443-1450.

52）Poves I, Burdío F, Morató O, Iglesias M, Radosevic A, Ilzarbe L, et al. Comparison of perioperative outcomes between laparoscopic and open approach for pancreatoduodenectomy : the PADULAP randomized controlled trial. Ann Surg 2018 ; 268 : 731-739.

53）van Hilst J, de Rooij T, Bosscha K, Brinkman DJ, van Dieren S, Dijkgraaf MG, et al. Laparoscopic versus open pancreatoduodenectomy for pancreatic or periampullary tumours（LEOPARD-2）: a multicentre, patient-blinded, randomised controlled phase 2/3 trial. Lancet Gastroenterol Hepatol 2019 ; 4 : 199-207.

54）Wang M, Li D, Chen R, Huang X, Li J, Liu Y, et al. Laparoscopic versus open pancreatoduodenectomy for pancreatic or periampullary tumours : a multicentre, open-label, randomised controlled trial. Lancet Gastroenterol Hepatol 2021 ; 6 : 438-447.

55）Yu H, Wu SD, Chen DX, Zhu G. Laparoscopic resection of Bismuth type I and II hilar cholangiocarcinoma : an audit of 14 cases from two institutions. Dig Surg 2011 ; 28 : 44-49.

56）Giulianotti PC, Sbrana F, Bianco FM, Addeo P. Robot-assisted laparoscopic extended right hepatectomy with biliary reconstruction. J Laparoendosc Adv Surg Tech A 2010 ; 20 : 159-163.

57）Yasukawa K, Shimizu A, Motoyama H, Kubota K, Notake T, Fukushima K, et al. Impact of remnant carcinoma in situ at the ductal stump on long-term outcomes in patients with distal cholangiocarcinoma. World J Surg 2021 ; 45 : 291-301.

58）Tsukahara T, Ebata T, Shimoyama Y, Yokoyama Y, Igami T, Sugawara G, et al. Residual carcinoma in situ at the ductal stump has a negative survival effect : an analysis of early-stage cholangiocarcinomas. Ann Surg 2017 ; 266 : 126-132.

59）Otsuka S, Ebata T, Yokoyama Y, Igami T, Mizuno T, Yamaguchi J, et al. Benign hilar bile duct strictures resected as perihilar cholangiocarcinoma. Br J Surg 2019 ; 106 : 1504-1511.

60）梛野正人，江畑智希，大塚新平．肝門部領域胆管癌として切除された良性胆管狭窄病変．日消誌 2020；117：679-688.

61）Kato H, Horiguchi A, Ishihara S, Nakamura M, Endo I. Clinical significance of extrahepatic bile duct resection for T2 gallbladder cancer using data from the Japanese Biliary Tract Cancer Registry between 2014 and 2018. J Hepatobiliary Pancreat Sci 2023 ; 30 : 1316-1323.

62) Matsui S, Tanioka T, Nakajima K, Saito T, Kato S, Tomii C, et al. Surgical and oncological outcomes of wedge resection versus segment 4b + 5 resection for T2 and T3 gallbladder cancer : a meta-analysis. J Gastrointest Surg 2023 ; 27 : 1954-1962.

63) Kwon W, Kim H, Han Y, Hwang YJ, Kim SG, Kwon HJ, et al. Role of tumour location and surgical extent on prognosis in T2 gallbladder cancer : an international multicentre study. Br J Surg 2020 ; 107 : 1334-1343.

64) Nag HH, Nekarakanti PK, Sachan A, Nabi P, Tyagi S. Bi-segmentectomy versus wedge hepatic resection in extended cholecystectomy for T2 and T3 gallbladder cancer : a matched case-control study. Ann Hepatobiliary Pancreat Surg 2021 ; 25 : 485-491.

65) Yamamoto Y, Sugiura T, Okamura Y, Ito T, Ashida R, Uemura S, et al. Is combined pancreatoduodenectomy for advanced gallbladder cancer justified? Surgery 2016 ; 159 : 810-820.

66) Mizuno T, Ebata T, Yokoyama Y, Igami T, Yamaguchi J, Onoe S, et al. Major hepatectomy with or without pancreatoduodenectomy for advanced gallbladder cancer. Br J Surg 2019 ; 106 : 626-635.

67) Lundgren L, Muszynska C, Ros A, Persson G, Gimm O, Andersson B, et al. Management of incidental gallbladder cancer in a national cohort. Br J Surg 2019 ; 106 : 1216-1227.

68) Vega EA, Vinuela E, Okuno M, Joechle K, Sanhueza M, Diaz C, et al. Incidental versus non-incidental gallbladder cancer : index cholecystectomy before oncologic re-resection negatively impacts survival in T2b tumors. HPB (Oxford) 2019 ; 21 : 1046-1056.

69) de Savornin Lohman EAJ, van der Geest LG, de Bitter TJJ, Nagtegaal ID, van Laarhoven CJHM, van den Boezem P, et al. Re-resection in incidental gallbladder cancer : survival and the incidence of residual disease. Ann Surg Oncol 2020 ; 27 : 1132-1142.

70) Nakanishi H, Miangul S, Oluwaremi TT, Sim BL, Hong SS, Than CA. Open versus laparoscopic surgery in the management of patients with gallbladder cancer : a systematic review and meta-analysis. Am J Surg 2022 : 224 : 348-357.

71) Lv TR, Yang C, Regmi P, Ma WJ, Hu HJ, Liu F, et al. The role of laparoscopic surgery in the surgical management of gallbladder carcinoma : a systematic review and meta-analysis. Asian J Surg 2021 ; 44 : 1493-1502.

72) Karjol U, Jonnada P, Anwar AZ, Chandranath A, Cheruku S. A systemic review and meta-analysis of laparoscopic surgery versus open surgery for gallbladder cancer. Indian J Surg Oncol 2024 ; 15 : 218-225.

73) Feng X, Cao JS, Chen MY, Zhang B, Juengpanich S, Hu JH, et al. Laparoscopic surgery for early gallbladder carcinoma : a systematic review and meta-analysis. World J Clin Cases 2020 ; 8 : 1074-1086.

74) Ahmed SH, Usmani SUR, Mushtaq R, Samad S, Abid M, Moeed A, et al. Role of laparoscopic surgery in the management of gallbladder cancer : systematic review & meta-analysis. Am J Surg 2023 ; 225 : 975-987.

75) Jiayi W, Shelat VG. Robot-assisted radical cholecystectomy for gallbladder cancer : a review. J Clin Transl Res 2022 ; 8 : 103-109.

76) Liu F, Wu ZR, Hu HJ, Jin YW, Ma WJ, Wang JK, et al. Current status and future perspectives of minimally invasive surgery in gallbladder carcinoma. ANZ J Surg 2021 ; 91 : 264-268.

77) Wakabayashi G, Cherqui D, Geller DA, Abu Hilal M, Berardi G, Ciria R, et al. The Tokyo 2020 terminology of liver anatomy and resections : updates of the Brisbane 2000 system. J Hepatobiliary Pancreat Sci 2022 ; 29 : 6-15.

78) Vanbiervliet G, Moss A, Arvanitakis M, Arnelo U, Beyna T, Busch O, et al. Endoscopic management of superficial nonampullary duodenal tumors : European Society of Gastrointestinal Endoscopy (ESGE) Guideline. Endoscopy 2021 ; 53 : 522-534.

79) Miyamoto R, Takahashi A, Ogura T, Kitamura K, Ishida H, Matsudaira S, et al. Transduodenal ampullectomy for early ampullary cancer : clinical management, histopathological findings and long-term outcomes at a single center. Surgery 2023 ; 173 : 912-919.

80) Abe S, Sakai A, Masuda A, Miki M, Harada Y, Nagao K, et al. Advantage of endoscopic papillectomy for ampullary tumors as an alternative treatment for pancreatoduodenectomy. Sci Rep 2022 ; 12 : 15134.

81) Yamamoto K, Itoi T, Sofuni A, Tsuchiya T, Tanaka R, Tonozuka R, et al. Expanding the indication of endoscopic papillectomy for T1a ampullary carcinoma. Dig Endosc 2019 ; 31 : 188-196.

82) Kawashima H, Ohno E, Ishikawa T, Iida T, Tanaka H, Furukawa K, et al. Endoscopic papillectomy for ampullary adenoma and early adenocarcinoma : analysis of factors related to treatment outcome and long-term prognosis. Dig Endosc 2021 ; 33 : 858-869.

83) Min EK, Hong SS, Kim JS, Choi M, Hwang HS, Kang CM, et al. Surgical outcomes and comparative analysis of transduodenal ampullectomy and pancreaticoduodenectomy : a single-center study. Ann Surg Oncol 2022 ; 29 :

2429-2440.

84）Hwang JS, So H, Oh D, Song TJ, Park DH, Seo DW, et al. Long-term outcomes of endoscopic papillectomy for early-stage cancer in duodenal ampullary adenoma : comparison to surgical treatment. J Gastroenterol Hepatol 2021 ; 36 : 2315-2323.

85）Swanson J, Littau M, Tonelli C, Cohn T, Luchette FA, Abdelsattar Z, et al. Early-stage ampullary cancer : is local excision an effective alternative to radical resection? J Am Coll Surg 2023 ; 237 : 146-156.

86）Nakachi K, Ikeda M, Konishi M, Nomura S, Katayama H, Kataoka T, et al. Adjuvant S-1 compared with observation in resected biliary tract cancer（JCOG1202, ASCOT）: a multicentre, open-label, randomised, controlled, phase 3 trial. Lancet 2023 ; 401 : 195-203.

87）Nakanishi Y, Okamura K, Tsuchikawa T, Nakamura T, Noji T, Asano T, et al. Time to recurrence after surgical resection and survival after recurrence among patients with perihilar and distal cholangiocarcinomas. Ann Surg Oncol 2020 ; 27 : 4171-4180.

88）Wagner HJ, Knyrim K, Vakil N, Klose K. Plastic endoprostheses versus metal stents in the palliative treatment of malignant hilar biliary obstruction. A prospective and randomized trial. Endoscopy 1993 ; 25 : 213-218.

89）Sangchan A, Kongkasame W, Pugkhem A, Jenwitheesuk K, Mairiang P. Efficacy of metal and plastic stents in unresectable complex hilar cholangiocarcinoma : a randomized controlled trial. Gastrointest Endosc 2012 ; 76 : 93-99.

90）Mukai T, Yasuda I, Nakashima M, Doi S, Iwashita T, Iwata K, et al. Metallic stents are more efficacious than plastic stents in unresectable malignant hilar biliary strictures : a randomized controlled trial. J Hepatobiliary Pancreat Sci 2013 ; 20 : 214-222.

91）Kanno Y, Ito K, Nakahara K, Kawaguchi S, Masaki Y, Okuzono T, et al. Suprapapillary placement of plastic versus metal stents for malignant biliary hilar obstructions : a multicenter, randomized trial. Gastrointest Endosc 2023 ; 98 : 211-221.e3.

92）Kobayashi N, Watanabe S, Hosono K, Kubota K, Nakajima A, Kaneko T, et al. Endoscopic inside stent placement is suitable as a bridging treatment for preoperative biliary tract cancer. BMC Gastroenterol 2015 ; 15 : 8.

93）Iwasaki A, Kubota K, Kurita Y, Hasegawa S, Fujita Y, Kagawa K, et al. The placement of multiple plastic stents still has important roles in candidates for chemotherapy for unresectable perihilar cholangiocarcinoma. J Hepatobiliary Pancreat Sci 2020 ; 27 : 700-711.

94）Kurita A, Uza N, Asada M, Yoshimura K, Takemura T, Yazumi S, et al. Stent placement above the sphincter of Oddi is a useful option for patients with inoperable malignant hilar biliary obstruction. Surg Endosc 2022 ; 36 : 2869-2878.

95）Vienne A, Hobeika E, Gouya H, Lapidus N, Fritsch J, Choury AD, et al. Prediction of drainage effectiveness during endoscopic stenting of malignant hilar strictures : the role of liver volume assessment. Gastrointest Endosc 2010 ; 72 : 728-735.

96）Takahashi E, Fukasawa M, Sato T, Takano S, Kadokura M, Shindo H, et al. Biliary drainage strategy of unresectable malignant hilar strictures by computed tomography volumetry. World J Gastroenterol 2015 ; 21 : 4946-4953.

97）Bulajic M, Panic N, Radunovic M, Scepanovic R, Perunovic R, Stevanovic P, et al. Clinical outcome in patients with hilar malignant strictures type II Bismuth-Corlette treated by minimally invasive unilateral versus bilateral endoscopic biliary drainage. Hepatobiliary Pancreat Dis Int 2012 ; 11 : 209-214.

98）Imagawa N, Fukasawa M, Takano S, Kawakami S, Fukasawa Y, Hasegawa H, et al. A novel method of calculating the drained liver volume using a 3D volume analyzer for biliary drainage of unresectable malignant hilar biliary obstruction. Dig Dis Sci 2024 ; 69 : 969-977.

99）Isayama H. A prospective randomised study of "covered" versus "uncovered" diamond stents for the management of distal malignant biliary obstruction. Gut 2004 ; 53 : 729-734.

100）Telford JJ, Carr-Locke DL, Baron TH, Poneros JM, Bounds BC, Kelsey PB, et al. A randomized trial comparing uncovered and partially covered self-expandable metal stents in the palliation of distal malignant biliary obstruction. Gastrointest Endosc 2010 ; 72 : 907-914.

101）Kullman E, Frozanpor F, Söderlund C, Linder S, Sandström P, Lindhoff-Larsson A, et al. Covered versus uncovered self-expandable nitinol stents in the palliative treatment of malignant distal biliary obstruction : results from a randomized, multicenter study. Gastrointest Endosc 2010 ; 72 : 915-923.

102）Ung KA, Stotzer PO, Nilsson Å, Gustavsson ML, Johnsson E. Covered and uncovered self-expandable metallic Hanarostents are equally efficacious in the drainage of extrahepatic malignant strictures. Results of a double-blind randomized study. Scand J Gastroenterol 2013 ; 48 : 459-465.

103) Kitano M, Yamashita Y, Tanaka K, Konishi H, Yazumi S, Nakai Y, et al. Covered self-expandable metal stents with an anti-migration system improve patency duration without increased complications compared with uncovered stents for distal biliary obstruction caused by pancreatic carcinoma : a randomized multicenter trial. Am J Gastroenterol 2013 ; 108 : 1713-1722.

104) Yang MJ, Kim JH, Yoo BM, Hwang JC, Yoo JH, Lee KS, et al. Partially covered versus uncovered self-expandable nitinol stents with anti-migration properties for the palliation of malignant distal biliary obstruction : a randomized controlled trial. Scand J Gastroenterol 2015 ; 50 : 1490-1499.

105) Conio M, Mangiavillano B, Caruso A, Filiberti RA, Baron TH, De Luca L, et al. Covered versus uncovered self-expandable metal stent for palliation of primary malignant extrahepatic biliary strictures : a randomized multicenter study. Gastrointest Endosc 2018 ; 88 : 283-291.e3.

106) Seo DW, Sherman S, Dua KS, Slivka A, Roy A, Costamagna G, et al. Covered and uncovered biliary metal stents provide similar relief of biliary obstruction during neoadjuvant therapy in pancreatic cancer : a randomized trial. Gastrointest Endosc 2019 ; 90 : 602-612.e4.

107) Sakai Y, Sugiyama H, Kawaguchi Y, Kawashima Y, Hirata N, Nakaji S, et al. Uncovered versus covered metallic stents for the management of unresectable malignant distal biliary obstruction : a randomized multicenter trial. Scand J Gastroenterol 2021 ; 56 : 1229-1235.

108) Park SW, Lee KJ, Chung MJ, Jo JH, Lee HS, Park JY, et al. Covered versus uncovered double bare self-expandable metal stent for palliation of unresectable extrahepatic malignant biliary obstruction : a randomized controlled multicenter trial. Gastrointest Endosc 2023 ; 97 : 132-142.e2.

109) Ioka T, Kanai M, Kobayashi S, Sakai D, Eguchi H, Baba H, et al. Randomized phase III study of gemcitabine, cisplatin plus S-1 versus gemcitabine, cisplatin for advanced biliary tract cancer (KHBO1401- MITSUBA). J Hepatobiliary Pancreat Sci 2023 ; 30 : 102-110.

110) Oh DY, He AR, Qin S, Chen LT, Okusaka T, Vogel A, et al. Durvalumab plus gemcitabine and cisplatin in advanced biliary tract cancer. NEJM Evidence 2022 ; 1 : EVIDoa2200015.

111) Kelley RK, Ueno M, Yoo C, Finn R, Furuse J, Ren Z, et al. Pembrolizumab in combination with gemcitabine and cisplatin compared with gemcitabine and cisplatin alone for patients with advanced biliary tract cancer (KEYNOTE-966) : a randomised, double-blind, placebo-controlled, phase 3 trial. Lancet 2023 ; 401 : 1853-1865.

112) Lamarca A, Palmer DH, Wasan HS, Ross PJ, Ma YT, Arora A, et al. Second-line FOLFOX chemotherapy versus active symptom control for advanced biliary tract cancer (ABC-06) : a phase 3, open-label, randomised, controlled trial. Lancet Oncol 2021 ; 22 : 690-701.

113) Sasaki T, Isayama H, Nakai Y, Mizuno S, Yamamoto K, Yagioka H, et al. Multicenter phase II study of S-1 monotherapy as second-line chemotherapy for advanced biliary tract cancer refractory to gemcitabine. Invest New Drugs 2012 ; 30 : 708-713.

114) Sasaki T, Isayama H, Yashima Y, Yagioka H, Kogure H, Arizumi T, et al. S-1 monotherapy in patients with advanced biliary tract cancer. Oncology 2009 ; 77 : 71-74.

115) Suzuki E, Ikeda M, Okusaka T, Nakamori S, Ohwaka S, Nagakawa T, et al. A multicenter phase II study of S-1 for gemcitabine-refractory biliary tract cancer. Cancer Chemother Pharmacol 2013 ; 71 : 1141-1146.

116) Abou-Alfa GK, Sahai V, Hollebecque A, Vaccaro G, Melisi D, Al-Rajabi R, et al. Pemigatinib for previously treated, locally advanced or metastatic cholangiocarcinoma : a multicentre, open-label, phase 2 study. Lancet Oncol 2020 ; 21 : 671-684.

117) Goyal L, Meric-Bernstam F, Hollebecque A, Valle JW, Morizane C, Karasic TB, et al. Futibatinib for FGFR2-rearranged intrahepatic cholangiocarcinoma. N Engl J Med 2023 ; 388 : 228-239.

118) Abou-Alfa GK, Macarulla T, Javle MM, Kelley RK, Lubner SJ, Adeva J, et al. Ivosidenib in IDH1-mutant, chemotherapy-refractory cholangiocarcinoma (ClarIDHy) : a multicentre, randomised, double-blind, placebo-controlled, phase 3 study. Lancet Oncol 2020 ; 21 : 796-807.

119) Javle M, Borad MJ, Azad NS, Kurzrock R, Abou-Alfa GK, George B, et al. Pertuzumab and trastuzumab for HER2-positive, metastatic biliary tract cancer (MyPathway) : a multicentre, open-label, phase 2a, multiple basket study. Lancet Oncol 2021 ; 22 : 1290-1300.

120) Meric-Bernstam F, Makker V, Oaknin A, Oh DY, Banerjee S, González-Martín A, et al. Efficacy and safety of trastuzumab deruxtecan in patients with HER2-expressing solid tumors : primary results from the DESTINY-PanTumor02 Phase II Trial. J Clin Oncol 2024 ; 42 : 47-58.

121) Ohba A, Morizane C, Kawamoto Y, Komatsu Y, Ueno M, Kobayashi S, et al. Trastuzumab deruxtecan in human epidermal growth factor receptor 2-expressing biliary tract cancer (HERB ; NCCH1805) : a multicenter, single-arm, phase II trial. J Clin Oncol 2024 ; 42 : 3207-3217.

122) Harding JJ, Fan J, Oh DY, Choi HJ, Kim JW, Chang HM, et al. Zanidatamab for HER2-amplified, unresectable, locally advanced or metastatic biliary tract cancer (HERIZON-BTC-01) : a multicentre, single-arm, phase 2b study. Lancet Oncol 2023 ; 24 : 772-782.

123) Nakamura Y, Mizuno N, Sunakawa Y, Canon JL, Galsky MD, Hamilton E, et al. Tucatinib and trastuzumab for previously treated human epidermal growth factor receptor 2-positive metastatic biliary tract cancer (SGNTUC-019) : a phase Ⅱ basket study. J Clin Oncol 2023 ; 41 : 5569-5578.

124) Marabelle A, Le DT, Ascierto PA, Di Giacomo AM, De Jesus-Acosta A, Delord JP, et al. Efficacy of pembrolizumab in patients with noncolorectal high microsatellite instability/mismatch repair-deficient cancer : results from the phase Ⅱ KEYNOTE-158 study. J Clin Oncol 2020 ; 38 : 1-10.

125) Marabelle A, Fakih M, Lopez J, Shah M, Shapira-Frommer R, Nakagawa K, et al. Association of tumour mutational burden with outcomes in patients with advanced solid tumours treated with pembrolizumab : prospective biomarker analysis of the multicohort, open-label, phase 2 KEYNOTE-158 study. Lancet Oncol 2020 ; 21 : 1353-1365.

126) Doebele RC, Drilon A, Paz-Ares L, Siena S, Shaw AT, Farago AF, et al. Entrectinib in patients with advanced or metastatic NTRK fusion-positive solid tumours : integrated analysis of three phase 1-2 trials. Lancet Oncol 2020 ; 21 : 271-282.

127) Hong DS, DuBois SG, Kummar S, Farago AF, Albert CM, Rohrberg KS, et al. Larotrectinib in patients with TRK fusion-positive solid tumours : a pooled analysis of three phase 1/2 clinical trials. Lancet Oncol 2020 ; 21 : 531-540.

128) Subbiah V, Lassen U, Élez E, Italiano A, Curigliano G, Javle M, et al. Dabrafenib plus trametinib in patients with BRAF (V600E) -mutated biliary tract cancer (ROAR) : a phase 2, open-label, single-arm, multicentre basket trial. Lancet Oncol 2020 ; 21 : 1234-1243.

129) Kato A, Shimizu H, Ohtsuka M, Yoshidome H, Yoshitomi H, Furukawa K, et al. Surgical resection after downsizing chemotherapy for initially unresectable locally advanced biliary tract cancer : a retrospective single-center study. Ann Surg Oncol 2013 ; 20 : 318-324.

130) Kato A, Shimizu H, Ohtsuka M, Yoshitomi H, Furukawa K, Takayashiki T, et al. Downsizing chemotherapy for initially unresectable locally advanced biliary tract cancer patients treated with gemcitabine plus cisplatin combination therapy followed by radical surgery. Ann Surg Oncol 2015 ; 22 : S1093-S1099.

131) Rayar M, Sulpice L, Edeline J, Garin E, Levi Sandri GB, Meunier B, et al. Intra-arterial yttrium-90 radioembolization combined with systemic chemotherapy is a promising method for downstaging unresectable huge intrahepatic cholangiocarcinoma to surgical treatment. Ann Surg Oncol 2015 ; 22 : 3102-3108.

132) Agrawal S, Mohan L, Mourya C, Neyaz R, Saxena R. Radiological downstaging with neoadjuvant therapy in unresectable gall bladder cancer cases. Asian Pac J Cancer Prev 2016 ; 17 : 2137-2140.

133) Engineer R, Goel M, Chopra S, Patil P, Purandare N, Rangarajan V, et al. Neoadjuvant chemoradiation followed by surgery for locally advanced gallbladder cancers : a new paradigm. Ann Surg Oncol 2016 ; 23 : 3009-3015.

134) Creasy JM, Goldman DA, Dudeja V, Lowery M, Cerek A, Balachandran V, et al. Systemic chemotherapy combined with resection for locally advanced gallbladder carcinoma : surgical and survival outcomes. J Am Coll Surg 2017 ; 224 : 906-916.

135) Le Roy B, Gelli M, Pittau G, Allard MA, Pereira B, Serji B, et al. Neoadjuvant chemotherapy for initially unresectable intrahepatic cholangiocarcinoma. Br J Surg 2018 ; 105 : 839-847.

136) Heimbach JK, Gregory JG, Haddock MG, Alberts SR, Pedersen R, Kremers W, et al. Predictors of disease recurrence following neoadjuvant chemoradiotherapy and liver transplantation for unresectable perihilar cholangiocarcinoma. Transplantation 2006 ; 82 : 1703-1707.

第Ⅲ章.
予防・疫学

BQ1　胆道癌の危険因子にはどのようなものがあるか？

> 胆管癌の危険因子には胆管拡張型の膵・胆管合流異常，原発性硬化性胆管炎があげられる。
> 胆囊癌の危険因子には膵・胆管合流異常があげられる。

解説

　胆道癌の発生頻度は民族性・地域性により大きな違いがある。発癌の危険因子には胆石症，胆汁うっ滞性疾患（PSC など），寄生虫感染，ウイルス感染（B 型，C 型肝炎），toxin（化学物質，タバコ，アルコール），膵・胆管合流異常などがあげられる。炎症性腸疾患，代謝性疾患（糖尿病，肥満，代謝異常関連脂肪性肝疾患）も関連が示唆されている。これらの危険因子は慢性炎症，胆汁うっ滞から発癌につながると推測されている[1,2]。

1）胆管癌の危険因子

膵・胆管合流異常

　膵・胆管合流異常は解剖学的に膵管と胆管が十二指腸壁外で合流する先天性の形成異常である[3]。Oddi 括約筋の作用が膵管と胆管の合流部に及ばないことから膵液と胆汁相互逆流を生じ，それによって胆道上皮障害が発癌の原因となる。膵・胆管合流異常には胆管に拡張を認める例（胆管拡張型）と認めない例（胆管非拡張型）がある。胆道癌合併頻度は胆管拡張型では胆管癌 6.9％，胆囊癌 13.4％で，非拡張型では胆管癌 3.1％，胆囊癌 37.4％と報告されている[4]。メタアナリシス（すでに因果関係が確立された PSC と肝吸虫を除いた解析）によれば choledochal cysts（胆管拡張型）が胆管癌の最大の危険因子とされる[2]。また，合流異常は比較的若年者の胆管癌合併頻度が高い[5]。（レベル C）

PSC

　原発性硬化性胆管炎は原因不明の進行性疾患で肝内外胆管の線維化を伴った狭窄，拡張に伴う胆汁うっ滞，胆管炎から肝硬変へと進行する。欧米では胆管癌の最大の危険因子である。発癌の原因は胆汁うっ滞，免疫異常などが想定されるが完全には解明されていない。合併する胆管癌を早期診断することが困難なことで知られており，様々な解析がなされている[6,7]。

肝内結石症

　肝内結石症と胆管癌の合併は古くから指摘されている。胆道粘膜への持続的刺激，慢性炎症が発癌に関与すると考えられている。本邦における長期コホート研究では 18 年経過観察した 401 例の肝内結石例のうち 22 例に肝内胆管癌を認めた。多変量解析では 63 歳以上，遺残結石，胆管狭窄が胆管癌の危険因子とされている[8]。（レベル C）

化学物質（職業性胆管癌）

　職業に起因する発癌要因に曝露されることによって生じる癌を職業癌という。大阪府内の印刷工場従業員に生じた胆管癌のクラスター発生は有機洗浄剤として大量に使用した 1,2 ジクロロプロパン（1,2-dichloropropane：DCP）やジクロロメタンへの曝露が原因とされ，作業場の換気不良もその要因とされた[9,10]。職業性胆管癌のシステマティックレビュー[11] では DCP，アスベスト[12]，内分泌系に影響を与える化学物質（polychlorinated biphenyl：PCB）[13] などが危険因子とされている。（レベル C）

肝吸虫

　東南アジア，西太平洋地域の風土病である肝吸虫感染は淡水魚を介して経口的に胆管内に感染する。慢性胆管炎から癌化をきたすことから胆管癌，肝細胞癌の危険因子であることが知られている[14]。（レベル C）

2）胆囊癌の危険因子

膵・胆管合流異常

胆管拡張型，非拡張型とも胆囊癌を高率に合併することが知られている[3,4]。予防的胆囊摘出術の適応である。（レベル C）

胆石症

胆石症が胆囊癌の危険因子であるとする多くの疫学研究およびメタアナリシス[15] が報告されている。結石径が 3 cm 以上，有症状例，胆石保有期間が長いなどが胆囊癌のリスクとされている[16~19]。胆石に伴う慢性炎症が異形成や癌化を促進すると考えられている。しかし，無症候性胆石の長期にわたる経過観察では胆囊癌発生率は低率とされている[20]。結石形成に関与するコレステロール代謝に関連する遺伝子多型と発癌のリスクを解析した報告はあるものの胆囊摘出術を推奨できる確たるエビデンスではない[21]。（レベル C）

胆囊ポリープ

胆囊ポリープとは胆囊の限局性小隆起性病変の総称であり，良悪性を問わず上皮性，非上皮性，非腫瘍性の様々な病変を含む。腫瘍性病変のうち腺腫は癌化するものがあるがその頻度は不明である。欧州のガイドラインではポリープサイズ 10 mm 以上，6~9 mm 大のポリープでは他のリスク（60 歳以上，原発性硬化性胆管炎，アジア系，広基性）を有する場合に胆囊摘出術を推奨している[21]。（レベル C）

陶器様胆囊

陶器様胆囊は高率に胆囊癌を合併するとされていた。しかしながら，2000 年以降の文献報告では胆囊癌合併率（0~7.7%）は低下しており，予防的胆囊摘出術は症状の有無，年齢，合併症，胆囊石灰化のパターンにより患者と医師が相談すべきとされている[22]。（レベル C）

感染症

サルモネラ菌感染と胆囊癌の関連が知られており，感染による慢性炎症が癌化の過程で何らかの役割を果たしていると考えられている。メタアナリシスによればサルモネラ菌感染はコントロールとした胆石症よりも有意に胆囊癌のリスクが高いことが報告されている[23]。（レベル C）

胆囊腺筋腫症

分節型胆囊腺筋腫症はくびれた胆囊の底部側に胆汁うっ滞が生じ，結石形成や癌の発生につながるとされるが[24,25]，明らかなエビデンスはない。（レベル C）

3）十二指腸乳頭部癌の危険因子

本邦の胆道癌登録データをもとに行った解析では炎症性腸疾患，胃腸の悪性腫瘍の家族歴，糖尿病などが危険因子としてあげられている[26]。胆石と胆道癌の関連を調べたメタアナリシス[15] では，胆石の存在が十二指腸乳頭部癌の危険因子とされる（OR = 3.28，95% 信頼区間（confidence interval：CI）95% CI = 1.33 to 8.11，I^2 = 93.3%，$P < 0.001$）。十二指腸乳頭腺腫は前癌病変と考えられており，癌病巣周囲には 30~91% の症例で腺腫病変が混在し腺腫から癌への移行も観察されると報告されている[27~29]。分子生物学的には乳頭部癌にはK-ras の mutation が 37~41% にみられ，K-ras の mutation のみられる乳頭部周囲の腺腫様病変の 96% にK-ras mutation がみられることより adenoma-carcinoma sequence の存在が疑われている[29,30]。家族性大腸腺腫症（familial adenomatous polyposis：FAP）に乳頭部腺腫を合併する頻度が高いことが知られている。FAP では大腸だけでなく十二指腸病変でも adenoma-carcinoma sequence が存在し癌化をきたすため重要な予後規定因子とされ[31]，内視鏡的乳頭切除術による腺腫治療も報告されている[32]。（レベル C）

引用文献

1) Labib PL, Goodchild G, Pereira SP. Molecular pathogenesis of cholangiocarcinoma. BMC Cancer 2019 ; 19 : 185.

2) Clements O, Eliahoo J, Kim JU, Taylor-Robinson SD, Khan SA. Risk factors for intrahepatic and extrahepatic cholangiocarcinoma : a systematic review and meta-analysis. J Hepatol 2020 ; 72 : 95-103.

3) Kamisawa T, Kuruma S, Tabata T, Chiba K, Iwasaki S, Koizumi S, et al. Pancreaticobiliary maljunction and biliary cancer. J Gastroenterol 2015 ; 50 : 273-279.

4) Morine Y, Shimada M, Takamatsu H, Araida T, Endo I, Kubota M, et al. Clinical features of pancreaticobiliary maljunction : update analysis of 2nd Japan-nationwide survey. J Hepatobiliary Pancreat Sci 2013 ; 20 : 472-480.

5) Li Y, Wei J, Zhao Z, You T, Zhong M. Pancreaticobiliary maljunction is associated with common bile duct carcinoma : a meta-analysis. ScientificWorldJournal 2013 ; 2013 : 618670.

6) Catanzaro E, Gringeri E, Burra P, Gambato M. Primary sclerosing cholangitis-associated cholangiocarcinoma : from pathogenesis to diagnostic and surveillance strategies. Cancers (Basel) 2023 ; 15 : 4947.

7) Hu C, Iyer RK, Juran BD, McCauley BM, Atkinson EJ, Eaton JE, et al. Predicting cholangiocarcinoma in primary sclerosing cholangitis : using artificial intelligence, clinical and laboratory data. BMC Gastroenterol 2023 ; 23 : 129.

8) Suzuki Y, Mori T, Momose H, Matsuki R, Kogure M, Abe N, et al. Predictive factors for subsequent intrahepatic cholangiocarcinoma associated with hepatolithiasis : Japanese National Cohort Study for 18 years. J Gastroenterol 2022 ; 57 : 387-395.

9) Kubo S, Nakanuma Y, Takemura S, Sakata C, Urata Y, Nozawa A, et al. Case series of 17 patients with cholangiocarcinoma among young adult workers of a printing company in Japan. J Hepatobiliary Pancreat Sci 2014 ; 21 : 479-488.

10) Kumagai S, Sobue T, Makiuchi T, Kubo S, Uehara S, Hayashi T, et al. Relationship between cumulative exposure to 1,2-dichloropropane and incidence risk of cholangiocarcinoma among offset printing workers. Occup Environ Med 2016 ; 73 : 545-552.

11) Seeherunwong A, Chaiear N, Khuntikeo N, Ekpanyaskul C. Cholangiocarcinoma attributed to occupation : a systematic reviews. Asian Pac J Cancer Prev 2022 ; 23 : 1837-1845.

12) Farioli A, Straif K, Brandi G, Curti S, Kjaerheim K, Martinsen JI, et al. Occupational exposure to asbestos and risk of cholangiocarcinoma : a population-based case-control study in four Nordic countries. Occup Environ Med 2018 ; 75 : 191-198.

13) Lynge E, Kaerlev L, Olsen J, Sabroe S, Afonso N, Ahrens W, et al. Rare cancers of unknown etiology : lessons learned from a European multi-center case-control study. Eur J Epidemiol 2020 ; 35 : 937-948.

14) Xia J, Jiang SC, Peng HJ. Association between liver fluke infection and hepatobiliary pathological changes : a systematic review and meta-analysis. PLoS One 2015 ; 10 : e0132673.

15) Huang D, Joo H, Song N, Cho S, Kim W, Shin A. Association between gallstones and the risk of biliary tract cancer : a systematic review and meta-analysis. Epidemiol Health 2021 ; 43 : e2021011.

16) Diehl AK. Gallstone size and the risk of gallbladder cancer. JAMA 1983 ; 250 : 2323-2326.

17) Scott TE, Carroll M, Cogliano FD, Smith BF, Lamorte WW. A case-control assessment of risk factors for gallbladder carcinoma. Dig Dis Sci 1999 ; 44 : 1619-1625.

18) Serra I, Yamamoto M, Calvo A, Cavada G, Báez S, Endoh K, et al. Association of chili pepper consumption, low socioeconomic status and longstanding gallstones with gallbladder cancer in a Chilean population. Int J Cancer 2002 ; 102 : 407-411.

19) Sheth S, Bedford A, Chopra S. Primary gallbladder cancer : recognition of risk factors and the role of prophylactic cholecystectomy. Am J Gastroenterol 2000 ; 95 : 1402-1410.

20) 遠藤　格, 松山隆生, 熊本宜文, 本間祐樹, 土屋伸広, 藤井義郎. 胆嚢癌の疫学とリスクファクター. 胆道 2019 ; 33 : 234-243.

21) Foley KG, Lahaye MJ, Thoeni RF, Soltes M, Dewhurst C, Barbu ST, et al. Management and follow-up of gallbladder polyps : updated joint guidelines between the ESGAR, EAES, EFISDS and ESGE. Eur Radiol 2022 ; 32 : 3358-3368.

22) Morimoto M, Matsuo T, Mori N. Management of porcelain gallbladder, its risk factors, and complications : a review. Diagnostics (Basel) 2021 ; 11 : 1073.

23) Nagaraja V, Eslick GD. Systematic review with meta-analysis : the relationship between chronic Salmonella typhi carrier status and gall-bladder cancer. Aliment Pharmacol Ther 2014 ; 39 : 745-750.

24) Ootani T, Shirai Y, Tsukada K, Muto T. Relationship between gallbladder carcinoma and the segmental type of

adenomyomatosis of the gallbladder. Cancer 1992；69：2647-2652.

25）Nabatame N, Shirai Y, Nishimura A, Yokoyama N, Wakai T, Hatakeyama K. High risk of gallbladder carcinoma in elderly patients with segmental adenomyomatosis of the gallbladder. J Exp Clin Cancer Res 2004；23：593-598.

26）神尾健士郎，加藤宏之，荒川　敏，浅野之夫，堀口明彦．乳頭部癌の疫学．日臨 2023；81（増刊号4）：230-233.

27）Kaiser A, Jurowich C, Schönekäs H, Gebhardt C, Wünsch PH. The adenoma-carcinoma sequence applies to epithelial tumours of the papilla of Vater. Z Gastroenterol 2002；40：913-920.

28）Baczako K, Büchler M, Beger HG, Kirkpatrick CJ, Haferkamp O. Morphogenesis and possible precursor lesions of invasive carcinoma of the papilla of Vater：epithelial dysplasia and adenoma. Hum Pathol 1985；16：305-310.

29）Takashima M, Ueki T, Nagai E, Yao T, Yamaguchi K, Tanaka M, et al. Carcinoma of the ampulla of Vater associated with or without adenoma：a clinicopathologic analysis of 198 cases with reference to p53 and Ki-67 immunohistochemical expressions. Mod Pathol 2000；13：1300-1307.

30）Howe JR, Klimstra DS, Cordon-Cardo C, Paty PB, Park PY, Brennan MF. K-ras mutation in adenomas and carcinomas of the ampulla of Vater. Clin Cancer Res 1997；3：129-133.

31）Groves CJ, Saunders BP, Spigelman AD, Phillips RK. Duodenal cancer in patients with familial adenomatous polyposis（FAP）：results of a 10 year prospective study. Gut 2002；50：636-641.

32）Roos VH, Bastiaansen BA, Kallenberg FGJ, Aelvoet AS, Bossuyt PMM, Fockens P, et al. Endoscopic management of duodenal adenomas in patients with familial adenomatous polyposis. Gastrointest Endosc 2021；93：457-466.

BQ2　膵・胆管合流異常には予防的手術を行うか？

膵・胆管合流異常は胆道癌の危険因子であり，診断確定後は積極的な手術加療が必要である。

胆管拡張型には肝外胆管切除＋胆道再建を，胆管非拡張型では，胆嚢摘出術を行う。

解説

　膵・胆管合流異常は解剖学的に膵管と胆管が十二指腸壁外で合流する先天性の形成異常である[1]。十二指腸乳頭部括約筋の作用が膵管と胆管の合流部に及ばないことから，胆管・胆嚢上皮が逆流した膵液に長期間曝露され，慢性炎症を基盤とする hyperplasia-dysplasia-carcinoma sequence が誘導されるため，高率に胆道癌を引き起こすとされる[2,3]。膵・胆管合流異常には，胆管の拡張を認める胆管拡張型と，胆管に拡張を認めない胆管非拡張型がある[1]。日本膵・胆管合流異常研究会が 1990 年から 2007 年に行った 2,561 例に対する全国集計では，成人における胆道癌合併頻度は，胆管拡張型で 21.6%（215/997 例），胆管非拡張型では 42.4%（218/514 例）と高率であった[4]。胆道癌の局在は，胆管拡張型では胆嚢癌 62.3%，胆管癌 32.1%，胆嚢＋胆管癌 4.7%，胆管非拡張型では胆嚢癌 88.1%，胆管癌 7.3%，胆嚢＋胆管癌 4.1% であり，胆管拡張の有無にかかわらず胆嚢癌の合併が最も高頻度であった[4]。胆管・胆嚢上皮が長期間膵液に曝露される膵・胆管合流異常は胆道癌の発生母地と考えられることから，その予防の観点より診断確定後は積極的な手術加療を行う[5]。

　全国集計からみた術式の報告では，胆管拡張型は胆嚢摘出術に加えて肝外胆管切除を施行した手術は 94.2% に行われており，標準術式として広く受け入れられている[4]。一方，胆管非拡張型については，肝外胆管切除を付加した割合は 38.1% と 50% 以下であった[4]。胆管非拡張型に対し，胆嚢癌予防の観点から胆嚢摘出術を行うことには異論はないが，肝外胆管切除を付加するか否かについては一定の見解は得られていない[6]。胆管非拡張型に対し肝外胆管切除を行う理由としては，胆管癌の合併率は決して低くはないという報告や[7]，胆嚢摘出術後の胆管癌発症報告例があること[8,9]，非拡張型においても切除した胆管上皮に遺伝子異常が認められることなどから[10]，胆管癌発症のリスクを無視できないためと考えられている[11,12]。一方で胆嚢摘出術のみを行う理由については，長期間の観察期間を経ても胆管癌が発症しないこと[13~15]，胆管非拡張型では，胆道シンチグラフィで発癌のリスクと考えられる胆汁うっ滞が認められないこと[16]，発癌に関与するとされる K-ras の遺伝子異常が認められないことなどがあげられる[17]。また非拡張型に対する手術操作によるリスクも指摘され，細い胆管と消化管を吻合することによる術後の胆管狭窄や胆管炎，膵管との合流部を術中に識別することが困難であるため膵管を損傷する危険性があること[18]なども指摘される。

　小児科領域では全国集計の結果，癌非合併例では胆管拡張の有無に関係なく 95% 以上の症例で肝外胆管切除が施行されていた（拡張型：98.6%，非拡張型：95.2%）[1]。その理由として小児の大部分は症状を呈して発症するため，症状の改善を目指した治療が施行されたためと考えられている[1]。術後長期間を診る小児外科医では，QOL の低下や発癌の危険性など将来にわずかでも禍根を残すことは避けるべき，との考えもあり[19]，発癌を予防するための肝外胆管切除の意義について結論は出ていない[20]。

　膵・胆管合流異常は女性に多い良性疾患であることから近年侵襲性と整容性を兼ねた腹腔鏡下手術やロボット支援下手術が選択される機会が増えている[21]。胆嚢摘出術に対する腹腔鏡下手術はすでに一般的ではあるが，肝外胆管切除術に対する腹腔鏡下手術は肝門部の狭窄に対する処理や，膵内胆管の処置が不十分になる危険性もあるため[21]，今後，適応や手技の確立が期待される。

引用文献

1）島田光生，神澤輝実，安藤久實，須山正文，森根裕二，森　大樹．膵・胆管合流異常の診療ガイドライン（日本膵・胆管合流異常研究会・日本胆道学会編）．胆道 2012；26：678-690.

2）Shimada K, Yanagisawa J, Nakayama F. Increased lysophosphatidylcholine and pancreatic enzyme content in bile of patients with anomalous pancreaticobiliary ductal junction. Hepatology 1991；13：438-444.

3）Tsuchida A, Itoi T. Carcinogenesis and chemoprevention of biliary tract cancer in pancreaticobiliary maljunction. World J Gastrointest Oncol 2010；2：130-135.

4）森根裕二，島田光生，石橋広樹．【膵・胆管合流異常の最前線】全国集計からみた膵・胆管合流異常．日消誌 2014；111：699-705.

5）Kamisawa T, Kuruma S, Tabata T, Chiba K, Iwasaki S, Koizumi S, et al. Pancreaticobiliary maljunction and biliary cancer. J Gastroenterol 2015；50：273-279.

6）高屋敷史，清水宏明，大塚将之，加藤　厚，吉富秀幸，宮崎　勝．膵・胆管合流異常の診断と外科治療．胆道 2014；28：172-179.

7）Funabiki T, Matsubara T, Miyakawa S, Ishihara S. Pancreaticobiliary maljunction and carcinogenesis to biliary and pancreatic malignancy. Langenbecks Arch Surg 2009；394：159-169.

8）石橋広樹，森根裕二，森　大樹，島田光生．胆管非拡張型膵・胆管合流異常は先天性胆道拡張症より胆管癌の発生は少ないのか？―日本膵・胆管合流異常研究会登録症例の解析―．胆と膵 2012；33：61-65.

9）Yamada S, Shimada M, Utsunomiya T, Morine Y, Imura S, Ikemoto T, et al. Hilar cholangiocarcinoma accompanied by pancreaticobiliary maljunction without bile duct dilatation 20 years after cholecystectomy：report of a case. J Med Invest 2013；60：169-173.

10）Matsubara T, Sakurai Y, Zhi LZ, Miura H, Ochiai M, Funabiki T. K-ras and p53 gene mutations in noncancerous biliary lesions of patients with pancreaticobiliary maljunction. J Hepatobiliary Pancreat Surg 2002；9：312-321.

11）岩橋衆一，森根裕二，宇都宮徹，居村　暁，池本哲也，森　大樹，他．胆管非拡張型膵・胆管合流異常に対する術式：「分流手術」の立場から．臨外 2014；69：182-186.

12）高屋敷史，大塚将之，清水宏明，吉留博之，加藤　厚，吉富秀幸，他．胆道癌合併症例における胆管拡張形式の検討からみた膵・胆管合流異常に対する肝外胆管切除の適応．胆道 2012；26：78-84.

13）大内田次郎，千々岩一男．胆管非拡張型膵・胆管合流異常に対する術式：「胆摘のみ」の立場から．臨外 2014；69：178-181.

14）Ohuchida J, Chijiiwa K, Hiyoshi M, Kobayashi K, Konomi H, Tanaka M. Long-term results of treatment for pancreaticobiliary maljunction without bile duct dilatation. Arch Surg 2006；141：1066-1070.

15）Tsuchida A, Itoi T, Endo M, Kitamura K, Mukaide M, Itokawa F, et al. Pathological features and surgical outcome of pancreaticobiliary maljunction without dilatation of the extrahepatic bile duct. Oncol Rep 2004；11：269-276.

16）太田岳洋，松下典正，吾妻　司，新井田達雄，高崎　健．胆管非拡張型膵・胆管合流異常に対する外科治療―胆管切除を行わない立場から―．胆と膵 2004；25：41-45.

17）Masuhara S, Kasuya K, Aoki T, Yoshimatsu A, Tsuchida A, Koyanagi Y. Relation between K-ras codon 12 mutation and p53 protein overexpression in gallbladder cancer and biliary ductal epithelia in patients with pancreaticobiliary maljunction. J Hepatobiliary Pancreat Surg 2000；7：198-205.

18）安藤久實，金子健一朗．胆管非拡張型膵胆管合流異常に対する手術術式の検討：予防的胆管切除は必要か．胆と膵 2000；21：971-976.

19）渡辺泰宏，土岐　彰，野田卓男，植村貞繁，戸谷拓二．肝外胆道全切除（いわゆる分流手術）とその考え方―小児外科の立場から―．胆と膵 2001；22：489-492.

20）Ando H, Ito T, Nagaya M, Watanabe Y, Seo T, Kaneko K. Pancreaticobiliary maljunction without choledochal cysts in infants and children：clinical features and surgical therapy. J Pediatr Surg 1995；30：1658-1662.

21）Tian Y, Wu SD, Zhu AD, Chen DX. Management of type I choledochal cyst in adult：totally laparoscopic resection and Roux-en-Y hepaticoenterostomy. J Gastrointest Surg 2010；14：1381-1388.

BQ3 無症状の胆嚢結石症に対して胆嚢摘出術を行うか？

胆嚢壁を十分に評価できる場合には胆嚢癌予防目的の胆嚢摘出術は行わない。

解説

　無症状の胆嚢結石症に対して胆嚢摘出術を行うかについては古くから議論されているが，今までこれに関するランダム化比較試験は行われていない[1]。無症状の胆嚢結石症を経過観察した場合，有症状化や胆嚢癌の発症が問題となる。

　症状として，胆嚢管や頸部への嵌頓による疝痛発作や，胆嚢炎，閉塞性黄疸，急性膵炎などの合併症状が起こる[2]。無症状の胆嚢結石症の自然史として，疝痛発作などの有症状化は 10.6〜44%，合併症状は 0〜8.7% とされている[2~4]。大規模なコホート研究において，腹部超音波検査で胆石を認め胆石の状態を知らされていない 664 人は，平均観察期間 17.4 年で 8.0% が合併症状をきたしたが，80.4% は無症状のままで経過，11.6% は軽度の症状の出現のみであり，10 mm 以上の胆石，複数個，5 年以上の期間が有症状の危険因子であったが，良好な経過をたどるとされる[2]。

　一方で，胆嚢癌に胆石が合併する頻度は高く，75〜90% と報告されている[5,6]。しかしながら，先行する胆石の存在により胆嚢癌発生頻度が有意に増加するという報告はみられず[7]，胆嚢癌と胆石の直接的な因果関係については証明されていない[8]。

　胆嚢癌のコホート研究と症例対象研究をまとめたメタアナリシスでは，胆石の保有が相対危険度 4.9 と最も強い胆嚢癌の危険因子であると報告されている[9]。胆嚢結石と胆嚢癌の関連性については，3 cm 以上の大きな結石や結石の数（量）が多い症例[10~12]，胆石症と診断されてから期間が長いと胆嚢癌発症のリスクが高いという報告がある[13]。また，胆嚢壁の石灰化や陶器様胆嚢が胆嚢癌の合併が多いとする報告はあるが[14]，全く因果関係は認めないとする報告もあり[15]，見解は一致していない。病理組織学的検討では，胆嚢結石により胆嚢粘膜の dysplasia や metaplasia の発生率が高くなるとの報告や[16]，胆嚢粘膜の化生 − 異型 − 癌のシークエンスを認め，年齢とともに進行するという報告がある[17]。それらは無症状例でも認めており，無症状の胆石でも胆石による胆嚢粘膜への長期間の刺激が，胆嚢癌の発生に影響を与える可能性が示唆されている。しかしながら，胆嚢癌の経過観察例での胆嚢癌発生頻度は年 0.01〜0.02% と低く[18,19]，予防的に胆嚢摘出術を勧める根拠は不十分である。

　胆嚢摘出術の害として，周術期合併症と長期合併症が考慮される。胆石症に対する腹腔鏡下胆嚢摘出術の術中合併症は，胆管損傷 0.63%，開腹を要した出血 0.51%，多臓器損傷 0.26% であり，術後合併症として開腹を要する後出血 0.09%，術後に判明した胆管損傷 0.21% と報告されている[20]。また長期合併症として腹腔内落下結石による腹腔内膿瘍，術中胆管損傷による胆管狭窄，遺残胆管結石，結石再発などが報告されている[21]。頻度は低いものの手術により生命を脅かすあるいは生活を変化させる合併症が起こりうることから無症状の胆嚢結石症のに対する胆嚢摘出術は慎重に選択する必要がある。

　無症状の胆嚢結石症は長期間経過観察しても胆嚢癌が発生する危険性は少なく，胆嚢癌に対する予防的胆嚢摘出術を勧める根拠は不十分である。腹部超音波検査で胆嚢壁が十分評価できる症例では切除は行わず，胆嚢癌発生の可能性を考慮し経過観察を行う。結石のサイズが大きく，結石数が多い場合，胆嚢結石と診断されてから期間が長い場合などは，無症状であっても，個々の症例への十分なインフォームドコンセントを行った上で手術適応を決定するのが望ましい。

引用文献

1) Gurusamy KS, Samraj K. Cholecystectomy versus no cholecystectomy in patients with silent gallstones. Cochrane Database Syst Rev 2007；24：CD006230.

2) Shabanzadeh DM, Sørensen LT, Jørgensen T. A prediction rule for risk stratification of incidentally discovered gallstones：results from a large cohort study. Gastroenterology 2016；150：156-167.

3) McSherry CK, Ferstenberg H, Calhoun WF, Lahman E, Virshup M. The natural history of diagnosed gallstone disease in symptomatic and asymptomatic patients. Ann Surg 1985；202：59-63.

4) Festi D, Reggiani ML, Attili AF, Loria P, Pazzi P, Scaioli E, et al. Natural history of gallstone disease：expectant management or active treatment? Results from a population-based cohort study. J Gastroenterol Hepatol 2010；25：719-724.

5) Tewari M. Contribution of silent gallstones in gallbladder cancer. J Surg Oncol 2006；93：629-632.

6) Sakorafas GH, Milingos D, Peros G. Asymptomatic cholelithiasis：is cholecystectomy really needed? A critical reappraisal 15 years after the introduction of laparoscopic cholecystectomy. Dig Dis Sci 2007；52：1313-1325.

7) Gracie WA, Ransohoff DF. The natural history of silent gallstones：the innocent gallstone is not a myth. N Engl J Med 1982；307：798-800.

8) Gurusamy KS, Davidson BR. Surgical treatment of gallstones. Gastroenterol Clin North Am 2010；39：229-244.

9) Randi G, Franceschi S, La Vecchia C. Gallbladder cancer worldwide：geographical distribution and risk factors. Int J Cancer 2006；118：1591-1602.

10) Lowenfels AB, Walker AM, Althaus DP, Townsend G, Domellöf L. Gallstone growth, size, and risk of gallbladder cancer：an interracial study. Int J Epidemiol 1989；18：50-54.

11) Diehl AK. Gallstone size and the risk of gallbladder cancer. JAMA 1983；250：2323-2326.

12) Roa I, Ibacache G, Roa J, Araya J, de Aretxabala X, Muñoz S. Gallstones and gallbladder cancer-volume and weight of gallstones are associated with gallbladder cancer：a case-control study. J Surg Oncol 2006；93：624-628.

13) Serra I, Yamamoto M, Calvo A, Cavada G, Báez S, Endoh K, et al. Association of chili pepper consumption, low socioeconomic status and longstanding gallstones with gallbladder cancer in a Chilean population. Int J Cancer 2002；102：407-411.

14) Stephen AE, Berger DL. Carcinoma in the porcelain gallbladder：a relationship revisited. Surgery 2001；129：699-703.

15) Towfigh S, McFadden DW, Cortina GR, Thompson JE Jr, Tompkins RK, Chandler C, et al. Porcelain gallbladder is not associated with gallbladder carcinoma. Am Surg 2001；67：7-10.

16) Yamagiwa H. Mucosal dysplasia of gallbladder：isolated and adjacent lesions to carcinoma. Jpn J Cancer Res 1989；80：238-243.

17) Meirelles-Costa AL, Bresciani CJ, Perez RO, Bresciani BH, Siqueira SA, Cecconello I. Are histological alterations observed in the gallbladder precancerous lesions? Clinics (Sao Paulo) 2010；65：143-150.

18) Sheth S, Bedford A, Chopra S. Primary gallbladder cancer：recognition of risk factors and the role of prophylactic cholecystectomy. Am J Gastroenterol 2000；95：1402-1410.

19) Attili AF, De Santis A, Capri R, Repice AM, Maselli S. The natural history of gallstones：the GREPCO experience. The GREPCO Group. Hepatology 1995；21：655-660.

20) 内視鏡外科手術に関するアンケート調査—第12回集計結果報告. 日内視鏡外会誌 2014；19：498-632.

21) 石和直樹, 山本裕司, 田中聡一, 山田六平, 和田修幸, 熊切　寛, 他. 腹腔鏡下胆嚢摘出術の晩期合併症. 外科 2000；62：329-332.

BQ4　どのような胆嚢ポリープに対して癌を疑うのか？

> 胆嚢ポリープが 10 mm 以上，大きさにかかわらず広基性の場合，あるいは画像上増大傾向を認める場合，胆嚢癌を疑う。

解説

　胆嚢ポリープとは 20 mm 程度までの胆嚢の限局性小隆起性病変の総称であり，良悪性を問わず上皮性，非上皮性，非腫瘍性の様々な病変を含む[1,2]。胆嚢ポリープの多くを占めるコレステロールポリープは腹部超音波検査（ultrasonography：US）で 10 mm 以下，多発性，桑実状，高輝度の点状エコーを認めることが多い[2,3]。腫瘍性ポリープを疑う所見として，10 mm 以上，広基性，充実性低エコー，増大傾向があれば胆嚢摘出術がすすめられる[2~5]。（レベル C）

　なお，従来より腺腫は前癌病変として腫瘍性病変として取り扱われており，WHO 2019 では腺腫，intracystic papillary neoplasm（ICPN）に分類されている[1]。

　オランダの胆嚢ポリープ登録システムによる 2,085 例の receiver operating characteristic（ROC）解析結果では 10 mm 以上を腫瘍性とした場合（area under the curve（AUC）：0.75，95% CI：0.72-0.78）に感度は68.1%，特異度は 70.2%，陽性適中率は 72.9%，陰性適中率は 65.1% であった[6]。中国広東省における多施設共同研究では 2,704 例の摘出胆嚢ポリープの多変量解析により，年齢（＞43 歳），ポリープサイズ（＞15 mm）が腫瘍性の危険因子とされ，ROC 解析では 12 mm 以上（AUC：0.822，95%CI：0.742-0.902）を腫瘍性ポリープとすると，感度 73.3%，特異度 81.1%，正診率 79% であった[7]。一般的にはポリープサイズのみで腫瘍性の是非を鑑別することが困難なため，他のリスクを合併する場合に胆嚢摘出術をすすめている[2~5]。欧州のガイドライン[4]ではポリープサイズ 10 mm 以上で胆嚢摘出術を推奨し，6~9 mm 大のポリープでは他の危険因子（60 歳以上，原発性硬化性胆管炎，アジア系，広基性）を有する場合に胆嚢摘出術を推奨されている。

　健診などで指摘される 10 mm 以下の多発するポリープの多くはコレステロールポリープであり，その多くは脂肪肝との関連がある[8]。US で偶然発見された 10 mm 以下の胆嚢ポリープ 346 例を経過観察した検討では癌化はほとんどみられず長期経過観察も不要とされている[9]。疫学的に胆嚢癌の多い南米チリにおけるコホート研究によると胆嚢ポリープ 748 例を平均 54.7 ヵ月観察し，2.27%（17 例：14 adenoma, 3 in situ adenocarcinoma）に腫瘍性ポリープを認めた[10]。多変量解析ではポリープサイズ（10 mm 以上）がリスクが高く adjusted hazard ratio（adjusted HR）：15.01，95% CI：5.4-48.2），3 個以上のポリープを有するとリスクが低かった（adjusted HR：0.11，95% CI：0.01-0.55）。（レベル C）

　本邦における検診で発見された胆嚢ポリープ 2,152 例中 16 例の切除例（増大，10 mm 以上）を検討した報告では，コレステロールポリープ 12 例，乳頭状過形成 1 例，炎症性ポリープ 1 例，管状腺腫 1 例，腺腫内癌1 例，であった[11]。腺腫ないし腺腫内癌は内部エコーが均一，実質様で等エコーを示し，良性ポリープでは小嚢胞状構造，高エコースポットを示すことが多く鑑別に役立つとされる。手術適応とならなかった 10 mm 未満の胆嚢ポリープの経過観察についてのエビデンスは不足しているが，5 mm 以下でも危険因子（60 歳以上，PSC，アジア系，広基性）がある場合は US による経過観察が推奨されている[4]。

　PSC に合併する胆嚢ポリープは胆嚢癌の危険因子であるが，胆嚢摘出術後の合併症が多いことから 8 mm以下では他に悪性所見がなければ経過観察することがすすめられている[12]。（レベル C）

引用文献

1) 能登原憲司. 胆嚢ポリープの病理分類. 胆道 2021；35：602-614.

2) 有坂好史，竹中　完，塩見英之，東　　健. 胆嚢ポリープの診断と取扱い. 日消誌 2015；112：444-455.

3) 潟沼朗生，安藤　遼，濱　憲輝，岩野光佑，吉田健太，豊永啓翔，他. 胆嚢ポリープ・胆嚢腺筋腫症と胆嚢癌の関連性. 胆と膵 2023；44：847-852.

4) Foley KG, Lahaye MJ, Thoeni RF, Soltes M, Dewhurst C, Barbu ST, et al. Management and follow-up of gallbladder polyps：updated joint guidelines between the ESGAR, EAES, EFISDS and ESGE. Eur Radiol 2022；32：3358-3368.

5) McCain RS, Diamond A, Jones C, Coleman HG. Current practices and future prospects for the management of gallbladder polyps：a topical review. World J Gastroenterol 2018；24：2844-2852.

6) Wennmacker SZ, van Dijk AH, Raessens JHJ, van Laarhoven CJHM, Drenth JPH, de Reuver PR, et al. Polyp size of 1cm is insufficient to discriminate neoplastic and non-neoplastic gallbladder polyps. Surg Endosc 2019；33：1564-1571.

7) Liu K, Lin N, You Y, Zhao D, Wu J, Wang S, et al. Risk factors to discriminate neoplastic polypoid lesions of gallbladder：a large-scale case-series study. Asian J Surg 2021；44：1515-1519.

8) Lim SH, Kim D, Kang JH, Song JH, Yang SY, Yim JY, et al. Hepatic fat, not visceral fat, is associated with gallbladder polyps：a study of 2643 healthy subjects. J Gastroenterol Hepatol 2015；30：767-774.

9) Corwin MT, Siewert B, Sheiman RG, Kane RA. Incidentally detected gallbladder polyps：is follow-up necessary？- Long-term clinical and US analysis of 346 patients. Radiology 2011；258：277-282.

10) Candia R, Viñuela M, Chahuan J, Diaz LA, Gándara V, Errázuriz P, et al. Follow-up of gallbladder polyps in a high-risk population of gallbladder cancer：a cohort study and multivariate survival competing risk analysis. HPB（Oxford）2022；24：1019-1025.

11) 小坂俊仁，乾　和郎，芳野純治，若林貴夫，小林　隆，三好広尚，他. 検診で発見された胆嚢ポリープ切除例の検討. 日消がん検診誌 2012；50：529-536.

12) Karlsen TH, Boberg KM. Update on primary sclerosing cholangitis. J Hepatol 2013；59：571-582.

第Ⅳ章.
　　診断

BQ5 胆道癌の診断に ultrasonography（US），computed tomography（CT），magnetic resonance imaging（MRI）は有用か？

> US と CT は胆道癌の鑑別診断，局在診断，進展度診断に有用で，この結果をもとに治療方針が決定されるため，胆道癌の診断において行う検査である。MRI（MRCP）は US，CT と異なる情報が得られ，行うことを考慮する検査である。

解説

1）肝外胆管癌

US

US は簡易に施行可能で診断能も高く必須の検査である。肝外胆管癌による肝内胆管拡張は 78～98% で診断でき[1]，肝外胆管癌の診断は感度 86～89%，正診率 80～90% と報告されている[2,3]。また，上流側から下流側に従い正診率は低下する[1]。US は血管浸潤や神経叢浸潤の診断も可能と報告されている[4]。

CT

総合的観点から必須の検査である[5~13]。肝外胆管癌と鑑別を要する IgG4-SC との鑑別にも役立つ[14,15]。CT は肝外胆管癌の進展範囲の評価[12,16,17] に用いられ，水平進展の正診率は 77～92% と報告されている[10]。また，水平断像に加えて冠状断像を評価することで診断能は上がる[18~20]。上皮内進展の正診率は 21% と低く，十分な診断能は有していない[21]。血管浸潤の正診率は肝動脈で 75～92%，門脈で 88～95% と報告されている[12,22~25]。また神経叢浸潤は感度 80～91%，特異度は 60～97%[18,19,26]，リンパ節転移は感度 50%，特異度 75～89%[5,22]，resectability は感度 83%，特異度 76% と報告されている[22]。

MRI

MRI の水平進展の正診率は 71～90% と報告されている[10,27]。腫瘍の描出能，resectability 評価は CT と同程度で，高分解能撮影で水平方向の診断能が上がる[27,28]。CT と MRI（MRCP）の併用は相補的な情報収集に役立ち，resectability の正診率は 75% を超える[8]。Magnetic resonance cholangiopancreatography（MRCP）は造影剤を用いることなく胆管の描出が可能であり，直接胆道造影では描出され難い胆管枝まで描出できる利点を有する[8~10,29]。拡散強調像は病変やリンパ節転移の診断に有用[8,30,31] であるが，MRI でのリンパ節転移の感度は 57% と低い報告もある[32]。また拡散強調像は分化度との相関[33] や Ki-67 発現の予見[34] に役立つとの報告もある。CT と MRI はいずれも胆道ドレナージ前に施行する必要がある[13,16,22]。

2）肝内胆管癌

US

肝内胆管癌は肝細胞癌との鑑別で問題となる場合がある。US は形態評価に加えて造影効果の評価が有用で，感度 83～96%，特異度 91～98%，正診率 90～98% と高率である[35~41]。また US elastography も肝内胆管癌と肝細胞癌の鑑別に有用との報告がある[42]。

CT

肝内胆管癌の CT での病期診断は感度 81% と報告されている[43]。肝内胆管癌の small duct type と large duct type の鑑別点は，動脈相での早期濃染，円形もしくは分葉状の形態，胆管狭窄がない点が small duct type の特徴的所見で，特異度は 91% と報告されている[44]。また CT は早期濃染する肝内胆管癌と肝細胞癌との鑑別にも役立つ[45,46]。

MRI

　肝内胆管癌と肝細胞癌の鑑別にはMRIが有用との報告が多い[47~54]。また，肝内胆管癌と炎症性偽腫瘍との鑑別でも有用と報告されている[55]。肝内胆管癌の検出は，T1b以上ではMRIの感度91％に対してCTは81％とMRIが高く[43]，CTにMRIを組み合わせることが診断に有用とする報告もある[56]。また，apparent diffusion coefficient（ADC）値により分化度の予測が可能との報告がある[57]。リンパ節転移の検出感度はMRIとCTで差はないが（64％ vs. 65％），特異度はCTが高い（73％ vs. 81％）と報告されている[43]。

3）胆囊癌

US

　USでの胆囊病変の診断能は高い。良悪性の鑑別では，10 mm以上のポリープ病変や胆囊壁が5 mmより厚い場合は悪性を疑う所見と報告されている[58]。良悪性診断の感度は81~91％，特異度は85~94％と高率である[59~62]。T1aとT1b以上の鑑別では，高解像度超音波とCTを組み合わせた診断能が高いとされる[60]。胆囊癌の正診率も70~92％と高率である[59,63~65]。高解像度超音波[66]，超音波ドプラ法[67]，造影剤[59,61,63,65]を用いることで正診率は上昇する。

CT

　CTによる胆囊病変の良悪性診断の感度は56~78％，特異度は14~94％，正診度は38~92％と報告されている[60,68]。胆囊癌は黄色肉芽腫性胆囊炎との鑑別が問題になることがある[69,70]。胆囊癌のCT診断は，病変の局在診断，進展度診断，resectabilityの評価に有用である[70~76]。T1aとT1b以上の鑑別では，感度53~80％，特異度74~89％，正診度75~83％[77]，T1とT2の鑑別では正診度78％とT1においても診断能は上昇している[71]。リンパ節転移は検出率38~65％と報告されている[78,79]。原発巣の診断では水平断像に冠状断像を加えると正診度が上昇する[80]。3D再構成画像も血管ロードマップとして有用で，術式など治療方針決定には重要な検査である[74]。しかし，CTは壁内病変であるT1に対して特異度は94％と高いものの感度は33％と低く[81]，質的診断においてはUSやEUSに劣ると報告されている[82]。

MRI

　MRIによる胆囊病変の良悪性診断の感度は91％，特異度は87％と報告されており[83]，拡散強調像も有用である[84,85]。胆囊腺筋腫症との鑑別では，MRIはRokitansky-Aschoff（RA）sinusの描出に優れている[86,87]。胆囊癌の進展度診断では，胆囊管や総胆管への浸潤が評価可能で[88]，肝浸潤（感度67％，特異度89％）や血管浸潤（感度100％，特異度87％）の評価にも有用である[89]。

4）乳頭部癌

US

　乳頭部周囲病変のUSによる描出率は92％であるが，MRIを加えることで99％まで上昇したと報告されている[90]。また乳頭部癌では93％の症例で胆管拡張を指摘し得たが，乳頭部癌そのものの描出は27％と低率であったと報告されている[91]。

CT

　乳頭部病変の良悪性診断では，胆管途絶，膵管途絶，十二指腸壁の濃染などが悪性を疑う所見とされる[92]。乳頭部癌ではリンパ節転移と遠隔転移の有無で治療方針が大きく異なるため，内視鏡検査に加えてCTによる転移病変の評価も重要である。また病変と周囲脈管，臓器との解剖学的位置関係を詳細に評価可能なことも利点となる。CTによる局所進展度の診断精度は26~60％と中等度であり[93~96]，T3以上の進行癌の診断には有用であるが小さな病変の検出と評価は十分とは言えない[96]。リンパ節転移の感度は44~59％と報告されており，診断精度は中等度である[93,94,96]。

MRI

通常の MRI に拡散強調像を加えることで，診断精度が上がるとされる[97]。また ADC 値も良悪性診断や病理組織の推定に有用と報告されている[98,99]。乳頭部癌を含めた乳頭部周囲病変では，MRI の方が CT よりも正診率が高いとの報告もある[100]。また，MRCP は胆管と膵管の狭窄範囲，狭窄形状を非侵襲的に評価できることが優れている。

引用文献

1) Tse F, Barkun JS, Romagnuolo J, Friedman G, Bornstein JD, Barkun AN. Nonoperative imaging techniques in suspected biliary tract obstruction. HPB（Oxford）2006；8：409-425.

2) Aljiffry M, Abdulelah A, Walsh M, Peltekian K, Alwayn I, Molinari M. Evidence-based approach to cholangiocarcinoma：a systematic review of the current literature. J Am Coll Surg 2009；208：134-147.

3) Slattery JM, Sahani DV. What is the current state-of-the-art imaging for detection and staging of cholangiocarcinoma? Oncologist 2006；11：913-922.

4) 佐藤恵美，西田　睦，工藤悠輔，井上真美子，表原里実，平野　聡，他．体外式超音波検査による肝外胆管癌の右肝動脈および神経周囲浸潤診断能の検討．超音波検技 2014；39：22-30.

5) Akamatsu N, Sugawara Y, Osada H, Okada T, Itoyama S, Komagome M, et al. Diagnostic accuracy of multidetector-row computed tomography for hilar cholangiocarcinoma. J Gastroenterol Hepatol 2010；25：731-737.

6) Ogawa H, Itoh S, Nagasaka T, Suzuki K, Ota T, Naganawa S. CT findings of intraductal papillary neoplasm of the bile duct：assessment with multiphase contrast-enhanced examination using multi-detector CT. Clin Radiol 2012；67：224-231.

7) Kohga A, Yamamoto Y, Sugiura T, Okamura Y, Ito T, Ashida R, et al. Bile duct angulation and tumor vascularity are useful radiographic features for differentiating pancreatic head cancer and intrapancreatic bile duct cancer. Surg Today 2018；48：673-679.

8) Mansour JC, Aloia TA, Crane CH, Heimbach JK, Nagino M, Vauthey JN. Hilar cholangiocarcinoma：expert consensus statement. HPB（Oxford）2015；17：691-699.

9) Ray CE Jr, Lorenz JM, Burke CT, Darcy MD, Fidelman N, Greene FL, et al. ACR Appropriateness Criteria radiologic management of benign and malignant biliary obstruction. J Am Coll Radiol 2013；10：567-574.

10) Ruys AT, van Beem BE, Engelbrecht MR, Bipat S, Stoker J, Van Gulik TM. Radiological staging in patients with hilar cholangiocarcinoma：a systematic review and meta-analysis. Br J Radiol 2012；85：1255-1262.

11) Okuda Y, Taura K, Seo S, Yasuchika K, Nitta T, Ogawa K, et al. Usefulness of operative planning based on 3-dimensional CT cholangiography for biliary malignancies. Surgery 2015；158：1261-1271.

12) Endo I, Shimada H, Sugita M, Fujii Y, Morioka D, Takeda K, et al. Role of three-dimensional imaging in operative planning for hilar cholangiocarcinoma. Surgery 2007；142：666-675.

13) Unno M, Okumoto T, Katayose Y, Rikiyama T, Sato A, Motoi F, et al. Preoperative assessment of hilar cholangiocarcinoma by multidetector row computed tomography. J Hepatobiliary Pancreat Surg 2007；14：434-440.

14) Yata M, Suzuki K, Furuhashi N, Kawakami K, Kawai Y, Naganawa S. Comparison of the multidetector-row computed tomography findings of IgG4-related sclerosing cholangitis and extrahepatic cholangiocarcinoma. Clin Radiol 2016；71：203-210.

15) Arikawa S, Uchida M, Kunou Y, Uozumi J, Abe T, Hayabuchi N, et al. Comparison of sclerosing cholangitis with autoimmune pancreatitis and infiltrative extrahepatic cholangiocarcinoma：multidetector-row computed tomography findings. Jpn J Radiol 2010；28：205-213.

16) Senda Y, Nishio H, Oda K, Yokoyama Y, Ebata T, Igami T, et al. Value of multidetector row CT in the assessment of longitudinal extension of cholangiocarcinoma：correlation between MDCT and microscopic findings. World J Surg 2009；33：1459-1467.

17) 甲斐真弘，千々岩一男，大谷和広，大内田次郎，近藤千博，永野元章，他．胆管癌の予後因子と進展度診断の新展開．癌の臨 2009；55：521-528.

18) Li J, Wang L, Li L, Qiao J, Zheng Z. Preliminary study of perineural invasion in patients with hilar

cholangiocarcinoma by computed tomography imaging. Clin Imaging 2020；61：49-53.

19) Yamada Y, Mori H, Hijiya N, Matsumoto S, Takaji R, Kiyonaga M, et al. Extrahepatic bile duct cancer：invasion of the posterior hepatic plexuses—evaluation using multidetector CT. Radiology 2012；263：419-428.

20) Kakihara D, Yoshimitsu K, Irie H, Tajima T, Asayama Y, Hirakawa M, et al. Usefulness of the long-axis and short-axis reformatted images of multidetector-row CT in evaluating T-factor of the surgically resected pancreaticobiliary malignancies. Eur J Radiol 2007；63：96-104.

21) 小西　大. MDCT の胆管癌水平方向進展度診断　多施設共同研究. 胆と膵 2008；29：1201-1205.

22) Ni Q, Wang H, Zhang Y, Qian L, Chi J, Liang X, et al. MDCT assessment of resectability in hilar cholangiocarcinoma. Abdom Radiol（NY）2017；42：851-860.

23) Zhou Q, Guan Y, Mao L, Zhu Y, Chen J, Shi J, et al. Modification and establishment of CT criteria in preoperative assessment of portal venous invasion by hilar cholangiocarcinoma. HPB（Oxford）2018；20：1163-1171.

24) Fukami Y, Ebata T, Yokoyama Y, Igami T, Sugawara G, Takahashi Y, et al. Diagnostic ability of MDCT to assess right hepatic artery invasion by perihilar cholangiocarcinoma with left-sided predominance. J Hepatobiliary Pancreat Sci 2012；19：179-186.

25) Sugiura T, Nishio H, Nagino M, Senda Y, Ebata T, Yokoyama Y, et al. Value of multidetector-row computed tomography in diagnosis of portal vein invasion by perihilar cholangiocarcinoma. World J Surg 2008；32：1478-1484.

26) Tanaka H, Igami T, Shimoyama Y, Ebata T, Yokoyama Y, Mori K, et al. New method for the assessment of perineural invasion from perihilar cholangiocarcinoma. Surg Today 2021；51：136-143.

27) Xin Y, Liu Q, Zhang J, Lu J, Song X, Zhan H, et al. Hilar cholangiocarcinoma：value of high-resolution enhanced magnetic resonance imaging for preoperative evaluation. J Cancer Res Ther 2020；16：1634-1640.

28) Park HS, Lee JM, Choi JY, Lee MW, Kim HJ, Han JK, et al. Preoperative evaluation of bile duct cancer：MRI combined with MR cholangiopancreatography versus MDCT with direct cholangiography. AJR Am J Roentgenol 2008；190：396-405.

29) Sun N, Xu Q, Liu X, Liu W, Wang J. Comparison of preoperative evaluation of malignant low-level biliary obstruction using plain magnetic resonance and coronal liver acquisition with volume acceleration technique alone and in combination. Eur J Med Res 2015；20：92.

30) Hosokawa I, Hayano K, Furukawa K, Takayashiki T, Kuboki S, Takano S, et al. Preoperative diagnosis of lymph node metastasis of perihilar cholangiocarcinoma using diffusion-weighted magnetic resonance imaging. Ann Surg Oncol 2022；29：5502-5510.

31) Songthamwat M, Chamadol N, Khuntikeo N, Thinkhamrop J, Koonmee S, Chaichaya N, et al. Evaluating a preoperative protocol that includes magnetic resonance imaging for lymph node metastasis in the Cholangiocarcinoma Screening and Care Program（CASCAP）in Thailand. World J Surg Oncol 2017；15：176.

32) Park MJ, Kim YK, Lim S, Rhim H, Lee WJ. Hilar cholangiocarcinoma：value of adding DW imaging to gadoxetic acid-enhanced MR imaging with MR cholangiopancreatography for preoperative evaluation. Radiology 2014；270：768-776.

33) Huang XQ, Shu J, Luo L, Jin ML, Lu XF, Yang SG. Differentiation grade for extrahepatic bile duct adenocarcinoma：assessed by diffusion-weighted imaging at 3.0-T MR. Eur J Radiol 2016；85：1980-1986.

34) Cui X, Chen H, Cai S, Tang Q, Fang X. Correlation of apparent diffusion coefficient and intravoxel incoherent motion imaging parameters with Ki-67 expression in extrahepatic cholangiocarcinoma. Magn Reson Imaging 2019；63：80-84.

35) Vidili G, Arru M, Solinas G, Calvisi DF, Meloni P, Sauchella A, et al. Contrast-enhanced ultrasound Liver Imaging Reporting and Data System：lights and shadows in hepatocellular carcinoma and cholangiocellular carcinoma diagnosis. World J Gastroenterol 2022；28：3488-3502.

36) Huang JY, Li JW, Ling WW, Li T, Luo Y, Liu JB, et al. Can contrast enhanced ultrasound differentiate intrahepatic cholangiocarcinoma from hepatocellular carcinoma? World J Gastroenterol 2020；26：3938-3951.

37) Guo HL, Zheng X, Cheng MQ, Zeng D, Huang H, Xie XY, et al. Contrast-enhanced ultrasound for differentiation between poorly differentiated hepatocellular carcinoma and intrahepatic cholangiocarcinoma. J Ultrasound Med 2022；41：1213-1225.

38) Li F, Li Q, Liu Y, Han J, Zheng W, Huang Y, et al. Distinguishing intrahepatic cholangiocarcinoma from hepatocellular carcinoma in patients with and without risks：the evaluation of the LR-M criteria of contrast-enhanced ultrasound liver imaging reporting and data system version 2017. Eur Radiol 2020；30：461-470.

39) Shin SK, Choi DJ, Kim JH, Kim YS, Kwon OS. Characteristics of contrast-enhanced ultrasound in distinguishing small（≦ 3cm）hepatocellular carcinoma from intrahepatic cholangiocarcinoma. Medicine（Baltimore）2018；

97：e12781.

40) Bohle W, Clemens PU, Heubach T, Zoller WG. Contrast-enhanced ultrasound (CEUS) for differentiating between hepatocellular and cholangiocellular carcinoma. Ultraschall Med 2012；33：E191-E195.

41) Han J, Liu Y, Han F, Li Q, Yan C, Zheng W, et al. The degree of contrast washout on contrast-enhanced ultrasound in distinguishing intrahepatic cholangiocarcinoma from hepatocellular carcinoma. Ultrasound Med Biol 2015；41：3088-3095.

42) Gerber L, Fitting D, Srikantharajah K, Weiler N, Kyriakidou G, Bojunga J, et al. Evaluation of 2D-shear wave elastography for characterisation of focal liver lesions. J Gastrointestin Liver Dis 2017；26：283-290.

43) Kim YY, Yeom SK, Shin H, Choi SH, Rhee H, Park JH, et al. Clinical staging of mass-forming intrahepatic cholangiocarcinoma：computed tomography versus magnetic resonance imaging. Hepatol Commun 2021；5：2009-2018.

44) Nam JG, Lee JM, Joo I, Ahn SJ, Park JY, Lee KB, et al. Intrahepatic mass-forming cholangiocarcinoma：relationship between computed tomography characteristics and histological subtypes. J Comput Assist Tomogr 2018；42：340-349.

45) Zhao F, Pang G, Li X, Yang S, Zhong H. Value of perfusion parameters histogram analysis of triphasic CT in differentiating intrahepatic mass forming cholangiocarcinoma from hepatocellular carcinoma. Sci Rep 2021；11：23163.

46) Sano S, Yamamoto Y, Sugiura T, Okamura Y, Ito T, Ashida R, et al. The radiological differentiation of hypervascular intrahepatic cholangiocarcinoma from hepatocellular carcinoma with a focus on the CT value on multi-phase enhanced CT. Anticancer Res 2018；38：5505-5512.

47) Kim SS, Lee S, Choi JY, Lim JS, Park MS, Kim MJ. Diagnostic performance of the LR-M criteria and spectrum of LI-RADS imaging features among primary hepatic carcinomas. Abdom Radiol (NY) 2020；45：3743-3754.

48) Min JH, Lee MW, Park HS, Lee DH, Park HJ, Lee JE, et al. LI-RADS Version 2018 targetoid appearances on gadoxetic acid-enhanced MRI：interobserver agreement and diagnostic performance for the differentiation of HCC and Non-HCC malignancy. AJR Am J Roentgenol 2022；219：421-432.

49) Jiang H, Song B, Qin Y, Chen J, Xiao D, Ha HI, et al. Diagnosis of LI-RADS M lesions on gadoxetate-enhanced MRI：identifying cholangiocarcinoma-containing tumor with serum markers and imaging features. Eur Radiol 2021；31：3638-3648.

50) Liu X, Shan Q, Wang Z. Editorial for "LI-RADS Category on MRI is associated with recurrence of intrahepatic cholangiocarcinoma after surgery：a multicenter study". J Magn Reson Imaging 2023；57：939-940.

51) Wengert GJ, Baltzer PAT, Bickel H, Thurner P, Breitenseher J, Lazar M, et al. Differentiation of intrahepatic cholangiocellular carcinoma from hepatocellular carcinoma in the cirrhotic liver using contrast-enhanced MR imaging. Acad Radiol 2017；24：1491-1500.

52) Kim R, Lee JM, Shin CI, Lee ES, Yoon JH, Joo I, et al. Differentiation of intrahepatic mass-forming cholangiocarcinoma from hepatocellular carcinoma on gadoxetic acid-enhanced liver MR imaging. Eur Radiol 2016；26：1808-1817.

53) Kovač JD, Daković M, Janković A, Mitrović M, Dugalić V, Galun D, et al. The role of quantitative diffusion-weighted imaging in characterization of hypovascular liver lesions：a prospective comparison of intravoxel incoherent motion derived parameters and apparent diffusion coefficient. PLoS One 2021；16：e0247301.

54) Chen J, Si Y, Zhao K, Shi X, Bi W, Liu SE, et al. Evaluation of quantitative parameters of dynamic contrast-enhanced magnetic resonance imaging in qualitative diagnosis of hepatic masses. BMC Med Imaging 2018；18：56.

55) Chang AI, Kim YK, Min JH, Lee J, Kim H, Lee SJ. Differentiation between inflammatory myofibroblastic tumor and cholangiocarcinoma manifesting as target appearance on gadoxetic acid-enhanced MRI. Abdom Radiol(NY) 2019；44：1395-1406.

56) Ichikawa S, Isoda H, Shimizu T, Tamada D, Taura K, Togashi K, et al. Distinguishing intrahepatic mass-forming biliary carcinomas from hepatocellular carcinoma by computed tomography and magnetic resonance imaging using the Bayesian method：a bi-center study. Eur Radiol 2020；30：5992-6002.

57) Lewis S, Besa C, Wagner M, Jhaveri K, Kihira S, Zhu H, et al. Prediction of the histopathologic findings of intrahepatic cholangiocarcinoma：qualitative and quantitative assessment of diffusion-weighted imaging. Eur Radiol 2018；28：2047-2057.

58) Konstantinidis IT, Bajpai S, Kambadakone AR, Tanabe KK, Berger DL, Zheng H, et al. Gallbladder lesions identified on ultrasound. Lessons from the last 10 years. J Gastrointest Surg 2012；16：549-553.

59) Cheng Y, Wang M, Ma B, Ma X. Potential role of contrast-enhanced ultrasound for the differentiation of

malignant and benign gallbladder lesions in East Asia : a meta-analysis and systematic review. Medicine (Baltimore) 2018 ; 97 : e11808.

60) Boddapati SB, Lal A, Gupta P, Kalra N, Yadav TD, Gupta V, et al. Contrast enhanced ultrasound versus multiphasic contrast enhanced computed tomography in evaluation of gallbladder lesions. Abdom Radiol (NY) 2022 ; 47 : 566-575.

61) Zhuang B, Li W, Wang W, Lin M, Xu M, Xie X, et al. Contrast-enhanced ultrasonography improves the diagnostic specificity for gallbladder-confined focal tumors. Abdom Radiol (NY) 2018 ; 43 : 1134-1142.

62) Choi TW, Kim JH, Park SJ, Ahn SJ, Joo I, Han JK. Risk stratification of gallbladder polyps larger than 10 mm using high-resolution ultrasonography and texture analysis. Eur Radiol 2018 ; 28 : 196-205.

63) Wang W, Fei Y, Wang F. Meta-analysis of contrast-enhanced ultrasonography for the detection of gallbladder carcinoma. Med Ultrason 2016 ; 18 : 281-287.

64) Chattopadhyay D, Lochan R, Balupuri S, Gopinath BR, Wynne KS. Outcome of gall bladder polypoidal lesions detected by transabdominal ultrasound scanning : a nine year experience. World J Gastroenterol 2005 ; 11 : 2171-2173.

65) Inui K, Yoshino J, Miyoshi H. Diagnosis of gallbladder tumors. Intern Med 2011 ; 50 : 1133-1136.

66) Kim JH, Lee JY, Baek JH, Eun HW, Kim YJ, Han JK, et al. High-resolution sonography for distinguishing neoplastic gallbladder polyps and staging gallbladder cancer. AJR Am J Roentgenol 2015 ; 204 : W150-W159.

67) Hirooka Y, Naitoh Y, Goto H, Furukawa T, Ito A, Hayakawa T. Differential diagnosis of gallbladder masses using colour Doppler ultrasonography. J Gastroenterol Hepatol 1996 ; 11 : 840-846.

68) Tongdee R, Maroongroge P, Suthikeree W. The value of MDCT scans in differentiation between benign and malignant gallbladder wall thickening. J Med Assoc Thai 2011 ; 94 : 592-600.

69) Wasnik AP, Davenport MS, Kaza RK, Weadock WJ, Udager A, Keshavarzi N, et al. Diagnostic accuracy of MDCT in differentiating gallbladder cancer from acute and xanthogranulomatous cholecystitis. Clin Imaging 2018 ; 50 : 223-228.

70) Uchiyama K, Ozawa S, Ueno M, Hayami S, Hirono S, Ina S, et al. Xanthogranulomatous cholecystitis : the use of preoperative CT findings to differentiate it from gallbladder carcinoma. J Hepatobiliary Pancreat Surg 2009 ; 16 : 333-338.

71) Kwon YJ, Song KD, Ko SE, Hwang JA, Kim M. Diagnostic performance and inter-observer variability to differentiate between T1- and T2-stage gallbladder cancers using multi-detector row CT. Abdom Radiol (NY) 2022 ; 47 : 1341-1350.

72) Li B, Xu XX, Du Y, Yang HF, Li Y, Zhang Q, et al. Computed tomography for assessing resectability of gallbladder carcinoma : a systematic review and meta-analysis. Clin Imaging 2013 ; 37 : 327-333.

73) Kalra N, Suri S, Gupta R, Natarajan SK, Khandelwal N, Wig JD, et al. MDCT in the staging of gallbladder carcinoma. AJR Am J Roentgenol 2006 ; 186 : 758-762.

74) Lee TY, Ko SF, Huang CC, Ng SH, Liang JL, Huang HY, et al. Intraluminal versus infiltrating gallbladder carcinoma : clinical presentation, ultrasound and computed tomography. World J Gastroenterol 2009 ; 15 : 5662-5668.

75) Kumaran V, Gulati S, Paul B, Pande K, Sahni P, Chattopadhyay K. The role of dual-phase helical CT in assessing resectability of carcinoma of the gallbladder. Eur Radiol 2002 ; 12 : 1993-1999.

76) Choi SY, Kim JH, Park HJ, Han JK. Preoperative CT findings for prediction of resectability in patients with gallbladder cancer. Eur Radiol 2019 ; 29 : 6458-6468.

77) Joo I, Lee JY, Baek JH, Kim JH, Park HS, Han JK, et al. Preoperative differentiation between T1a and ≧ T1b gallbladder cancer : combined interpretation of high-resolution ultrasound and multidetector-row computed tomography. Eur Radiol 2014 ; 24 : 1828-1834.

78) Engels JT, Balfe DM, Lee JK. Biliary carcinoma : CT evaluation of extrahepatic spread. Radiology 1989 ; 172 : 35-40.

79) Ohtani T, Shirai Y, Tsukada K, Hatakeyama K, Muto T. Carcinoma of the gallbladder : CT evaluation of lymphatic spread. Radiology 1993 ; 189 : 875-880.

80) Kim SJ, Lee JM, Lee JY, Choi JY, Kim SH, Han JK, et al. Accuracy of preoperative T-staging of gallbladder carcinoma using MDCT. AJR Am J Roentgenol 2008 ; 190 : 74-80.

81) Yoshimitsu K, Honda H, Shinozaki K, Aibe H, Kuroiwa T, Irie H, et al. Helical CT of the local spread of carcinoma of the gallbladder : evaluation according to the TNM system in patients who underwent surgical resection. AJR Am J Roentgenol 2002 ; 179 : 423-428.

82) Jang JY, Kim SW, Lee SE, Hwang DW, Kim EJ, Lee JY, et al. Differential diagnostic and staging accuracies of

high resolution ultrasonography, endoscopic ultrasonography, and multidetector computed tomography for gallbladder polypoid lesions and gallbladder cancer. Ann Surg 2009；250：943-949.

83）You MW, Yun SJ. Diagnostic performance of diffusion-weighted imaging for differentiating benign and malignant gallbladder lesions：a systematic review and meta-analysis. J Magn Reson Imaging 2018；48：1375-1388.

84）Lee NK, Kim S, Kim TU, Kim DU, Seo HI, Jeon TY. Diffusion-weighted MRI for differentiation of benign from malignant lesions in the gallbladder. Clin Radiol 2014；69：e78-e85.

85）Kitazume Y, Taura S, Nakaminato S, Noguchi O, Masaki Y, Kasahara I, et al. Diffusion-weighted magnetic resonance imaging to differentiate malignant from benign gallbladder disorders. Eur J Radiol 2016；85：864-873.

86）Haradome H, Ichikawa T, Sou H, Yoshikawa T, Nakamura A, Araki T, et al. The pearl necklace sing：an imaging sign of adenomyomatosis of the gallbladder at MR cholangiopancreatography. Radiology 2003；227：80-88.

87）Bang SH, Lee JY, Woo H, Joo I, Lee ES, Han JK, et al. Differentiating between adenomyomatosis and gallbladder cancer：revisiting a comparative study of high-resolution ultrasound, multidetector CT, and MR imaging. Korean J Radiol 2014；15：226-234.

88）Schwartz LH, Lefkowitz RA, Panicek DM, Coakley FV, Jarnagin W, Dematteo R, et al. Breath-hold magnetic resonance cholangiopancreatography in the evaluation of malignant pancreaticobiliary obstruction. J Comput Assist Tomogr 2003；27：307-314.

89）Kim JH, Kim TK, Eun HW, Kim BS, Lee MG, Kim PN, et al. Preoperative evaluation of gallbladder carcinoma：efficacy of combined use of MR imaging, MR cholangiography, and contrast-enhanced dual-phase three-dimensional MR angiography. J Magn Reson Imaging 2002；16：676-684.

90）Chen XP, Liu J, Zhou J, Zhou PC, Shu J, Xu LL, et al. Combination of CEUS and MRI for the diagnosis of periampullary space-occupying lesions：a retrospective analysis. BMC Med Imaging 2019；19：77.

91）Chen WX, Xie QG, Zhang WF, Zhang X, Hu TT, Xu P, et al. Multiple imaging techniques in the diagnosis of ampullary carcinoma. Hepatobiliary Pancreat Dis Int 2008；7：649-653.

92）Angthong W, Jiarakoop K, Tangtiang K. Differentiation of benign and malignant ampullary obstruction by multi-row detector CT. Jpn J Radiol 2018；36：477-488.

93）Chen CH, Yang CC, Yeh YH, Chou DA, Nien CK. Reappraisal of endosonography of ampullary tumors：correlation with transabdominal sonography, CT, and MRI. J Clin Ultrasound 2009；37：18-25.

94）Artifon EL, Couto D Jr, Sakai P, da Silveira EB. Prospective evaluation of EUS versus CT scan for staging of ampullary cancer. Gastrointest Endosc 2009；70：290-296.

95）Lee M, Kim MJ, Park MS, Choi JY, Chung YE. Using multi-detector-row CT to diagnose ampullary adenoma or adenocarcinoma in situ. Eur J Radiol 2011；80：e340-e345.

96）Menzel J, Hoepffner N, Sulkowski U, Reimer P, Heinecke A, Poremba C, et al. Polypoid tumors of the major duodenal papilla：preoperative staging with intraductal US, EUS, and CT：a prospective, histopathologically controlled study. Gastrointest Endosc 1999；49：349-357.

97）Jang KM, Kim SH, Lee SJ, Park HJ, Choi D, Hwang J. Added value of diffusion-weighted MR imaging in the diagnosis of ampullary carcinoma. Radiology 2013；266：491-501.

98）Nagahama M, Maruoka N, Yamamura E, Takano Y, Takeyama N, Hashimoto T, et al. Diagnostic ability of diffusion-weighted magnetic resonance imaging to discriminate ampullary neoplasms：a preliminary study of 15 cases. The Showa University Journal of Medical Sciences 2014；26：201-210.

99）Bi L, Dong Y, Jing C, Wu Q, Xiu J, Cai S, et al. Differentiation of pancreatobiliary-type from intestinal-type periampullary carcinomas using 3.0T MRI. J Magn Reson Imaging 2016；43：877-886.

100）Andersson M, Kostic S, Johansson M, Lundell L, Asztély M, Hellström M. MRI combined with MR cholangiopancreatography versus helical CT in the evaluation of patients with suspected periampullary tumors：a prospective comparative study. Acta Radiol 2005；46：16-27.

BQ6　乳頭部癌の診断に内視鏡検査は有用か？

乳頭部の異常を拾い上げるのに内視鏡診断は有用である。特に十二指腸鏡を使った検査は乳頭部病変の観察，生検診断を行う際に有用である。

解説

　乳頭部腫瘍の内視鏡診断において，口側隆起の腫大，乳頭部開口部の性状の観察が必要であるが，通常の上部消化管内視鏡（直視鏡）ではその性状を観察しにくいので，ERCP で用いる十二指腸鏡（側視鏡）での観察が適している。内視鏡の違いによる乳頭部病変の生検正診率には差がある（85.7％ vs. 45.0％，$P = 0.004$）[1]。キャップを用いることで直視鏡における乳頭部病変の観察が向上するという前向き研究の報告（全 102 例）がある[2]。

　乳頭部癌は肉眼的形態から腫瘤型，混在型，潰瘍型，そのほか（正常型，ポリープ型，特殊型）に分類され，前 3 者は癌が強く疑われる内視鏡的所見であるため引き続き生検を行い，組織診断を得る[3]。

　白色光観察（white-light imaging：WLI）において，腺腫は褪色調で顆粒・分葉状を呈することが多く，癌の場合は発赤調で陥凹，粘膜不整を示し易出血性である[4]。

　内視鏡観察のみの正診率は 67.3～83％であった[1,5]。生検での病理診断と同等であった報告や，内視鏡診断は生検病理診断より優れるという報告もある。病理診断との乖離には，生検検体には炎症や癌の深部の存在に伴う偽陰性の可能性があり，炎症が改善した後の複数回の観察により正診率が向上する可能性がある[1]。

　画像強調内視鏡（image-enhanced endoscopy：IEE），特に narrow-band imaging（NBI）を用いた拡大観察の有用性を報告する文献が少数あり，NBI 拡大観察における，不規則な絨毛配列，不規則な絨毛サイズ，隆起の消失，正常絨毛との境界，および異常な微小血管構造が腺腫や腺癌に認められ[6]，特に不規則な絨毛配置および異常な微小血管構造は，腺腫と腺癌を鑑別するための重要な独立した因子であったとの報告[7]があるが，一般に用いられる十二指腸鏡では拡大観察の機能は有さない。

　また NBI 観察やインジゴカルミン散布は乳頭部腫瘍と正常十二指腸粘膜との境界を視認しやすくするため，特に内視鏡的乳頭切除を行う際の切除範囲の認識に役立つ[8]。

　以上より，通常観察で乳頭部の異常を拾い上げ，肉眼型を分類し生検を行う契機として内視鏡診断は有用である。内視鏡観察のみでの良悪性診断には限界があるが，繰り返しの観察や NBI 拡大観察は生検診断と同等程度の有用性が示唆され，臨床上行う意義は高いと思われる。

引用文献

1) Lee HS, Jang JS, Lee S, Yeon MH, Kim KB, Park JG, et al. Diagnostic accuracy of the initial endoscopy for ampullary tumors. Clin Endosc 2015；48：239-246.
2) Silva LC, Arruda RM, Botelho PFR, Taveira LN, Giardina KM, de Oliveira MA, et al. Cap-assisted endoscopy increases ampulla of Vater visualization in high-risk patients. BMC Gastroenterol 2020；20：214.
3) Nagino M, Hirano S, Yoshitomi H, Aoki T, Uesaka K, Unno M, et al. Clinical practice guidelines for the management of biliary tract cancers 2019：the 3rd English edition. J Hepatobiliary Pancreat Sci 2021；28：26-54.
4) 伊藤　啓，越田真介，菅野良秀，小川貴央，枡かおり，野田　裕. 十二指腸乳頭部腫瘍に対する内視鏡を用いた診断的手法. 胆道 2015；29：300-309.
5) DeOliveira ML, Triviño T, de Jesus Lopes Filho G. Carcinoma of the papilla of Vater：are endoscopic

appearance and endoscopic biopsy discordant? J Gastrointest Surg 2006；10：1140-1143.

6）Park JS, Seo DW, Song TJ, Park DH, Lee SS, Lee SK, et al. Usefulness of white-light imaging-guided narrow-band imaging for the differential diagnosis of small ampullary lesions. Gastrointest Endosc 2015；82：94-101.

7）Uchiyama Y, Imazu H, Kakutani H, Hino S, Sumiyama K, Kuramochi A, et al. New approach to diagnosing ampullary tumors by magnifying endoscopy combined with a narrow-band imaging system. J Gastroenterol 2006；41：483-490.

8）Itoi T, Tsuji S, Sofuni A, Itokawa F, Kurihara T, Tsuchiya T, et al. A novel approach emphasizing preoperative margin enhancement of tumor of the major duodenal papilla with narrow-band imaging in comparison to indigo carmine chromoendoscopy（with videos）. Gastrointest Endosc 2009；69：136-141.

CQ1	胆道癌の診断に EUS は推奨されるか？

肝外胆管癌では鑑別診断，局所進展度診断に有用であり，行うことを提案する。

推奨度 2（レベル C）

胆嚢癌では鑑別診断，局所進展度診断に有用であり，行うことを提案する。

推奨度 2（レベル C）

乳頭部癌では鑑別診断，局所進展度診断に有用であり，行うことを提案する。

推奨度 2（レベル B）

解説

1）肝外胆管癌

　EUS は胆管狭窄病変，特に遠位胆管病変の質的診断，胆管癌の進展度診断，門脈および肝動脈など血管浸潤の評価に有用である[1~3]。腫瘍の検出率においても EUS は CT よりも高い（94% vs. 30%）と報告されている[4]。また，胆管原発腫瘍か周囲臓器からの浸潤かの鑑別診断に有用であるほか，EUS と MRCP の組み合わせが早期の胆管癌の診断に有用，EUS と CT の組み合わせが非切除因子の検出に有用との報告もある[4,5]。ただし，EUS の診断能は術者の技量に依存する。CT，ERCP，EUS，intraductal ultrasonography（IDUS）を用いて系統的に診断を行うことで，診断精度を向上させることができると報告されている[6]。

2）肝内胆管癌

　EUS を用いた肝内胆管癌の診断に関する報告は認めなかった。EUS は主に肝左葉中心に存在する肝内胆管癌の観察および組織採取に有用である可能性がある。

3）胆嚢癌

　EUS は高周波プローブにて至近距離で胆嚢の観察を可能とするため，胆嚢隆起性病変の形態，腫瘍基部の壁構造，癌深達度診断に有用である。EUS は US に比較して胆嚢隆起性病変の診断能に優れており，EUS の感度と特異度は 67~92% と 84~89% であるのに対し，US が 45~54% と 54~72% と報告されている[7~9]。CT と比較しても胆嚢隆起性病変の感度は EUS が 86%，CT が 72% と EUS の方が優れている[7]。一方で 1 cm 以下の小さな病変では EUS でも良悪性の鑑別は難しい[9]。胆嚢隆起性病変の良悪性の鑑別においては EUS スコアリングシステムが提案されており[10]，感度と特異度はそれぞれ 81% と 86% である。胆嚢壁肥厚病変の良悪性診断に関しても，EUS は感度 85%，特異度 100% で，CT の感度 62%，特異度 99% よりも優れている[11]。胆嚢癌の深達度診断の正診率は EUS で 56%，CT で 44% と EUS が優れている[12]。広基性病変の T1 胆嚢癌の診断能は感度 86%，特異度 100% である[13]。胆嚢隆起性病変や壁肥厚の診断において超音波造影剤を用いた造影 EUS（contrast-enhanced endoscopic ultrasonography：CE-EUS）の有用性が報告されている[14~17]。胆嚢癌診断で CE-EUS の感度は 94~98%，特異度は 93~98% で，通常の EUS の感度 61~90% と特異度 71~91% に対して優位性が報告されている[14,17]。しかし，胆嚢病変に対する CE-EUS の報告はまだ限られており，また EUS での超音波造影剤の使用は保険適用外である。

4）乳頭部癌

　EUS は乳頭部の描出と腫瘍深達度の診断が CT よりも優れている[18~20]。非浸潤癌と腺腫の鑑別は困難で

あるが，内視鏡的・外科的乳頭切除の適応を判断する上で重要な膵管と胆管への腫瘍進展の評価にも有用である[21]。EUS の T 分類の評価に関して，感度と特異度は T1：50〜94% と 46〜87%，T2：50〜82% と 76〜97%，T3：67〜81% と 77〜97 %，T4：50〜84% と 74〜98% と報告され，高い診断精度を示している[22〜26]。EUS は膵浸潤の判定に優れているが，十二指腸壁を越えるが膵実質に達していないことを判定することは困難である。また Oddi 筋を越えるが十二指腸固有筋層に達していないことを判定することも困難である。EUS の膵管と胆管進展の診断能は，それぞれ 77〜92% と 86〜90% と報告され，高い診断精度を示している[20,21,24,27]。乳頭部周囲の癌病変で EUS の血管浸潤の診断能は，感度は 73%，特異度は 90% と高い診断精度を示している[28]。リンパ節転移の感度は 61〜78%，特異度は 74〜96%で[20, 22〜25]，造影剤を使用するとさらに上昇するとの報告もある[29]。

委員会投票結果

肝外胆管癌

行うことを 強く推奨する	行うことを 弱く推奨する	行わないことを 弱く推奨する	行わないことを 強く推奨する	推奨なし
0%（22名中0名）	86%（22名中19名）	0%（22名中0名）	0%（22名中0名）	5%（22名中1名）

棄権者：2名

胆囊癌

行うことを 強く推奨する	行うことを 弱く推奨する	行わないことを 弱く推奨する	行わないことを 強く推奨する	推奨なし
18%（22名中4名）	82%（22名中18名）	0%（22名中0名）	0%（22名中0名）	0%（22名中0名）

棄権者：0名

乳頭部癌

行うことを 強く推奨する	行うことを 弱く推奨する	行わないことを 弱く推奨する	行わないことを 強く推奨する	推奨なし
23%（22名中5名）	73%（22名中16名）	0%（22名中0名）	0%（22名中0名）	0%（22名中0名）

棄権者：1名

引用文献

1) Khan AH, Austin GL, Fukami N, Sethi A, Brauer BC, Shah RJ. Cholangiopancreatoscopy and endoscopic ultrasound for indeterminate pancreaticobiliary pathology. Dig Dis Sci 2013；58：1110-1115.

2) Saifuku Y, Yamagata M, Koike T, Hitomi G, Kanke K, Watanabe H, et al. Endoscopic ultrasonography can diagnose distal biliary strictures without a mass on computed tomography. World J Gastroenterol 2010；16：237-244.

3) Alper E, Arabul M, Buyrac Z, Baydar B, Ustundag Y, Celik M, et al. The use of radial endosonography findings in the prediction of cholangiocarcinoma in cases with distal bile duct obstructions. Hepatogastroenterology 2013；60：678-683.

4) Mohamadnejad M, DeWitt JM, Sherman S, LeBlanc JK, Pitt HA, House MG, et al. Role of EUS for preoperative

evaluation of cholangiocarcinoma：a large single-center experience. Gastrointest Endosc 2011；73：71-78.

5）Kawashima H, Itoh A, Ohno E, Itoh Y, Ebata T, Nagino M, et al. Preoperative endoscopic nasobiliary drainage in 164 consecutive patients with suspected perihilar cholangiocarcinoma：a retrospective study of efficacy and risk factors related to complications. Ann Surg 2013；257：121-127.

6）甲斐真弘，千々岩一男，大谷和広，大内田次郎，近藤千博，永野元章，他. 胆管癌の予後因子と進展度診断の新展開. 癌の臨 2009；55：521-528.

7）Azuma T, Yoshikawa T, Araida T, Takasaki K. Differential diagnosis of polypoid lesions of the gallbladder by endoscopic ultrasonography. Am J Surg 2001；181：65-70.

8）Cho JH, Park JY, Kim YJ, Kim HM, Kim HJ, Hong SP, et al. Hypoechoic foci on EUS are simple and strong predictive factors for neoplastic gallbladder polyps. Gastrointest Endosc 2009；69：1244-1250.

9）Cheon YK, Cho WY, Lee TH, Cho YD, Moon JH, Lee JS, et al. Endoscopic ultrasonography does not differentiate neoplastic from non-neoplastic small gallbladder polyps. World J Gastroenterol 2009；15：2361-2366.

10）Choi WB, Lee SK, Kim MH, Seo DW, Kim HJ, Kim DI, et al. A new strategy to predict the neoplastic polyps of the gallbladder based on a scoring system using EUS. Gastrointest Endosc 2000；52：372-379.

11）Kim HJ, Park JH, Park DI, Cho YK, Sohn CI, Jeon WK, et al. Clinical usefulness of endoscopic ultrasonography in the differential diagnosis of gallbladder wall thickening. Dig Dis Sci 2012；57：508-515.

12）Jang JY, Kim SW, Lee SE, Hwang DW, Kim EJ, Lee JY, et al. Differential diagnostic and staging accuracies of high resolution ultrasonography, endoscopic ultrasonography, and multidetector computed tomography for gallbladder polypoid lesions and gallbladder cancer. Ann Surg 2009；250：943-949.

13）Toyonaga H, Hayashi T, Ueki H, Chikugo K, Ishii T, Nasuno H, et al. An intact boundary between the tumor and inner hypoechoic layer discriminates T1 lesions among sessile elevated gallbladder cancers. J Hepatobiliary Pancreat Sci 2021；28：1121-1129.

14）Choi JH, Seo DW, Choi JH, Park DH, Lee SS, Lee SK, et al. Utility of contrast-enhanced harmonic EUS in the diagnosis of malignant gallbladder polyps（with videos）. Gastrointest Endosc 2013；78：484-493.

15）Hirooka Y, Naitoh Y, Goto H, Ito A, Hayakawa S, Watanabe Y, et al. Contrast-enhanced endoscopic ultrasonography in gallbladder diseases. Gastrointest Endosc 1998；48：406-410.

16）Park CH, Chung MJ, Oh TG, Park JY, Bang S, Park SW, et al. Differential diagnosis between gallbladder adenomas and cholesterol polyps on contrast-enhanced harmonic endoscopic ultrasonography. Surg Endosc 2013；27：1414-1421.

17）Kamata K, Takenaka M, Kitano M, Omoto S, Miyata T, Minaga K, et al. Contrast-enhanced harmonic endoscopic ultrasonography for differential diagnosis of localized gallbladder lesions. Dig Endosc 2018；30：98-106.

18）Artifon EL, Couto D Jr, Sakai P, da Silveira EB. Prospective evaluation of EUS versus CT scan for staging of ampullary cancer. Gastrointest Endosc 2009；70：290-296.

19）Menzel J, Hoepffner N, Sulkowski U, Reimer P, Heinecke A, Poremba C, et al. Polypoid tumors of the major duodenal papilla：preoperative staging with intraductal US, EUS, and CT--a prospective, histopathologically controlled study. Gastrointest Endosc 1999；49：349-357.

20）Itoh A, Goto H, Naitoh Y, Hirooka Y, Furukawa T, Hayakawa T. Intraductal ultrasonography in diagnosing tumor extension of cancer of the papilla of Vater. Gastrointest Endosc 1997；45：251-260.

21）Ito K, Fujita N, Noda Y, Kobayashi G, Horaguchi J, Takasawa O, et al. Preoperative evaluation of ampullary neoplasm with EUS and transpapillary intraductal US：a prospective and histopathologically controlled study. Gastrointest Endosc 2007；66：740-747.

22）Trikudanathan G, Njei B, Attam R, Arain M, Shaukat A. Staging accuracy of ampullary tumors by endoscopic ultrasound：meta-analysis and systematic review. Dig Endosc 2014；26：617-626.

23）Ye X, Wang L, Jin Z. Diagnostic accuracy of endoscopic ultrasound and intraductal ultrasonography for assessment of ampullary tumors：a meta-analysis. Scand J Gastroenterol 2022；57：1158-1168.

24）Peng CY, Lv Y, Shen SS, Wang L, Ding XW, Zou XP. The impact of endoscopic ultrasound in preoperative evaluation for ampullary adenomas. J Dig Dis 2019；20：248-255.

25）Wee E, Lakhtakia S, Gupta R, Anuradha S, Shetty M, Kalapala R, et al. The diagnostic accuracy and strength of agreement between endoscopic ultrasound and histopathology in the staging of ampullary tumors. Indian J Gastroenterol 2012；31：324-332.

26）Azih LC, Broussard BL, Phadnis MA, Heslin MJ, Eloubeidi MA, Varadarajulu S, et al. Endoscopic ultrasound evaluation in the surgical treatment of duodenal and peri-ampullary adenomas. World J Gastroenterol 2013；19：511-515.

27）Okano N, Igarashi Y, Hara S, Takuma K, Kamata I, Kishimoto Y, et al. Endosonographic preoperative evaluation for tumors of the ampulla of Vater using endoscopic ultrasonography and intraductal ultrasonography. Clin Endosc 2014 ; 47 : 174-177.

28) Puli SR, Singh S, Hagedorn CH, Reddy J, Olyaee M. Diagnostic accuracy of EUS for vascular invasion in pancreatic and periampullary cancers : a meta-analysis and systematic review. Gastrointest Endosc 2007 ; 65 : 788-797.

29) Miyata T, Kitano M, Omoto S, Kadosaka K, Kamata K, Imai H, et al. Contrast-enhanced harmonic endoscopic ultrasonography for assessment of lymph node metastases in pancreatobiliary carcinoma. World J Gastroenterol 2016 ; 22 : 3381-3391.

CQ2 胆道癌の診断に FDG PET/PET-CT は推奨されるか?

FDG PET/PET-CT は遠隔転移やリンパ節転移の診断に有用であり,進行癌病変では行うことを提案する。

推奨度2（レベル B）

解説

　胆道癌の病期診断で FDG positron emission tomography（FDG PET）/PET-CT の有効性は多く報告されている。肝外胆管癌,肝内胆管癌,胆嚢癌,乳頭部癌のいずれも病期分類が進行した癌病変の診断では感度,特異度が高く,T1 病変では感度,特異度が低い[1]。また,リンパ節転移,遠隔転移の診断能が高く,治療前の CT,MRI では病変を認めず,FDG PET/PET-CT を行うことで遠隔転移が見つかり治療方針が変更となる場合も多く報告されている[2~11]。また,standardized uptake value（SUV）の高い病変は術後再発の可能性が高いとも報告されている[12~14]。

　FDG PET/PET-CT は胆道の良悪性疾患の鑑別にも有用であるとの報告が複数あり,悪性疾患の方が良性疾患よりも SUV が有意に高いとされる[15~19]。しかし FDG PET/PET-CT の保険適用要件は,「他の検査,画像診断により病期診断,転移・再発の診断が確定できない患者に使用する。」であり,症例選択基準も①病理組織学的に悪性腫瘍と確認されている患者,もしくは②臨床的に高い蓋然性をもって悪性腫瘍と診断される患者であることが必要である。よって,良悪性疾患の鑑別を目的とした検査は保険適用外となる。

1) 肝外胆管癌

　肝外胆管癌は胆道癌の一部としての報告が多く,肝外胆管癌においても FDG PET/PET-CT は原発巣の検出,リンパ節転移や遠隔転移の検出,術後再発の診断に有用である[3,15,19~22]。肝外胆管癌の診断能に関しては,感度 45~97%,特異度 60~78% と報告されている[16,23~25]。

2) 肝内胆管癌

　FDG PET/PET-CT は原発巣の診断において,感度 91~100%,特異度 80~83%,正診率 89~94% と高い診断精度を示している[1,15,19,24]。FDG PET/PET-CT は peripheral type,hilar type ともに原発巣の検出に有用であり,前者の方が SUV は有意に高いと報告されている[26,27]。また,分化度が低いほど SUV が高い相関も示されている[28,29]。リンパ節転移の感度は 52~73%,特異度は 82~92% で,MRI よりも優れた診断精度と報告されている[3,26,30]。

3) 胆嚢癌

　胆嚢病変の良悪性診断は,感度 75~92%,特異度 80~100% と報告されている[17,18,20]。リンパ節転移の診断では感度 70~73%,特異度 82~97%[3,5],遠隔転移の診断では感度 70%,特異度 86%,正診率 80% と報告されている[31]。進行胆嚢癌では CT と MRI で診断できなかった転移病変が FDG PET/PET-CT で見つかることがあり,FDG PET/PET-CT を術前検査に含めることの有用性が報告されている[1,2,4,5,32]。一方で 3% 程度は偽陽性のために不必要な追加手術が行われることも報告されており,偽陰性や偽陽性の可能性があることも留意する[5,20,31]。

4）乳頭部癌

乳頭部癌のFDG PET/PET-CTに関しては，periampullary cancerもしくは胆道癌の一部としての報告が多く，局所病変の検出感度は71～93%，特異度20～79%と報告されている[1,19,33,34]。しかしFDG PET/PET-CTに求められる役割は，主に進行癌での病期診断やCTやMRIで転移の判断が難しい病巣を認めた場合の評価と考えられる。

委員会投票結果

行うことを 強く推奨する	行うことを 弱く推奨する	行わないことを 弱く推奨する	行わないことを 強く推奨する	推奨なし
18%（22名中4名）	77%（22名中17名）	0%（22名中0名）	0%（22名中0名）	5%（22名中1名）

棄権者：0名

引用文献

1) Yamada I, Ajiki T, Ueno K, Sawa H, Otsubo I, Yoshida Y, et al. Feasibility of （18） F-fluorodeoxyglucose positron-emission tomography for preoperative evaluation of biliary tract cancer. Anticancer Res 2012；32：5105-5110.

2) Patkar S, Chaturvedi A, Goel M, Rangarajan V, Sharma A, Engineer R. Role of positron emission tomography-contrast enhanced computed tomography in locally advanced gallbladder cancer. J Hepatobiliary Pancreat Sci 2020；27：164-170.

3) Ma KW, Cheung TT, She WH, Chok KSH, Chan ACY, Dai WC, et al. Diagnostic and prognostic role of 18-FDG PET/CT in the management of resectable biliary tract cancer. World J Surg 2018；42：823-834.

4) Arslan E, Aksoy T, Dursun N, Gürsu RU, Sevinç MM, Çermik TF. The Role of 18F-FDG PET/CT in staging of gallbladder carcinomas. Turk J Gastroenterol 2020；31：105-112.

5) Leung U, Pandit-Taskar N, Corvera CU, D'Angelica MI, Allen PJ, Kingham TP, et al. Impact of pre-operative positron emission tomography in gallbladder cancer. HPB （Oxford） 2014；16：1023-1030.

6) Burge ME, O'Rourke N, Cavallucci D, Bryant R, Francesconi A, Houston K, et al. A prospective study of the impact of fluorodeoxyglucose positron emission tomography with concurrent non-contrast CT scanning on the management of operable pancreatic and peri-ampullary cancers. HPB （Oxford） 2015；17：624-631.

7) Raj P, Kaman L, Singh R, Dahyia D, Bhattacharya A, Bal A. Sensitivity and specificity of FDG PET-CT scan in detecting lymph node metastasis in operable periampullary tumours in correlation with the final histopathology after curative surgery. Updates Surg 2013；65：103-107.

8) Goel M, Tamhankar A, Rangarajan V, Patkar S, Ramadwar M, Shrikhande SV. Role of PET CT scan in redefining treatment of incidental gall bladder carcinoma. J Surg Oncol 2016；113：652-658.

9) 伊佐　勉，山元啓文，佐野由紀子，伊志嶺朝成，亀山眞一郎，小橋川嘉泉，他．胆道癌におけるFDG-PET検査の有用性の検討．胆と膵 2010；31：219-225.

10) Lee SW, Kim HJ, Park JH, Park DI, Cho YK, Sohn CI, et al. Clinical usefulness of 18F-FDG PET-CT for patients with gallbladder cancer and cholangiocarcinoma. J Gastroenterol 2010；45：560-566.

11) Furukawa H, Ikuma H, Asakura-Yokoe K, Uesaka K. Preoperative staging of biliary carcinoma using 18F-fluorodeoxyglucose PET：prospective comparison with PET + CT, MDCT and histopathology. Eur Radiol 2008；18：2841-2847.

12) Kubo M, Kobayashi S, Gotoh K, Takayama H, Iwagami Y, Yamada D, et al. Preoperative FDG-positive lymph nodes predict the postoperative prognosis in resectable biliary tract cancers. Ann Surg Oncol 2022；29：935-944.

13) Park MS, Lee SM. Preoperative 18F-FDG PET-CT maximum standardized uptake value predicts recurrence of biliary tract cancer. Anticancer Res 2014；34：2551-2554.

14) Song JY, Lee YN, Kim YS, Kim SG, Jin SJ, Park JM, et al. Predictability of preoperative 18F-FDG PET for histopathological differentiation and early recurrence of primary malignant intrahepatic tumors. Nucl Med Commun 2015 ; 36 : 319-327.

15) Moon CM, Bang S, Chung JB, Park SW, Song SY, Yun M, et al. Usefulness of 18F-fluorodeoxyglucose positron emission tomography in differential diagnosis and staging of cholangiocarcinomas. J Gastroenterol Hepatol 2008 ; 23 : 759-765.

16) Choi EK, Yoo IeR, Kim SH, O JH, Choi WH, Na SJ, et al. The clinical value of dual-time point 18F-FDG PET/CT for differentiating extrahepatic cholangiocarcinoma from benign disease. Clin Nucl Med 2013 ; 38 : e106-e111.

17) Oe A, Kawabe J, Torii K, Kawamura E, Higashiyama S, Kotani J, et al. Distinguishing benign from malignant gallbladder wall thickening using FDG-PET. Ann Nucl Med 2006 ; 20 : 699-703.

18) Lee J, Yun M, Kim KS, Lee JD, Kim CK. Risk stratification of gallbladder polyps (1-2cm) for surgical intervention with 18F-FDG PET/CT. J Nucl Med 2012 ; 53 : 353-358.

19) Cheng MF, Wang HP, Tien YW, Liu KL, Yen RF, Tzen KY, et al. Usefulness of PET/CT for the differentiation and characterization of periampullary lesions. Clin Nucl Med 2013 ; 38 : 703-708.

20) Annunziata S, Pizzuto DA, Caldarella C, Galiandro F, Sadeghi R, Treglia G. Diagnostic accuracy of fluorine-18-fluorodeoxyglucose positron emission tomography in gallbladder cancer : a meta-analysis. World J Gastroenterol 2015 ; 21 : 11481-11488.

21) Hu JH, Tang JH, Lin CH, Chu YY, Liu NJ. Preoperative staging of cholangiocarcinoma and biliary carcinoma using 18F-fluorodeoxyglucose positron emission tomography : a meta-analysis. J Investig Med 2018 ; 66 : 52-61.

22) Kitajima K, Murakami K, Kanegae K, Tamaki N, Kaneta T, Fukuda H, et al. Clinical impact of whole body FDG-PET for recurrent biliary cancer : a multicenter study. Ann Nucl Med 2009 ; 23 : 709-715.

23) Pang L, Bo X, Wang J, Wang C, Wang Y, Liu G, et al. Role of dual-time point (18) F-FDG PET/CT imaging in the primary diagnosis and staging of hilar cholangiocarcinoma. Abdom Radiol (NY) 2021 ; 46 : 4138-4147.

24) Kim JY, Kim MH, Lee TY, Hwang CY, Kim JS, Yun SC, et al. Clinical role of 18F-FDG PET-CT in suspected and potentially operable cholangiocarcinoma : a prospective study compared with conventional imaging. Am J Gastroenterol 2008 ; 103 : 1145-1151.

25) 又木雄弘, 新地洋之, 前村公成, 蔵原　弘, 迫田雅彦, 上野真一, 他. 胆道癌における FDG-PET の検討. 胆道 2011 ; 25 : 72-78.

26) Jiang L, Tan H, Panje CM, Yu H, Xiu Y, Shi H. Role of 18F-FDG PET/CT imaging in intrahepatic cholangiocarcinoma. Clin Nucl Med 2016 ; 41 : 1-7.

27) Kim YJ, Yun M, Lee WJ, Kim KS, Lee JD. Usefulness of 18F-FDG PET in intrahepatic cholangiocarcinoma. Eur J Nucl Med Mol Imaging 2003 ; 30 : 1467-1472.

28) Zhang Y, Li B, He Y, Pang L, Yu H, Shi H. Correlation among maximum standardized 18F-FDG uptake and pathological differentiation, tumor size, and Ki67 in patients with moderately and poorly differentiated intrahepatic cholangiocarcinoma. Hell J Nucl Med 2022 ; 25 : 38-42.

29) Cho KM, Oh DY, Kim TY, Lee KH, Han SW, Im SA, et al. Metabolic characteristics of advanced biliary tract cancer using 18F-fluorodeoxyglucose positron emission tomography and their clinical implications. Oncologist 2015 ; 20 : 926-933.

30) Huang X, Yang J, Li J, Xiong Y. Comparison of magnetic resonance imaging and 18-fludeoxyglucose positron emission tomography/computed tomography in the diagnostic accuracy of staging in patients with cholangiocarcinoma : a meta-analysis. Medicine (Baltimore) 2020 ; 99 : e20932.

31) Goel S, Aggarwal A, Iqbal A, Gupta M, Rao A, Singh S. 18-FDG PET-CT should be included in preoperative staging of gall bladder cancer. Eur J Surg Oncol 2020 ; 46 : 1711-1716.

32) Watanabe A, Harimoto N, Araki K, Kubo N, Igarashi T, Tsukagoshi M, et al. FDG-PET for preoperative evaluation of tumor invasion in ampullary cancer : a retrospective analysis. J Surg Oncol 2021 ; 124 : 317-323.

33) Wen G, Gu J, Zhou W, Wang L, Tian Y, Dong Y, et al. Benefits of (18) F-FDG PET/CT for the preoperative characterisation or staging of disease in the ampullary and duodenal papillary. Eur Radiol 2020 ; 30 : 5089-5098.

34) Sperti C, Pasquali C, Fiore V, Bissoli S, Chierichetti F, Liessi G, et al. Clinical usefulness of 18-fluorodeoxyglucose positron emission tomography in the management of patients with nonpancreatic periampullary neoplasms. Am J Surg 2006 ; 191 : 743-748.

CQ3	胆道癌の診断に胆道造影（ERC・PTC）は推奨されるか？

胆道癌の診断において，肝外胆管癌の進展度診断やそれ以外の胆道癌で胆管浸潤を疑う場合，胆道造影（ERC）を行うことを提案する。
推奨度２（レベル C）

解説

　胆道癌（肝外胆管癌，肝内胆管癌，胆囊癌，乳頭部癌）において，胆道造影に続いてドレナージや組織診断が行われることが多いが，この CQ では単に直接造影を行うことの意義のみを検討した。

1）肝外胆管癌

　システマティックレビューの結果，159 編の論文が抽出されたが，そのうち上記 CQ に対する RCT や前向き試験は抽出されなかった。2000 年代までの単施設からの case series もそのほとんどが CT など他の画像診断を併用した診断能の評価であり，単に胆道造影所見の診断能に関する論文は皆無であった。2002 年に報告された ERCP に関する 5,698 編からのシステマティックレビューでも，ERCP による胆道悪性疾患の診断能は，MRCP や EUS と変わらない，という結果であった[1] が，そのほとんどが 20 世紀に発表されたものであり，その後 MRCP よりも endoscopic retrograde cholangiography（ERC）が有意に診断能が高いとの論文も報告されている[2]。また胆囊管癌の診断に関しては，胆管癌との鑑別とその進展範囲診断において ERC での spoon-like appearance が有用であるとの単施設からの case series での検討結果が報告されている[3]。それに加えて胆管癌全般においても造影所見による診断能は感度 74〜85%，特異度 70〜75%，正診率 72〜80% の成績が報告されており[4〜8]，以後の術前処置としてのドレナージも併施できることから，胆囊管癌を含む胆管癌に対する ERC は診断上有用である。ただし胆管癌に対する percutaneous transhepatic cholangiography（PTC）に関しては，percutaneous transhepatic cholangiodrainage（PTCD）（ドレナージ）後に tract implantation をきたした症例報告もあり[9,10]，ERC ができない症例に限定される。ERC の安全性に関しては，ERCP 後膵炎含め合併症もあるが[11〜15]，得られる情報も多く，施行することが提案される。（レベル C）

2）肝内胆管癌

　肝内胆管癌は腫瘍形成型，胆管浸潤型，胆管内発育型（intraductal papillary neoplasm of bile duct（IPNB）を含む）に分けられることが多い。特に胆管浸潤型や胆管内発育型が肝門付近にある場合には，進展範囲を診断し切除術式を決定するため，ERC の合併症発生リスクを鑑みても，ERC による直接造影が有用と考えられる[16]。PTC に関しては，肝外胆管癌同様 ERC ができない症例に限定される。（レベル C）

3）胆囊癌

　胆囊癌においても，胆管狭窄・閉塞が疑われる際に原則 ERC，それが不可能な場合 PTC を行うことにより胆管浸潤範囲を診断することができる。胆管浸潤のない場合の ERC は胆囊管や胆管への上皮内進展・胆管浸潤の有無・非拡張型膵・胆管合流異常症などを正確に診断できるとの報告はある[17] が，しかし上述のごとく ERC による合併症も十分考慮する。（レベル C）

4）乳頭部癌

　乳頭部癌は黄疸や上部消化管内視鏡で発見される場合が多く，上部消化管内視鏡で確定診断となる場合も多

い。しかし ERC（P）や PTC を行うことにより，胆管側（・膵管側）への浸潤範囲の進展度の診断・腫瘍の主座の診断ができるメリットがある。PTC では播種をきたす可能性もあるため，胆管浸潤がある場合は ERC の合併症のリスクを考慮したうえで ERC を行うことが提案される。（レベル C）

委員会投票結果

行うことを 強く推奨する	行うことを 弱く推奨する	行わないことを 弱く推奨する	行わないことを 強く推奨する	推奨なし
5%（22 名中 1 名）	86%（22 名中 19 名）	0%（22 名中 0 名）	0%（22 名中 0 名）	0%（22 名中 0 名）

棄権者：2 名

引用文献

1) Aronson N, Flamm CR, Mark D, Lefevre F, Bohn RL, Finkelstein B, et al. Endoscopic retrograde cholangiopancreatography. Evid Rep Technol Assess 2002；19：874-881.

2) Domagk D, Wessling J, Reimer P, Hertel L, Poremba C, Senninger N, et al. Endoscopic retrograde cholangiopancreatography, intraductal ultrasonography, and magnetic resonance cholangiopancreatography in bile duct strictures：a prospective comparison of imaging diagnostics with histopathological correlation. Am J Gastroenterol 2004；99：1684-1689.

3) Obana T, Fujita N, Noda Y, Kobayashi G, Ito K, Sugawara T, et al. Endoscopic biliary imaging and clinicopathological features of cystic duct cancer. J Gastroenterol 2008；43：171-178.

4) Rösch T, Meining A, Frühmorgen S, Zillinger C, Schusdziarra V, Hellerhoff K, et al. A prospective comparison of the diagnostic accuracy of ERCP, MRCP, CT, and EUS in biliary strictures. Gastrointest Endosc 2002；55：870-876.

5) Bain VG, Abraham N, Jhangri GS, Alexander TW, Henning RC, Hoskinson ME, et al. Prospective study of biliary strictures to determine the predictors of malignancy. Can J Gastroenterol 2000；14：397-402.

6) Park MS, Kim TK, Kim KW, Park SW, Lee JK, Kim JS, et al. Differentiation of extrahepatic bile duct cholangiocarcinoma from benign stricture：findings at MRCP versus ERCP. Radiology 2004；233：234-240.

7) Tsukada K, Takada T, Miyazaki M, Miyakawa S, Nagino M, Kondo S, et al. Diagnosis of biliary tract and ampullary carcinomas. J Hepatobiliary Pancreat Surg 2008；15：31-40.

8) Saluja SS, Sharma R, Pal S, Sahni P, Chattopadhyay TK. Differentiation between benign and malignant hilar obstructions using laboratory and radiological investigations：a prospective study. HPB（Oxford）2007；9：373-382.

9) Sakata J, Shirai Y, Wakai T, Nomura T, Sakata E, Hatakeyama K. Catheter tract implantation metastases associated with percutaneous biliary drainage for extrahepatic cholangiocarcinoma. World J Gastroenterol 2005；11：7024-7027.

10) 坂東　正，遠藤暢人，五箇猛一，津田祐子，貫井裕次，霜田光義，他．経皮経肝胆道ドレナージ経路に播種性転移をきたした胆嚢癌の 1 例．日消外会誌 2000；35：522-526.

11) Masci E, Toti G, Mariani A, Curioni S, Lomazzi A, Dinelli M, et al. Complications of diagnostic and therapeutic ERCP：a prospective multicenter study. Am J Gastroenterol 2001；96：417-423.

12) Vandervoort J, Soetikno RM, Tham TC, Wong RCK, Ferrari AP Jr, Montes H, et al. Risk factors for complications after performance of ERCP. Gastrointest Endosc 2002；56：652-656.

13) Andriulli A, Loperfido S, Napolitano G, Niro G, Valvano MR, Spirito F, et al. Incidence rates of post-ERCP complications：a systematic survey of prospective studies. Am J Gastroenterol 2007；102：1781-1788.

14) Cotton PB, Garrow DA, Gallagher J, Romagnuolo J. Risk factors for complications after ERCP：a multivariate analysis of 11,497 procedures over 12 years. Gastrointest Endosc 2009；70：80-88.

15) Kim J, Lee SH, Paik WH, Song BJ, Hwang JH, Ryu JK, et al. Clinical outcomes of patients who experienced perforation associated with endoscopic retrograde cholangiopancreatography. Surg Endosc 2012；26：3293-3300.

16) 今井健一郎，山本雅一，高崎　健．胆管浸潤型肝内胆管癌の臨床像と画像所見の特徴．胆道 2004；18：483-487.

17) 高屋敷史，清水宏明，大塚将之，加藤　厚，吉富秀幸，宮崎　勝．膵・胆管合流異常の診断と外科治療．胆道 2014；28：172-179.

CQ4　胆道癌の診断に管腔内超音波検査（IDUS）は推奨されるか？

胆嚢癌に対する IDUS の有用性は限定的であるが，肝外胆管癌，乳頭部癌の鑑別診断，局所進展度，深達度診断に IDUS は有用であり，行うことを提案する。

推奨度 2（レベル C）

解説

IDUS は ERCP に引き続き行う検査であり，IDUS のプローブを胆管内に留置したガイドワイヤーに沿わせて挿入し，胆道の上流側から下流側にかけて胆道およびその周囲組織を経時的に観察していく検査である。しかし，ERCP 検査において，ERCP 後膵炎は ERCP 関連における最も頻度の高い偶発症であり，重症化することもある。そのため IDUS 目的のために ERCP を行う場合，その安全性を考慮し，ERCP 関連検査，処置の症例数の多い施設で行うことを提案する。

1）肝外胆管癌

IDUS は胆管狭窄病変に対する質的診断においての感度と特異度と正診率は，各々 91～93％，80～89％，89～91％と報告されている[1,2]。胆管癌の進展度診断，血管浸潤の診断に有用である。特に，胆管癌と鑑別困難な IgG4-SC の質的診断に有用であることが報告されている[3]。また，IDUS の深達度診断の正診率は 78～90％と報告されている[2,4,5]。水平進展の診断能については，正診率は 71～92％であるが[6~9]，胆道造影や胆管ステント留置後では，炎症性変化により診断に影響を及ぼす可能性がある。肝外胆管癌の IDUS における深達度に対しての正診率は，pT1 84％，pT2 73％，pT3/4 71％と報告があり[1]，肝外胆管周囲の血管および膵浸潤の診断能については，その正診率は右肝動脈 100％，門脈および膵浸潤 93～100％と報告がある[10,11]。

2）胆嚢癌

肝外胆管の狭窄を認める胆嚢癌に対する IDUS の感度と特異度と正診率は，各々 89％と 90％，90％と報告はあるが[1]，報告数，症例数ともに限定的である。胆嚢癌により肝外胆管に進展し胆管狭窄がみられる場合，IDUS の実施を検討することがある。また糸井ら[12]は IDUS による胆嚢内へのアプローチについてまとめており，胆嚢内への IDUS 挿管成功率は 60％程度と報告している。胆嚢管癌においては，少数の報告ではあるが，IDUS 検査が 67％（6 例 /9 例）に有用であったと報告がある[13]。

3）乳頭部癌

IDUS の画像による質的診断は困難であり，主に生検による病理組織診断が行われている。乳頭部癌に対する IDUS による Staging の正診率は，T1：73～100％，T2：50～100％，T3/4：75～100％で，全体で 78～93％と報告されており[14~17]，胆管や膵管内進展診断において，胆管内進展では 88～90％，膵管内進展は 88～90％と報告されおり[14,15]，リンパ節転移に対しては感度が 66.7％，特異度が 91.3％であるとの報告がある[16]。乳頭部癌の IDUS に対する診断能は T-staging に対しては高いが，N-staging に対しては十分な診断能は認めていない。

委員会投票結果

行うことを 強く推奨する	行うことを 弱く推奨する	行わないことを 弱く推奨する	行わないことを 強く推奨する	推奨なし
0%（22名中0名）	82%（22名中18名）	0%（22名中0名）	0%（22名中0名）	14%（22名中3名）

棄権者：1名

引用文献

1) Meister T, Heinzow HS, Woestmeyer C, Lenz P, Menzel J, Kucharzik T, et al. Intraductal ultrasound substantiates diagnostics of bile duct strictures of uncertain etiology. World J Gastroenterol 2013；19：874-881.

2) Menzel J, Poremba C, Dietl KH, Domschke W. Preoperative diagnosis of bile duct strictures--comparison of intraductal ultrasonography with conventional endosonography. Scand J Gastroenterol 2000；35：77-82.

3) Naitoh I, Nakazawa T, Ohara H, Ando T, Hayashi K, Tanaka H, et al. Endoscopic transpapillary intraductal ultrasonography and biopsy in the diagnosis of IgG4-related sclerosing cholangitis. J Gastroenterol 2009；44：1147-1155.

4) Tamada K, Kanai N, Ueno N, Ichiyama M, Tomiyama T, Wada S, et al. Limitations of intraductal ultrasonography in differentiating between bile duct cancer in stage T1 and stage T2：in-vitro and in-vivo studies. Endoscopy 1997；29：721-725.

5) Choi ER, Chung YH, Lee JK, Lee KT, Lee KH, Choi DW, et al. Preoperative evaluation of the longitudinal extent of borderline resectable hilar cholangiocarcinoma by intraductal ultrasonography. J Gastroenterol Hepatol 2011；26：1804-1810.

6) Tamada K, Kanai N, Wada S, Tomiyama T, Ohashi A, Satoh Y, et al. Utility and limitations of intraductal ultrasonography in distinguishing longitudinal cancer extension along the bile duct from inflammatory wall thickening. Abdom Imaging 2001；26：623-631.

7) Inui K, Miyoshi H. Cholangiocarcinoma and intraductal sonography. Gastrointest Endosc Clin N Am 2005；15：143-155.

8) Noda Y, Fujita N, Kobayashi G, Ito K, Horaguchi J, Takazawa O, et al. Intraductal ultrasonography before biliary drainage and transpapillary biopsy in assessment of the longitudinal extent of bile duct cancer. Dig Endosc 2008；20：73-78.

9) Kim HM, Park JY, Kim KS, Park MS, Kim MJ, Park YN, et al. Intraductal ultrasonography combined with percutaneous transhepatic cholangioscopy for the preoperative evaluation of longitudinal tumor extent in hilar cholangiocarcinoma. J Gastroenterol Hepatol 2010；25：286-292.

10) Kuroiwa M, Tsukamoto Y, Naitoh Y, Hirooka Y, Furukawa T, Katou T. New technique using intraductal ultrasonography for the diagnosis of bile duct cancer. J Ultrasound Med 1994；13：189-195.

11) Tamada K, Ido K, Ueno N, Ichiyama M, Tomiyama T, Nishizono T, et al. Assessment of portal vein invasion by bile duct cancer using intraductal ultrasonography. Endoscopy 1995；27：573-578.

12) 糸井隆夫, 祖父尼淳, 糸川文英, 土屋貴愛, 栗原俊夫, 辻修二郎, 他. 教育講演　胆道癌診断の最前線. 胆道 2009；23：35-44.

13) Obana T, Fujita N, Noda Y, Kobayashi G, Ito K, Sugawara T, et al. Endoscopic biliary imaging and clinicopathological features of cystic duct cancer. J Gastroenterol 2008；43：171-178.

14) Okano N, Igarashi Y, Hara S, Takuma K, Kamata I, Kishimoto Y, et al. Endosonographic preoperative evaluation for tumors of the ampulla of Vater using endoscopic ultrasonogaphy and intraductal ultrasonography. Clin Endosc 2014；47：174-177.

15) Ito K, Fujita N, Noda Y, Kobayashi G, Horaguchi J, Takasawa O, et al. Preoperative evaluation of ampullary neoplasm with EUS and transpapillary intraductal US：a prospective and histopathologically controlled study. Gastrointest Endosc 2007；66：740-747.

16) Itoh A, Goto H, Naitoh Y, Hirooka Y, Furukawa T, Hayakawa T. Intraductal ultrasonography in diagnosing tumor extension of cancer of the papilla of Vater. Gastrointest Endosc 1997；45：251-260.

17) Menzel J, Hoepffner N, Sulkowski U, Reimer P, Heinecke A, Poremba C, et al. Polypoid tumors of the major duodenal papilla：preoperative staging with intraductal US, EUS, and CT--a prospective, histopathologically controlled study. Gastrointest Endosc 1999；49：349-357.

CQ5　胆道癌の診断に経口胆道鏡検査（POCS）は推奨されるか？

POCS 以外の各種検査で診断が確定しない胆道病変に対し，POCS を行うことを提案する。
推奨度 2（レベル B)

解説

　上記 CQ に対する RCT や前向き比較試験は抽出されなかった。Peroral cholangioscopy（POCS）を施行した場合の診断能や有効性に関する研究は，12 編が抽出され，うち 2 編が前向き観察研究[1,2]で，残る 10 編はいずれも単施設からの後ろ向き観察研究であった[3〜12]。POCS を施行した患者群は研究間で異なっていたが，US，CT，MRI などの非侵襲的画像検査や ERCP を施行しても診断が得られなかった症例を対象とした研究が複数認められた。また CT と ERCP の所見に加えて POCS 所見を追加することによって，術前診断能が向上するかどうかを比較検討した研究が 2 報認められた。Osanai ら[1]，Shima ら[3]は悪性病変では POCS 所見を追加することで，確定診断率が上昇すると報告している。Shima らは良性病変に対する診断能も検討しており，POCS 所見を追加しても診断能に有意な差を認めなかったと報告している[3]。悪性病変抽出を目的とした POCS の感度，特異度が検証できるのは 4 編であった[1,4〜6]。通常光（WLI）での観察で感度 67〜96%，特異度 64〜83% の結果が得られていた。I-SCAN[6]や NBI[4]を使用した診断能を WLI と比較検討した論文はそれぞれ 1 編ずつ認められた。I-SCAN を使用した場合の感度は 89%，特異度は 91% であり，NBI を使用した場合も感度 88%，特異度 91% といずれも高い診断能が得られ，それぞれ WLI と比較して良好な診断能力が得られたと報告されている。POCS の観察所見は標準化されていないが，POCS の観察所見の分類として良性病変を 3 つ（villous pattern, polypoid pattern, inflammatory pattern）に，悪性病変を 4 つ（flat pattern, polypoid pattern, ulcerated pattern, honeycomb pattern）とする分類方法の有用性が報告されている[7]。また POCS の画像所見を粘膜面の性状および血管パターンとしてスコア化し，良悪性の鑑別や TP53, RB1, KIT などの遺伝子変異との関連を検証した研究も認められた[8]。

　胆管悪性腫瘍の表層進展を評価した研究は前向き観察研究 1 編[2]，後ろ向き観察研究で 2 編，認められ，POCS 観察下での mapping biopsy の有効性を検討している[2,9,10]。前向き観察研究においては POCS による正診率は，部位によって異なるが 82.4〜100% と高く，ERCP に POCS を追加することにより，表層進展の診断率が乳頭側で 11.6%，肝臓側で 20.0% ほど上昇すると報告されている[2]。細径胆管内内視鏡（SpyGlass DS）使用下での mapping biopsy の診断率は，胆道癌全体では感度・特異度・正診率が，それぞれ 53.8%，63.9%，63.1% と報告されていた[9]。また肝外胆管癌に限ると感度・特異度・正診率は，肝臓側で 58%，86%，68%，乳頭部癌では 100%，100%，88% であり乳頭部癌以外では mapping biopsy の結果は慎重に判断する必要がある[10]。

　POCS の有害事象は 2 報で報告されており，9.1〜16.7% で合併症が生じ，いずれも膵炎と胆管炎が報告されており，保存的に軽快したと報告されていた[1,9]。

　Limitation としては，対象となる患者群が各研究で異なること，症例数が 70 症例以下と少ないこと，などがあげられる。

委員会投票結果

行うことを 強く推奨する	行うことを 弱く推奨する	行わないことを 弱く推奨する	行わないことを 強く推奨する	推奨なし
0%（22名中0名）	68%（22名中15名）	5%（22名中1名）	0%（22名中0名）	27%（22名中6名）

棄権者：0名

引用文献

1) Osanai M, Itoi T, Igarashi Y, Tanaka K, Kida M, Maguchi H, et al. Peroral video cholangioscopy to evaluate indeterminate bile duct lesions and preoperative mucosal cancerous extension：a prospective multicenter study. Endoscopy 2013；45：635-642.

2) Nishikawa T, Tsuyuguchi T, Sakai Y, Sugiyama H, Miyazaki M, Yokosuka O. Comparison of the diagnostic accuracy of peroral video-cholangioscopic visual findings and cholangioscopy-guided forceps biopsy findings for indeterminate biliary lesions：a prospective study. Gastrointest Endosc 2013；77：219-226.

3) Shima Y, Sugiyama H, Ogasawara S, Kan M, Maruta S, Yamada T, et al. Diagnostic value of peroral cholangioscopy in addition to computed tomography for indeterminate biliary strictures. Surg Endosc 2022；36：3408-3417.

4) Shin IS, Moon JH, Lee YN, Kim HK, Lee TH, Yang JK, et al. Efficacy of narrow-band imaging during peroral cholangioscopy for predicting malignancy of indeterminate biliary strictures（with videos）. Gastrointest Endosc 2022；96：512-521.

5) de Vries AB, van der Heide F, ter Steege RWF, Koornstra JJ, Buddingh KT, Gouw ASH, et al. Limited diagnostic accuracy and clinical impact of single-operator peroral cholangioscopy for indeterminate biliary strictures. Endoscopy 2020；52：107-114.

6) Lee YN, Moon JH, Choi HJ, Lee TH, Choi MH, Cha SW, et al. Direct peroral cholangioscopy for diagnosis of bile duct lesions using an I-SCAN ultraslim endoscope：a pilot study. Endoscopy 2017；49：675-681.

7) Robles-Medranda C, Valero M, Soria-Alcivar M, Puga-Tejada M, Oleas R, Ospina-Arboleda J, et al. Reliability and accuracy of a novel classification system using peroral cholangioscopy for the diagnosis of bile duct lesions. Endoscopy 2018；50：1059-1070.

8) Fukasawa Y, Takano S, Fukasawa M, Maekawa S, Kadokura M, Shindo H, et al. Form-vessel classification of cholangioscopy findings to diagnose biliary tract carcinoma's superficial spread. Int J Mol Sci 2020；21：3311.

9) Onoyama T, Hamamoto W, Sakamoto Y, Kawahara S, Yamashita T, Koda H, et al. Peroral cholangioscopy-guided forceps mapping biopsy for evaluation of the lateral extension of biliary tract cancer. J Clin Med 2021；10：597.

10) Kanno Y, Koshita S, Ogawa T, Masu K, Kusunose H, Sakai T, et al. Peroral cholangioscopy by SpyGlass DS versus CHF-B260 for evaluation of the lateral spread of extrahepatic cholangiocarcinoma. Endosc Int Open 2018；6：E1349-E1354.

11) 浦田孝広，真口宏介，高橋邦幸，潟沼朗生，小山内学，松崎晋平，他．粘液産生胆管腫瘍の臨床病理学的および診断学的検討．胆道 2008；22：71-80.

12) Fukuda Y, Tsuyuguchi T, Sakai Y, Tsuchiya S, Saisyo H. Diagnostic utility of peroral cholangioscopy for various bile-duct lesions. Gastrointest Endosc 2005；62：374-382.

| BQ7 | 胆道癌の診断に胆汁細胞診・生検を行うか？ |

胆管癌（肝門部領域胆管癌，遠位胆管癌，乳頭部癌）では，術前（治療前）に経乳頭的生検または細胞診を行う。

一方，胆嚢癌では，胆管狭窄を伴う場合には診断と治療を兼ねて経乳頭的生検または細胞診を行うことを考慮する。

解説

　胆管癌（胆嚢癌を除く肝門部領域胆管癌，遠位胆管癌，乳頭部癌）を疑う場合，減黄目的ないしは胆管病変の精査目的に ERCP が行われることが多く，この際に胆汁細胞診・胆管ブラシ細胞診・胆管生検が可能であり診断と治療を兼ねて，病理学的診断がなされることがほとんどである。特に切除可能胆管癌であれば根治のために外科的切除が行われるが，その術式の多くは，膵頭十二指腸切除や拡大肝葉切除，肝膵同時切除などの高侵襲なものであり，良性疾患に対してこれらの術式を適応してしまうことを避けるためにも経乳頭的生検・細胞診が行われる。

　診断が困難な場合に繰り返し胆管生検を行うかどうかについては，一定の見解が得られていない。胆道癌診療ガイドライン第3版では経乳頭的な生検・細胞診で確定診断が得られない場合，"ガイドライン委員の意見を募ったところ，2〜4回まで行うという施設が多かった。"と記載されている。実際に1回目の生検で癌の確定診断が得られない場合，その後の繰り返し胆管生検を行うことの有用性を示した論文はないが，細胞診に関しては，Abdelghani ら[1] は肝外胆管癌と確定診断された 47 例を対象に胆汁細胞診を，ENBD もしくは PTCD チューブから 1〜14 回の範囲で施行し，累積診断率を測定したところ 1 回目の診断率は 38.2%（18/47）であったが，回数を重ねるごとに診断率は上昇し最終的に 14 回目で 72.3%（34/47）まで上昇することを示している。肝門部領域胆管癌などでは減黄および胆管炎予防目的で ENBD を含めた外瘻が留置されることも多いため，診断が得られない場合は繰り返し細胞診を提出することが推奨される。また，Kawashima ら[2] は肝外胆管癌に対する ERCP 時における胆管生検の回数に関して，3 ヵ所以上生検を行うことで診断率（感度）が 70% 以上に上昇することを示している。Navaneethan ら[3] のメタ解析においては胆管生検の感度・特異度はブラシ細胞診と生検を併用することにより，それぞれ 59%，特異度は 100% となることが示されている。したがって理論的には回数を重ねれば，特異度を大きく下げることなく，感度は上昇するはずである。胆管生検の感度を 60% と仮定すると 3 回生検を施行した場合の感度は 90% 以上に上昇することとなるため，癌の進行度を鑑みながら 3 回まではブラシ細胞診と生検を併用しながら経乳頭的生検を行うことは許容されうる。

　一方，胆嚢癌を疑う場合に術前（治療前）生検・細胞診を施行するかどうかは，その臨床所見によって方針が分かれる。T1（深達度が固有筋層以下）胆嚢癌が疑われる場合，excisional biopsy の意味合いも兼ねて胆嚢摘出術が適応となるため治療前生検・細胞診を必ずしも必要としない。外科的切除が可能な T2（SS）以深の胆嚢癌では，拡大肝右葉切除術などの拡大手術や肝外胆管切除が必要となる可能性もあり，過大侵襲を回避するためにも，安全に施行が可能であれば術前診断を行うことが望ましい[4]。胆嚢癌の術前診断法として ERCP を用いた経乳頭的な細胞診と超音波内視鏡下穿刺吸引細胞診（EUS-guided fine needle aspiration（FNA））の2つの方法がある。ERCP は胆管狭窄をきたしている症例では治療的意義も含んでいることから，その際に細胞診を施行することは合理的であると考えられる。しかし胆嚢癌に対する経乳頭的な細胞診の診断能は必ずしも高いとはいえず，池本ら[5] は，2007 年から 2015 年に膵癌を除く胆道系悪性病変が疑われ，EUS-guided tissue acquisition（EUS-TA）を施行した 26 例（胆道病変 15 例，胆管周囲リンパ節腫大 11 例）を対象として胆道悪性腫瘍に対する経乳頭的細胞診や EUS-FNA の診断能を検討した。26 例中，EUS-FNA

と経乳頭的細胞診の両検査が施行され，最終的に胆嚢癌と診断された 7 例のうち ERCP による細胞診で陽性となった症例は 2 例（28.6%）のみであった。一方で追加 EUS-FNA では全例，悪性診断が可能であったと報告している。EUS-FNA の穿刺部位は，遠位胆管 3 例，胆嚢管 2 例，胆嚢腫瘍 2 例であった。リンパ節をはじめとする胆道外病変は比較的安全に EUS-FNA を行えるが，胆嚢腫瘍自体に対する同手技は穿刺に伴い腹膜播種や胆汁性腹膜炎を生じる可能性があるため，本邦ではほとんど行われていないのが現状である。

　胆管狭窄のない胆嚢癌に対する経乳頭的な細胞診の方法として内視鏡的経乳頭胆嚢ドレナージ（endoscopic transpapillary gallbladder drainage：ETGD）を介した細胞診の有用性が近年報告されており，Kawahara ら[6] は ETGD チューブ留置が可能であった 30 人（85.7%）における感度，特異度，精度はそれぞれ 87.5%，100%，93.3% と非常に高いことを報告した。しかしながら，これらの特殊な手技は施行可能な施設も限られており，推奨文として提示できる段階にないと考えられる。

　まとめると，T2 以深の胆嚢癌で拡大手術が必要な場合，まず胆管狭窄の有無を判断し，胆管狭窄を伴う症例では治療的意義も含むため ERCP を用いた経乳頭的な胆管生検・細胞診を第一選択として考慮する。狭窄がない場合では endoscopic transpapillary biliary drainage（ETBD）細胞診や EUS-FNA が術前診断法として考慮されるが，急性膵炎や腹膜播種，胆汁性腹膜炎の危険性があるため，現状では安全に施行できるかどうかは不明である。

引用文献

1) Abdelghani YA, Arisaka Y, Masuda D, Takii M, Ashida R, Makhlouf MM, et al. Bile aspiration cytology in diagnosis of bile duct carcinoma：factors associated with positive yields. J Hepatobiliary Pancreat Sci 2012；19：370-378.
2) Kawashima H, Itoh A, Ohno E, Goto H, Hirooka Y. Transpapillary biliary forceps biopsy to distinguish benign biliary stricture from malignancy：how many tissue samples should be obtained? Dig Endosc 2012；24：22-27.
3) Navaneethan U, Njei B, Lourdusamy V, Konjeti R, Vargo JJ, Parsi MA. Comparative effectiveness of biliary brush cytology and intraductal biopsy for detection of malignant biliary strictures：a systematic review and meta-analysis. Gastrointest Endosc 2015；81：168-176.
4) 遠藤　格，森隆太郎，松山隆生，谷口浩一，窪田賢輔．黄色肉芽腫性胆嚢炎の診断と治療戦略—過大な手術を回避するための術前・術中の方策—．胆道 2013；27：712-719.
5) 池本珠莉，花田敬士，南　智之，岡崎彰仁．胆道病変における超音波内視鏡ガイド下穿刺吸引細胞診（EUS-FNA）の有用性．胆道 2017；31：196-204.
6) Kawahara S, Tomoda T, Kato H, Ueki T, Akimoto Y, Harada R, et al. Accuracy of endoscopic transpapillary gallbladder drainage with liquid-based cytology for gallbladder disease. Digestion 2022；103：116-125.

CQ6 胆道癌における組織採取法として EUS-TA は推奨されるか？
a：胆道癌が疑われる胆管狭窄病変に対する組織採取法として EUS-TA は推奨されるか？

EUS-TA は胆管狭窄病変の確定診断に有用な検査法である。ERC 下生検，細胞診を行っても診断困難な胆道狭窄病変に対して実施されることが考慮される。
推奨なし（レベル C）

解説

EUS-TA は胆道狭窄病変の鑑別診断，胆嚢壁肥厚または腫瘤性病変の病理学的診断に有用であり，特に内視鏡的逆行性胆道造影（ERC）下における胆管生検または胆管ブラシ細胞診で確定診断が困難な胆道狭窄病変に対して実施することが考慮される。既報では胆道病変に対する EUS-TA の偶発症発症頻度は 0～1.2% と低率であるが，実施に際しては胆汁漏や腹膜播種など重篤な偶発症発生のリスクがあることを理解し行う。

胆道狭窄病変に対する EUS-TA の有用性に関する報告は 18 報報告されている[1~18]。研究対象となる胆道狭窄の原因疾患としては，胆道病変よりも膵癌を中心とする膵腫瘍が多く含まれる報告が多いことに注意が必要である。胆管狭窄病変に対する EUS-TA の診断感度は 33.3～100% と報告されている。

Oshima ら[11]は ERC におけるブラシ細胞診，胆道生検が陰性であった胆管狭窄病変に対する EUS-TA 22 例の成績を，感度，特異度ともに 100% であり，偶発症も認めなかったと報告した。DeWitt ら[6]は肝門部（proximal biliary stricture）に対する診断感度は 77% であり，偶発症は認めなかったと報告した。Onda ら[15]は胆管癌を疑う胆管狭窄病変に対する EUS-TA の診断能を検討し，胆管病変部位別に肝門部病変では感度 68%，特異度 100%，遠位胆管病変では感度 89%，特異度 100% と報告し肝門部病変が診断能に影響すると報告している。また，Mohamadnejad ら[9]は胆管病変部位による比較で遠位胆管が近位胆管に比べて診断感度が高いことを示した（遠位胆管 81%，近位胆管 59%）。既報では肝門部胆管狭窄で，やや EUS-TA の診断感度が低下するが，偶発症の発生頻度は胆管狭窄部位で差は認めない。

一方で Weilert ら[14]は胆管狭窄病変に対する ERC 下生検と EUS-TA の診断能の比較を報告している。本研究では EUS-TA は ERC による組織サンプリングよりも診断能が有意に優れるが，原疾患が胆管病変であった場合には EUS-TA の診断能は ERC 下胆道生検と診断能に差を認めなかったと報告している。Yeo ら[17]は胆管狭窄病変 93 例に対して ERCP による胆管生検と EUS-TA の両者を実施し診断能の比較を行った。この研究結果では胆管病変（胆管癌）においては胆管生検と有意差を認めなかったとしている（感度 EUS-TA 86.8% vs. 胆管生検 78.9%）。Wu ら[12]は胆管狭窄，胆嚢病変に対する EUS-TA の診断能のメタ解析において統合感度 0.84，統合特異度 1.0 であり偶発症はなかったとしている。胆嚢・胆管を対象とした EUS-TA 研究においては穿刺後の胆汁漏，胆道出血，腹膜播種が危惧されるが，肝門部病変の穿刺後の胆道出血の報告を 2 例認める以外，偶発症の報告はなされていない[9]。

以上より，胆管狭窄病変に対する EUS-TA は安全かつ高い診断感度を有する診断法であり，胆管病変に対しては ERC 下の生検，細胞診が陰性であった症例に対して施行することが考慮される。

委員会投票結果

行うことを 強く推奨する	行うことを 弱く推奨する	行わないことを 弱く推奨する	行わないことを 強く推奨する	推奨なし
0%（23 名中 0 名）	4%（23 名中 1 名）	0%（23 名中 0 名）	0%（23 名中 0 名）	96%（23 名中 22 名）

棄権者：0 名

CQ6　胆道癌における組織採取法として EUS-TA は推奨されるか？
b：胆嚢腫瘍性病変に対して組織採取方法として EUS-TA は推奨されるか？

EUS-TA は胆嚢病変の確定診断に有用な検査法である。胆嚢内腔を介さずに穿刺可能である場合に実施されることが考慮される。

推奨なし（レベル C）

解説

　EUS-TA による胆嚢壁肥厚または腫瘍性病変に対する有用性の報告数は限定されるが，診断感度は 89〜100% と高い診断能が報告されている。胆嚢病変に対する EUS-TA は胆汁漏や腹膜播種を避けるため，胆嚢内腔を介さずに穿刺可能なルートが確保できる胆嚢壁肥厚病変や隆起性病変を対象としている。既報においては胆嚢を対象とした報告において偶発症の報告は認めないが，出版バイアスと実施に際しては胆汁漏や腹膜播種など重篤な偶発症発生のリスクがあることを理解し，行うことが考慮される。

　胆嚢病変穿刺を対象とした EUS-TA の診断能を評価したメタ解析が 1 報，胆嚢病変に対する EUS-TA と経乳頭的胆嚢ドレナージ（ETGD）による細胞診との比較研究が 1 報，胆嚢病変診断に対するコホート研究が 6 報報告されている[7,12,19〜24]。

　Singla ら[24]は 101 例の胆嚢病変に対して EUS-TA を実施し，感度 90.8%，特異度 100% と報告している。Wu ら[12]は胆嚢腫瘍（proximal stricture）に対する EUS-TA 診断能を pooled sensitivity 0.84, pooled specificity 1.0 と報告し，偶発症はなかったと報告している。Ogura ら[23]は胆嚢病変に対する EUS-TA と ETGD の診断能を比較検討している。診断感度は EUS-TA 100%, ETGD 71% であり EUS-TA が有意に優れ，また偶発症も ETGD で 5 例，EUS-TA では認めなかったと報告している。Hijioka ら[22]は胆嚢癌が疑われる 83 例中，腫大リンパ節や肝転移病巣を伴わない胆嚢腫瘍 9 例に対して EUS-TA を実施し感度 96% と報告している。胆嚢病変に対する EUS-TA は胆管病変以上に穿刺後の胆汁漏が危惧されるため，胆嚢内腔が穿刺ルートに含まれない胆嚢隆起性病変や胆嚢壁肥厚病変が対象とされている。胆嚢胆管を対象とした EUS-TA 研究においては穿刺後の胆汁漏，胆道出血，腹膜播種が危惧されるが，胆道出血の報告が 1 例含まれる以外，偶発症の報告はなされていない。胆嚢癌の組織学的エビデンス取得においては腫大したリンパ節や肝転移病巣を伴う病変については，穿刺の安全面からは胆嚢外病変の穿刺が優先されるが，安全な穿刺ルートが確保可能な病変に対して行うことが考慮される。

委員会投票結果

行うことを強く推奨する	行うことを弱く推奨する	行わないことを弱く推奨する	行わないことを強く推奨する	推奨なし
0%（23 名中 0 名）	4%（23 名中 1 名）	0%（23 名中 0 名）	0%（23 名中 0 名）	96%（23 名中 22 名）

棄権者：0 名

引用文献

1）Rösch T, Hofrichter K, Frimberger E, Meining A, Born P, Weigert N, et al. ERCP or EUS for tissue diagnosis of biliary strictures? A prospective comparative study. Gastrointest Endosc 2004；60：390-396.
2）Lee JH, Salem R, Aslanian H, Chacho M, Topazian M. Endoscopic ultrasound and fine-needle aspiration of

unexplained bile duct strictures. Am J Gastroenterol 2004 ; 99 : 1069-1073.

3） Fritscher-Ravens A, Broering DC, Knoefel WT, Rogiers X, Swain P, Thonke F, et al. EUS-guided fine-needle aspiration of suspected hilar cholangiocarcinoma in potentially operable patients with negative brush cytology. Am J Gastroenterol 2004 ; 99 : 45-51.

4） Eloubeidi MA, Chen VK, Jhala NC, Eltoum IE, Jhala D, Chhieng DC, et al. Endoscopic ultrasound-guided fine needle aspiration biopsy of suspected cholangiocarcinoma. Clin Gastroenterol Hepatol 2004 ; 2 : 209-213.

5） Byrne MF, Gerke H, Mitchell RM, Stiffler HL, McGrath K, Branch MS, et al. Yield of endoscopic ultrasound-guided fine-needle aspiration of bile duct lesions. Endoscopy 2004 ; 36 : 715-719.

6） DeWitt J, Misra VL, Leblanc JK, McHenry L, Sherman S. EUS-guided FNA of proximal biliary strictures after negative ERCP brush cytology results. Gastrointest Endosc 2006 ; 64 : 325-333.

7） Meara RS, Jhala D, Eloubeidi MA, Eltoum I, Chhieng DC, Crowe DR, et al. Endoscopic ultrasound-guided FNA biopsy of bile duct and gallbladder : analysis of 53 cases. Cytopathology 2006 ; 17 : 42-49.

8） Oppong K, Raine D, Nayar M, Wadehra V, Ramakrishnan S, Charnley RM. EUS-FNA versus biliary brushings and assessment of simultaneous performance in jaundiced patients with suspected malignant obstruction. JOP 2010 ; 11 : 560-567.

9） Mohamadnejad M, DeWitt JM, Sherman S, LeBlanc JK, Pitt HA, House MG, et al. Role of EUS for preoperative evaluation of cholangiocarcinoma : a large single-center experience. Gastrointest Endosc 2011 ; 73 : 71-78.

10） Nayar MK, Manas DM, Wadehra V, Oppong KE. Role of EUS/EUS-guided FNA in the management of proximal biliary strictures. Hepatogastroenterology 2011 ; 58 : 1862-1865.

11） Ohshima Y, Yasuda I, Kawakami H, Kuwatani M, Mukai T, Iwashita T, et al. EUS-FNA for suspected malignant biliary strictures after negative endoscopic transpapillary brush cytology and forceps biopsy. J Gastroenterol 2011 ; 46 : 921-928.

12） Wu LM, Jiang XX, Gu HY, Xu X, Zhang W, Lin LH, et al. Endoscopic ultrasound-guided fine-needle aspiration biopsy in the evaluation of bile duct strictures and gallbladder masses : a systematic review and meta-analysis. Eur J Gastroenterol Hepatol 2011 ; 23 : 113-120.

13） Khan AH, Austin GL, Fukami N, Sethi A, Brauer BC, Shah RJ. Cholangiopancreatoscopy and endoscopic ultrasound for indeterminate pancreaticobiliary pathology. Dig Dis Sci 2013 ; 58 : 1110-1115.

14） Weilert F, Bhat YM, Binmoeller KF, Kane S, Jaffee IM, Shaw RE, et al. EUS-FNA is superior to ERCP-based tissue sampling in suspected malignant biliary obstruction : results of a prospective, single-blind, comparative study. Gastrointest Endosc 2014 ; 80 : 97-104.

15） Onda S, Ogura T, Kurisu Y, Masuda D, Sano T, Takagi W, et al. EUS-guided FNA for biliary disease as first-line modality to obtain histological evidence. Therap Adv Gastroenterol 2016 ; 9 : 302-312.

16） Lee YN, Moon JH, Choi HJ, Kim HK, Lee HW, Lee TH, et al. Tissue acquisition for diagnosis of biliary strictures using peroral cholangioscopy or endoscopic ultrasound-guided fine-needle aspiration. Endoscopy 2019 ; 51 : 50-59.

17） Yeo SJ, Cho CM, Jung MK, Seo AN, Bae HI. Comparison of the diagnostic performances of same-session endoscopic ultrasound- and endoscopic retrograde cholangiopancreatography-guided tissue sampling for suspected biliary strictures at different primary tumor sites. Korean J Gastroenterol 2019 ; 73 : 213-218.

18） Yoon SB, Moon SH, Ko SW, Lim H, Kang HS, Kim JH. Brush cytology, forceps biopsy, or endoscopic ultrasound-guided sampling for diagnosis of bile duct cancer : a meta-analysis. Dig Dis Sci 2022 ; 67 : 3284-3297.

19） Jacobson BC, Pitman MB, Brugge WR. EUS-guided FNA for the diagnosis of gallbladder masses. Gastrointest Endosc 2003 ; 57 : 251-254.

20） Varadarajulu S, Eloubeidi MA. Endoscopic ultrasound-guided fine-needle aspiration in the evaluation of gallbladder masses. Endoscopy 2005 ; 37 : 751-754.

21） Hijioka S, Mekky MA, Bhatia V, Sawaki A, Mizuno N, Hara K, et al. Can EUS-guided FNA distinguish between gallbladder cancer and xanthogranulomatous cholecystitis? Gastrointest Endosc 2010 ; 72 : 622-627.

22） Hijioka S, Hara K, Mizuno N, Imaoka H, Ogura T, Haba S, et al. Diagnostic yield of endoscopic retrograde cholangiography and of EUS-guided fine needle aspiration sampling in gallbladder carcinomas. J Hepatobiliary Pancreat Sci 2012 ; 19 : 650-655.

23） Ogura T, Kurisu Y, Masuda D, Imoto A, Onda S, Kamiyama R, et al. Can endoscopic ultrasound-guided fine needle aspiration offer clinical benefit for thick-walled gallbladders? Dig Dis Sci 2014 ; 59 : 1917-1924.

24） Singla V, Agarwal R, Anikhindi SA, Puri P, Kumar M, Ranjan P, et al. Role of EUS-FNA for gallbladder mass lesions with biliary obstruction : a large single-center experience. Endosc Int Open 2019 ; 7 : E1403-E1409.

CQ7　胆道癌に対して包括的がんゲノムプロファイル検査は推奨されるか？

胆道癌に対して包括的がんゲノムプロファイリング検査をすることを提案する。
推奨度2（レベルC）

解説

　近年，次世代シーケンシングの発展とそれをベースにした包括的がんゲノムプロファイリング検査（comprehensive genomic profiling：CGP 検査）が日常診療下で実施可能となっている。進行固形癌に対する臓器横断的な分子標的治療薬の開発も急ピッチですすんでおり，胆道癌においても個々の治療戦略をたてるうえで，CGP 検査を考慮する必要が出てきた。

　現在，本邦で保険診療下にて行える CGP 検査として，2018 年 12 月に薬事承認された，OncoGuide™ オンコパネルと，FoundationOne® CDx がんゲノムプロファイルがあり（2019 年 6 月から保険収載），さらに血液検体を用いたリキッドバイオプシー検査として 2021 年 8 月から FoundationOne® Liquid CDx がんゲノムプロファイル，さらに 2022 年 3 月に Guardant360 CDx がん遺伝子パネルも薬事承認された。

　適応としては，「標準治療がない固形癌患者または局所進行もしくは転移が認められ標準治療が終了となった固形癌患者（終了が見込まれるものを含む）」というものである。すなわち，診断が確定していない時点で CGP 検査を行うことは，本邦において保険診療では認められていない。よって CGP 検査の意義は標準治療終了後のさらなる治療法を探すためである。

　今回システマティックレビューの結果 305 編の論文が抽出されたが，そのすべてが総説あるいは後ろ向きの遺伝子解析のケースシリーズ報告であり，上記 CQ に対する RCT や前向き試験は抽出されなかった。しかし注目される報告としては，CGP 検査が適応となる症例においての遺伝子異常の頻度として，進行胆道癌 3,031 例における遺伝子異常の頻度を解析し，*TP53*（60.6%），*CDKN2A*（33.5%），*KRAS*（27.1%），*CDKN2B*（20.6%），*SMAD4*（16.9%）の遺伝子変異のほか，*ERBB2*，*CCNE1*，*MDM2* の遺伝子増幅を認め，さらに *ERBB2* 増幅を有する胆道癌では *CDK12* 再配列が *ERBB2* 増幅のない胆道癌に比べ統計的に有意に多く観察された（12.8% vs. 1.5%）との報告がある[1]。また同じ論文で MSI-H は 1.2% に，TMB-H は 5.7% に観察されたとも報告された[1]。治療薬としても MSI-H を有する固形癌に対して Pembrolizumab[2]，*FGFR2* 融合遺伝子を有する胆道癌に対して Pemigatinib[3]，Futibatinib[4]，Tasurgratinib[5] が本邦でも承認されており，次々と新しい治療薬が使用可能となっている。一方，保険収載されていても費用が高額となること，検査可能な施設が限られていること，検査の結果を得るまでに時間がかかること，などがこの CGP 検査の問題点として指摘されるが，それらを考えても，胆道癌に対する標準治療を行っている中で早晩標準治療終了が見込まれる場合には，早めに CGP 検査を患者に提示することを提案する。（レベルC）

委員会投票結果

行うことを 強く推奨する	行うことを 弱く推奨する	行わないことを 弱く推奨する	行わないことを 強く推奨する	推奨なし
13%（23 名中 3 名）	83%（23 名中 19 名）	0%（23 名中 0 名）	0%（23 名中 0 名）	4%（23 名中 1 名）

棄権者：0 名

引用文献

1) Umemoto K, Yamamoto H, Oikawa R, Takeda H, Doi A, Horie Y, et al. The molecular landscape of pancreatobiliary cancers for novel targeted therapies from real-world genomic profiling. J Natl Cancer Inst 2022；114：1279-1286.

2) Marabelle A, Le DT, Ascierto PA, Di Giacomo AM, De Jesus-Acosta A, Delord JP, et al. Efficacy of pembrolizumab in patients with noncolorectal high microsatellite instability/mismatch repair-deficient cancer：results from the phase Ⅱ KEYNOTE-158 study. J Clin Oncol 2020；38：1-10.

3) Bekaii-Saab TS, Valle JW, Van Cutsem E, Rimassa L, Furuse J, Ioka T, et al. FIGHT-302：first-line pemigatinib vs gemcitabine plus cisplatin for advanced cholangiocarcinoma with FGFR2 rearrangements. Future Oncol 2020；16：2385-2399.

4) Goyal L, Meric-Bernstam F, Hollebecque A, Valle JW, Morizane C, Karasic TB, et al. Futibatinib for FGFR2-rearranged intrahepatic cholangiocarcinoma. N Engl J Med 2023；388：228-239.

5) Koyama T, Shimizu T, Iwasa S, Fujiwara Y, Kondo S, Kitano S, et al. First-in-human phase I study of E7090, a novel selective fibroblast growth factor receptor inhibitor, in patients with advanced solid tumors. Cancer Sci 2020；111：571-579.

第V章.
胆道ドレナージ

BQ8 閉塞性黄疸を有する胆道癌切除企図例に対して，胆道ドレナージ前に造影CTを行うか？

胆道ドレナージ前に造影CTあるいは造影MRI，もしくは両者の撮像を行う。

解説

胆道癌診療ガイドライン第3版では，胆道癌診断のセカンドステップとして，CT検査は行うことが推奨され，MRI検査は行うことが提案されている[1~7]。胆道癌の診断では，垂直方向および水平方向への進展範囲診断が重要であり，具体的には肝門部領域胆管癌における肝内胆管への進展診断，肝動脈・門脈浸潤の診断や，遠位胆管癌における肝側への水平方向進展，膵実質浸潤や肝十二指腸間膜内脈管浸潤などである[8~10]。これらの診断においては造影CTにおける胆管造影範囲，特に造影後期相における胆管壁のenhancementの評価が有用であると報告されている[8]。

胆道ドレナージなどを施行すると，炎症の要素が加わり，正確な進展範囲診断が困難となる。このことから，閉塞性黄疸を有する胆道癌診断においては，胆道ドレナージ施行前に造影CTあるいは造影MRIを撮像する[6,8]。

引用文献

1) Mansour JC, Aloia TA, Crane CH, Heimbach JK, Nagino M, Vauthey JN. Hilar cholangiocarcinoma：expert consensus statement. HPB（Oxford）2015；17：691-699.

2) Ray CE Jr, Lorenz JM, Burke CT, Darcy MD, Fidelman N, Greene FL, et al. ACR Appropriateness Criteria radiologic management of benign and malignant biliary obstruction. J Am Coll Radiol 2013；10：567-574.

3) Ruys AT, van Beem BE, Engelbrecht MR, Bipat S, Stoker J, van Gulik TM. Radiological staging in patients with hilar cholangiocarcinoma：a systematic review and meta-analysis. Br J Radiol 2012；85：1255-1262.

4) Okuda Y, Taura K, Seo S, Yasuchika K, Nitta T, Ogawa K, et al. Usefulness of operative planning based on 3-dimentional CT cholangiography for biliary malignancies. Surgery 2015；158：1261-1271.

5) Endo I, Shimada H, Sugita M, Fujii Y, Morioka D, Takeda K, et al. Role of three-dimentional imaging in operative planning for hilar cholangiocarcinoma. Surgery 2007；142：666-675.

6) Unno M, Okumoto T, Katayose Y, Rikiyama T, Sato A, Motoi F, et al. Preoperative assessment of hilar cholangiocarcinoma by multidetector row computed tomography. J Heaptobiliary Pancreat Surg 2007；14：434-440.

7) Sun N, Xu Q, Liu X, Liu W, Wang J. Comparison of preoperative evaluation of malignant low-level biliary obstruction using plain magnetic resonance and coronal liver acquisition with volume acceleration technique alone and in combination. Eur J Med Res 2015；20：92.

8) Senda Y, Nishio H, Oda K, Yokoyama Y, Ebata T, Igami T, et al. Value of multidetector-row CT in the assessment of longitudinal extension of cholangiocarcinoma：correlation between MDCT and microscopic findings. World J Surg 2009；33：1459-1467.

9) Sugiura T, Nishio H, Nagino M, Senda Y, Ebata T, Yokoyama Y, et al. Value of multidetector-row computed tomography in diagnosis of portal vein invasion by perihilar cholangiocarcinoma. World J Surg 2008；32：1478-1484.

10) Fukami Y, Ebata T, Yokoyama Y, Igami T, Sugawara G, Takahashi Y, et al. Diagnostic ability of MDCT to assess right hepatic artery invasion by perihilar cholangiocarcinoma with left-sided predominance. J Hepatobiliary Pancreat Sci 2012；19：179-186.

CQ8	肝門部領域胆管癌切除企図例に対する経乳頭的ドレナージは推奨されるか？

> 広範肝切除（肝葉切除以上）を予定する肝門部領域胆管癌には，経乳頭的な予定残肝ドレ
> ナージを推奨する。
>
> **推奨度 1**（レベル C）

解説

　根治切除企図例の肝門部胆管閉塞に対する減黄処置としての胆道ドレナージは，術後肝不全をはじめとする
術後合併症や在院死亡の発生率を減少させる目的で実施される。しかしながら，胆道ドレナージの手技自体も
合併症のリスクを伴い，胆道ドレナージを施行した際の合併症は患者 QOL を低下させるのみならず，致命的
なこともあり，患者の生命予後に影響を与える。術前胆道ドレナージを行う肝の領域選択（片葉または両葉）
や胆道ドレナージは，CT 検査後に行うことも重要事項である。以下に，肝門部領域胆管癌切除企図例におけ
る術前胆道ドレナージで内視鏡的な経乳頭的胆道ドレナージ（endoscopic biliary drainage：EBD）と経皮経
肝胆道ドレナージ（percutaneous transhepatic biliary drainage：PTBD）とを比較する。

　根治切除企図例の肝門部胆管閉塞に対する術前胆道ドレナージ法として EBD と PTBD との成績を比較した
多施設ランダム化比較試験は，欧米で企画された 2 件であった。1 件目のオランダで実施された DRAINAGE
トライアル（2013～2016）[1] は，54 例が登録されたが，PTBD の高い周術期死亡率（EBD 11% vs. PTBD 41%）
のために 50％の登録率で中止となった。術前のドレナージ関連の合併症発生率は両者で差がなく（EBD 67%
vs. PTBD 63%），EBD の 15 例（56％）で追加の PTBD が必要となった一方で，PTBD では 1 例（4％）のみ
で EBD が追加された。その後，本 RCT の長期成績も追加発表され，全生存期間について両群で差は認めら
れなかった（全生存期間中央値：EBD 13 ヵ月 vs. PTBD 7 ヵ月）[2]。2 件目は米国で実施された INTERCPT
study（2017～2019）[3] で，参加登録が進まずに早期中止となった。13 例のみが登録され，この研究も高い合
併症発生率と死亡率を示した。術前のドレナージ関連の合併症発生率は両群で差がなく（EBD 75% vs.
PTBD 80%），8 例が 3 ヵ月以内の経過観察で死亡した（EBD 50% vs. PTBD 80%）。いずれの RCT も早期中
止となっており，登録症例数が非常に少ないこと，ドレナージ関連の合併症発生率や死亡率が本邦の HVC と
比較して非常に高いことから，解釈については非常に注意を要する。

　根治切除企図例の肝門部胆管閉塞に対する術前胆道ドレナージ法として EBD と PTBD との成績を比較した
コホート研究はこれまでに 14 件認められた。両ドレナージ法による差はないとするもの，EBD が優れている
とするもの，PTBD が優れているとするものと結果は様々である[4～17]。いずれの研究も単施設の後ろ向き研究
で症例数も少なく，傾向スコアによるマッチングや調整済みの統計量を用いていないため交絡因子が多く，バ
イアスリスクは高い。このうち本ガイドライン作成にあたって実施したメタアナリシスに用いた研究は 10 件
で，術前のドレナージ関連の合併症発生率（胆管炎，合併症総発生率）は，EBD の方が PTBD と比較して高かっ
た。また，根治切除後の合併症発生率，在院死亡率に関しては，両者で差を認めなかった。また，近年報告さ
れた切除を企図した肝門部領域胆管癌を対象としたメタアナリシスでは，術前のドレナージ関連の合併症発生
率が EBD の方が PTBD と比較して高かったが，R0 切除率や術中の出血量や術後再発率に関しては両者で差
はなかったため，PTBD が理にかなった術前ドレナージとしての選択肢であると述べる一方で，EBD は経験
のある内視鏡医によってのみ実施されるべき，と結論づけている[18]。

　しかしながら，PTBD は，頻度は少ないものの穿刺時の門脈・肝動脈損傷のリスクを伴う。また，PTBD
は穿刺経路，腹膜播種，胸膜播種などのいわゆる seeding metastasis の原因となり，EBD と比較して有意に
予後を悪化させることが多く指摘されている[8,9,12,13,19]。したがって，第一選択とはなりえない。

　術前ドレナージを行う肝の領域に関しては，残存予定片葉ドレナージと両葉ドレナージとのどちらが優れているかを比較した RCT は存在しない。しかしながら，残存予定片葉ドレナージのみを行う方が，両葉ドレナージと比較して，門脈塞栓術後の残肝肥大率やビリルビン産生能からみた残肝機能が良好であることが実験的にも臨床的にも証明はされており[20,21]，実臨床でも残存予定片葉ドレナージが原則，広く実施されて大きな問題を認めていない。今後，新たに RCT を行うことも現実的ではない。したがって，残存予定側の片葉ドレナージを行い，胆管炎のコントロール不良や減黄不良などが認められた場合に対側葉のドレナージを行うことが推奨される。なお，切除企図例における残存予定片葉の決定は，胆道外科医と相談して行う。また，最近では予定残肝が片葉よりも小さい手術も多く施行されるようになっている。そのため，本 CQ ではこれらの片葉ドレナージのエビデンスも考慮したうえで，予定残肝ドレナージと呼称する。

　胆道癌の局在診断や進展度診断には multidetector-row computed tomography（MDCT）が有用であるが，胆道ドレナージ施行後には胆管に炎症性変化が加わり，癌による壁肥厚との鑑別が困難となる。MDCT 後に胆道ドレナージを実施したほうが，MDCT 前に実施した場合と比較して R0 切除率が高かったとの報告もある[22]。したがって，胆道ドレナージは CT 後に行うことが推奨される[23]。

　これまでに見てきた通り，肝門部領域胆管癌において，術前ドレナージとしての EBD と PTBD との比較およびドレナージを行う肝の領域のいずれにおいても，強いエビデンスはこれまでに存在しないのが現実である。しかしながら，本邦において，広範肝切除（肝葉切除以上）を予定する肝門部領域胆管癌に対しては，経乳頭的な予定残肝ドレナージが経験のある内視鏡医により安全に広く実施され，HVC を中心に優れた術後短期・長期成績が報告されている現状がある。

　以上のことから，広範肝切除（肝葉切除以上）を予定する肝門部領域胆管癌には，経乳頭的な予定残肝ドレナージを推奨する。

委員会投票結果

行うことを強く推奨する	行うことを弱く推奨する	行わないことを弱く推奨する	行わないことを強く推奨する	推奨なし
87%（23 名中 20 名）	9%（23 名中 2 名）	0%（23 名中 0 名）	0%（23 名中 0 名）	0%（23 名中 0 名）

棄権者：1 名

引用文献

1) Coelen RJS, Roos E, Wiggers JK, Besselink MG, Buis CI, Busch ORC, et al. Endoscopic versus percutaneous biliary drainage in patients with resectable perihilar cholangiocarcinoma：a multicentre, randomised controlled trial. Lancet Gastroenterol Hepatol 2018；3：681-690.
2) Nooijen LE, Franssen S, Buis CI, Dejong CHC, den Dulk M, van Delden OM, et al. Long-term follow-up of a randomized trial of biliary drainage in perihilar cholangiocarcinoma. HPB（Oxford）2023；25：210-217.
3) Elmunzer BJ, Smith ZL, Tarnasky P, Wang AY, Yachimski P, Banovac F, et al. An unsuccessful randomized trial of percutaneous vs endoscopic drainage of suspected malignant hilar obstruction. Clin Gastroenterol Hepatol 2021；19：1282-1284.
4) Kloek JJ, van der Gaag NA, Aziz Y, Rauws EA, van Delden OM, Lameris JS, et al. Endoscopic and percutaneous preoperative biliary drainage in patients with suspected hilar cholangiocarcinoma. J Gastrointest Surg 2010；14：119-125.
5) Kawakami H, Kuwatani M, Onodera M, Haba S, Eto K, Ehira N, et al. Endoscopic nasobiliary drainage is the most suitable preoperative biliary drainage method in the management of patients with hilar

cholangiocarcinoma. J Gastroenterol 2011；46：242-248.

6) Kim KM, Park JW, Lee JK, Lee KH, Lee KT, Shim SG. A comparison of preoperative biliary drainage methods for perihilar cholangiocarcinoma：endoscopic versus percutaneous transhepatic biliary drainage. Gut Liver 2015；9：791-799.

7) Jo JH, Chung MJ, Han DH, Park JY, Bang S, Park SW, et al. Best options for preoperative biliary drainage in patients with Klatskin tumors. Surg Endosc 2017；31：422-429.

8) Higuchi R, Yazawa T, Uemura S, Izumo W, Chaudhary RJ, Furukawa T, et al. ENBD is associated with decreased tumor dissemination compared to PTBD in perihilar cholangiocarcinoma. J Gastrointest Surg 2017；21：1506-1514.

9) Komaya K, Ebata T, Yokoyama Y, Igami T, Sugawara G, Mizuno T, et al. Verification of the oncologic inferiority of percutaneous biliary drainage to endoscopic drainage：a propensity score matching analysis of resectable perihilar cholangiocarcinoma. Surgery 2017；161：394-404.

10) Zhang XF, Beal EW, Merath K, Ethun CG, Salem A, Weber SM, et al. Oncologic effects of preoperative biliary drainage in resectable hilar cholangiocarcinoma：percutaneous biliary drainage has no adverse effects on survival. J Surg Oncol 2018；117：1267-1277.

11) She WH, Cheung TT, Ma KW, Yin Tsang SH, Dai WC, Yan Chan AC, et al. Impact of preoperative biliary drainage on postoperative outcomes in hilar cholangiocarcinoma. Asian J Surg 2022；45：993-1000.

12) Hirano S, Tanaka E, Tsuchikawa T, Matsumoto J, Kawakami H, Nakamura T, et al. Oncological benefit of preoperative endoscopic biliary drainage in patients with hilar cholangiocarcinoma. J Hepatobiliary Pancreat Sci 2014；21：533-540.

13) Hwang S, Song GW, Ha TY, Lee YJ, Kim KH, Ahn CS, et al. Reappraisal of percutaneous transhepatic biliary drainage tract recurrence after resection of perihilar bile duct cancer. World J Surg 2012；36：379-385.

14) Walter T, Ho CS, Horgan AM, Warkentin A, Gallinger S, Greig PD, et al. Endoscopic or percutaneous biliary drainage for Klatskin tumors? J Vasc Interv Radiol 2013；24：113-121.

15) Wiggers JK, Groot Koerkamp B, Coelen RJ, Doussot A, van Dieren S, Rauws EA, et al. Percutaneous preoperative biliary drainage for resectable perihilar cholangiocarcinoma：no association with survival and no increase in seeding metastases. Ann Surg Oncol 2015；22：S1156-S1163.

16) Kishi Y, Shimada K, Nara S, Esaki M, Kosuge T. The type of preoperative biliary drainage predicts short-term outcome after major hepatectomy. Langenbecks Arch Surg 2016；401：503-511.

17) Ba Y, Yue P, Leung JW, Wang H, Lin Y, Bai B, et al. Percutaneous transhepatic biliary drainage may be the preferred preoperative drainage method in hilar cholangiocarcinoma. Endosc Int Open 2020；8：E203-E210.

18) Chen GF, Yu WD, Wang JR, Qi FZ, Qiu YD. The methods of preoperative biliary drainage for resectable hilar cholangiocarcinoma patients：a protocol for systematic review and meta analysis. Medicine（Baltimore）2020；99：e20237.

19) Yamashita H, Ebata T, Yokoyama Y, Igami T, Mizuno T, Yamaguchi J, et al. Pleural dissemination of cholangiocarcinoma caused by percutaneous transhepatic biliary drainage during the management of resectable cholangiocarcinoma. Surgery 2019；165：912-917.

20) Noie T, Sugawara Y, Imamura H, Takayama T, Makuuchi M. Selective versus total drainage for biliary obstruction in the hepatic hilus：an experimental study. Surgery 2001；130：74-81.

21) Ishizawa T, Hasegawa K, Sano K, Imamura H, Kokudo N, Makuuchi M. Selective versus total biliary drainage for obstructive jaundice caused by a hepatobiliary malignancy. Am J Surg 2007；193：149-154.

22) Hosokawa I, Shimizu H, Yoshitomi H, Furukawa K, Takayashiki T, Miyazaki M, et al. Impact of biliary drainage on multidetector-row computed tomography on R0 resection of perihilar cholangiocarcinoma. World J Surg 2018；42：3676-3684.

23) Unno M, Okumoto T, Katayose Y, Rikiyama T, Sato A, Motoi F, et al. Preoperative assessment of hilar cholangiocarcinoma by multidetector row computed tomography. J Hepatobiliary Pancreat Surg 2007；14：434-440.

CQ9	閉塞性黄疸を有する肝門部領域胆管癌切除企図例の第一選択術前胆管ドレナージ方法として，内視鏡的経鼻胆管ドレナージ（ENBD）は内視鏡的胆管ステント留置術（EBS），インサイドステント（IS）と比べて推奨されるか？

ENBD，EBS，IS いずれの選択も提案される。
推奨度 2（レベル C）
胆管炎合併時，細胞診や胆管造影の必要時は ENBD が提案される。
推奨度 2（レベル C）

解説

　肝門部領域胆管癌（perihilar cholangiocarcinoma：PHCC）の術前胆道ドレナージ法には，PTBD，ENBD，EBS，IS がある。PTBD は穿刺経路および腹膜播種などの seeding metastasis の原因となり，経乳頭的な内視鏡的ドレナージ（EBD）より有意に予後を悪化させることがメタアナリシスで報告されており[1]，EBD が第一選択である。

　ENBD と EBS の比較については Zhang ら[2] の胆道癌手術の検討 9 編をまとめたメタアナリシスにおいて，ENBD は EBS と比較して，術前胆管炎発生率（relative risk（RR）= 0.46, 95% CI = 0.34-0.62, $P < 0.00001$），RBO 発生率（RR = 0.58, 95% CI = 0.43-0.80, $P = 0.0008$），周術期合併症率（RR = 0.77, 95% CI = 0.64-0.93, $P = 0.007$）いずれも低値であることが示された。しかし，このメタアナリシスは 2 編の後方視的検討[3,4] が含まれるのみであり，EBS と ENBD を比較した前向き研究はなく，後方視的研究の結果は一定していない[5~9]。現状は，手術前の胆管炎が手術後短期成績を悪化させることから，本邦の多くの施設で ENBD を第一選択としている[10~12]。

　2013 年に Ishiwatari ら[13] が PHCC に対してプラスチックステントを Oddi 括約筋の上流に留置するインサイドステント（inside stent：IS）の有用性を報告した。IS と EBS を比較した多施設後方視的検討では，EBS と IS の RBO 率に有意差を認めず，根治術後の合併症発生率，胆汁漏発生率，手術部位感染発生率も同等であり，多変量解析で ERCP 前の胆管炎の存在が RBO の有意な危険因子と報告された（OR = 5.67, 95% CI = 1.61-19.9, $P = 0.007$）[14]。

　術前ドレナージにおいて ENBD 群と内瘻化群（EBS + IS）で定量的システマティックレビューを行った。10 編の文献を用いて forest plot を用いて検討した所，ENBD と内瘻化群ではドレナージ関連偶発症発生率（RR = 0.97, 95% CI = 0.67-1.40, $P = 0.03$），RBO 発生率（RR = 1.00, 95% CI = 0.69-1.44, $P = 0.02$），周術期合併症発生率（RR = 1.10, 95% CI = 0.48-2.50, $P < 0.01$）に有意差がないことが示された[3~9,15,16]（図1~3）。術後生存期間については報告が少なく検討困難であったが，術前ドレナージとしては，ENBD，EBS，IS の成績は同等であると考えられた。

　現時点での ENBD の用途としては，①繰り返し細胞診や胆管造影を予定する症例[17]，② ERCP 前に胆管炎をきたしている症例，が考えられる。EBS，IS の RBO の危険因子が ERCP 施行前の胆管炎の存在であること，ENBD は胆汁のモニタリングや洗浄が可能であることより，胆管炎症例には ENBD を先行留置することが提案される。一方で ENBD は外瘻管理による苦痛や胆汁飲用が必要であるなど，患者 QOL の低下が懸念される。胆管炎の改善後に患者の苦痛を考慮し内瘻化することが望ましい。術前ドレナージとしての EBS，IS の優劣については明確なエビデンスが存在しない。切除不能 PHCC を対象として EBS と IS を比較した Kurita ら[18] の RCT では，IS は EBS と比較し有意に長い TRBO を示した（123 日 vs. 51 日：$P = 0.03$）。同様に切除不能 PHCC に対して術前化学療法を行った Kobayashi ら[19] の後方視的検討においても同様に IS 群で TRBO が有意に長い結果であった（85.2 日 vs. 49.1 日：$P = 0.009$）。一方で IS は，EBS と比較し迷入しやすく，時に抜

去が困難となる欠点が存在する[20~22]。内瘻方法の選択は，これら利点欠点に加え，胆管狭窄範囲も加味し，各施設の方針に従い決定されている現状である。

　これまでの報告はほとんどが後方視的な検討であり，エビデンスレベルの高い報告は少ない。そのため，術前ドレナージの第一選択としては，胆管炎合併時，細胞診や胆管造影の必要時は ENBD が提案されるが，その他の時は患者の苦痛も考慮し EBS や IS も選択されうる，とした。

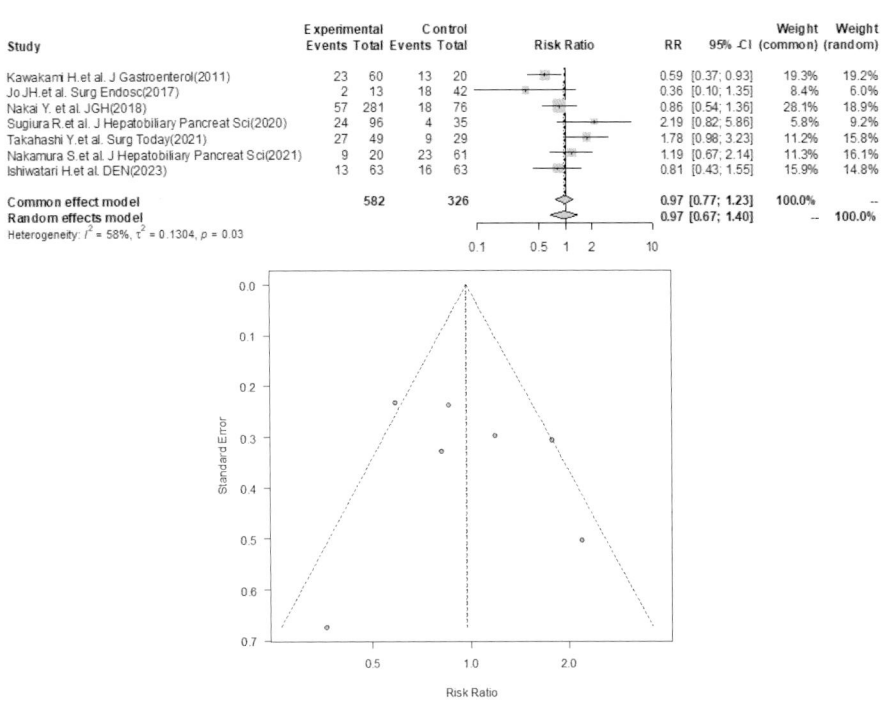

図1　ドレナージ関連偶発症発生率

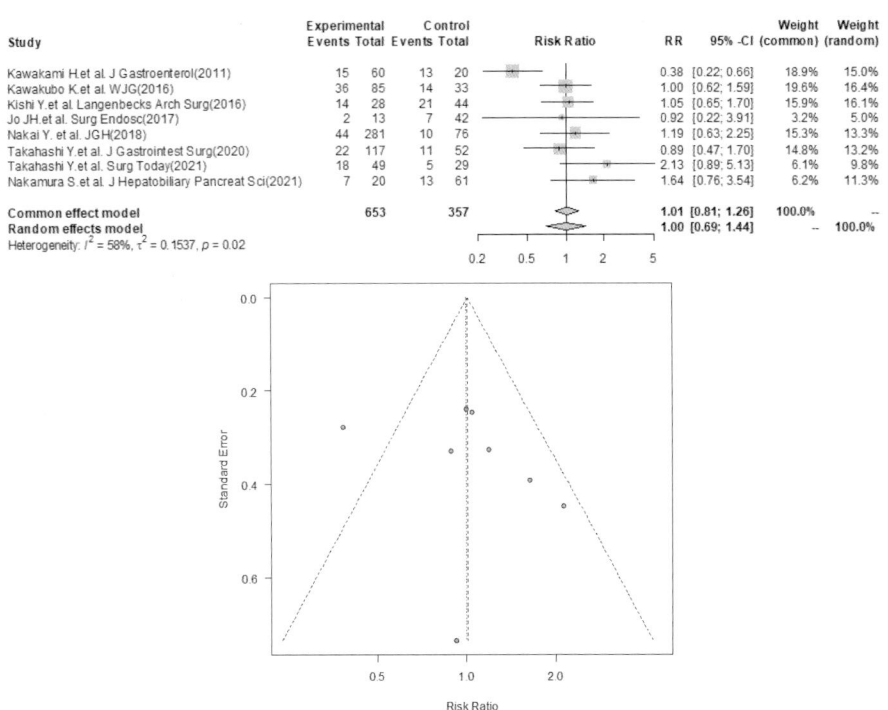

図2　RBO 発生率

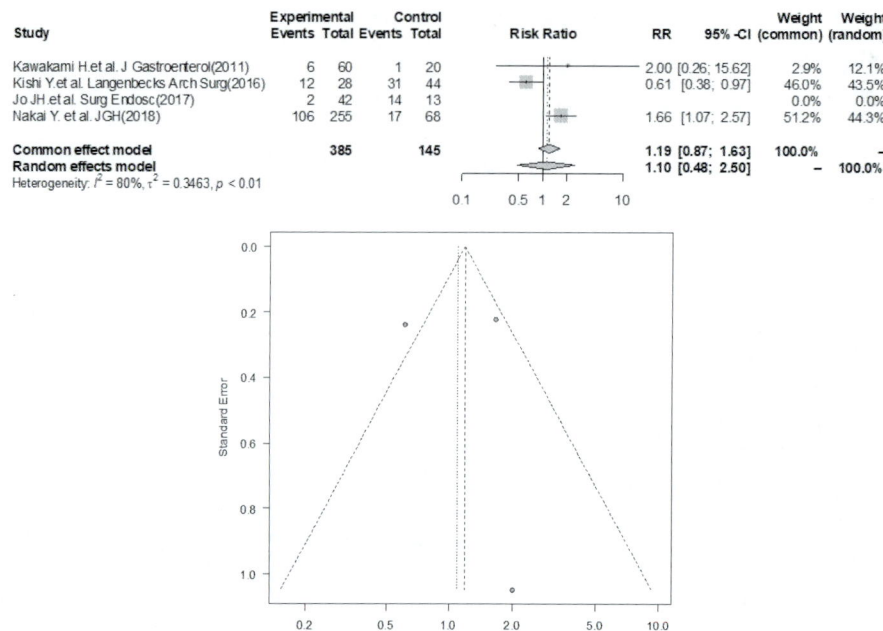

図3 周術期合併症発生率

委員会投票結果

胆管炎非合併時

行うことを 強く推奨する	行うことを 弱く推奨する	行わないことを 弱く推奨する	行わないことを 強く推奨する	推奨なし
17%（23名中4名）	78%（23名中18名）	4%（23名中1名）	0%（23名中0名）	0%（23名中0名）

棄権者：0名

胆管炎合併時

行うことを 強く推奨する	行うことを 弱く推奨する	行わないことを 弱く推奨する	行わないことを 強く推奨する	推奨なし
9%（23名中2名）	87%（23名中20名）	4%（23名中1名）	0%（23名中0名）	0%（23名中0名）

棄権者：0名

引用文献

1) Wang L, Lin N, Xin F, Zeng Y, Liu J. Comparison of long-term efficacy between endoscopic and percutaneous biliary drainage for resectable extrahepatic cholangiocarcinoma with biliary obstruction：a systematic review and meta-analysis. Saudi J Gastroenterol 2019；25：81-88.
2) Zhang W, Che X. Comparison of effect between nasobiliary drainage and biliary stenting in malignant biliary obstruction：a systematic review and updated meta-analysis. World J Surg Oncol 2020；18：71.
3) Kawakami H, Kuwatani M, Onodera M, Haba S, Eto K, Ehira N, et al. Endoscopic nasobiliary drainage is the most suitable preoperative biliary drainage method in the management of patients with hilar cholangiocarcinoma. J Gastroenterol 2011；46：242-248.

4）Kawakubo K, Kawakami H, Kuwatani M, Haba S, Kudo T, Taya YA, et al. Lower incidence of complications in endoscopic nasobiliary drainage for hilar cholangiocarcinoma. World J Gastrointest Endosc 2016；8：385-390.

5）Sugiura R, Kuwatani M, Kato S, Kawakubo K, Kamachi H, Taketomi A, et al. Risk factors for dysfunction of preoperative endoscopic biliary drainage for malignant hilar biliary obstruction. J Hepatobiliary Pancreat Sci 2020；27：851-859.

6）Nakai Y, Yamamoto R, Matsuyama M, Sakai Y, Takayama Y, Ushio J, et al. Multicenter study of endoscopic preoperative biliary drainage for malignant hilar biliary obstruction：E-POD hilar study. J Gastroenterol Hepatol 2018；33：1146-1153.

7）Takahashi Y, Ito H, Inoue Y, Mise Y, Ono Y, Sato T, et al. Preoperative biliary drainage for patients with perihilar bile duct malignancy. J Gastrointest Surg 2020；24：1630-1638.

8）Jo JH, Chung MJ, Han DH, Park JY, Bang S, Park SW, et al. Best options for preoperative biliary drainage in patients with Klatskin tumors. Surg Endosc 2017；31：422-429.

9）Kishi Y, Shimada K, Nara S, Esaki M, Kosuge T. The type of preoperative biliary drainage predicts short-term outcome after major hepatectomy. Langenbecks Arch Surg 2016；401：503-511.

10）Kawashima H, Itoh A, Ohno E, Itoh Y, Ebata T, Nagino M, et al. Preoperative endoscopic nasobiliary drainage in 164 consecutive patients with suspected perihilar cholangiocarcinoma：a retrospective study of efficacy and risk factors related to complications. Ann Surg 2013；257：121-127.

11）Chaudhary RJ, Higuchi R, Nagino M, Unno M, Ohtsuka M, Endo I, et al. Survey of preoperative management protocol for perihilar cholangiocarcinoma at 10 Japanese high-volume centers with a combined experience of 2,778 cases. J Hepatobiliary Pancreat Sci 2019；26：490-502.

12）Nagino M, Ebata T, Yokoyama Y, Igami T, Sugawara G, Takahashi Y, et al. Evolution of surgical treatment for perihilar cholangiocarcinoma：a single-center 34-year review of 574 consecutive resections. Ann Surg 2013；258：129-140.

13）Ishiwatari H, Hayashi T, Ono M, Sato T, Kato J. Newly designed plastic stent for endoscopic placement above the sphincter of Oddi in patients with malignant hilar biliary obstruction. Dig Endosc 2013；25：94-99.

14）Ishiwatari H, Kawabata T, Kawashima H, Nakai Y, Miura S, Kato H, et al. Clinical outcomes of inside stents and conventional plastic stents as bridge-to-surgery options for malignant hilar biliary obstruction. Dig Dis Sci 2023；68：1139-1147.

15）Takahashi Y, Sasahira N, Sasaki T, Inoue Y, Mise Y, Sato T, et al. The role of stent placement above the papilla (inside-stent) as a bridging therapy for perihilar biliary malignancy：an initial experience. Surg Today 2021；51：1795-1804.

16）Nakamura S, Ishii Y, Serikawa M, Tsuboi T, Kawamura R, Tsushima K, et al. Utility of the inside stent as a preoperative biliary drainage method for patients with malignant perihilar biliary stricture. J Hepatobiliary Pancreat Sci 2021；28：864-873.

17）Tsuchiya T, Yokoyama Y, Ebata T, Igami T, Sugawara G, Kato K, et al. Randomized controlled trial on timing and number of sampling for bile aspiration cytology. J Hepatobiliary Pancreat Sci 2014；21：433-438.

18）Kurita A, Uza N, Asada M, Yoshimura K, Takemura T, Yazumi S, et al. Stent placement above the sphincter of Oddi is a useful option for patients with inoperable malignant hilar biliary obstruction. Surg Endosc 2022；36：2869-2878.

19）Kobayashi N, Watanabe S, Hosono K, Kubota K, Nakajima A, Kaneko T, et al. Endoscopic inside stent placement is suitable as a bridging treatment for preoperative biliary tract cancer. BMC Gastroenterol 2015；15：8.

20）Kitagawa S, Murakoshi N, Ishikawa S. The "coupler" technique for endoscopic removal of a threaded inside stent that migrated above tight hilar strictures. Endoscopy 2023；55：E1232-E1233.

21）Ban T, Kubota Y, Takahama T, Sasoh S, Ando T, Nakamura M, et al Two-devices-in-one-channel method for preventing the preceding stent migration in case of multiple indwelling biliary inside plastic stents. Endoscopy 2022；54：E948-E949.

22）Ohno A, Fujimori N, Hirahata K, Ueda T, Takamatsu Y, Oono T. The novel basket catheter for retrieval of a migrated biliary inside stent. Endoscopy 2022；54：E596-E597.

CQ10 閉塞性黄疸を有する遠位胆管癌切除企図例に対し，経乳頭的胆道ドレナージは推奨されるか？

遠位胆管癌の術前胆道ドレナージは経皮経肝ドレナージ（PTBD）に比し，内視鏡的経乳頭的ドレナージ（EBD）を行うことを推奨する。

推奨度 1（レベル B）

解説

　閉塞性黄疸を有する遠位胆管癌に対する術前胆道ドレナージは，全例にドレナージの適応があるか，また，そのドレナージ方法などは十分に解明されていない。遠位胆管悪性狭窄に対する膵頭十二指腸切除術（pancreatoduodenectomy：PD）前の胆道ドレナージの有無別の解析では，胆道ドレナージ施行群は，胆汁中の細菌陽性率が高く[1~4]，創感染などの術後感染性合併症を増加させたとする報告[5~8]が多い。しかしながら，その一方で高度の閉塞性黄疸（T-Bil 14.6 mg/mL 以上）症例におけるドレナージなし群では，術中出血量が有意に多く，術後合併症率が有意に増加したと報告[9,10]されている。また，術前胆管炎は，術後合併症の大きなリスクであり[11,12]，適切なドレナージが必須とされる。したがって，高度の閉塞性黄疸症例，胆管炎を併発した症例，さらには手術までに長期間を要する症例[13~15]などは積極的に術前胆道ドレナージを行う。しかしながら，許容される黄疸の程度，手術までの期間などに関しての明確なエビデンスを示した報告はない。本邦の多くの施設では，術前検査として直接胆道造影・生検などを行い，その終了時にドレナージチューブを留置することが多い。

　術前胆道ドレナージのアプローチ法としては，内視鏡的経乳頭的ドレナージ（EBD）および経皮経肝ドレナージ（PTBD）がある。悪性胆道狭窄に対しての術前胆道ドレナージ方法に関して報告されているメタアナリシス[16,17]では，EBD，PTBD 両群の間には，手技成功率，手技関連合併症率，30 日死亡率に有意な差異を認めないとするものが多い。しかしながら，その合併症の内訳として PTBD は穿刺時の出血の頻度が高く，膵炎，胆管炎の頻度は EBD より低かったとしている。また，肝外胆管癌による胆管狭窄に対しての術前胆道ドレナージの方法別に術後全生存率をメタアナライズした報告[18]では EBD 群が PTBD 群に比べて有意に予後良好であったとしているものの，遠位胆管癌のみに限定したサブ解析では有意差には至っていない。一方，術後再発とくに瘻孔再発，腹膜再発などの seeding metastasis に関して，肝外胆管癌症例における後方視的な10 研究を集積した EBD 1,379 例と PTBD 1,085 例のメタアナリシス[19]では，EBD 群が PTBD 群に比較して seeding metastasis が有意に少なかったと報告している。そこで，遠位胆管癌のみに限った後方視的研究[20~24]のメタアナリシスを実施してみると，EBD，PTBD 両群の間に術後合併症（Clavien-Dindo（C-D）Ⅲ以上）に有意差はなかったが，術後 seeding metastasis は EBD 群で有意に少なかったという結果が得られた（図 1）。

　これまでの報告では遠位胆管癌のみに絞った研究は少なく，その結果に留意する必要はあるものの，遠位胆管癌の術前胆道ドレナージは PTBD に比し，経乳頭的 EBD を行うことが推奨される。

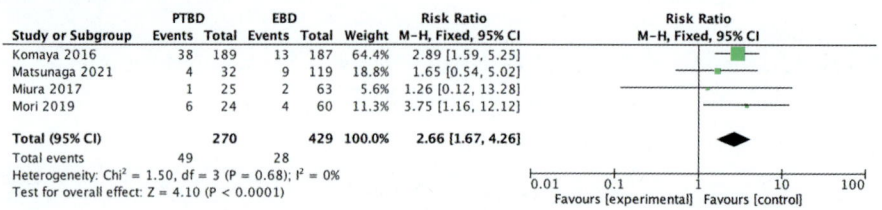

図 1

委員会投票結果

行うことを 強く推奨する	行うことを 弱く推奨する	行わないことを 弱く推奨する	行わないことを 強く推奨する	推奨なし
74%（23名中17名）	26%（23名中6名）	0%（23名中0名）	0%（23名中0名）	0%（23名中0名）

棄権者：0名

引用文献

1) Pamecha V, Sadashiv Patil N, Kumar S, Rajendran V, Gupta S, Vasantrao Sasturkar S, et al. Upfront pancreaticoduodenectomy in severely jaundiced patients：is it safe? J Hepatobiliary Pancreat Sci 2019；26：524-533.

2) Irrinki S, Kurdia K, Poudel H, Gupta V, Singh H, Sinha SK, et al. "Impact of preoperative biliary drainage in patients undergoing pancreaticoduodenectomy" - a prospective comparative study from a tertiary care centre in India. Indian J Surg Oncol 2022；13：574-579.

3) Svatoň R, Procházka V, Hanslianová M, Kala Z. Influence of bacteriobilia on postoperative complications in patients with periampullary tumors. Asian J Surg 2023；46：1193-1198.

4) Sahora K, Morales-Oyarvide V, Ferrone C, Fong ZV, Warshaw AL, Lillemoe KD, et al. Preoperative biliary drainage does not increase major complications in pancreaticoduodenectomy：a large single center experience from the Massachusetts General Hospital. J Hepatobiliary Pancreat Sci 2016；23：181-187.

5) Scheufele F, Schorn S, Demir IE, Sargut M, Tieftrunk E, Calavrezos L, et al. Preoperative biliary stenting versus operation first in jaundiced patients due to malignant lesions in the pancreatic head：a meta-analysis of current literature. Surgery 2017；161：939-950.

6) El Nakeeb A, Salem A, Mahdy Y, El Dosoky M, Said R, Ellatif MA, et al. Value of preoperative biliary drainage on postoperative outcome after pancreaticoduodenectomy：a case-control study. Asian J Surg 2018；41：155-162.

7) Shaib Y, Rahal MA, Rammal MO, Mailhac A, Tamim H. Preoperative biliary drainage for malignant biliary obstruction：results from a national database. J Hepatobiliary Pancreat Sci 2017；24：637-642.

8) Olecki EJ, Swinarska J, Perez Holguin RA, Stahl KA, Wong WG, Peng JS, et al. Is preoperative biliary stenting associated with increased rate of postoperative complications for patients undergoing pancreatoduodenectomy? A review of national surgical quality improvement program data. HPB（Oxford）2022；24：1501-1510.

9) Shen Z, Zhang J, Zhao S, Zhou Y, Wang W, Shen B. Preoperative biliary drainage of severely obstructive jaundiced patients decreases overall postoperative complications after pancreaticoduodenectomy：a retrospective and propensity score-matched analysis. Pancreatology 2020；20：529-536.

10) Pattarapuntakul T, Charoenrit T, Netinatsunton N, Yaowmaneerat T, Pitakteerabundit T, Ovartlarnporn B, et al. Postoperative outcomes of resectable periampullary cancer accompanied by obstructive jaundice with and without preoperative endoscopic biliary drainage. Front Oncol 2022；12：1040508.

11) Akashi M, Nagakawa Y, Hosokawa Y, Takishita C, Osakabe H, Nishino H, et al. Preoperative cholangitis is associated with increased surgical site infection following pancreaticoduodenectomy. J Hepatobiliary Pancreat Sci 2020；27：640-647.

12) Darnell EP, Wang TJ, Lumish MA, Hernandez-Barco YG, Weniger M, Casey BW, et al. Preoperative cholangitis is an independent risk factor for mortality in patients after pancreatoduodenectomy for pancreatic cancer. Am J Surg 2021；221：134-140.

13) Wang D, Lin H, Guan C, Zhang X, Li P, Xin C, et al. Impact of preoperative biliary drainage on postoperative complications and prognosis after pancreaticoduodenectomy：a single-center retrospective cohort study. Front Oncol 2022；12：1037671.

14) Bineshfar N, Malekpour Alamdari N, Rostami T, Mirahmadi A, Zeinalpour A. The effect of preoperative biliary drainage on postoperative complications of pancreaticoduodenectomy：a triple center retrospective study. BMC Surg 2022；22：399.

15) Oehme F, Hempel S, Pecqueux M, Müssle B, Hau HM, Teske C, et al. Short-term preoperative drainage is

associated with improved postoperative outcomes compared to that of long-term biliary drainage in pancreatic surgery. Langenbecks Arch Surg 2022 ; 407 : 1055-1063.

16) Rizzo A, Ricci AD, Frega G, Palloni A, DE Lorenzo S, Abbati F, et al. How to choose between percutaneous transhepatic and endoscopic biliary drainage in malignant obstructive jaundice : an updated systematic review and meta-analysis. In Vivo 2020 ; 34 : 1701-1714.

17) Duan F, Cui L, Bai Y, Li X, Yan J, Liu X. Comparison of efficacy and complications of endoscopic and percutaneous biliary drainage in malignant obstructive jaundice : a systematic review and meta-analysis. Cancer Imaging 2017 ; 17 : 27.

18) Wang L, Lin N, Xin F, Zeng Y, Liu J. Comparison of long-term efficacy between endoscopic and percutaneous biliary drainage for resectable extrahepatic cholangiocarcinoma with biliary obstruction : a systematic review and meta-analysis. Saudi J Gastroenterol 2019 ; 25 : 81-88.

19) Wang L, Lin N, Xin F, Ke Q, Zeng Y, Liu J. A systematic review of the comparison of the incidence of seeding metastasis between endoscopic biliary drainage and percutaneous transhepatic biliary drainage for resectable malignant biliary obstruction. World J Surg Oncol 2019 ; 17 : 116.

20) Huang X, Liang B, Zhao XQ, Zhang FB, Wang XT, Dong JH. The effects of different preoperative biliary drainage methods on complications following pancreaticoduodenectomy. Medicine (Baltimore) 2015 ; 94 : e723.

21) Komaya K, Ebata T, Fukami Y, Sakamoto E, Miyake H, Takara D, et al. Percutaneous biliary drainage is oncologically inferior to endoscopic drainage : a propensity score matching analysis in resectable distal cholangiocarcinoma. J Gastroenterol 2016 ; 51 : 608-619.

22) Miura F, Sano K, Wada K, Shibuya M, Ikeda Y, Takahashi K, et al. Prognostic impact of type of preoperative biliary drainage in patients with distal cholangiocarcinoma. Am J Surg 2017 ; 214 : 256-261.

23) Mori S, Aoki T, Park KH, Shiraki T, Sakuraoka Y, Iso Y, et al. Impact of preoperative percutaneous transhepatic biliary drainage on post-operative survival in patients with distal cholangiocarcinoma. ANZ J Surg 2019 ; 89 : E363-E367.

24) Matsunaga Y, Higuchi R, Yazawa T, Uemura S, Izumo W, Ota T, et al. Negative prognostic outcomes of percutaneous transhepatic biliary drainage in distal cholangiocarcinoma : a retrospective analysis using propensity score matching. Int J Clin Oncol 2021 ; 26 : 1492-1499.

| CQ11 | 閉塞性黄疸を有する遠位胆管癌切除企図例に対する経乳頭的胆道ドレナージで covered self-expandable metallic stent（covered SEMS）を留置することは推奨されるか？ |

Plastic stent（PS）と比較して covered SEMS 留置を推奨する十分なエビデンスは存在しない。ただし，手術待機期間が長い場合は SEMS も考慮しても良い。

推奨なし（レベル D）

解説

　根治切除を企図した遠位胆管癌に対する減黄処置における経乳頭的胆道ドレナージの胆管ステントとして，現在，SEMS または PS のいずれかが用いられることがほとんどである。SEMS はさらに cover の有無により covered SEMS と uncovered SEMS に分けられる。遠位胆管閉塞に対する胆管ステントの臨床研究は，疾患ごとに検討されることは少ないため，遠位胆管癌を含む悪性遠位胆管閉塞例を検討した臨床研究を参考に推奨度を決める必要がある。近年報告された切除を企図した悪性遠位胆管閉塞例や膵頭部癌を対象とするメタアナリシスでは，開存期間が長いため術前の re-intervention が少なく術後合併症の頻度に差を認めない点から，SEMS は PS より術前ドレナージとして有用であると結論するものが多い。一方，PS と比較した SEMS の短所として，術前ドレナージに関連した合併症が多いこと，周囲組織への炎症性変化の波及が強いこと，1 本あたりのコストが高いことが報告されている。術前化学療法実施の有無を含めた手術待機期間は，胆管ステント選択の際に考慮される重要事項となる。今回，切除を企図した遠位胆管閉塞例に対する経乳頭的胆道ドレナージにおける胆管ステントの選択に関して，SEMS と PS とを比較した。

　切除を企図した遠位胆管癌を含む悪性遠位胆管閉塞例に対する経乳頭的胆道ドレナージの胆管ステントとして SEMS と PS との成績を比較した多施設ランダム化比較試験は 3 編であった[1~3]。そのうちの 2 編は，covered SEMS と PS とを比較したもの，残りの 1 編は uncovered SEMS と PS とを比較したものであった。前者 2 編を対象としてメタアナリシスを実施すると，covered SEMS は PS と比較して術前のステント閉塞は少なかった（6.7% vs. 18.2%, risk ratio：0.36, 95% CI：0.15-0.88, $P = 0.03$）。また，covered SEMS は PS よりも re-intervention や術前胆管炎の頻度は低い傾向がみられたが有意差は認めなかった。一方で，covered SEMS は PS よりも術前膵炎の頻度が高かった（14.4% vs. 3.4%, risk ratio：3.24, 95% CI：1.02-10.28, $P = 0.05$）。術後合併症に関しては，両者間で有意差を認めなかった。

　Song ら[1] の報告では，re-intervention，術前ドレナージ関連合併症，術後合併症に関して covered SEMS と PS とで有意差を認めないため，コストの面から PS を推奨している。ただし，本臨床試験では平均手術待機期間が covered SEMS で 12.3 日，PS 群で 14.2 日と短いことは留意しておく必要がある。一方，Olsson ら[2] の報告では，根治切除例でみた場合，covered SEMS は PS と比較して，術前の re-intervention の頻度（0% vs. 19%：$P = 0.03$），術後合併症の頻度（52% vs. 72%）がいずれも低かった。本臨床試験の手術例における手術待機期間の中央値は，covered SEMS 群で 31 日，PS 群で 36 日と Song らの臨床試験より長く，手術待機期間の長さが両試験の結果の相違に反映している可能性がある。また，Cho ら[3] は，上記 2 つの臨床試験と同様の評価を行い，術前ドレナージから 2 週間以内に手術を実施した場合，PS に対する uncovered SEMS の優位性は認められなかったと報告している。いずれの試験においても，膵頭部癌が主体で対象群の中に遠位胆管癌の占める割合は低く，遠位胆管癌に対するエビデンスとしては非常に弱いものとなる。

　参考として，術前化学療法を伴う膵癌に対する術前ドレナージとして covered SEMS と PS とを比較した 2 編のランダム化比較試験の結果も，手術待機期間が長いため，covered SEMS は PS と比較してステント閉塞（re-intervention）の頻度が少ないという同様の結果であった[4,5]。また，術前化学療法を伴わない膵癌に対す

る術前ドレナージとして covered SEMS と PS とを比較した 1 編のランダム化比較試験の結果も，手術待機期間が各々 28 日，24.5 日（IQR）であり，covered SEMS は re-intervention の頻度が低かった[6]。

　切除を企図した遠位胆管癌を含む悪性遠位胆管閉塞例に対する経乳頭的胆道ドレナージの胆管ステントとして SEMS と PS との成績を比較したコホート研究はこれまでに 6 編認められた[7~12]。Re-intervention，術前ドレナージ関連合併症，術後合併症の頻度などを比較して総合的に判断し，SEMS が PS より優れているとするものが 3 編[7~9]，手術までの期間が長い症例で SEMS を推奨するものが 2 編[10,11]，両ステントによる差はないとするものが 1 編[12] であった。川田ら[10] は，8.5Fr の PS 留置後 25 日までは開存率が 94.1% であり，手術待機期間が 25 日未満であれば 8.5Fr 以上の PS 留置，25 日以上であれば SEMS 留置が望ましいと報告している。ただし，いずれの研究も単施設の後ろ向き研究で症例数も少なく，バイアスリスクは高い。

　一方で，本邦の実臨床では，ほとんどの施設が遠位胆管癌切除企図例に対する術前ドレナージには PS を用いている現状がある。また，これまでにみてきた報告は，いずれも膵頭部癌を主体とした悪性遠位胆管閉塞例に対する研究であり，切除を企図した遠位胆管癌の経乳頭的胆道ドレナージにおける胆管ステントの選択に関するエビデンスは非常に弱いものである。さらに，膵頭部癌とは異なり，術前化学療法が標準治療ではない遠位胆管癌における手術待機期間は必ずしも長くはない。以上を踏まえ，現時点では，切除を企図した遠位胆管癌の経乳頭的胆道ドレナージにおける胆管ステントの選択に関して，SEMS を PS より強く推奨できるには至らないと判断した。ただし，手術待機期間が長くなる場合には，SEMS の使用を考慮してもよい。

委員会投票結果

行うことを 強く推奨する	行うことを 弱く推奨する	行わないことを 弱く推奨する	行わないことを 強く推奨する	推奨なし
0%（21 名中 0 名）	0%（21 名中 0 名）	5%（21 名中 1 名）	0%（21 名中 0 名）	95%（21 名中 20 名）

棄権者：0 名

引用文献

1) Song TJ, Lee JH, Lee SS, Jang JW, Kim JW, Ok TJ, et al. Metal versus plastic stents for drainage of malignant biliary obstruction before primary surgical resection. Gastrointest Endosc 2016；84：814-821.
2) Olsson G, Frozanpor F, Lundell L, Enochsson L, Ansorge C, Del Chiaro M, et al. Preoperative biliary drainage by plastic or self-expandable metal stents in patients with periampullary tumors：results of a randomized clinical study. Endosc Int Open 2017；5：E798-E808.
3) Cho JH, Yoon YS, Kim EJ, Kim YS, Cho JY, Han HS, et al. A multicenter prospective randomized controlled trial for preoperative biliary drainage with uncovered metal versus plastic stents for resectable periampullary cancer. J Hepatobiliary Pancreat Sci 2020；27：690-699.
4) Gardner TB, Spangler CC, Byanova KL, Ripple GH, Rockacy MJ, Levenick JM, et al. Cost-effectiveness and clinical efficacy of biliary stents in patients undergoing neoadjuvant therapy for pancreatic adenocarcinoma in a randomized controlled trial. Gastrointest Endosc 2016；84：460-466.
5) Tamura T, Itonaga M, Ashida R, Yamashita Y, Hatamaru K, Kawaji Y, et al. Covered self-expandable metal stents versus plastic stents for preoperative biliary drainage in patient receiving neo-adjuvant chemotherapy for borderline resectable pancreatic cancer：prospective randomized study. Dig Endosc 2021；33：1170-1178.
6) Mandai K, Tsuchiya T, Kawakami H, Ryozawa S, Saitou M, Iwai T, et al. Fully covered metal stents vs plastic stents for preoperative biliary drainage in patients with resectable pancreatic cancer without neoadjuvant chemotherapy：a multicenter, prospective, randomized controlled trial. J Hepatobiliary Pancreat Sci 2022；29：1185-1194.
7) Lee HW, Moon JH, Lee YN, Chung JC, Lee TH, Choi MH, et al. Modified non-flared fully covered self-

expandable metal stent versus plastic stent for preoperative biliary drainage in patients with resectable malignant biliary obstruction. J Gastroenterol Hepatol 2019；34：1590-1596.

8）Latenstein AEJ, Mackay TM, van Huijgevoort NCM, Bonsing BA, Bosscha K, Hol L, et al. Nationwide practice and outcomes of endoscopic biliary drainage in resectable pancreatic head and periampullary cancer. HPB （Oxford）2021；23：270-278.

9）Roberts AT, Jaya J, Ha P, Thakur U, Aldridge O, Pilgrim CHC, et al. Metal stents are safe and cost-effective for preoperative biliary drainage in resectable pancreaticobiliary tumours. ANZ J Surg 2021；91：1841-1846.

10）川田壮一郎，松本和也，孝田博輝，山下太郎，菓　裕貴，森尾慶子，他．悪性遠位胆管閉塞に対する術前胆道ステント留置法の検討．胆道 2018；32：216-223.

11）Mullen JT, Lee JH, Gomez HF, Ross WA, Fukami N, Wolff RA, et al. Pancreaticoduodenectomy after placement of endobiliary metal stents. J Gastrointest Surg 2005；9：1094-1104.

12）Haapamäki C, Seppänen H, Udd M, Juuti A, Halttunen J, Kiviluoto T, et al. Preoperative biliary decompression preceding pancreaticoduodenectomy with plastic or self-expandable metallic stent. Scand J Surg 2015；104：79-85.

FRQ1	EUS ガイド下胆道ドレナージは，閉塞性黄疸を有する切除企図胆管癌に対して有用か？

経乳頭的ドレナージ困難例に EUS ガイド下胆道ドレナージを行うことを考慮する。

解説

　切除企図胆管癌に対する術前胆道ドレナージは，我が国では肝門部領域胆管閉塞，遠位胆管閉塞のいずれに対しても広く行われており，その目的は減黄による肝機能の保持，胆管炎の制御および診断目的の組織・標本採取である。経乳頭的胆道ドレナージ困難例に対しては，PTBD が代替手技として普及しているが，腹膜播種や出血のリスクは無視できない。近年，EUS ガイド下に経十二指腸的あるいは経胃的に胆道をドレナージする手技（endoscopic ultrasonography-guided biliary drainage：EUS-BD）が開発され，施行例が増加している。具体的には，経十二指腸的肝外胆管アプローチ（endoscopic ultrasonography-guided choledochoduodenostomy：EUS-CDS）と，経胃的肝内胆管アプローチ（endoscopic ultrasonography-guided hepaticogastrostomy：EUS-HGS）の 2 つのアプローチ法が用いられている。

　切除不能遠位胆管癌で，かつ経乳頭的アプローチ困難例に対する EUS-BD と PTBD の有用性を比較する RCT は 2 編がすでに報告されており[1,2]，retrospective study も加えたシステマティックレビューやメタアナリシスも数編認められる[3~5]。有効性に関しては両者に大きな差がないとするものが多いが，有害事象については，EUS-BD に有意に多いとするもの，PTBD に有意に多いとするものがあり，一致を見ていない。EUS-HGS の成績は EUS-CDS と同等であるとするものが多く[6]，EUS-HGS と PTBD を比較した RCT では，EUS-HGS をより推奨する結果となっている[2,7]。

　一方，最初の減黄処置として EUS-BD と ERCP のどちらを選択するか，また術前減黄処置としてどちらを選ぶかのエビデンスはまだ少なく，また多くの報告は膵頭部癌を主たる対象としたものである。熟練した術者が行えば両者には差がないとする報告が多く[8~13]，膵頭部癌術前処置としての両者の成績には差がなかったとする報告もみられるが[14]，現行の他ガイドラインにおいても ERCP が第一選択の手技となっている。

　このように手技が高難度であることや周囲血管損傷のリスクが存在することが問題であるが，今後 EUS-BD の実施数は確実に増加することが予想され，エビデンスもそれにつれて集積してゆくと考えられる。

引用文献

1) Artifon EL, Aparicio D, Paione JB, Lo SK, Bordini A, Rabello C, et al. Biliary drainage in patients with unresectable, malignant obstruction where ERCP fails：endoscopic ultrasonography-guided choledochoduodenostomy versus percutaneous drainage. J Clin Gastroenterol 2012；46：768-774.

2) Lee TH, Choi JH, Park do H, Song TJ, Kim DU, Paik WH, et al. Similar efficacies of endoscopic ultrasound-guided transmural and percutaneous drainage for malignant distal biliary obstructions. Clin Gastroenterol Hepatol 2016；14：1011-1019.e3.

3) Hayat U, Bakker C, Dirweesh A, Khan MY, Adler DG, Okut H, et al. EUS-guided versus percutaneous transhepatic cholangiography biliary drainage for obstructed distal malignant biliary strictures in patients who have failed endoscopic retrograde cholangiopancreatography：a systematic review and meta-analysis. Endosc Ultrasound 2022；11：4-16.

4) Facciorusso A, Mangiavillano B, Paduano D, Binda C, Crinò SF, Gkolfakis P, et al. Methods for drainage of distal malignant biliary obstruction after ERCP failure：a systematic review and network meta-analysis. Cancers （Basel） 2022；14：3291.

5) Hassan Z, Gadour E. Percutaneous transhepatic cholangiography vs endoscopic ultrasound-guided biliary

drainage：a systematic review. World J Gastroenterol 2022；28：3514-3523.

6）Minaga K, Ogura T, Shiomi H, Imai H, Hoki N, Takenaka M, et al. Comparison of the efficacy and safety of endoscopic ultrasound-guided choledochoduodenostomy and hepaticogastrostomy for malignant distal biliary obstruction：multicenter, randomized, clinical trial. Dig Endosc 2019；31：575-582.

7）Marx M, Caillol F, Autret A, Ratone JP, Zemmour C, Boher JM, et al. EUS-guided hapaticogastrostomy in patients with obstructive jaundice after failed or impossible endoscopic retrograde drainage：a multicenter, randomized phase Ⅱ Study. Endosc Ultrasound 2022；11：495-502.

8）Paik WH, Lee TH, Park DH, Choi JH, Kim SO, Jang S, et al. EUS-guided biliary drainage versus ERCP for the primary palliation of malignant biliary obstruction：a multicenter randomized clinical trial. Am J Gastroenterol 2018；113：987-997.

9）Park JK, Woo YS, Noh DH, Yang JI, Bae SY, Yun HS, et al. Efficacy of EUS-guided and ERCP-guided biliary drainage for malignant biliary obstruction：prospective randomized controlled study. Gastrointest Endosc 2018；88：277-282.

10）Bang JY, Navaneethan U, Hasan M, Hawes R, Varadarajulu S. Stent placement by EUS or ERCP for primary biliary decompression in pancreatic cancer：a randomized trial（with videos）. Gastrointest Endosc 2018；88：9-17.

11）Teoh AYB, Napoleon B, Kunda R, Arcidiacono PG, Kongkam P, Larghi A, et al. EUS-guided choledocho-duodenostomy using lumen apposing stent versus ERCP with covered metallic stents in patients with unresectable malignant distal biliary obstruction：a multicenter randomized controlled trial（DRA-MBO Trial）. Gastroenterology 2023；165：473-482.e2.

12）Chen YI, Sahai A, Donatelli G, Lam E, Forbes N, Mosko J, et al. Endoscopic ultrasound-guided biliary drainage of first intent with a lumen-apposing metal stent vs endoscopic retrograde cholangiopancreatography in malignant distal biliary obstruction：a multicenter randomized controlled study（ELEMENT Trial）. Gastroenterology 2023；165：1249-1261.e5.

13）Gopakumar H, Singh RR, Revanur V, Kandula R, Puli SR. Endoscopic ultrasound-guided vs endoscopic retrograde cholangiopancreatography-guided biliary drainage as primary approach to malignant distal biliary obstruction：a systematic review and meta-analysis of randomized controlled trials. Am J Gastroenterol 2024；119：1607-1615.

14）Tyberg A, Sarkar A, Shahid HM, Shah-Khan SM, Gaidhane M, Simon A, et al. EUS-guided biliary drainage versus ERCP in malignant biliary obstruction before hepatobiliary surgery：an international comparative study. J Clin Gastroenterol 2023；57：962-966.

CQ12 閉塞性黄疸を有する非切除肝門部領域胆管癌に対して，uncovered self-expandable metallic stent（uncovered SEMS）は推奨されるか？

Re-intervention の必要がなく，予後が限定される患者には uncovered SEMS による胆道ドレナージを行うことを提案する。
推奨度2（レベルB）
Re-intervention を要する可能性の高い患者に対するドレナージの第一選択として plastic stent を考慮する。
推奨なし（レベルD）

解説

　閉塞性黄疸を有する非切除肝門部領域胆管癌では胆管ステントによる胆道ドレナージが必要となる。胆管ステントの閉塞や逸脱に伴う胆管閉塞状態の再発（RBO）は黄疸や胆管炎を惹起し，化学療法の中断が必要となり，QOL 低下につながるため，長期間の胆管開存状態が期待できるステント，閉塞への対応が容易なステントが求められている。ステントは大きくプラスチックステント（PS）とメタリックステント（SEMS）に大別されるが，肝門部領域胆管閉塞に対しては PS と uncovered SEMS が用いられ，両者の優劣を比較する RCT 4編[1~4]，システマティックレビュー2編[5,6]，さらに prospective cohort study 1編[7]，propensity score matching を用いた cohort study 1編[8]，また大規模な retrospective cohort study 数編がシステマティックレビューの結果，検討対象となった。

　4編の RCT のうち，3編[1~3] は uncovered SEMS と乳頭出しの PS の比較であり，最新の1編[4] は uncovered SEMS と IS の比較試験であり，いずれもサンプルサイズは中規模の試験であった。主要なアウトカムのうち，手技の成功率，臨床的な成功率，手技に関連する有害事象に関しては，両者には有意な差は示されなかった。ステントの開存率および，閉塞後の re-intervention を要した回数に関して，以前の3編では，uncovered SEMS の優位性が示されているが，IS の場合はその差は明らかでなくなっている。患者の生存予後に関しては uncovered SEMS で良好とするものが1編[2]，有意差なしとするものが1編[4] であった。

　システマティックレビューは2編[5,6] 報告されており，RCT 以外に大規模な retrospective cohort study も加えた検討がなされているが[9~12]，いずれも RCT の結果と同様で，uncovered SEMS が優れるという結果が得られている。しかし，ここでも IS が対照群となった研究は含まれていない。

　以上より閉塞性黄疸を有する非切除肝門部領域胆管癌に対して uncovered SEMS の選択を提案することとした。しかしながら，これら RCT やシステマティックレビューのエビデンスレベルは高いものの，文献4を除いて発表年代が古く，そのため uncovered SEMS 挿入後の re-intervention を想定していない研究であることから，現状の治療内容にはそぐわない面がある。結果，その意義は限定的であることから，その対象を re-intervention を要さない，予後が限定される症例に限り，推奨度を2，エビデンスレベルを B とした。

　以前のガイドラインでは，PS の開存期間を考慮したうえで，非常に予後不良（3ヵ月以内）と考えられる場合には PS の留置が，それ以上の予後が期待される場合には uncovered SEMS の使用が推奨されてきた経緯があるが，近年の薬物療法の飛躍的な進歩により非切除症例の予後はさらに延長している。また，薬物療法著効例に conversion surgery の適応が広がっていることを考えると，第一選択のステント留置後のメンテナンスとして re-intervention を要する症例が今後ますます増加することが予想され，その観点から re-intervention の簡便さ，容易さはステント選択上無視できない要素となってきている。実際，re-intervention の成功率，簡便性を前向きに検討した報告はないものの，後ろ向き研究の報告は増加しており[13~15]，今後検討を要すると考えられる。今回の推奨度決定会議においても，切除不能悪性肝門部胆管狭窄に対し，第一選択と

して uncovered SEMS を使用している委員は少数であり，多数の委員は PS を使用していた。

　以上より，今後 re-intervention を見据えたステント選択が重要となってくるとの展望を踏まえ，「re-intervention が必要となる患者には PS の使用を考慮する」との推奨文を加え，推奨度はなし，とすることとした。

委員会投票結果

予後が限定される症例

行うことを 強く推奨する	行うことを 弱く推奨する	行わないことを 弱く推奨する	行わないことを 強く推奨する	推奨なし
9%（23 名中 2 名）	87%（23 名中 20 名）	4%（23 名中 1 名）	0%（23 名中 0 名）	0%（23 名中 0 名）

棄権者：0 名

予後が期待される症例

行うことを 強く推奨する	行うことを 弱く推奨する	行わないことを 弱く推奨する	行わないことを 強く推奨する	推奨なし
0%（23 名中 0 名）	0%（23 名中 0 名）	4%（23 名中 1 名）	0%（23 名中 0 名）	96%（23 名中 22 名）

棄権者：0 名

引用文献

1) Wagner HJ, Knyrim K, Vakil N, Klose K. Plastic endoprostheses versus metal stents in the palliative treatment of malignant hilar biliary obstruction. A prospective and randomized trial. Endoscopy 1993；25：213-218.

2) Sangchan A, Kongkasame W, Pugkhem A, Jenwitheesuk K, Mairiang P. Efficacy of metal and plastic stents in unresectable complex hilar cholangiocarcinoma：a randomized controlled trial. Gastrointest Endosc 2012；76：93-99.

3) Mukai T, Yasuda I, Nakashima M, Doi S, Iwashita T, Iwata K, et al. Metallic stents are more efficacious than plastic stents in unresectable malignant hilar biliary strictures：a randomized controlled trial. J Hepatobiliary Pancreat Sci 2013；20：214-222.

4) Kanno Y, Ito K, Nakahara K, Kawaguchi S, Masaki Y, Okuzono T, et al. Suprapapillary placement of plastic versus metal stents for malignant biliary hilar obstructions：a multicenter, randomized trial. Gastrointest Endosc 2023；98：211-221.

5) Hong WD, Chen XW, Wu WZ, Zhu QH, Chen XR. Metal versus plastic stents for malignant biliary obstruction：an update meta-analysis. Clin Res Hepatol Gastroenterol 2013；37：496-500.

6) Sawas T, Al Halabi S, Parsi MA, Vargo JJ. Self-expandable metal stents versus plastic stents for malignant biliary obstruction：a meta-analysis. Gastrointest Endosc 2015；82：256-267.

7) Perdue DG, Freeman ML, DiSario JA, Nelson DB, Fennerty MB, Lee JG, et al. Plastic versus self-expanding metallic stents for malignant hilar biliary obstruction：a prospective multicenter observational cohort study. J Clin Gastroenterol 2008；42：1040-1046.

8) Okuno M, Iwata K, Iwashita T, Mukai T, Shimojo K, Ohashi Y, et al. Utility of bilateral intraductal plastic stent for malignant hilar biliary obstruction compared with bilateral self-expandable metal stent：a propensity score-matched cohort analysis. Gastrointest Endosc 2023；98：776-786.

9) Raju RP, Jaganmohan SR, Ross WA, Davila ML, Javle M, Raju GS, et al. Optimum palliation of inoperable hilar cholangiocarcinoma：comparative assessment of the efficacy of plastic and self-expanding metal stents. Dig Dis Sci 2011；56：1557-1564.

10) Liberato MJA, Canena JMT. Endoscopic stenting for hilar cholangiocarcinoma：efficacy of unilateral and

bilateral placement of plastic and metal stents in a retrospective review of 480 patients. BMC Gastroenterol 2012；12：103.

11）Gao DJ, Hu B, Ye X, Wang TT, Wu J. Metal versus plastic stents for unresectable gallbladder cancer with hilar duct obstruction. Dig Endosc 2017；29：97-103.

12）Choi JH, Lee SH, You MS, Shin BS, Choi YH, Kang J, et al. Step-wise endoscopic approach to palliative bilateral biliary drainage for unresectable advanced malignant hilar obstruction. Sci Rep 2019；9：13207.

13）Kobayashi N, Watanabe S, Hosono K, Kubota K, Nakajima A, Kaneko T, et al. Endoscopic inside stent placement is suitable as a bridging treatment for preoperative biliary tract cancer. BMC Gastroenterol 2015；15：8.

14）Iwasaki A, Kubota K, Kurita Y, Hasegawa S, Fujita Y, Kagawa K, et al. The placement of multiple plastic stents still has important roles in candidates for chemotherapy for unresectable perihilar cholangiocarcinoma. J Hepatobiliary Pancreat Sci 2020；27：700-711.

15）Kurita A, Uza N, Asada M, Yoshimura K, Takemura T, Yazumi S, et al. Stent placement above the sphincter of Oddi is a useful option for patients with inoperable malignant hilar biliary obstruction. Surg Endosc 2022；36：2869-2878.

| CQ13 | 閉塞性黄疸を有する非切除遠位胆管癌に対して，covered self-expandable metallic stent（covered SEMS）を用いた経乳頭的胆道ドレナージは，uncovered SEMS と比較して推奨されるか？ |

Covered SEMS による胆道ドレナージを行うことを提案する。
推奨度 2（レベル B）

解説

　閉塞性黄疸を有する非切除遠位胆管癌では胆管ステントによる胆道ドレナージが必要となる。胆管ステントの閉塞や逸脱に伴う胆管閉塞状態の再発（RBO）は黄疸や胆管炎を惹起し，化学療法の中断が必要となり QOL 低下につながるため，長期間の胆管開存状態が期待できるステント，閉塞への対応が容易なステントが求められている。ステントは大きくプラスチックステント（PS）とメタリックステント（SEMS）に大別されるが，遠位胆管閉塞に対しては PS と SEMS を比較した RCT の報告で SEMS において開存期間が有意に長く，偶発症，コスト面からも SEMS が推奨され[1~3]，前版の胆道癌診療ガイドラインでも PS よりも SEMS が推奨された。近年では化学療法や免疫治療の進歩により，胆道癌もより長い開存期間を期待できるステントが選択されるため，閉塞性黄疸を有する非切除遠位悪性胆管狭窄に対しては SEMS の有用性は明らかであることから，今回の胆道癌診療ガイドラインにおいては CQ として取り上げられていない。

1）検討項目

　SEMS はカバー付き（covered SEMS）とカバーなし（uncovered SEMS）に分けられ，今回の CQ では covered SEMS と uncovered SEMS について閉塞胆管を開存させる能力と偶発症について検討した。ステントを評価する際には TOKYO criteria[4] において，胆管開存状態を維持する能力としてステント留置から RBO をきたすまでの期間（time to RBO：TRBO）を評価することが提案されている。RBO の原因としては閉塞と逸脱があり，uncovered SEMS では腫瘍組織や過形成粘膜がステント内に増殖し tumor/tissue ingrowth による閉塞をきたしやすいとされる。一方，covered SEMS では uncovered SEMS の ingrowth を予防する目的でシリコンや PTFE といった素材で被覆されているが，ステントが胆管壁に固定されないために逸脱が起こりやすくなるとされる。また，RBO 以外の偶発症としては膵炎や胆囊炎などがあり，covered SEMS では胆囊管分岐部や膵管口がふさがれるためにこれらの偶発症率の上昇が危惧される。そのため，ステントの選択には TRBO に加え，胆囊炎や膵炎などの偶発症率も重要となる。

2）RCT

　遠位悪性胆道狭窄に対する経乳頭的ステント留置術で covered SEMS と uncovered SEMS を比較した RCT は 10 編[5~14] 存在しているが，対象疾患を胆道癌に限定している RCT は存在していない。これら 10 編の RCT を評価すると，TRBO の中央値または平均値が記載されていた 9 編のうち 7 編[5,6,8,9,12~14] において TRBO は covered SEMS で長く，うち 3 編[5,9,13] においては有意差をもって良好な結果であった。RBO の頻度は uncovered SEMS で多かったが有意差はなかった。RBO の原因として ingrowth は uncovered SEMS で有意に多く，overgrowth，sludge および逸脱は covered SEMS で有意に多い結果であった。RBO 以外の偶発症として膵炎，胆囊炎の発症率はともに有意差なく同等という結果であった。また，経乳頭的ステント留置ではないが，対象を黄疸に対して経皮的ステント留置を施行した胆道癌に限定した covered SEMS と uncovered SEMS を比較した RCT が 1 編存在する[15]。この報告では covered SEMS の方が TRBO は有意に長く，RBO 率は有意に低率であり，全偶発症率は両者に差がなかったとされている。

3) システマティックレビュー

　胆道癌以外の疾患も含んだシステマティックレビューは8編報告されている[16~23]。TRBOにおいては7編で評価されているが，5編で同等，2編でcovered SEMSの方が有意に良好であり，RBO率についても同等ないしはcovered SEMSの方が低率という結果であった。全偶発症率は7編で同等であり，1編ではcovered SEMSの方が有意に低率であった。

　上記の結果からcovered SEMSはuncovered SEMSと比較して，TRBOおよびRBO率はcovered SEMSで同等ないしは優れている結果であり，偶発症は同等であった。さらにcovered SEMSは閉塞時，膵炎や胆嚢炎発症時に抜去が可能であるというuncovered SEMSにはない利点を有しており，術者にとって留置時のストレスが少ない。さらに患者としても遠位胆管癌が進行し肝門部浸潤をきたした際にもステントを留置し直すことができ，状況に応じた適切な対応をとることができる利点がある。

　以上より閉塞性黄疸を有する非切除遠位胆管癌に対してcovered SEMSの選択を推奨することとした。しかし，胆道癌に疾患を限定したRCTが少ないため弱い推奨とした。

委員会投票結果

行うことを 強く推奨する	行うことを 弱く推奨する	行わないことを 弱く推奨する	行わないことを 強く推奨する	推奨なし
0%（23名中0名）	100%（23名中23名）	0%（23名中1名）	0%（23名中0名）	0%（23名中0名）

棄権者：0名

引用文献

1) Davids PH, Groen AK, Rauws EA, Tytgat GN, Huibregtse K. Randomised trial of self-expanding metal stents versus polyethylene stents for distal malignant biliary obstruction. Lancet 1992；340：1488-1492.
2) Smith AC, Dowsett JF, Russell RC, Hatfield AR, Cotton PB. Randomized trial of endoscopic stenting versus surgical bypass in malignant low bile duct obstruction. Lancet 1994；344：1655-1660.
3) Lammer J, Hausegger KA, Flückiger F, Winkelbauer FW, Wildling R, Klein GE, et al. Common bile duct obstruction due to malignancy：treatment with plastic versus metal stents. Radiology 1996；201：167-172.
4) Isayama H, Hamada T, Yasuda I, Itoi T, Ryozawa S, Nakai Y, et al. TOKYO criteria 2014 for transpapillary biliary stenting. Dig Endosc 2015；27：259-264.
5) Isayama H, Komatsu Y, Tsujino T, Sasahira N, Hirano K, Toda N, et al. A prospective randomized study of "covered" versus "uncovered" diamond stents for the management of distal malignant biliary obstruction. Gut 2004；53：729-734.
6) Telford JJ, Carr-Locke DL, Baron TH, Poneros JM, Bounds BC, Kelsey PB, et al. A randomized trial comparing uncovered and partially covered self-expandable metal stents in the palliation of distal malignant biliary obstruction. Gastrointest Endosc 2010；72：907-914.
7) Kullman E, Frozanpor F, Söderlund C, Linder S, Sandström P, Lindhoff-Larsson A, et al. Covered versus uncovered self-expandable nitinol stents in the palliative treatment of malignant distal biliary obstruction：results from a randomized, multicenter study. Gastrointest Endosc 2010；72：915-923.
8) Ung KA, Stotzer PO, Nilsson A, Gustavsson ML, Johnsson E. Covered and uncovered self-expandable metallic Hanarostents are equally efficacious in the drainage of extrahepatic malignant strictures. Results of a double-blind randomized study. Scand J Gastroenterol 2013；48：459-465.
9) Kitano M, Yamashita Y, Tanaka K, Konishi H, Yazumi S, Nakai Y, et al. Covered self-expandable metal stents

with an anti-migration system improve patency duration without increased complications compared with uncovered stents for distal biliary obstruction caused by pancreatic carcinoma : a randomized multicenter trial. Am J Gastroenterol 2013 ; 108 : 1713-1722.

10) Yang MJ, Kim JH, Yoo BM, Hwang JC, Yoo JH, Lee KS, et al. Partially covered versus uncovered self-expandable nitinol stents with anti-migration properties for the palliation of malignant distal biliary obstruction : a randomized controlled trial. Scand J Gastroenterol 2015 ; 50 : 1490-1499.

11) Conio M, Mangiavillano B, Caruso A, Filiberti RA, Baron TH, De Luca L, et al. Covered versus uncovered self-expandable metal stent for palliation of primary malignant extrahepatic biliary strictures : a randomized multicenter study. Gastrointest Endosc 2018 ; 88 : 283-291.e3.

12) Seo DW, Sherman S, Dua KS, Slivka A, Roy A, Costamagna G, et al. Covered and uncovered biliary metal stents provide similar relief of biliary obstruction during neoadjuvant therapy in pancreatic cancer : a randomized trial. Gastrointest Endosc 2019 ; 90 : 602-612.e4.

13) Sakai Y, Sugiyama H, Kawaguchi Y, Kawashima Y, Hirata N, Nakaji S, et al. Uncovered versus covered metallic stents for the management of unresectable malignant distal biliary obstruction : a randomized multicenter trial. Scand J Gastroenterol 2021 ; 56 : 1229-1235.

14) Park SW, Lee KJ, Chung MJ, Jo JH, Lee HS, Park JY, et al. Covered versus uncovered double bare self-expandable metal stent for palliation of unresectable extrahepatic malignant biliary obstruction : a randomized controlled multicenter trial. Gastrointest Endosc 2023 ; 97 : 132-142.e2.

15) Krokidis M, Fanelli F, Orgera G, Bezzi M, Passariello R, Hatzidakis A. Percutaneous treatment of malignant jaundice due to extrahepatic cholangiocarcinoma : covered Viabil stent versus uncovered Wallstents. Cardiovasc Intervent Radiol 2010 ; 33 : 97-106.

16) Saleem A, Leggett CL, Murad MH, Baron TH. Meta-analysis of randomized trials comparing the patency of covered and uncovered self-expandable metal stents for palliation of distal malignant bile duct obstruction. Gastrointest Endosc 2011 ; 74 : 321-327.e1-3.

17) Almadi MA, Barkun AN, Martel M. No benefit of covered vs uncovered self-expandable metal stents in patients with malignant distal biliary obstruction : a meta-analysis. Clin Gastroenterol Hepatol 2013 ; 11 : 27-37.e1.

18) Chen MY, Lin JW, Zhu HP, Zhang B, Jiang GY, Yan PJ, et al. Covered stents versus uncovered stents for unresectable malignant biliary strictures : a meta-analysis. Biomed Res Int 2016 ; 2016 : 6408067.

19) Li J, Li T, Sun P, Yu Q, Wang K, Chang W, et al. Covered versus uncovered self-expandable metal stents for managing malignant distal biliary obstruction : a meta-analysis. PLoS One 2016 ; 11 : e0149066.

20) Moole H, Bechtold ML, Cashman M, Volmar FH, Dhillon S, Forcione D, et al. Covered versus uncovered self-expandable metal stents for malignant biliary strictures : a meta-analysis and systematic review. Indian J Gastroenterol 2016 ; 35 : 323-330.

21) Tringali A, Hassan C, Rota M, Rossi M, Mutignani M, Aabakken L. Covered vs. uncovered self-expandable metal stents for malignant distal biliary strictures : a systematic review and meta-analysis. Endoscopy 2018 ; 50 : 631-641.

22) Park CH, Park SW, Jung JH, Jung ES, Kim JH, Park DH. Comparative efficacy of various stents for palliation in patients with malignant extrahepatic biliary obstruction : a systematic review and network meta-analysis. J Pers Med 2021 ; 11 : 86.

23) Yamashita Y, Tachikawa A, Shimokawa T, Yamazaki H, Itonaga M, Saki Y, et al. Covered versus uncovered metal stent for endoscopic drainage of a malignant distal biliary obstruction : meta-analysis. Dig Endosc 2022 ; 34 : 938-951.

コラム　放射線治療を企図する胆管癌に対してはメタリックステントの留置を避けるか？

　閉塞性黄疸を伴う胆管癌に放射線治療を企図する際に求められる胆道ドレナージの役割は，減黄による患者のQOL改善に加えて，治療の実施・継続に影響を及ぼすステントの開存の維持である。放射線治療による腫瘍縮小効果は即効性でないため，閉塞性黄疸を伴う患者に対しては，現実的には減黄を維持するためにステント留置が必須となる。切除不能な悪性胆管閉塞に対する胆道ドレナージは，これまでSEMSとPSの比較が多数報告されており，胆道閉塞症状の再発（RBO）の頻度とその再発までの期間（TRBO）の長さの観点からSEMSのほうがPSより優れているとする報告が多い[1~4]。これらの結果と近年の化学療法の進歩による生存期間の延長に伴うre-interventionの容易さや手術移行（conversion surgery）を考慮して，胆道癌診療ガイドライン改訂第3版では，切除不能肝門部胆管閉塞にはPSとuncovered SEMS，切除不能遠位胆管閉塞にはcovered SEMSの選択を提案している[5]。ただし，放射線治療を企図する場合は外科治療を企図する場合と同様に，ステントの種類を問わず，ステント留置後には腫瘍の正確な局在や進展範囲（水平方向，垂直方向の浸潤）の画像診断が困難となり治療計画に影響を及ぼすので，必ずステント留置前の画像情報を確保しておく必要がある。

　これまでの胆道癌に対する放射線治療の効果を評価した報告において，治療の対象症例に対して少なからず閉塞性黄疸に対する胆道ドレナージが実施されているが，放射線治療中のSEMSとPSによる影響を比較した報告は認められなかった。従来から，切除不能胆道癌に対する放射線治療の目的の1つとしてステント開存性維持があげられている[5]。切除不能の肝門部領域胆管癌において，放射線治療群では，放射線非治療群と比較して，SEMSの開存期間が延長したことが報告されている[6,7]。放射線治療による局所制御によりSEMSへの腫瘍のingrowthやovergrowthを抑制することがその一因と考えられている[6,7]。一方で，SEMSが放射線治療に及ぼす影響として，PSよりも金属アーチファクトが強いため放射線治療計画の線量計算の信頼性が低下し，生体内では治療計画の線量計算と乖離した過剰・過小線量部位が生じる可能性や，胆管が拡張されてしまうことで照射範囲が拡大してしまう可能性が指摘されている[8~10]。また，SEMSを留置された膵頭部癌や肝門部領域胆管癌で，放射線治療や粒子線治療後に胆道破裂や肝動脈損傷による動脈胆管瘻を複数経験したことから，SEMSと放射線治療の相性の不具合を指摘する報告も認められる[11,12]。ただし，放射線治療未施行例においてもSEMS留置後の仮性動脈瘤出血の報告があり[13]，本合併症に対する放射線治療の影響の有無は現時点では不明である。さらには，SEMS留置例における放射線治療後晩期の胆道損傷も問題としてあげられている[10,11]。しかしながら，PSを選択した場合では，放射線治療により長期生存が得られた際には頻回のステント交換処置が必要となり，そのリスクも考慮する必要がある。

　近年の放射線治療の進歩は著しく，また，多くの対象症例で化学療法が放射線治療の前後に実施されることが予想されることから，生存期間の延長に伴うre-interventionの容易さもステント選択の1つの指標となる。切除不能胆道癌における放射線治療時のステント選択を検討した報告はこれまでにみられず，今後のエビデンスの蓄積が必要である。特に，近年の切除不能胆道癌の予後改善を考慮し，RBOやTRBOを指標とするのみならず，長期的なステント選択に関する検討が待たれる。現時点では，SEMSとPSの各々の特徴を理解し，ステント挿入・交換時の患者予後・病態に応じて適切なステントを選択していくことが妥当であろう。

引用文献

1) Mukai T, Yasuda I, Nakashima M, Doi S, Iwashita T, Iwata K, et al. Metallic stents are more efficacious than plastic stents in unresectable malignant hilar biliary strictures：a randomized controlled trial. J Hepatobiliary Pancreat Sci 2013；20：214-222.

2) Sangchan A, Kongkasame W, Pugkhem A, Jenwitheesuk K, Mairiang P. Efficacy of metal and plastic stents in unresectable complex hilar cholangiocarcinoma：a randomized controlled trial. Gastrointest Endosc 2012；76：93-99.

3) Lammer J, Hausegger KA, Flückiger F, Winkelbauer FW, Wildling R, Klein GE, et al. Common bile duct obstruction due to malignancy：treatment with plastic versus metal stents. Radiology 1996；201：167-172.

4) Soderlund C, Linder S. Covered metal versus plastic stents for malignant common bile duct stenosis：a prospective, randomized, controlled trial. Gastrointest Endosc 2006；63：986-995.

5) 日本肝胆膵外科学会胆道癌診療ガイドライン作成委員会編. エビデンスに基づいた胆道癌診療ガイドライン　改訂第3版. 東京, 医学図書出版, 2019.

6) Isayama H, Tsujino T, Nakai Y, Sasaki T, Nakagawa K, Yamashita H, et al. Clinical benefit of radiation therapy and metallic stenting for unresectable hilar cholangiocarcinoma. World J Gastroenterol 2012；18：2364-2370.

7) Shinchi H, Takao S, Nishida H, Aikou T. Length and quality of survival following external beam radiotherapy combined with expandable metallic stent for unresectable hilar cholangiocarcinoma. J Surg Oncol 2000；75：89-94.

8) 玉田俊明, 吉村　均, 岩田和朗, 辻　佳彦, 宇都文昭, 阪口　浩, 他. 放射線照射におけるメタリックステントの影響―ファントムおよび雑犬正常胆管を用いた基礎的研究―. 日放腫会誌 1995；7：39-46.

9) Tsuji Y, Yoshimura H, Uto F, Tamada T, Iwata K, Tamamoto T, et al. Physical and histopathological assessment of the effects of metallic stents on radiation therapy. J Radiat Res 2007；48：477-483.

10) 寺嶋千貴. 胆道癌に対する放射線治療, 粒子線治療（陽子線, 重粒子線）. 胆道 2018；32：114-123.

11) 寺嶋千貴. 切除不能胆道癌に対する放射線治療・粒子線治療. 胆道 2024；38：25-32.

12) 森下直紀, 西田　勉, 林　義人, 岩橋　潔, 池澤賢治, 重川　稔, 他. 進行膵癌に対する陽子線治療後に仮性動脈瘤から胆管メタリックステント内に出血をきたした1例. 日消誌 2013；110：2127-2135.

13) 朝山直樹, 佐々木民人, 芦川正浩, 南　智之, 岡崎彰仁, 石垣尚志, 他. 胆管金属ステント留置後に発生した右肝動脈瘤破裂の1例. 日消誌 2014；111：931-939.

FRQ2 閉塞性黄疸を有する非切除胆道癌に対する胆管ドレナージ時の胆管内ラジオ波焼灼療法は有用か？

> 胆管内ラジオ波焼灼療法の有益性については一定のエビデンスが得られておらず，対象症例・焼灼方法・併用療法・機器の改良などに関する研究が必要である。

解説

　近年，胆管内ラジオ波焼灼術（intraductal-radiofrequency ablation：ID-RFA）が悪性胆道閉塞の局所治療法（ステント開存期間の延長，生命予後改善）として注目されている。2018年に報告された，9研究をまとめたメタアナリシスでは，胆管癌のステント開存期間の差は42.7日間（95% CI：17.19-68.19, Cochran Q test $P = 0.11$, $I^2 = 55\%$）でID-RFA群が良好であり，生存期間も pooled Kaplan-Meier survival analysis で有意にID-RFA群で良好（$P < 0.001$）と報告された[1]。しかし，対象となった研究のうち前向き研究は1つのみであり主に後方視的研究をまとめた結果であることに注意が必要である。その後，遠位あるいはBismuth Ⅰ，Ⅱの胆管癌のみを対象とし，3ヵ月ごとにID-RFAを施行することによりステント開存期間，生存期間の有意な延長を認めた[2]というRCTや，遠位とBismuth Ⅰ，Ⅱ，Ⅲを対象としてプラスチックステントを使用し3ヵ月の間隔をあけて2回焼灼することにより，ステント開存期間に有意差は認めなかったが，生存期間は有意にID-RFA群が良好であった（HR：0.488, 95%CI：0.351-0.678）というRCTも報告された[3]。しかし，2023年のRCTでは，胆管癌全体でも対象を限定した副解析でもステント開存期間，生存期間ともに有意差を認めず，途中で打ち切られたとも報告されている[4]。化学療法とID-RFAを併用した1編の遠隔転移例を含まないRCTと2編の後方視的研究では，化学療法単独群とくらべID-RFA群がステント開存期間，生命予後ともに有意に良好であったと報告されている[5~7]。

　ID-RFAの有害事象については，胆嚢炎が有意に多いとする報告もあるが[3]，ドレナージ単独とくらべ有意差は認めていない研究がほとんどである。一方，現状のID-RFAプローブでは，動物実験においてプローブから4.3〜11.3 mmの深度しか焼灼できない[8]，胆管狭窄の形態によって焼灼の深度が均一でない[9]という問題点もあり，これらが一定しない結果に影響している可能性は否定できない。

　まとめるとこれら研究の結果は，胆管癌に対するID-RFAの効果は対象症例（遠位 vs. 肝門部，遠隔転移の有無），治療回数などの方法によって異なり，ID-RFAは化学療法の効果を増強する可能性があることを示唆している。今後，ID-RFA機器の改良，対象の絞り込み，より効果の高い併用療法を模索する研究が期待される。

引用文献

1) Sofi AA, Khan MA, Das A, Sachdev M, Khuder S, Nawras A, et al. Radiofrequency ablation combined with biliary stent placement versus stent placement alone for malignant biliary strictures：a systematic review and meta-analysis. Gastrointest Endosc 2018；87：944-951.
2) Yang J, Wang J, Zhou H, Zhou Y, Wang Y, Jin H, et al. Efficacy and safety of endoscopic radiofrequency ablation for unresectable extrahepatic cholangiocarcinoma：a randomized trial. Endoscopy 2018；50：751-760.
3) Gao DJ, Yang JF, Ma SR, Wu J, Wang TT, Jin HB, et al. Endoscopic radiofrequency ablation plus plastic stent placement versus stent placement alone for unresectable extrahepatic biliary cancer：a multicenter randomized controlled trial. Gastrointest Endosc 2021；94：91-100.
4) Jarosova J, Zarivnijova L, Cibulkova I, Mares J, Macinga P, Hujova A, et al. Endoluminal radiofrequency ablation in patients with malignant biliary obstruction：a randomized trial. Gut 2023；72：2286-2293.

5) Yang J, Wang J, Zhou H, Wang Y, Huang H, Jin H, et al. Endoscopic radiofrequency ablation plus a novel oral 5-fluorouracil compound versus radiofrequency ablation alone for unresectable extrahepatic cholangiocarcinoma. Gastrointest Endosc 2020 ; 92 : 1204-1212.e1.

6) Gonzalez-Carmona MA, Möhring C, Mahn R, Zhou T, Bartels A, Sadeghlar F, et al. Impact of regular additional endobiliary radiofrequency ablation on survival of patients with advanced extrahepatic cholangiocarcinoma under systemic chemotherapy. Sci Rep 2022 ; 12 : 1011.

7) Inoue T, Naitoh I, Kitano R, Ibusuki M, Kobayashi Y, Sumida Y, et al. Endobiliary radiofrequency ablation combined with gemcitabine and cisplatin in patients with unresectable extrahepatic cholangiocarcinoma. Curr Oncol 2022 ; 29 : 2240-2251.

8) Itoi T, Isayama H, Sofuni A, Itokawa F, Tamura M, Watanabe Y, et al. Evaluation of effects of a novel endoscopically applied radiofrequency ablation biliary catheter using an ex-vivo pig liver. J Hepatobiliary Pancreat Sci 2012 ; 19 : 543-547.

9) Inoue T, Yoneda M. Updated evidence on the clinical impact of endoscopic radiofrequency ablation in the treatment of malignant biliary obstruction. Dig Endosc 2022 ; 34 : 345-358.

FRQ3 閉塞性黄疸を有する非切除胆道癌肝門部胆管閉塞では肝容積 50% 以上のドレナージが必要か？

肝容積 50% 以上のドレナージが考慮されるが，現時点ではエビデンスが弱く一定の見解は得られていない。

解説

本 FRQ に対するアウトカムには生存期間の延長，閉塞性黄疸の臨床的改善率，ステント開存期間，手技的成功率などがあげられており，各アウトカムに関していくつかの後方視的研究が行われている。

1) 片葉ドレナージ vs. 両葉ドレナージ

非切除胆道癌肝門部胆管閉塞に対するドレナージ方法は古くから広く議論されており，時代によりその方法に変化がみられる。1990 年代から 2000 年代にかけては，手技の煩雑さと手技的成功率の高さから 1 本のステントによる片葉ドレナージが，より良いという報告が優勢であった[1,2]。しかし 2017 年に報告された最も新しい RCT[3] では両葉ドレナージの方が閉塞性黄疸の臨床的改善率とステント開存期間が片葉ドレナージと比較して有意に優れており，手技的成功率に差は認めなかった。胆道ドレナージ術における道具と技術の進歩により結果が変わってきている可能性がある。

2) 肝容積とドレナージ領域の測定

2010 年代に入り，CT や MRI といった画像診断を用いてドレナージされている肝容積が詳細に測定されるようになり，有効なドレナージに必要な肝容積が測定されるようになった。非切除胆道癌肝門部胆管閉塞に対する胆管ドレナージにおいてドレナージを要する肝容積を評価した研究は，後ろ向きの症例対照研究 4 報だけであり，現在のところ前向きの研究は報告されていない。Vienne ら[4] は 107 症例のドレナージ領域と長期予後との関係を後ろ向きに解析し 50% 以上の肝容積をドレナージする方が生命予後が長いことを報告した。Takahashi ら[5] は日本人を対象として同様の検討をしており，背景肝が健康な場合は 33% 以上，肝硬変などで肝機能が低下している場合は 50% 以上のドレナージ領域が有効なドレナージに必要であった。他にも国内外から 2 報，50% 以上のドレナージ領域の必要性に関して言及している[6,7]。

3) 患者と医療者の負担

肝容積 50% 以上と肝容積 50% 以下のドレナージ群間で費用対効果を検討した報告は存在しない。一回の手技を考えると用いるステントが多くなる分，多くの肝容積をドレナージしたほうがコストは高くなるが，長い期間を考えると，肝容積 50% 以上のドレナージの方が開存期間が長い分，手技の回数を減らせる可能性がある。医療者の負担に関しては Lee ら[3] の RCT において，片葉，両葉の両群間で手技的成功率に有意差は認めなかったが，留置する本数が多くなればなるほど手技時間が長くなり，成功率も徐々に悪くなると考えられる。そのため，肝容積 50% 以上のドレナージが必須となると，患者を高次医療機関へ転院させる必要が出てくる可能性がある。上記エビデンスと状況をふまえ，肝容積 50% 以上のドレナージが考慮されるが，現時点ではエビデンスが弱く一定の見解は得られていない，とした。European Society of Gastrointestinal Endoscopy が発刊する 2017 年の Clinical Guideline においては，非切除胆道癌肝門部胆管閉塞に対して 50% 以上の肝容積のドレナージを弱く推奨している[8]。

本疑問に対するエビデンスは非常に弱く，推奨を決定するには RCT など前向き研究の結果を要する。

引用文献

1）De Palma GD, Galloro G, Siciliano S, Iovino P, Catanzano C. Unilateral versus bilateral endoscopic hepatic duct drainage in patients with malignant hilar biliary obstruction：results of a prospective, randomized, and controlled study. Gastrointest Endosc 2001；53：547-553.

2）De Palma GD, Pezzullo A, Rega M, Persico M, Patrone F, Mastantuono L, et al. Unilateral placement of metallic stents for malignant hilar obstruction：a prospective study. Gastrointest Endosc 2003；58：50-53.

3）Lee TH, Kim TH, Moon JH, Lee SH, Choi HJ, Hwangbo Y, et al. Bilateral versus unilateral placement of metal stents for inoperable high-grade malignant hilar biliary strictures：a multicenter, prospective, randomized study（with video）. Gastrointest Endosc 2017；86：817-827.

4）Vienne A, Hobeika E, Gouya H, Lapidus N, Fritsch J, Choury AD, et al. Prediction of drainage effectiveness during endoscopic stenting of malignant hilar strictures：the role of liver volume assessment. Gastrointest Endosc 2010；72：728-735.

5）Takahashi E, Fukasawa M, Sato T, Takano S, Kadokura M, Shindo H, et al. Biliary drainage strategy of unresectable malignant hilar strictures by computed tomography volumetry. World J Gastroenterol 2015；21：4946-4953.

6）Bulajic M, Panic N, Radunovic M, Scepanovic R, Perunovic R, Stevanovic P, et al. Clinical outcome in patients with hilar malignant strictures type Ⅱ Bismuth-Corlette treated by minimally invasive unilateral versus bilateral endoscopic biliary drainage. Hepatobiliary Pancreat Dis Int 2012；11：209-214.

7）Imagawa N, Fukasawa M, Takano S, Kawakami S, Fukasawa Y, Hasegawa H, et al. A novel method of calculating the drained liver volume using a 3D volume analyzer for biliary drainage of unresectable malignant hilar biliary obstruction. Dig Dis Sci 2024；69：969-977.

8）Dumonceau JM, Tringali A, Papanikolaou IS, Blero D, Mangiavillano B, Schmidt A, et al. Endoscopic biliary stenting：indications, choice of stents, and results：European Society of Gastrointestinal Endoscopy（ESGE）Clinical Guideline - Updated October 2017. Endoscopy 2018；50：910-930.

BQ9 術前胆道ドレナージ中の発熱にはどのように対応するか？

血液検査，血液培養を施行し，抗菌薬を投与する。
既存のドレナージのトラブルであれば交換を，非ドレナージ領域の胆管炎を疑う場合，ドレナージの追加を行う。
胆管炎時のドレナージは ENBD を行う。

解説

　術前胆道ドレナージ中に発熱をきたした際は[1]，血液検査と血液培養[2]，ドレナージチューブ閉塞の確認[3]，画像検査を行う。PTBD や ENBD などの外瘻ドレナージの症例では，用手的な洗浄でも閉塞の確認は可能である。腹部 CT 検査では，チューブ逸脱のほか，肝内胆管枝の拡張の程度，肝膿瘍や胆嚢炎，膵炎などの評価も可能であるため考慮する必要がある[1]。胆管炎が疑われるときは，ガイドラインに沿って診断し，重症度を判定したうえで抗菌薬治療を開始し，胆道ドレナージ施行あるいは交換などを考慮する[2~5]。

　既存のチューブトラブルによる胆管炎と診断されれば，速やかにチューブ交換を行う[6~9]。既存のチューブトラブルがない，もしくは交換後も解熱不良であれば，他の原因を鑑別した上で，非ドレナージ領域の胆管炎（区域性胆管炎）を疑い，非ドレナージ領域に対してドレナージを追加する必要がある[10]。

　ドレナージ方法は，PTBD は穿刺経路および腹膜播種などの seeding metastasis の原因となり，経乳頭的な内視鏡的ドレナージ（EBD）より有意に予後を悪化させることがメタアナリシスで報告されているため第一選択としがたい[11]。EBS と IS は術前ドレナージとしては同等の成績であるが，ともに胆管炎時に留置すると RBO リスクが上昇することが報告されており注意が必要である[12]。ENBD は比較的低い術前胆管炎発症率を示しており[13]，Zhang ら[14] の胆道癌術前ドレナージに関する 9 編の文献をまとめたメタアナリシスでは，ENBD は EBS と比較し術前胆管炎の制御に優れると示されている（RR = 0.46，95%CI = 0.34-0.62：$P <$ 0.00001）。最終的には患者と各施設の状況により決定されるが，胆管炎をきたした際にはいったん ENBD を留置し，胆管炎の改善後に患者苦痛に配慮して内瘻化を行う。

　術前胆管炎の存在は，周術期合併症発生のみならず，術後死亡率上昇の有意な危険因子となることから，迅速かつ適切に対応する必要がある[15~18]。

引用文献

1) Hosokawa I, Shimizu H, Yoshitomi H, Furukawa K, Takayashiki T, Miyazaki M, et al. Impact of biliary drainage on multidetector-row computed tomography on R0 resection of perihilar cholangiocarcinoma. World J Surg 2018；42：3676-3684.
2) Gomi H, Solomkin JS, Schlossberg D, Okamoto K, Takada T, Strasberg SM, et al. Tokyo Guidelines 2018：antimicrobial therapy for acute cholangitis and cholecystitis. J Hepatobiliary Pancreat Sci 2018；25：3-16.
3) Yokoe M, Hata J, Takada T, Strasberg SM, Asbun HJ, Wakabayashi G, et al. Tokyo Guidelines 2018：diagnostic criteria and severity grading of acute cholecystitis（with videos）. J Hepatobiliary Pancreat Sci 2018；25：41-54.
4) Mayumi T, Okamoto K, Takada T, Strasberg SM, Solomkin JS, Schlossberg D, et al. Tokyo Guidelines 2018：management bundles for acute cholangitis and cholecystitis. J Hepatobiliary Pancreat Sci 2018；25：96-100.
5) Miura F, Okamoto K, Takada T, Strasberg SM, Asbun HJ, Pitt HA, et al. Tokyo Guidelines 2018：initial management of acute biliary infection and flowchart for acute cholangitis. J Hepatobiliary Pancreat Sci 2018；25：31-40.
6) Maguchi H, Takahashi K, Katanuma A, Osanai M, Nakahara K, Matuzaki S, et al. Preoperative biliary drainage

for hilar cholangiocarcinoma. J Hepatobiliary Pancreat Surg 2007 ; 14 : 441-446.

7) Kloek JJ, Heger M, van der Gaag NA, Beuers U, van Gulik TM, Gouma DJ, et al. Effect of preoperative biliary drainage on coagulation and fibrinolysis in severe obstructive cholestasis. J Clin Gastroenterol 2010 ; 44 : 646-652.

8) Wiggers JK, Groot Koerkamp B, Coelen RJ, Rauws EA, Schattner MA, Nio CY, et al. Preoperative biliary drainage in perihilar cholangiocarcinoma : identifying patients who require percutaneous drainage after failed endoscopic drainage. Endoscopy 2015 ; 47 : 1124-1131.

9) Ebata T, Mizuno T, Yokoyama Y, Igami T, Sugawara G, Nagino M. Surgical resection for Bismuth type Ⅳ perihilar cholangiocarcinoma. Br J Surg 2018 ; 105 : 829-838.

10) Jo JH, Chung MJ, Han DH, Park JY, Bang S, Park SW, et al. Best options for preoperative biliary drainage in patients with Klatskin tumors. Surg Endosc 2017 ; 31 : 422-429.

11) Wang L, Lin N, Xin F, Zeng Y, Liu J. Comparison of long-term efficacy between endoscopic and percutaneous biliary drainage for resectable extrahepatic cholangiocarcinoma with biliary obstruction : a systematic review and meta-analysis. Saudi J Gastroenterol 2019 ; 25 : 81-88.

12) Sugiura R, Kuwatani M, Kato S, Kawakubo K, Kamachi H, Taketomi A, et al. Risk factors for dysfunction of preoperative endoscopic biliary drainage for malignant hilar biliary obstruction. J Hepatobiliary Pancreat Sci 2020 ; 27 : 851-859.

13) Kawashima H, Itoh A, Ohno E, Itoh Y, Ebata T, Nagino M, et al. Preoperative endoscopic nasobiliary drainage in 164 consecutive patients with suspected perihilar cholangiocarcinoma : a retrospective study of efficacy and risk factors related to complications. Ann Surg 2013 ; 257 : 121-127.

14) Zhang W, Che X. Comparison of effect between nasobiliary drainage and biliary stenting in malignant biliary obstruction : a systematic review and updated meta-analysis. World J Surg Oncol 2020 ; 18 : 71.

15) Sakata J, Shirai Y, Tsuchiya Y, Wakai T, Nomura T, Hatakeyama K. Preoperative cholangitis independently increases in-hospital mortality after combined major hepatic and bile duct resection for hilar cholangiocarcinoma. Langenbecks Arch Surg 2009 ; 394 : 1065-1072.

16) Jagannath P, Dhir V, Shrikhande S, Shah RC, Mullerpatan P, Mohandas KM. Effect of preoperative biliary stenting on immediate outcome after pancreaticoduodenectomy. Br J Surg 2005 ; 92 : 356-361.

17) Wiggers JK, Groot Koerkamp B, Cieslak KP, Doussot A, van Klaveren D, Allen PJ, et al. Postoperative mortality after liver resection for perihilar cholangiocarcinoma : development of a risk score and importance of biliary drainage of the future liver remnant. J Am Coll Surg 2016 ; 223 : 321-331.

18) Nagino M, Ebata T, Yokoyama Y, Igami T, Sugawara G, Takahashi Y, et al. Evolution of surgical treatment for perihilar cholangiocarcinoma : a single-center 34-year review of 574 consecutive resections. Ann Surg 2013 ; 258 : 129-140.

BQ10　外瘻胆汁はどのように利用するか？

> 胆汁培養（術前症例では監視培養）を行い，また，胆道癌が疑われる症例においては，胆汁細胞診を行う。

解説

　胆道癌が疑われる症例においては，治療前の細胞診・組織診による病理学的確定診断が必要である。そのためには，ERCP の際の胆管生検・胆管ブラシ細胞診とともに胆道ドレナージ時の外瘻で得られた胆汁の細胞診を行うことが一般的である。胆汁細胞診に関しては，その陽性率（sensitivity）は 30〜70％と高くはない[1〜3]。胆管癌を対象とした採取時期と回数に関しての RCT[4] では，1 日 1 回 10 日間，計 10 回採取群と 1 日 2 時間おきに 5 回 2 日間，計 10 回採取群では，両群の陽性率は，5 回まででそれぞれ 45.5％，46.5％と差異はなく，さらにそれ以上の採取にても陽性率は約 50％までしか上がらなかったと報告されている。

　胆道ドレナージ後には，そのほとんどの症例で胆汁感染が認められる[5,6]。したがって，外瘻で得られた胆汁の培養・感受性試験を行っておくことにより，胆管炎発症時に適切な抗菌薬を選択することが可能となる。胆道再建を伴う手術後の抗菌薬投与に関する RCT[7] の報告では，胆汁監視培養の結果に基づいた術後 2 日間の抗菌薬投与群は，一般的な抗菌薬（cefmetazole）投与群に比し，術後 SSI 発症率が有意に低かったとしている。また，その予防投与期間についての 2 日間，4 日間投与の RCT[8] では，両群間に有意差は認めず，術後 2 日間のみで十分であるとしている。したがって，術前患者における胆汁の監視培養は周術期における感染性合併症の予防・治療においての抗菌薬の選択に有用である。その胆汁培養の頻度に関しては術前では，週 1 回程度の施行が望ましいが，その頻度に関しての報告はない。

　また，閉塞性黄疸では腸管粘膜の透過性が亢進し，そのバリア機能が低下し bacterial translocation が生じやすいとされる[9,10] が，外瘻で得られた胆汁を腸管内に戻すことにより，腸管粘膜の透過性が低下し，腸管の免疫機能が回復することも報告[10〜13] されており，広範肝切除などの侵襲の高度な手術が予定されている場合には胆汁返還は有用である可能性がある[14]。しかしながら，これに関してのエビデンスの高い報告はない。

引用文献

1) Sugimoto S, Matsubayashi H, Kimura H, Sasaki K, Nagata K, Ohno S, et al. Diagnosis of bile duct cancer by bile cytology：usefulness of post-brushing biliary lavage fluid. Endosc Int Open 2015；3：E323-E328.
2) Nakahara K, Michikawa Y, Morita R, Suetani K, Morita N, Sato J, et al. Diagnostic ability of endoscopic bile cytology using a newly designed biliary scraper for biliary strictures. Dig Dis Sci 2019；64：241-248.
3) Abdelghani YA, Arisaka Y, Masuda D, Takii M, Ashida R, Makhlouf MM, et al. Bile aspiration cytology in diagnosis of bile duct carcinoma：factors associated with positive yields. J Hepatobiliary Pancreat Sci 2012；19：370-378.
4) Tsuchiya T, Yokoyama Y, Ebata T, Igami T, Sugawara G, Kato K, et al. Randomized controlled trial on timing and number of sampling for bile aspiration cytology. J Hepatobiliary Pancreat Sci 2014；21：433-438.
5) Svatoň R, Procházka V, Hanslianová M, Kala Z. Influence of bacteriobilia on postoperative complications in patients with periampullary tumors. Asian J Surg 2023；46：1193-1198.
6) Irrinki S, Kurdia K, Poudel H, Gupta V, Singh H, Sinha SK, et al. "Impact of preoperative biliary drainage in patients undergoing pancreaticoduodenectomy" - a prospective comparative study from a tertiary care centre in India. Indian J Surg Oncol 2022；13：574-579.
7) Okamura K, Tanaka K, Miura T, Nakanishi Y, Noji T, Nakamura T, et al. Randomized controlled trial of perioperative antimicrobial therapy based on the results of preoperative bile cultures in patients undergoing

biliary reconstruction. J Hepatobiliary Pancreat Sci 2017；24：382-393.

8) Sugawara G, Yokoyama Y, Ebata T, Mizuno T, Yagi T, Ando M, et al. Duration of antimicrobial prophylaxis in patients undergoing major hepatectomy with extrahepatic bile duct resection：a randomized controlled trial. Ann Surg 2018；267：142-148.

9) Welsh FK, Ramsden CW, MacLennan K, Sheridan MB, Barclay GR, Guillou PJ, et al. Increased intestinal permeability and altered mucosal immunity in cholestatic jaundice. Ann Surg 1998；227：205-212.

10) Parks RW, Clements WD, Smye MG, Pope C, Rowlands BJ, Diamond T. Intestinal barrier dysfunction in clinical and experimental obstructive jaundice and its reversal by internal biliary drainage. Br J Surg 1996；83：1345-1349.

11) Kamiya S, Nagino M, Kanazawa H, Komatsu S, Mayumi T, Takagi K, et al. The value of bile replacement during external biliary drainage：an analysis of intestinal permeability, integrity, and microflora. Ann Surg 2004；239：510-517.

12) Tang X, Ma W, Zhan W, Wang X, Dong H, Zhao H, et al. Internal biliary drainage superior to external biliary drainage in improving gut mucosa barrier because of goblet cells and mucin-2 up-regulation. Biosci Rep 2018；38：BSR20171241.

13) Sano T, Ajiki T, Takeyama Y, Kuroda Y. Internal biliary drainage improves decreased number of gut mucosal T lymphocytes and MAdCAM-1 expression in jaundiced rats. Surgery 2004；136：693-699.

14) Sugawara G, Nagino M, Nishio H, Ebata T, Takagi K, Asahara T, et al. Perioperative synbiotic treatment to prevent postoperative infectious complications in biliary cancer surgery：a randomized controlled trial. Ann Surg 2006；244：706-714.

第Ⅵ章.
外科治療

BQ11 胆道癌切除後の予後因子はどのようなものか？

> リンパ節転移，胆管切離断端および剝離面での癌遺残，リンパ管・神経周囲浸潤および組織学的分化度などがあげられる。

解説

　胆道癌切除後の予後因子としては，リンパ節転移[1~20]，癌遺残[1~4,14,15,21~31]，リンパ管浸潤[24,32]，神経周囲浸潤[24,33]，組織学的分化度[3,4,21,24,26,34~36]，性別[2,37]，主要血管への浸潤[25,27,38~40]などが報告されている。

　肝門部領域胆管癌[1~4]，遠位胆管癌[14~20]，胆囊癌[5,6]，乳頭部癌[7,8,10~13]のいずれにおいてもリンパ節転移は重要な予後規定因子である。遠位胆管癌においてリンパ節転移個数による3分類（N0 ＝ 0個，N1 ＝ 1~3個，N2 ＝ 4個以上）が明瞭に予後を層別化することが報告されており[20]，UICC 分類第8版では肝門部領域胆管癌，遠位胆管癌，胆囊癌，乳頭部癌のいずれにおいてもリンパ節転移は従来の転移の有無による2分類から，上記の個数による3分類に改訂され，N2 はステージⅣに分類された[41]。

　胆管断端および剝離面での癌遺残は肝門部領域胆管癌[1~4]，遠位胆管癌[14,15,30,31]，胆囊癌[27~29]のいずれにおいても有意な予後不良因子である。胆管癌では，浸潤癌により胆管断端陽性の場合は予後不良であるが，上皮内癌により陽性の場合には晩期局所再発のリスクがあるものの，短期予後には影響しないことが報告されている[30,42~44]。迅速病理医診断で胆管断端陽性の結果を得た場合は，上皮内癌か浸潤癌かを確認する必要がある。その術中対応，すなわち胆管の追加切除，肝切除や膵頭十二指腸切除による陰性化，は他の予後因子と全身状態を含め総合的に判断する必要がある。

　肝門部領域胆管癌では，本邦の専門8施設における切除症例1,352例の検討が行われており，遠隔転移，リンパ節転移，血管浸潤，膵浸潤，癌遺残が独立した予後不良因子であった[45]。Nagino ら[4] の切除症例574例の解析では，リンパ節転移が最も強い予後不良因子であった。

　遠位胆管癌では，胆管断端および剝離面での癌遺残が予後不良因子であり，特に神経周囲浸潤を剝離面に認めた場合に，予後不良であることが報告されている[14]。またリンパ節転移は重要な予後不良因子ではあるが，転移個数が2個までの症例では，治癒切除により良好な予後が期待されると報告されている[15,18]。

　胆囊癌では，壁深達度が代表的な予後因子であり，Shindoh ら[46] は T2腫瘍において肝側（hepatic side）に存在する腫瘍は腹腔側（peritoneal side）に存在する腫瘍に比べて脈管浸潤・神経浸潤・リンパ節転移頻度が高率であり，有意に予後不良であったと報告している。また術後の組織学的検索で偶然発見された胆囊癌に対して二期的切除を施行しないことは予後不良因子となることが報告されている[47,48]。

　乳頭部癌は，胆道癌に占める割合は少ないが切除率は高く，予後も比較的良好とされている。しかし，膵浸潤やリンパ節転移陽性例では予後不良であり，いったん膵実質に浸潤すると神経周囲浸潤を高率に認め，浸潤性膵管癌と同様の生物学的悪性度を有するようになる[7]。

　胆道癌切除後の予後因子は，薬物療法をはじめとした集学的治療の発達によって変遷する可能性を持つものである。2019年6月から本邦でも遺伝子パネル検査が正式に保険適用となり，癌の遺伝子異常に合わせた臓器横断的個別化治療は，胆道癌においても治療開発が進んでいる。治療に結び付く特定の遺伝子変異の有無は有意な予後規定因子となる可能性がある[49]。胆道癌では約40~58％に治療標的となりうる遺伝子異常が存在し[50,51]，胆道の部位ごとにその頻度に違いがあると報告されている。治療標的となりうる遺伝子異常についても様々なものが報告されており[52]，今後の治療適応の拡大が期待される。

引用文献

1) Iwatsuki S, Todo S, Marsh JW, Madariaga JR, Lee RG, Dvorchik I, et al. Treatment of hilar cholangiocarcinoma (Klatskin tumors) with hepatic resection or transplantation. J Am Coll Surg 1998；187：358-364.

2) Kosuge T, Yamamoto J, Shimada K, Yamasaki S, Makuuchi M. Improved surgical results for hilar cholangiocarcinoma with procedures including major hepatic resection. Ann Surg 1999；230：663-671.

3) Todoroki T, Kawamoto T, Koike N, Takahashi H, Yoshida S, Kashiwagi H, et al. Radical resection of hilar bile duct carcinoma and predictors of survival. Br J Surg 2000；87：306-313.

4) Nagino M, Ebata T, Yokoyama Y, Igami T, Sugawara G, Takahashi Y, et al. Evolution of surgical treatment for perihilar cholangiocarcinoma：a single-center 34-year review of 574 consecutive resections. Ann Surg 2013；258：129-140.

5) Endo I, Shimada H, Tanabe M, Fujii Y, Takeda K, Morioka D, et al. Prognostic significance of the number of positive lymph nodes in gallbladder cancer. J Gastrointest Surg 2006；10：999-1007.

6) Sakata J, Shirai Y, Wakai T, Ajioka Y, Hatakeyama K. Number of positive lymph nodes independently determines the prognosis after resection in patients with gallbladder carcinoma. Ann Surg Oncol 2010；17：1831-1840.

7) Chan C, Herrera MF, de la Garza L, Quintanilla-Martinez L, Vargas-Vorackova F, Richaud-Patín Y, et al. Clinical behavior and prognostic factors of periampullary adenocarcinoma. Ann Surg 1995；222：632-637.

8) Shirai Y, Ohtani T, Tsukada K, Hatakeyama K. Patterns of lymphatic spread of carcinoma of the ampulla of Vater. Br J Surg 1997；84：1012-1016.

9) Kayahara M, Nagakawa T, Ohta T, Kitagawa H, Miyazaki I. Surgical strategy for carcinoma of the papilla of Vater on the basis of lymphatic spread and mode of recurrence. Surgery 1997；121：611-617.

10) Mizuno T, Ishizaki Y, Ogura K, Yoshimoto J, Kawasaki S. Clinical significance of immunohistochemically detectable lymph node metastasis in adenocarcinoma of the ampulla of Vater. Br J Surg 2006；93：221-225.

11) Hornick JR, Johnston FM, Simon PO, Younkin M, Chamberlin M, Mitchem JB, et al. A single-institution review of 157 patients presenting with benign and malignant tumors of the ampulla of Vater：management and outcomes. Surgery 2011；150：169-176.

12) Sierzega M, Nowak K, Kulig J, Matyja A, Nowak W, Popiela T. Lymph node involvement in ampullary cancer：the importance of the number, ratio, and location of metastatic nodes. J Surg Oncol 2009；100：19-24.

13) Sakata J, Shirai Y, Wakai T, Ajioka Y, Akazawa K, Hatakeyama K. Assessment of the nodal status in ampullary carcinoma：the number of positive lymph nodes versus the lymph node ratio. World J Surg 2011；35：2118-2124.

14) Kayahara M, Nagakawa T, Ohta T, Kitagawa H, Tajima H, Miwa K. Role of nodal involvement and the periductal soft-tissue margin in middle and distal bile duct cancer. Ann Surg 1999；229：76-83.

15) Yoshida T, Matsumoto T, Sasaki A, Morii Y, Aramaki M, Kitano S. Prognostic factors after pancreatoduodenectomy with extended lymphadenectomy for distal bile duct cancer. Arch Surg 2002；137：69-73.

16) DeOliveira ML, Cunningham SC, Cameron JL, Kamangar F, Winter JM, Lillemoe KD, et al. Cholangiocarcinoma：thirty-one-year experience with 564 patients at a single institution. Ann Surg 2007；245：755-762.

17) Bahra M, Jacob D, Langrehr JM, Neumann UP, Neuhaus P. Carcinoma of the distal and middle bile duct：surgical results, prognostic factors, and long-term follow-up. J Hepatobiliary Pancreat Surg 2008；15：501-507.

18) Murakami Y, Uemura K, Hayashidani Y, Sudo T, Ohge H, Sueda T. Pancreatoduodenectomy for distal cholangiocarcinoma：prognostic impact of lymph node metastasis. World J Surg 2007；31：337-342.

19) Cheng Q, Luo X, Zhang B, Jiang X, Yi B, Wu M. Distal bile duct carcinoma：prognostic factors after curative surgery. A series of 112 cases. Ann Surg Oncol 2007；14：1212-1219.

20) Kiriyama M, Ebata T, Aoba T, Kaneoka Y, Arai T, Shimizu Y, et al. Prognostic impact of lymph node metastasis in distal cholangiocarcinoma. Br J Surg 2015；102：399-406.

21) Su CH, Tsay SH, Wu CC, Shyr YM, King KL, Lee CH, et al. Factors influencing postoperative morbidity, mortality, and survival after resection for hilar cholangiocarcinoma. Ann Surg 1996；223：384-394.

22) Nakeeb A, Pitt HA, Sohn TA, Coleman J, Abrams RA, Piantadosi S, et al. Cholangiocarcinoma. A spectrum of intrahepatic, perihilar, and distal tumors. Ann Surg 1996；224：463-473.

23) Klempnauer J, Ridder GJ, von Wasielewski R, Werner M, Weimann A, Pichlmayr R. Resectional surgery of hilar cholangiocarcinoma：a multivariate analysis of prognostic factors. J Clin Oncol 1997；15：947-954.

24) Neuhaus P, Jonas S, Bechstein WO, Lohmann R, Radke C, Kling N, et al. Extended resections for hilar

cholangiocarcinoma. Ann Surg 1999 ; 230 : 808-818.

25) Miyazaki M, Ito H, Nakagawa K, Ambiru S, Shimizu H, Okaya T, et al. Parenchyma-preserving hepatectomy in the surgical treatment of hilar cholangiocarcinoma. J Am Coll Surg 1999 ; 189 : 575-583.

26) Jarnagin WR, Fong Y, DeMatteo RP, Gonen M, Burke EC, Bodniewicz BS J, et al. Staging, resectability, and outcome in 225 patients with hilar cholangiocarcinoma. Ann Surg 2001 ; 234 : 507-517.

27) Higuchi R, Ota T, Araida T, Kajiyama H, Yazawa T, Furukawa T, et al. Surgical approaches to advanced gallbladder cancer : a 40-year single-institution study of prognostic factors and resectability. Ann Surg Oncol 2014 ; 21 : 4308-4316.

28) Murakami Y, Uemura K, Sudo T, Hashimoto Y, Nakashima A, Kondo N, et al. Prognostic factors of patients with advanced gallbladder carcinoma following aggressive surgical resection. J Gastrointest Surg 2011 ; 15 : 1007-1016.

29) Garg PK, Pandey D, Sharma J. The surgical management of gallbladder cancer. Expert Rev Gastroenterol Hepatol 2015 ; 9 : 155-166.

30) Igami T, Nagino M, Oda K, Nishio H, Ebata T, Yokoyama Y, et al. Clinicopathologic study of cholangiocarcinoma with superficial spread. Ann Surg 2009 ; 249 : 296-302.

31) Sakamoto Y, Kosuge T, Shimada K, Sano T, Ojima H, Yamamoto J, et al. Prognostic factors of surgical resection in middle and distal bile duct cancer : an analysis of 55 patients concerning the significance of ductal and radial margins. Surgery 2005 ; 137 : 396-402.

32) Shibata K, Uchida H, Iwaki K, Kai S, Ohta M, Kitano S. Lymphatic invasion : an important prognostic factor for stages T1b-T3 gallbladder cancer and an indication for additional radical resection of incidental gallbladder cancer. World J Surg 2009 ; 33 : 1035-1041.

33) Yamaguchi R, Nagino M, Oda K, Kamiya J, Uesaka K, Nimura Y. Perineural invasion has a negative impact on survival of patients with gallbladder carcinoma. Br J Surg 2002 ; 89 : 1130-1136.

34) Kondo S, Hirano S, Ambo Y, Tanaka E, Okushiba S, Morikawa T, et al. Forty consecutive resections of hilar cholangiocarcinoma with no postoperative mortality and no positive ductal margins : results of a prospective study. Ann Surg 2004 ; 240 : 95-101.

35) Ito H, Ito K, D'Angelica M, Gonen M, Klimstra D, Allen P, et al. Accurate staging for gallbladder cancer : implications for surgical therapy and pathological assessment. Ann Surg 2011 ; 254 : 320-325.

36) Negi SS, Singh A, Chaudhary A. Lymph nodal involvement as prognostic factor in gallbladder cancer : location, count or ratio? J Gastrointest Surg 2011 ; 15 : 1017-1025.

37) Kayahara M, Nagakawa T, Nakagawara H, Kitagawa H, Ohta T. Prognostic factors for gallbladder cancer in Japan. Ann Surg 2008 ; 248 : 807-814.

38) Shimada H, Endo I, Sugita M, Masunari H, Fujii Y, Tanaka K, et al. Hepatic resection combined with portal vein or hepatic artery reconstruction for advanced carcinoma of the hilar bile duct and gallbladder. World J Surg 2003 ; 27 : 1137-1142.

39) Yamamoto Y, Sugiura T, Ashida R, Okamura Y, Ito T, Uesaka K. Indications for major hepatectomy and combined procedures for advanced gallbladder cancer. Br J Surg 2017 ; 104 : 257-266.

40) Kobayashi A, Oda T, Fukunaga K, Sasaki R, Ohkohchi N. Invasion of the hepatic artery is a crucial predictor of poor outcomes in gallbladder carcinoma. World J Surg 2012 ; 36 : 645-650.

41) Brierley JD, Gospodarowicz MK, Wittekind C. TNM classification of malignant tumours. 8th ed. Oxford, UK : Wiley-Blackwell ; 2017.

42) Wakai T, Shirai Y, Moroda T, Yokoyama N, Hatakeyama K. Impact of ductal resection margin status on long-term survival in patients undergoing resection for extrahepatic cholangiocarcinoma. Cancer 2005 ; 103 : 1210-1216.

43) Ojima H, Kanai Y, Iwasaki M, Hiraoka N, Shimada K, Sano T, et al. Intraductal carcinoma component as a favorable prognostic factor in biliary tract carcinoma. Cancer Sci 2009 ; 100 : 62-70.

44) Nakanishi Y, Kondo S, Zen Y, Yonemori A, Kubota K, Kawakami H, et al. Impact of residual in situ carcinoma on postoperative survival in 125 patients with extrahepatic bile duct carcinoma. J Hepatobiliary Pancreat Sci 2010 ; 17 : 166-173.

45) Ebata T, Kosuge T, Hirano S, Unno M, Yamamoto M, Miyazaki M, et al. Proposal to modify the International Union Against Cancer staging system for perihilar cholangiocarcinomas. Br J Surg 2014 ; 101 : 79-88.

46) Shindoh J, de Aretxabala X, Aloia TA, Roa JC, Roa I, Zimmitti G, et al. Tumor location is a strong predictor of tumor progression and survival in T2 gallbladder cancer : an international multicenter study. Ann Surg 2015 ; 261 : 733-739.

47) Pawlik TM, Gleisner AL, Vigano L, Kooby DA, Bauer TW, Frilling A, et al. Incidence of finding residual disease

for incidental gallbladder carcinoma : implications for re-resection. J Gastrointest Surg 2007 ; 11 : 1478-1486.

48) Lendoire JC, Gil L, Duek F, Quarin C, Garay V, Raffin G, et al. Relevance of residual disease after liver resection for incidental gallbladder cancer. HPB (Oxford) 2012 ; 14 : 548-553.

49) Verlingue L, Malka D, Allorant A, Massard C, Ferté C, Lacroix L, et al. Precision medicine for patients with advanced biliary tract cancers : an effective strategy within the prospective MOSCATO-01 trial. Eur J Cancer 2017 ; 87 : 122-130.

50) Nakamura H, Arai Y, Totoki Y, Shirota T, Elzawahry A, Kato M, et al. Genomic spectra of biliary tract cancer. Nat Genet 2015 ; 47 : 1003-1010.

51) Wardell CP, Fujita M, Yamada T, Simbolo M, Fassan M, Karlic R, et al. Genomic characterization of biliary tract cancers identifies driver genes and predisposing mutations. J Hepatol 2018 ; 68 : 959-969.

52) Jain A, Javle M. Molecular profiling of biliary tract cancer : a target rich disease. J Gastrointest Oncol 2016 ; 7 : 797-803.

BQ12 腫瘍の進展度からみた切除不能胆道癌とはどのようなものか？

遠隔転移を伴う胆道癌は切除不能と考えられる。
局所進展による切除不能病変については明らかなコンセンサスは得られていない。

解説

　胆道癌の根治的治療法は外科的切除である。通常，切除不能な病変とは「手術治療によって癌を体内から取り除くことができない病変」を意味する。遠隔転移を有する症例はその転移部位にかかわらず切除の意義が乏しく，切除不能として取り扱われる[1~3]。傍大動脈リンパ節転移陽性例や腹水細胞診陽性例については，非切除より良好であったとする報告もあるが，小規模の後ろ向き研究が中心であり切除の意義は不明である[4~6]。胆道癌術後の遠隔あるいは局所再発例に対する切除に関しては，適切に選択された症例では一定の切除効果が見込める可能性が，後ろ向き研究で報告されている[7~10]。

　胆道癌は，腫瘍の進展に伴って必要とされる術式が大きく変化する。周術期の合併症率・死亡率は，術式ごとに大きく異なり，同一術式であっても国や施設によって差が存在することが報告されている[11,12]。進行した胆道癌に対しては血管合併切除再建，肝葉切除を伴う膵頭十二指腸切除（いわゆる Major HPD）などが必要となるが，これらに関する報告のほとんどが HVC からの後方視的研究であり，広く行われる一般的な術式としてのコンセンサスが得られているとは言いがたい[12~15]。新規化学療法が開発され[16,17]，conversion surgeryの可能性[18,19]も報告される現状において，切除後の長期予後が期待できない腫瘍（BR 症例）に対する周術期リスクの高い術式の適応は慎重に判断する。どこまでの手術が治療として許容されるかは，各施設の状況に応じて設定されているのが現状であり，腫瘍の進展度による切除不能については十分なコンセンサスは得られていないといえる。

　遠位胆管癌では，切除標本の病理学的検討において AJCC 分類における pT4 切除例（総肝動脈，腹腔動脈，上腸間膜動脈への浸潤）は，海外の施設からの報告ではごく少数例（1/293 例，2/114 例，2/79 例，9/176 例）認めたが，国内からの報告では認めなかった（0/404 例，0/121 例，0/110 例）[20~26]。少なくとも日本国内において総肝動脈，腹腔動脈，上腸間膜動脈への浸潤を伴う遠位胆管癌は切除不能というコンセンサスは得られていると考えられる。胆道癌取扱い規約第 7 版において新たに T4 とされた門脈浸潤に関しては，予後不良（病理学的門脈浸潤例の報告で 5 年生存率 0%，門脈合併切除例の報告で 5 年生存率 15%）との報告が多く[27~30]，周術期リスクを踏まえた慎重な手術適応の判断が必要である。胆囊癌では，リンパ節郭清を伴う拡大胆囊摘出術を基本とし，腫瘍の進展度に応じて肝外胆管切除や肝葉切除が付加される。門脈合併切除，肝動脈合併切除，Major HPD などを必要とする胆囊癌（cT4）の腫瘍学的な切除の意義については，十分なコンセンサスは得られていない[31~33]。肝門部領域胆管癌では，水平方向進展が強ければ肝三区域切除や HPD が必要となり，垂直方向進展が強ければ門脈合併切除再建や肝動脈合併切除再建が必要となる。水平方向の腫瘍進展範囲を示す分類として，Bismuth 分類が広く用いられている。欧米においては UICC 分類第 7 版までは Bismuth type Ⅳが T4 として分類されていたが，第 8 版からは削除されている。Bismuth type Ⅳ切除例の報告は本邦が中心であったが，近年欧米からも報告されており安全な R0 切除が可能であれば切除対象であるといえる[34,35]。切除術式の限界については，本邦において 2022 年に告示された「切除不能肝門部領域胆管癌に対する生体肝移植の前向き試験（jRCT1070220052）」では，対象となる切除不能病変の定義として，局所因子では「胆管分離限界点（右三区域切除では門脈臍部左縁，左三区域切除では右後区域動門脈枝（A6/7 および P6/7）との剥離限界）を超えた予定残肝の末梢側へ浸潤」，「門脈および・または肝動脈への浸潤により予定残肝への血流保持（再建）が不能」という 2 つの項目が定義されている。この試験は全国 10 ヵ所の HVC の参加が予定されており，

肝三区域切除によって切除できない病変が切除不能病変であることはコンセンサスが得られていると考えられる。予定残肝の血流保持に関しては，どこまでの切除で血流を担保できるかは各症例の血管解剖や施設の体制によって異なるため，腫瘍の進展度としての画一的なコンセンサスは得られていない。切除不能肝門部領域胆管癌に対する肝移植は欧米では広く行われるようになり[36,37]，米国ではすでに NCCN ガイドライン上で治療選択肢としての肝移植が明記され，欧州でも前向き試験が進行中である（NCT04378023, NCT04993131）。本邦でも上記前向き試験が順調に進みエビデンスが蓄積されることが期待される。

引用文献

1) Nagino M, Ebata T, Yokoyama Y, Igami T, Sugawara G, Takahashi Y, et al. Evolution of surgical treatment for perihilar cholangiocarcinoma：a single-center 34-year review of 574 consecutive resections. Ann Surg 2013；258：129-140.

2) Matsuo K, Rocha FG, Ito K, D'Angelica MI, Allen PJ, Fong Y, et al. The Blumgart preoperative staging system for hilar cholangiocarcinoma：analysis of resectability and outcomes in 380 patients. J Am Coll Surg 2012；215：343-355.

3) Jarnagin WR, Fong Y, DeMatteo RP, Gonen M, Burke EC, Bodniewicz BJ, et al. Staging, resectability, and outcome in 225 patients with hilar cholangiocarcinoma. Ann Surg 2001；234：507-519.

4) Matsukuma S, Nagano H, Kobayashi S, Wada H, Seo S, Tsugawa D, et al. The impact of peritoneal lavage cytology in biliary tract cancer（KHBO1701）：Kansai Hepato-Biliary Oncology Group. Cancer Rep（Hoboken）2021；4：e1323.

5) Nitta N, Ohgi K, Sugiura T, Okamura Y, Ito T, Yamamoto Y, et al. Prognostic impact of paraaortic lymph node metastasis in extrahepatic cholangiocarcinoma. World J Surg 2021；45：581-589.

6) Sumiyoshi T, Uemura K, Kondo N, Okada K, Seo S, Otsuka H, et al. The prognostic impact of peritoneal washing cytology for otherwise resectable extrahepatic cholangiocarcinoma patients. Surg Today 2021；51：1227-1231.

7) Yoon SJ, Hong SS, Gwon MJ, Shin SH, Heo JS, Kang CM, et al. Effect of local treatment in patients with oligo-recurrence after surgery of distal bile duct cancer：a bi-institutional study. Cancer Med 2023；12：11274-11283.

8) Laurenzi A, Brandi G, Greco F, Prosperi E, Palloni A, Serenari M, et al. Can repeated surgical resection offer a chance of cure for recurrent cholangiocarcinoma? Langenbecks Arch Surg 2023；408：102.

9) Takahashi Y, Ebata T, Yokoyama Y, Igami T, Sugawara G, Mizuno T, et al. Surgery for recurrent biliary tract cancer：a single-center experience with 74 consecutive resections. Ann Surg 2015；262：121-129.

10) Noji T, Tsuchikawa T, Mizota T, Okamura K, Nakamura T, Tamoto E, et al. Surgery for recurrent biliary carcinoma：results for 27 recurrent cases. World J Surg Oncol 2015；13：82.

11) Mueller M, Breuer E, Mizuno T, Bartsch F, Ratti F, Benzing C, et al. Perihilar cholangiocarcinoma‐Novel benchmark values for surgical and oncological outcomes from 24 expert centers. Ann Surg 2021；274：780-788.

12) Endo I, Hirahara N, Miyata H, Yamamoto H, Matsuyama R, Kumamoto T, et al. Mortality, morbidity, and failure to rescue in hepatopancreatoduodenectomy：an analysis of patients registered in the National Clinical Database in Japan. J Hepatobiliary Pancreat Sci 2021；28：305-316.

13) Mizuno T, Ebata T, Yokoyama Y, Igami T, Yamaguchi J, Onoe S, et al. Combined vascular resection for locally advanced perihilar cholangiocarcinoma. Ann Surg 2022；275：382-390.

14) Liu Y, Li G, Lu Z, Wang T, Yang Y, Wang X, et al. Effect of vascular resection for perihilar cholangiocarcinoma：a systematic review and meta-analysis. PeerJ 2021；9：e12184.

15) Ebata T, Yokoyama Y, Igami T, Sugawara G, Mizuno T, Nagino M. Review of hepatopancreatoduodenectomy for biliary cancer：an extended radical approach of Japanese origin. J Hepatobiliary Pancreat Sci 2014；21：550-555.

16) Ioka T, Kanai M, Kobayashi S, Sakai D, Eguchi H, Baba H, et al. Randomized phase Ⅲ study of gemcitabine, cisplatin plus S-1 versus gemcitabine, cisplatin for advanced biliary tract cancer（KHBO1401-MITSUBA）. J Hepatobiliary Pancreat Sci 2023；30：102-110.

17) Oh DY, Ruth He A, Qin S, Chen LT, Okusaka T, Vogel A, et al. Durvalumab plus gemcitabine and cisplatin in advanced biliary tract cancer. NEJM Evid 2022；1：EVIDoa2200015.

18) Oh MY, Kim H, Choi YJ, Byun Y, Han Y, Kang JS, et al. Conversion surgery for initially unresectable

extrahepatic biliary tract cancer. Ann Hepatobiliary Pancreat Surg 2021；25：349-357.

19）Noji T, Nagayama M, Imai K, Kawamoto Y, Kuwatani M, Imamura M, et al. Conversion surgery for initially unresectable biliary malignancies：a multicenter retrospective cohort study. Surg Today 2020；50：1409-1417.

20）Kunprom W, Aphivatanasiri C, Sa-Ngiamwibool P, Sangkhamanon S, Intarawichian P, Bamrungkit W, et al. Prognostic significance of growth pattern in predicting outcome of Opisthorchis viverrini-associated distal cholangiocarcinoma in Thailand. Front Public Health 2022；10：816028.

21）Tamura S, Yamamoto Y, Sugiura T, Okamura Y, Ito T, Ashida R, et al. The evaluation of the 8th and 7th edition of the American joint committee on cancer tumor classification for distal cholangiocarcinoma：the proposal of a modified new tumor classification. HPB（Oxford）2021；23：1209-1216.

22）Zhao Y, Nakanishi Y, Ogino M, Oba M, Okamura K, Tsuchikawa T, et al. Validation study of tumor invasive thickness for postoperative prognosis in 110 patients who underwent pancreatoduodenectomy for distal cholangiocarcinoma at a single institution. Am J Surg Pathol 2019；43：717-723.

23）Kang JS, Lee S, Son D, Han Y, Lee KB, Kim JR, et al. Prognostic predictability of the new American Joint Committee on Cancer 8th staging system for distal bile duct cancer：limited usefulness compared with the 7th staging system. J Hepatobiliary Pancreat Sci 2018；25：124-130.

24）Aoyama H, Ebata T, Hattori M, Takano M, Yamamoto H, Inoue M, et al. Reappraisal of classification of distal cholangiocarcinoma based on tumour depth. Br J Surg 2018；105：867-875.

25）Postlewait LM, Ethun CG, Le N, Pawlik TM, Buettner S, Poultsides G, et al. Proposal for a new T-stage classification system for distal cholangiocarcinoma：a 10-institution study from the U.S. Extrahepatic Biliary Malignancy Consortium. HPB（Oxford）2016；18：793-799.

26）Moon A, Choi DW, Choi SH, Heo JS, Jang KT. Validation of T stage according to depth of invasion and N stage subclassification based on number of metastatic lymph nodes for distal extrahepatic bile duct（EBD）carcinoma. Medicine（Baltimore）2015；94：e2064.

27）Yamamoto R, Sugiura T, Ashida R, Ohgi K, Yamada M, Otsuka S, et al. Vascular resection for distal cholangiocarcinoma. Surg Today 2023；53：899-906.

28）Lyu S, Wang F, Ren Z, Cao D, He Q. Long-term survival in patients with distal cholangiocarcinoma after pancreaticoduodenectomy combined with portal vein system resection and reconstruction. Langenbecks Arch Surg 2021；406：1917-1924.

29）Maeta T, Ebata T, Hayashi E, Kawahara T, Mizuno S, Matsumoto N, et al. Pancreatoduodenectomy with portal vein resection for distal cholangiocarcinoma. Br J Surg 2017；104：1549-1557.

30）Miura F, Sano K, Amano H, Toyota N, Wada K, Yoshida M, et al. Evaluation of portal vein invasion of distal cholangiocarcinoma as borderline resectability. J Hepatobiliary Pancreat Sci 2015；22：294-300.

31）Mizuno T, Ebata T, Yokoyama Y, Igami T, Yamaguchi J, Onoe S, et al. Major hepatectomy with or without pancreatoduodenectomy for advanced gallbladder cancer. Br J Surg 2019；106：626-635.

32）Yamamoto Y, Sugiura T, Ashida R, Okamura Y, Ito T, Uesaka K. Indications for major hepatectomy and combined procedures for advanced gallbladder cancer. Br J Surg 2017；104：257-266.

33）Sakamoto Y, Nara S, Kishi Y, Esaki M, Shimada K, Kokudo N, et al. Is extended hemihepatectomy plus pancreaticoduodenectomy justified for advanced bile duct cancer and gallbladder cancer? Surgery 2013；153：794-800.

34）Ruzzenente A, Bagante F, Olthof PB, Aldrighetti L, Alikhanov R, Cescon M, et al. Surgery for Bismuth-Corlette type 4 perihilar cholangiocarcinoma：results from a western multicenter collaborative group. Ann Surg Oncol 2021；28：7719-7729.

35）Ebata T, Mizuno T, Yokoyama Y, Igami T, Sugawara G, Nagino M. Surgical resection for Bismuth type Ⅳ perihilar cholangiocarcinoma. Br J Surg 2018；105：829-838.

36）Mantel HT, Westerkamp AC, Adam R, Bennet WF, Seehofer D, Settmacher U, et al. Strict selection alone of patients undergoing liver transplantation for hilar cholangiocarcinoma is associated with improved survival. PLoS One 2016；11：e0156127.

37）Rea DJ, Heimbach JK, Rosen CB, Haddock MG, Alberts SR, Kremers WK, et al. Liver transplantation with neoadjuvant chemoradiation is more effective than resection for hilar cholangiocarcinoma. Ann Surg 2005；242：451-461.

BQ13　門脈塞栓術（PVE）はどのような症例に行われるか？

切除率 60％ 以上の肝切除を予定する胆道癌に行う。
技術的難度が高い術式や，患者の全身状態や肝機能を考慮し PVE の適応基準を緩和する。

解説

　門脈塞栓術（PVE）は術後の肝不全発生を予防する目的で，切除予定肝の門脈枝をあらかじめ塞栓し，非塞栓側である予定残肝の代償性肥大を得る術前処置である。1970 年の本庄ら[1] による肝腫瘍に対する門脈結紮術の手技を応用し，1984 年に幕内ら[2] により肝門部領域胆管癌症例に対する PVE が報告された。PVE の約 2 週間後には予定残肝（非塞栓側）の全肝容積に対する比率（残肝率）は 10〜14％ 程度増加し[3〜5]，組織学的には塞栓側における肝細胞の apoptosis と非塞栓側の肝細胞数の増加による肝容積の増大が認められる[6]。

　胆道癌に対する肝切除は，肝十二指腸間膜を含む領域リンパ節郭清，尾状葉切除を伴う肝葉切除，肝外胆管切除や肝内胆管消化管吻合といった高い技術難度と手術侵襲を伴うため，正常肝における胆管切除を伴わない肝切除に比べ高い周術期死亡率が報告されている[7]。また胆道癌の多くは閉塞性黄疸の発症を契機に診断されるため，背景肝に胆汁うっ滞による肝障害が存在し，不十分な胆道ドレナージによる黄疸の遷延や術前細菌性胆管炎は術後肝不全の発生や肝不全関連周術期死亡と関連することが報告されている[8,9]。これらの理由により，胆道癌における肝切除では正常肝における肝切除[10] に比べ，より低い肝切除率を基準として積極的に PVE が適応されている。

　Higuchi ら[11] によるメタアナリシスでは，肝門部領域胆管癌以外の肝腫瘍症例における PVE の適応基準が正常肝例では肝切除率 75％ 以上（31.3％），70％ 以上（23.2％），60％ 以上（26.8％），障害肝例では肝切除率 60〜70％ 以上とばらつきがある一方，肝門部胆管癌症例では 90％ 以上の症例で PVE の適応基準が肝切除率 60％ 以上であったと報告している。また国内の専門施設 10 施設におけるアンケート調査[12] においても，肝門部領域胆管癌に対する術前治療として PVE はすべての施設で積極的に適応されており，PVE の適応基準として肝切除率 60％ 以上とする施設が最も多かったが，背景の肝障害の程度や同時に行われる ICG 検査などの肝機能検査に基づき，10％ 程度（肝切除率 50〜70％）の範囲内で異なる肝切除率を PVE の適応基準として設定する施設も一部に認められていた。

　このように本邦を含む東アジア地域の施設では PVE が積極的に適応される一方，欧米の施設では PVE の適応率は概して低率であり，欧米および東アジア地域の専門施設 24 施設による肝門部領域胆管癌の標準的切除症例における手術治療成績を検討した多施設後ろ向き研究[13] においても，PVE の施行率に地域差が認められている（アジア地域 vs. 非アジア地域：41.5％ vs. 24.8％）。本研究における術後短期成績の比較では，アジア地域の症例で肥満患者が少なく早期の腫瘍が多いといった背景因子の影響は否めないものの，術後肝不全（ISGLS Grade B/C）発生率が有意に低く（1.7％ vs. 7.7％），術後在院死亡率も低い傾向が認められており（2.0％ vs. 5.9％），アジア地域施設における PVE の積極的適応が短期成績の差に寄与している可能性が指摘されている。

　また欧米 20 施設による肝門部領域胆管癌（疑い例を含む）の後方視的症例集積[14] においても，PVE の施行率は 20％ 程度（1,484 例中 298 例）であったが，PVE 施行例と PVE 非施行例を propensity score matching で背景因子を調整し比較すると，PVE 施行例で有意に術後肝不全（8％ vs. 36％），胆汁瘻（10％ vs. 35％），腹腔内膿瘍（19％ vs. 34％），術後 90 日以内死亡率（7％ vs. 18％）が低率であった。また Franken ら[15] は，施設で行っている予定残肝機能に基づいた PVE の適応基準を緩和することにより術後肝不全発生率と周術期死亡率が低下したことを報告している。比較対象が適応基準緩和前の症例群であるため，PVE 以外の術前管理

の改善や手術技術の向上により手術短期成績が改善した可能性は否定できないものの，積極的な PVE の適応が術後肝不全や周術期死亡率の改善に寄与することを示唆していると考えられる。

PVE の手技に関しては，日本インターベンショナルラジオロジー学会の経皮経肝門脈塞栓術（PVE）ガイドライン（2017 年）を参照されたい。その手技成功率は 95～99% 以上，合併症は約 3～10% に生じ，出血，残肝側の門脈血栓，塞栓物質の逸脱・迷入，胆管穿刺に伴う胆汁瘻，気胸，塞栓門脈枝の再疎通が知られている[3~5]。PVE 関連死亡率は 0.09%[11] と低率であるものの，PVE による死亡例が存在すること[16]，本術式がそもそも "予定される手術の安全性を向上するための手技" であることに十分留意し，overuse とならないように留意する。

本ガイドライン改訂時点において，胆道癌肝切除に対する PVE の有効性および至適肝切除率基準を検討した前向き比較試験は存在しておらず，また PVE の適応率はいまだ国内外で異なっている。しかしながら，1）すでに PVE の有効性を示す多数症例での後方視的研究が集積していること，2）おおむねすべての国内専門施設において予定肝切除率 60% 前後を基準として PVE が適応されていること，3）欧米と東アジア地域における PVE の適応率の違いが，術後短期成績の違いと関連する可能性が指摘されていること，4）欧州施設においても，積極的に PVE を適応することにより術後肝不全や死亡率の低下を認めた報告が存在することを考慮すると，本邦のガイドラインにおいて切除率 60% 以上の肝切除が予定される胆道癌症例に対しては PVE を行うと判断した。また肝流入血管合併切除再建[17] や肝膵十二指腸切除[18] といった技術的難度が高く周術期合併症率や死亡率が高い術式が付加される症例や，患者の全身状態や肝機能，施設や手術チームの症例経験を考慮して PVE の適応基準を緩和することを考慮しても患者の不利益にはならないと考えられる。

引用文献

1) 本庄一夫，鈴木　敏．肝癌に対する門脈右枝又は左枝結紮術（Portal branch ligation）．癌の臨 1970；16：567-573.

2) 幕内雅敏，高安賢一，宅間哲雄，山崎　晋，長谷川博，西浦三郎，他．胆管癌に対する肝切除前肝内門脈枝塞栓術．日臨外会誌 1984；45：1558-1564.

3) Madoff DC, Odisio BC, Schadde E, Gaba RC, Bennink RJ, van Gulik TM, et al. Improving the safety of major resection for hepatobiliary malignancy：portal vein embolization and recent innovations in liver regeneration strategies. Curr Oncol Rep 2020；22：59.

4) Nagino M, Kamiya J, Nishio H, Ebata T, Arai T, Nimura Y. Two hundred forty consecutive portal vein embolizations before extended hepatectomy for biliary cancer：surgical outcome and long-term follow-up. Ann Surg 2006；243：364-372.

5) Ebata T, Yokoyama Y, Igami T, Sugawara G, Takahashi Y, Nagino M. Portal vein embolization before extended hepatectomy for biliary cancer：current technique and review of 494 consecutive embolizations. Dig Surg 2012；29：23-29.

6) Komori K, Nagino M, Nimura Y. Hepatocyte morphology and kinetics after portal vein embolization. Br J Surg 2006；93：745-751.

7) Otsubo T, Kobayashi S, Sano K, Misawa T, Katagiri S, Nakayama H, et al. A nationwide certification system to increase the safety of highly advanced hepatobiliary-pancreatic surgery. J Hepatobiliary Pancreat Sci 2023；30：60-71.

8) Olthof PB, Wiggers JK, Groot Koerkamp B, Coelen RJ, Allen PJ, Besselink MG, et al. Postoperative liver failure risk score：identifying patients with resectable perihilar cholangiocarcinoma who can benefit from portal vein embolization. J Am Coll Surg 2017；225：387-394.

9) Ribero D, Zimmitti G, Aloia TA, Shindoh J, Fabio F, Amisano M, et al. Preoperative cholangitis and future liver remnant volume determine the risk of liver failure in patients undergoing resection for hilar cholangiocarcinoma. J Am Coll Surg 2016；223：87-97.

10) Kishi Y, Abdalla EK, Chun YS, Zorzi D, Madoff DC, Wallace MJ, et al. Three hundred and one consecutive

extended right hepatectomies：evaluation of outcome based on systematic liver volumetry. Ann Surg 2009；250：540-548.

11）Higuchi R, Yamamoto M. Indications for portal vein embolization in perihilar cholangiocarcinoma. J Hepatobiliary Pancreat Sci 2014；21：542-549.

12）Chaudhary RJ, Higuchi R, Nagino M, Unno M, Ohtsuka M, Endo I, et al. Survey of preoperative management protocol for perihilar cholangiocarcinoma at 10 Japanese high-volume centers with a combined experience of 2,778 cases. J Hepatobiliary Pancreat Sci 2019；26：490-502.

13）Mueller M, Breuer E, Mizuno T, Bartsch F, Ratti F, Benzing C, et al. Perihilar cholangiocarcinoma – Novel benchmark values for surgical and oncological outcomes from 24 expert centers. Ann Surg 2021；274：780-788.

14）Olthof PB, Aldrighetti L, Alikhanov R, Cescon M, Groot Koerkamp B, Jarnagin WR, et al. Portal vein embolization is associated with reduced liver failure and mortality in high-risk resections for perihilar cholangiocarcinoma. Ann Surg Oncol 2020；27：2311-2318.

15）Franken LC, Rassam F, van Lienden KP, Bennink RJ, Besselink MG, Busch OR, et al. Effect of structured use of preoperative portal vein embolization on outcomes after liver resection of perihilar cholangiocarcinoma. BJS Open 2020；4：449-455.

16）Lee EC, Park SJ, Han SS, Park HM, Lee SD, Kim SH, et al. Mortality after portal vein embolization：two case reports. Medicine（Baltimore）2017；96：e5446.

17）Mizuno T, Ebata T, Yokoyama Y, Igami T, Yamaguchi J, Onoe S, et al. Combined vascular resection for locally advanced perihilar cholangiocarcinoma. Ann Surg 2022；275：382-390.

18）Endo I, Hirahara N, Miyata H, Yamamoto H, Matsuyama R, Kumamoto T, et al. Mortality, morbidity, and failure to rescue in hepatopancreatoduodenectomy：an analysis of patients registered in the National Clinical Database in Japan. J Hepatobiliary Pancreat Sci 2021；28：305-316.

BQ14 術前の残肝予備能評価はどのように行われるか？

残肝予備能評価は CT による残肝容積の測定と，黄疸および胆管炎のない条件で ICG 排泄試験を行う。

解説

　胆道癌に対する肝切除は，精密診断を基に腫瘍の占拠部位に応じた術式が選択され，尾状葉切除を伴う葉切除以上の大量肝切除に肝外胆管切除と胆道再建，所属リンパ節郭清が標準術式であり，肝門部領域の脈管切除再建を要することも少なくない。また，胆管炎の発生，術前胆道ドレナージの影響など，胆道癌特有の術前病態が存在する。胆道癌に対する葉切除以上の肝切除後に生じる肝不全の頻度は高率で，発症した場合には致命的となりうることから切除後の肝機能，すなわち肝予備能の正確な評価が不可欠である。

　一般的な血液生化学検査を用いた肝機能評価には，アルブミン値，ビリルビン値，血小板数，プロトロンビン時間などが存在し，術後肝不全に関連する因子として報告されているが，これらの指標だけでは胆道癌特有の病態や術式に関連するリスクの詳細な評価は困難である。また，他の肝疾患に対する肝切除の際に用いられる Child-Pugh 分類，model for end-stage liver disease（MELD）score などリスク因子の組み合わせによる包括的指標も胆道癌に対する肝切除後には一般に用いられていない。

　画像を用いた予定残肝機能の予測法としては CT 画像を用いた予定残肝容積の計測[1]があげられ，全肝容積に対する予定残肝容積の割合（予定残肝容積率）として評価され，肝機能に応じた術後肝不全の安全域としての予定残肝容積率の目安が必要である。最近では，薄層撮影データを重ね合わせて画像解析ワークステーションで 3 次元的に解析し，計画された手術範囲をシミュレートすることで全肝容積，切除部位の容積，残肝容積を算出することが可能となっている。評価指標としては，予定残肝容積（future liver remnant volume：FLRV）を全肝容積（total liver volume：TLV）で除した残肝容積率（FLRV/TLV = %FLRV）が主流であり，低い %FLRV は術後肝不全に関連すると報告[2~7]されている。安全な肝切除術が実施可能と考えられる目安として %FLRV 40% 以上が術後肝不全を回避する指標[1,4,6]として標準的に利用されている。2019 年に発表された日本の肝門部領域胆管癌に対する切除経験が豊富な主要 10 施設（通算切除件数は全体で 2,778 件）を対象としたアンケート調査[8]では，8 施設が %FLRV 40% 未満，2 施設が 30% 未満または 35% 未満で膵頭十二指腸切除や動脈再建を併施・ハイリスク症例に対し門脈塞栓術が必要と回答した。また，個々の患者の体格差を考慮した，FLRV を体表面積（body surface area：BSA）で除した FLRV/BSA や，体重（body weight：BW）で除した FLRV/BW が評価の指標として提案されており，高齢者[9]においては肝予備能の低下を考慮して FLRV/BSA が 45% 以上を安全な肝切除術の目安とすることも提案されている。

　色素負荷試験である ICG 15 分停滞率や ICG 消失率（plasma disappearance rate of indocyanine green clearance：ICGK）[10,11]などが，日本を含むアジア地域を中心として最も一般的，かつ有用な評価法として位置づけられている。特に，ICGK と %FLRV を乗じて算出される ICGK-F は胆道癌に対する肝切除術において ICGK-F > 0.05 であった場合の死亡率は 1.7% と低く，ICGK-F 低値と術後肝不全が関連すると報告されている[12]ことから，多くの施設において ICGK-F > 0.05 は胆道癌に対する肝切除術の適応指標として認識されている。さらに，ICGK-F < 0.075 が術後の肝不全のリスク因子であるとの報告[2]もある。胆道癌では胆道閉塞により胆汁うっ滞性肝障害を認める場合が多いが，ICG 排泄試験は胆道ドレナージで胆汁うっ滞による影響を排除した後（血清総ビリルビン値が 2.0~3.0 mg/dL 未満に減少した場合）[10~15]に行う必要がある。稀ではあるが，ICG 不耐症などにより ICG 試験による評価が困難な患者に対しては 2000 年代より ^{99m}Tc-GSA を使用したアシアロシンチグラフィーの有用性が報告[14,15]されている。Noji ら[14]の研究では胆道癌の肝切除に際し

て^{99m}Tc-GSA 試験の有用性が確認され, LHL15 ＞ 0.903 が安全な肝切除術の閾値として提案されている。一方,欧米では$^{13,16〜19)}$ ^{99m}Tc-mebrofenin HBS や^{13}C-methacetin LiMAx 試験が導入されているが, 日本では保険適用 は な い。2017 年 以 降, MRI corrected T1（cT1） や gadolinium-ethoxybenzyl-diethylenetriamine-pentaacetic acid（Gd-EOB-DTPA）造影 MRI を活用した肝機能評価法が, 様々な肝腫瘍に対する肝切除の術前評価法として提唱されている$^{19〜21)}$が, 胆道癌に関する報告が限定的であり今後の研究が期待される。

引用文献

1) Glantzounis GK, Tokidis E, Basourakos SP, Ntzani EE, Lianos GD, Pentheroudakis G. The role of portal vein embolization in the surgical management of primary hepatobiliary cancers. A systematic review. Eur J Surg Oncol 2017；43：32-41.

2) Yamamoto R, Sugiura T, Okamura Y, Ito T, Yamamoto Y, Ashida R, et al. Utility of remnant liver volume for predicting posthepatectomy liver failure after hepatectomy with extrahepatic bile duct resection. BJS Open 2021；5：zraa049.

3) Lee JW, Lee JH, park Y, Lee W, Kwon J, Song KB, et al. Risk factors of posthepatectomy liver failure for perihilar cholangiocarcinoma：risk score and significance of future liver remnant volume-to-body weight ratio. J Surg Oncol 2020；122：469-479.

4) Bednarsch J, Czigany Z, Lurje I, Amygdalos I, Strnad P, Halm P, et al. Insufficient future liver remnant and preoperative cholangitis predict perioperative outcome in perihilar cholangiocarcinoma. HPB（Oxford）2021；23：99-108.

5) Olthof PB, Wiggers JK, Groot Koerkamp B, Coelen RJ, Allen PJ, Besselink MG, et al. Postoperative liver failure risk score：identifying patients with resectable perihilar cholangiocarcinoma who can benefit from portal vein embolization. J Am Coll Surg 2017；225：387-394.

6) Lee EC, Park SJ, Han SS, Shim JR, Park HM, Lee SD, et al. Risk prediction of post-hepatectomy liver failure in patients with perihilar cholangiocarcinoma. J Gastroenterol Hepatol 2018；33：958-965.

7) Ratti F, Cipriani F, Fiorentini G, Hidalgo Salinas C, Catena M, Paganelli M, et al. Management of hilum infiltrating tumors of the liver：the impact of experience and standardization on outcome. Dig Liver Dis 2019；51：135-141.

8) Chaudhary RJ, Higuchi R, Nagino M, Unno M, Ohtsuka M, Endo I, et al. Survey of preoperative management protocol for perihilar cholangiocarcinoma at 10 Japanese high-volume centers with a combined experience of 2,778 cases. J Hepatobiliary Pancreat Sci 2019；26：490-502.

9) Watanabe Y, Kuboki S, Shimizu H, Ohtsuka M, Yoshitomi H, Furukawa K, et al. A new proposal of criteria for the future remnant liver volume in older patients undergoing major hepatectomy for biliary tract cancer. Ann Surg 2018；267：338-345.

10) Nagino M. Fifty-year history of biliary surgery. Ann Gastroenterol Surg 2019；3：598-605.

11) Li M, Wang J, Song J, Shen F, Song L, Ni X, et al. Preoperative ICG test to predict posthepatectomy liver failure and postoperative outcomes in hilar cholangiocarcinoma. Biomed Res Int 2021；2021：8298737.

12) Roayaie S, Guarrera JV, Ye MQ, Thung SN, Emre S, Fishbcin TM, et al. Aggressive surgical treatment of intrahepatic cholangiocarcinoma：predictors of outcomes. J Am Coll Surg 1998；187：365-372.

13) Yamamoto Y. Evaluation of liver function and the role of biliary drainage before major hepatic resections. Visc Med 2021；37：10-17.

14) Noji T, Inoue A, Nakanishi Y, Tsuchikawa T, Okamura K, Hirata K, et al. ^{99m}Tc-GSA scintigraphy could predict post-hepatectomy liver failure-related death in biliary surgery. J Gastrointest Surg 2021；25：3236-3238.

15) Huang X, Chen Y, Shao M, Li C, Zhang A, Dong J, et al. The value of ^{99m}Tc-labeled galactosyl human serum albumin single-photon emission computerized tomography/computed tomography on regional liver function assessment and posthepatectomy failure prediction in patients with hilar cholangiocarcinoma. Nucl Med Commun 2020；41：1128-1135.

16) Olthof PB, Coelen RJS, Bennink RJ, Heger M, Lam MF, Besselink MG, et al. ^{99m}Tc-mebrofenin hepatobiliary scintigraphy predicts liver failure following major liver resection for perihilar cholangiocarcinoma. HPB（Oxford）2017；19：850-858.

17) Cillo U, Fondevila C, Donadon M, Gringeri E, Mocchegiani F, Schlitt HJ, et al. Surgery for cholangiocarcinoma. Liver Int 2019；39（Suppl 1）：143-155.

18) Kishi Y, Vauthey JN. Issues to be considered to address the future liver remnant prior to major hepatectomy. Surg Today 2021；51：472-484.

19) Mole DJ, Fallowfield JA, Sherif AE, Kendall T, Semple S, Kelly M, et al. Quantitative magnetic resonance imaging predicts individual future liver performance after liver resection for cancer. PLoS One 2020；15：e0238568.

20) Akabane M, Shindoh J, Kobayashi Y, Okubo S, Matsumura M, Hashimoto M. Risk stratification of patients with marginal hepatic functional reserve using the remnant hepatocyte uptake index in gadoxetic acid-enhanced magnetic resonance imaging for safe liver surgery. World J Surg 2023；47：1042-1048.

21) Ding C, Jia J, Bai G, Zhou W, Shan W. Predictive value of Gd-EOB-DTPA -enhanced magnetic resonance imaging for post-hepatectomy liver failure：a systematic review and meta-analysis. Acta Radiol 2023；64：1347-1356.

BQ15　胆道癌肝切除後の死亡率の現状はどうか？

胆道癌に対する肝切除術後の在院死亡率は 3.2 ～ 9.0％である。本邦も含めたアジア地域の
施設では非アジア施設と比べて在院死亡率が低いことも報告されている。

解説

　胆道癌に対する肝切除は，肝門部領域胆管癌もしくは胆嚢癌が主な対象症例となる。

　肝門部領域胆管癌の基本術式は尾状葉切除を加えた片葉以上の広範囲肝切除および胆管切除となる[1,2]。また，解剖学的に腫瘍と重要血管が近接することから，動門脈の合併切除再建術が必要になることも多く，以前より胆管切除の併施や胆道癌に対する肝切除は在院死亡のリスクであることが報告されている[3,4]。その中で，近年では徐々に死亡率の改善が報告されており，日本肝胆膵外科学会高度修練施設において肝門部領域もしくは上部胆管癌に対する 90 日死亡率は 2012 年に 7.8％であったものが 2015 年には 4.8％と減少していることを報告している[5]。

　本邦を含めた全世界の 24 施設の HVC で 2014 年から 2018 年の標準的な肝門部領域胆管癌の手術成績（benchmark）を検討した多施設後ろ向き研究が行われた。片葉切除以上，血管浸潤なし，遠隔転移なし，重大な併存疾患がないといったリスクの低い 708 例を対象に行われたこの研究では，中央値である 50 パーセンタイルの院内死亡率は 3.2％，90 日死亡率は 3.7％と報告され，benchmark cutoff とした 75 パーセンタイルとなる値において院内死亡率は 8％，90 日死亡率は 13％と報告している。この報告の中で，本邦を含めたアジア地域の施設は非アジア地域の施設に比し，在院死亡率が低い傾向（2.0％ vs. 5.9％，$P = 0.06$）が認められたと報告している[6]。

　Franken ら[7] が行った肝門部領域胆管癌の合併症および死亡率を検討したシステマティックレビューでは，51 試験 4,634 例の検討が行われた。その中で，30 日死亡率は 5％，90 日死亡率は 9％，在院死亡率は 8％であった。この報告の中でもアジアからの試験の優位性が報告されており，アジアでの試験において 30 日死亡率は 2％，90 日死亡率は 3％と西側諸国での試験の 8％と 12％に比べ有意に良好であったことが報告されている。

　近年の本邦における実情を示す報告として，Otsubo ら[8] が高難度肝胆膵手術の成績について報告している。日本肝胆膵外科学会が認定する肝胆膵高度技能修練施設における 2017 年から 2019 年に行われた胆道再建を伴う肝切除の 90 日死亡率の報告では，術式別に右三区域切除 3.51％（4/114），右葉切除 5.19％（68/1,309），左三区域切除 5.66％（12/212），左葉切除 2.93％（33/1,128）であったとしている。このように術式別にも死亡率は差を認めており，留意する点である。

　一方，胆嚢癌に対する肝切除はその進行度に応じて術式選択がなされる。つまり，胆嚢床切除術から肝部分切除術，肝 S4bS5 亜区域切除術，さらには先述した肝門部領域胆管癌手術手技と同様の肝右葉 / 右三区域＋尾状葉切除術といった広範囲肝切除まで多岐にわたり，胆管切除を併施するかどうかも進行度に依存する。そのため胆嚢癌に対する肝切除という一括りでリスク評価を論じることは難しい。その中で，Mizuno ら[9] の進行胆嚢癌に対する広範囲肝切除（major hepatectomy）の報告では，膵切除を併施しない症例 79 例において胆管切除を併施しなかった症例は 4 例（5％）であったと報告されている。また，Higuchi ら[10] の進行胆嚢癌に対して切除を行った 274 例の報告では，死亡率は 12.4％であったが 2000 年以降の症例に限ると 110 例中 4 例の 3.6％であったとしている。しかしながら本報告では胆嚢切除のみの症例から膵切除を併施した症例まで含まれており，肝切除のみの症例でないことは留意する必要がある。

　これらのことから，胆道癌に対する肝切除の死亡率は決して低いものではなく，そのリスクについては十分に理解する必要がある。また，患者個々の年齢，ADL，併存疾患によってもリスクは変動し，肝切除術式，

血管合併の有無によっても変わってくる。NCD のホームページ（https://system.ncd.or.jp/karte/page/feedback/index）から胆道再建を伴う肝切除術のリスクを計算することも可能である。手術を受ける患者の術前情報，術中情報を入力することで，術後 30 日死亡予測発生率，手術関連死亡予測発生率，合併症発生率などが算出される。個々の症例におけるリスクの情報として活用できるツールである。

引用文献

1) Nagino M, Ebata T, Yokoyama Y, Igami T, Sugawara G, Takahashi Y, et al. Evolution of surgical treatment for perihilar cholangiocarcinoma : a single-center 34-year review of 574 consecutive resections. Ann Surg 2013 ; 258 : 129-140.

2) Mansour JC, Aloia TA, Crane CH, Heimbach JK, Nagino M, Vauthey JN. Hilar cholangiocarcinoma : expert consensus statement. HPB (Oxford) 2015 ; 17 : 691-699.

3) Belghiti J, Hiramatsu K, Benoist S, Massault P, Sauvanet A, Farges O. Seven hundred forty-seven hepatectomies in the 1990s : an update to evaluate the actual risk of liver resection. J Am Coll Surg 2000 ; 191 : 38-46.

4) Kenjo A, Miyata H, Gotoh M, Kitagawa Y, Shimada M, Baba H, et al. Risk stratification of 7,732 hepatectomy cases in 2011 from the National Clinical Database for Japan. J Am Coll Surg 2014 ; 218 : 412-422.

5) Otsubo T, Kobayashi S, Sano K, Misawa T, Ota T, Katagiri S, et al. Safety-related outcomes of the Japanese Society of Hepato-Biliary-Pancreatic Surgery board certification system for expert surgeons. J Hepatobiliary Pancreat Sci 2017 ; 24 : 252-261.

6) Mueller M, Breuer E, Mizuno T, Bartsch F, Ratti F, Benzing C, et al. Perihilar cholangiocarcinoma - Novel benchmark values for surgical and oncological outcomes from 24 expert centers. Ann Surg 2021 ; 274 : 780-788.

7) Franken LC, Schreuder AM, Roos, E, van Dieren S, Busch OR, Besselink MG, et al. Morbidity and mortality after major liver resection in patients with perihilar cholangiocarcinoma : a systematic review and meta-analysis. Surgery 2019 ; 165 : 918-928.

8) Otsubo T, Kobayashi S, Sano K, Misawa T, Katagiri S, Nakayama H, et al. A nationwide certification system to increase the safety of highly advanced hepatobiliary-pancreatic surgery. J Hepatobiliary Pancreat Sci 2023 ; 30 : 60-71.

9) Mizuno T, Ebata T, Yokoyama Y, Igami T, Yamaguchi J, Onoe S, et al. Major hepatectomy with or without pancreatoduodenectomy for advanced gallbladder cancer. Br J Surg 2019 ; 106 : 626-635.

10) Higuchi R, Ota T, Araida T, Kajiyama H, Yazawa T, Furukawa T, et al. Surgical approaches to advanced gallbladder cancer : a 40-year single-institution study of prognostic factors and resectability. Ann Surg Oncol 2014 ; 21 : 4308-4316.

CQ14 肝動脈切除再建を伴う肝切除は推奨されるか？

肝動脈切除再建を伴う肝切除は胆道外科の十分な経験を持つ外科医，血行再建に熟達した外科医の揃った専門施設で行うことを提案する。

推奨度2（レベル C）

解説

　肝門部胆管は解剖学的に門脈左右分岐部や右肝動脈に近接し，進行肝門部領域胆管癌ではしばしばこれらの肝流入血管への浸潤が認められる。このような症例に対する血管合併切除再建を伴う肝切除が国内外の専門施設を中心として施行されている。しかし，肝動脈合併切除は比較的少数例での検討が多く，手術の安全性や長期成績について定まった見解が得られていない。

　肝門部領域胆管癌に対する肝動脈合併切除再建を伴った肝切除は 2010 年までは少数例の報告が 3 編あるに過ぎず，その有益性を評価するには時期尚早であった[1~3]。2010 年を過ぎると主に日本の主要施設から比較的多数例での報告がされるようになった[4~12]。報告症例数は 8 例～ 408 例で，術後の短期成績については肝動脈合併切除再建を伴う肝切除では肝切除のみの場合と比べ合併症率が高率であるとの報告や同等であるとの報告があるが，それらの C-D 分類 grade3 以上の合併症率はおおむね 50%（47~52%）であり，手術関連死亡率は 0~11.8% であった。

　動脈合併切除症例の長期予後については，肝門部領域胆管癌手術症例において血管合併切除あり群はなし群に比べ予後不良であったが非切除例と比べると良好であった，門脈合併切除群と動脈合併切除群との比較では両群間に生存率の差を認めなかった，との報告が HVC からされている[8,10]。Mizuno ら[10]は，動脈合併切除 146 例の検討を行い，左三区域切除が 59% と最多で，門脈合併切除が 68% に併施されるなど，極めて高難度な手術が多かったが，5 年生存率 29.5%，生存期間中央値 34 ヵ月とおおむね許容できる成績であったと報告した。Sugiura ら[8]は肝門部領域胆管癌切除 238 例のうち 48 例に動脈合併切除（門脈合併切除併施 17 例）を行い，5 年生存率，生存期間中央値は動脈合併切除のみ群で 33.9%，40 ヵ月，肝動脈・門脈同時切除群で 19.9%，24 ヵ月と報告した。Higuchi ら[6]は動脈合併切除 19 例（門脈合併切除併施 12 例）のうち，組織学的動脈浸潤ありかつ M0R0 群の 5 年生存率は 24.7%，組織学的動脈浸潤ありかつ M1 または R1 群では 0% であり動脈合併切除は M0R0 症例に対して施行すべき，と報告した。Kuriyama ら[9]は動脈合併切除 17 例（門脈合併切除併施 12 例）の 5 年疾患特異的生存率が 26.9% と血管合併切除なし群の 47.8% と比べ不良であり集学的治療の重要性を報告した。また，Sugiura ら[7]は Bismuth type I，II の肝門部領域胆管癌において左葉の容積が小さい場合，左葉尾状葉切除，肝動脈合併切除再建を行うことにより右葉切除の場合と同等の長期成績を得ることができたと報告した。（レベル C）

　肝動脈合併切除例では高率に門脈合併切除が併施され，頻度は 17~82% であった[4~6,8,10,11]。その場合にはさらに高難度の手術となる。Nagino ら[4]は 50 例の肝動脈・門脈同時切除再建を行い，手術関連死亡は 1 例（2%），5 年生存率は 30.3% と報告した。著者らは肝動脈・門脈同時切除再建は高度な技術を要するが，慎重な患者選択の後に施行する意義はあると述べている。（レベル C）

　Rebelo ら[12]は肝門部領域胆管癌に対する肝動脈合併切除を伴った肝切除に関する後方視的研究を用いたメタアナリシスを行い，肝動脈合併切除を伴った症例群は伴わなかった症例群と比べ短期・長期成績とも不良であったと報告した。しかし，これらの報告は非切除症例との比較ではないことや，選択バイアスの観点から，動脈合併切除を伴った肝切除の意義は不明であり，ランダム化比較試験が必要であると述べている。しかし，現実的には動脈合併切除群と非切除群を比較するようなランダム化比較試験は倫理的観点からも施行困難であ

る。（レベル C）

　胆嚢癌に対する肝動脈合併切除再建を伴った肝切除は行うことは極めて少なく，実際に論文もないことから推奨度を提示しないこととした。

　胆道癌に対する肝動脈切除再建を伴う肝切除に関する明確なエビデンスは十分ではない。現在までに本 CQ に関する前向き研究，RCT はなく，単施設の後ろ向き研究またはメタアナリシスがあるのみである。そしてそのすべてが，肝動脈合併切除例と非施行（不要）例もしくは非切除例との比較である。肝動脈浸潤例に対する合併切除例と温存例の比較検討の報告はない。専門施設では肝動脈切除再建が比較的安全に行われ，一定の長期生存例も存在することが明らかになりつつある。以上より，R0 切除のために肝動脈合併切除が必要な胆道癌に対しては，胆道癌肝切除の手術・周術期管理に習熟した外科医，血行再建に熟達した外科医等の揃った HVC においては肝動脈切除再建を伴う肝切除を考慮してよいと思われる。

委員会投票結果

行うことを 強く推奨する	行うことを 弱く推奨する	行わないことを 弱く推奨する	行わないことを 強く推奨する	推奨なし
10%（20名中2名）	70%（20名中14名）	0%（20名中0名）	0%（20名中0名）	5%（20名中1名）

棄権者：3名

引用文献

1) Yamanaka N, Yasui C, Yamanaka J, Ando T, Kuroda N, Maeda S, et al. Left hemihepatectomy with microsurgical reconstruction of the right-sided hepatic vasculature. a strategy for preserving hepatic function in patients with proximal bile duct cancer. Langenbecks Arch Surg 2001；386：364-368.

2) Sakamoto Y, Sano T, Shimada K, Kosuge T, Kimata Y, Sakuraba M, et al. Clinical significance of reconstruction of the right hepatic artery for biliary malignancy. Langenbecks Arch Surg 2006；391：203-208.

3) Miyazaki M, Kato A, Ito H, Kimura F, Shimizu H, Ohtsuka M, et al. Combined vascular resection in operative resection for hilar cholangiocarcinoma：does it work or not? Surgery 2007；141：581-588.

4) Nagino M, Nimura Y, Nishio H, Ebata T, Igami T, Matsushita M, et al. Hepatectomy with simultaneous resection of the portal vein and hepatic artery for advanced perihilar cholangiocarcinoma：an audit of 50 consecutive cases. Ann Surg 2010；252：115-123.

5) Schimizzi GV, Jin LX, Davidson JT 4th, Krasnick BA, Ethun CG, Pawlik TM, et al. Outcomes after vascular resection during curative-intent resection for hilar cholangiocarcinoma：a multi-institution study from the US extrahepatic biliary malignancy consortium. HPB（Oxford）2018；20：332-339.

6) Higuchi R, Yazawa T, Uemura S, Izumo W, Ota T, Kiyohara K, et al. Surgical outcomes for perihilar cholangiocarcinoma with vascular invasion. J Gastrointest Surg 2019；23：1443-1453.

7) Sugiura T, Okamura Y, Ito T, Yamamoto Y, Ashida R, Ohgi K, et al. Left hepatectomy with combined resection and reconstruction of right hepatic artery for Bismuth type Ⅰ and Ⅱ perihilar cholangiocarcinoma. World J Surg 2019；43：894-901.

8) Sugiura T, Uesaka K, Okamura Y, Ito T, Yamamoto Y, Ashida R, et al. Major hepatectomy with combined vascular resection for perihilar cholangiocarcinoma. BJS Open 2021；5：zrab064.

9) Kuriyama N, Komatsubara H, Nakagawa Y, Maeda K, Shinkai T, Noguchi D, et al. Impact of combined vascular resection and reconstruction in patients with advanced perihilar cholangiocarcinoma. J Gastrointest Surg 2021；25：3108-3118.

10) Mizuno T, Ebata T, Yokoyama Y, Igami T, Yamaguchi J, Onoe S, et al. Combined vascular resection for locally advanced perihilar cholangiocarcinoma. Ann Surg 2022；275：382-390.

11) Sato A, Hori T, Yamamoto H, Harada H, Yamamoto M, Yamada M, et al. The feasibility of combined resection and subsequent reconstruction of the right hepatic artery in left hepatectomy for cholangiocarcinoma. Asian J Surg 2022；45：1688-1693.

12) Rebelo A, Friedrichs J, Grilli M, Wahbeh N, Partsakhashvili J, Ukkat J, et al. Systematic review and meta-analysis of surgery for hilar cholangiocarcinoma with arterial resection. HPB（Oxford）2022；24：1600-1614.

CQ15 肝葉切除を伴う膵頭十二指腸切除は推奨されるか？

広範囲に進展した胆管癌に対しては施行することを提案する。
推奨度2（レベルC）
胆嚢癌に対する臨床的意義は明らかでない。
推奨なし（レベルC）

解説

　肝葉切除を伴う膵頭十二指腸切除（major HPD）は広範囲に進展した胆管癌や胆嚢癌での完全切除を目指して導入され，1990年代より単施設の少数例によるretrospectiveな検討が報告されてきた。近年，本邦でもHVCから比較的多数例の報告がなされるようになった。

　胆管癌に対するHPDに関して，最も症例数の多い報告は，本邦のEbataら[1]からの胆管癌85例の報告である。全生存率は1年79.7%，3年48.5%，5年37.4%，10年32.1%と比較的良好であり，特にR0切除を達成できたM0症例の5年生存率は54.3%と良好であった。また，Aokiら[2]は膵空腸吻合のみを二期的に行うHPDの成績を報告し，43例の二期的膵空腸吻合例を含む52例（胆管癌39例，胆嚢癌13例）の5年生存率は44.5%であり，胆管癌と胆嚢癌に差はなかったと報告している。海外では，D'Souzaら[3]がヨーロッパにおけるHPD 66例（胆管癌：35例，胆嚢癌：31例）の集積を行い，3年生存率が胆管癌：80%，胆嚢癌：30%であり，R0切除が生存率に対しての最も強い予後規定因子であると報告している。症例数が10～20例の報告では，5年生存率は12～51.9%，生存期間中央値（median survival time：MST）は8～63ヵ月と様々な結果を示している[4~8]。Toyodaら[9]は，胆管癌の腫瘍の浸潤形式によりdiffuse type（28例）とlocalized type（72例）に分類して，5年生存率がdiffuse type：26%，localized type：59%とdiffuse typeで不良であると報告している。4つの予後規定因子（diffuse type，高齢，術前PTCDあり，門脈浸潤あり）の内，3つ以上を伴う症例は，特に予後不良であり（MST：1.5ヵ月），HPD適応のセレクションになる可能性を報告している。

　胆嚢癌に対するHPDに関しては，Yamamotoら[10]が9例のmajor HPDの検討でMSTは29.8ヵ月，5年生存率は34.6%であり，肝切除のみを行った20例との比較で有意差はなかったと報告した。一方，Mizunoら[11]は胆嚢癌に対して肝切除のみを行った症例79例とHPDを行った症例39例の予後を比較してHPD症例で予後が悪いことを報告した（MST：32ヵ月 vs. 10ヵ月）。HPD症例で予後が悪くなる要因として，HPDを必要とする症例では，リンパ節転移や肝浸潤，肝十二指腸間膜浸潤の頻度が多く，技術的に切除可能であっても悪性度が高いため，腫瘍学的に切除不能である可能性を述べている。他にも胆嚢癌と胆管癌で予後に差はないとする報告[2,7]もある一方で，胆嚢癌で予後が不良であるとする報告[4,12]もあり，施設間の差は大きい。

　HPD施行例の高い術後合併症率や死亡率は，本術式を施行する意義を考える際には極めて重要な要素となる。Otsuboら[13]は2012～2019年の間の日本肝胆膵外科学会認定の高度技能専門医修練施設におけるHPD施行症例（右三区域切除，右肝切除，左三区域切除，左肝切除）の90日死亡率を報告しており，23/377（6.1%）であった。Ebataら[1]による胆管癌に限ったHPDの報告では，1992年から2011年までに行った85例の合併症は肝不全（75.2%），膵液瘻（70.6%）と高率であったが，在院死亡率は2.4%と十分許容できるものであった。術前門脈塞栓術を含む周術期管理や画像診断，手術技術の進歩が寄与していると述べている。Aokiら[2]は，二期的膵空腸吻合によるHPD 52例（うちmajor HPDは42例）を検討し，C-D III以上の合併症を19例（37%）に認めたが，死亡例は1例（2%）に過ぎなかったと報告した。Endoら[14]は，NCDデータベースから422例のHPD症例を抽出し，日本肝胆膵外科学会認定の高度技能専門医修練施設A（年間高難度肝胆膵外科手術：50例以上施行），修練施設B（30例以上施行）およびそれ以外の施設による短期成績を比較した。周術期合併

症発生率は 3 施設で大きな差はみられないものの，周術期合併症に伴う死亡率は，修練施設 A：9.3%，修練施設 B：17.0%，それ以外の施設：33.3% であり，修練施設 A，B で少ない傾向であった。この結果は，手術手技以外にも合併症の早期発見や治療介入といった熟練したチーム医療による周術期管理の重要性を示すものであり，HVC への症例の集約化の重要性に関して述べている。一方で，海外の成績は一般的に不良であり，死亡率は 10% を超える報告が多い[3,7,15]。

　以上より，胆管癌に対する major HPD は有効であると考えられるが，胆嚢癌に対する臨床的意義は定かではない。膵液瘻や肝不全といった致死的となりうる術後合併症はいまだ高率であるが，在院死亡率は HVC では許容されうる数値まで低下してきている。安全性に十分配慮した患者選択および手術適応の決定と周術期管理が重要である。

委員会投票結果

胆管癌

行うことを 強く推奨する	行うことを 弱く推奨する	行わないことを 弱く推奨する	行わないことを 強く推奨する	推奨なし
5%（20 名中 1 名）	80%（20 名中 16 名）	10%（20 名中 2 名）	0%（20 名中 0 名）	0%（20 名中 0 名）

棄権者：1 名

胆嚢癌

行うことを 強く推奨する	行うことを 弱く推奨する	行わないことを 弱く推奨する	行わないことを 強く推奨する	推奨なし
0%（20 名中 0 名）	0%（20 名中 0 名）	20%（20 名中 4 名）	0%（20 名中 0 名）	70%（20 名中 14 名）

棄権者：2 名

引用文献

1) Ebata T, Yokoyama Y, Igami T, Sugawara G, Takahashi Y, Nimura Y, et al. Hepatopancreatoduodenectomy for cholangiocarcinoma：a single-center review of 85 consecutive patients. Ann Surg 2012；256：297-305.
2) Aoki T, Sakamoto Y, Kohno Y, Akamatsu N, Kaneko J, Sugawara Y, et al. Hepatopancreaticoduodenectomy for biliary cancer：strategies for near-zero operative mortality and acceptable long-term outcome. Ann Surg 2018；267：332-337.
3) D'Souza MA, Valdimarsson VT, Campagnaro T, Cauchy F, Chatzizacharias NA, D'Hondt M, et al. Hepatopancreatoduodenectomy -a controversial treatment for bile duct and gallbladder cancer from a European perspective. HPB（Oxford）2020；22：1339-1348.
4) Kaneoka Y, Yamaguchi A, Isogai M, Kumada T. Survival benefit of hepatopancreatoduodenectomy for cholangiocarcinoma in comparison to hepatectomy or pancreatoduodenectomy. World J Surg 2010；34：2662-2670.
5) Miwa S, Kobayashi A, Akahane Y, Nakata T, Mihara M, Kusama K, et al. Is major hepatectomy with pancreatoduodenectomy justified for advanced biliary malignancy? J Hepatobiliary Pancreat Surg 2007；14：136-141.
6) Wakai T, Shirai Y, Tsuchiya Y, Nomura T, Akazawa K, Hatakeyama K. Combined major hepatectomy and pancreaticoduodenectomy for locally advanced biliary carcinoma：long-term results. World J Surg 2008；32：1067-1074.

7）Lim CS, Jang JY, Lee SE, Kang MJ, Kim SW. Reappraisal of hepatopancreatoduodenectomy as a treatment modality for bile duct and gallbladder cancer. J Gastrointest Surg 2012；16：1012-1018.

8）Sakamoto Y, Nara S, Kishi Y, Esaki M, Shimada K, Kokudo N, et al. Is extended hemihepatectomy plus pancreaticoduodenectomy justified for advanced bile duct cancer and gallbladder cancer? Surgery 2013；153：794-800.

9）Toyoda Y, Ebata T, Mizuno T, Yokoyama Y, Igami T, Yamaguchi J, et al. Cholangiographic tumor classification for simple patient selection prior to hepatopancreatoduodenectomy for cholangiocarcinoma. Ann Surg Oncol 2019；26：2971-2979.

10）Yamamoto Y, Sugiura T, Okamura Y, Ito T, Ashida R, Uemura S, et al. Is combined pancreatoduodenectomy for advanced gallbladder cancer justified? Surgery 2016；159：810-820.

11）Mizuno T, Ebata T, Yokoyama Y, Igami T, Yamaguchi J, Onoe S, et al. Major hepatectomy with or without pancreatoduodenectomy for advanced gallbladder cancer. Br J Surg 2019；106：626-635.

12）Fukami Y, Kaneoka Y, Maeda A, Takayama Y, Onoe S. Major hepatopancreatoduodenectomy with simultaneous resection of the hepatic artery for advanced biliary cancer. Langenbecks Arch Surg 2016；401：471-478.

13）Otsubo T, Kobayashi S, Sano K, Misawa T, Katagiri S, Nakayama H, et al. A nationwide certification system to increase the safety of highly advanced hepatobiliary-pancreatic surgery. J Hepatobiliary Pancreat Sci 2023；30：60-71.

14）Endo I, Hirahara N, Miyata H, Yamamoto H, Matsuyama R, Kumamoto T, et al. Mortality, morbidity, and failure to rescue in hepatopancreatoduodenectomy：an analysis of patients registered in the National Clinical Database in Japan. J Hepatobiliary Pancreat Sci 2021；28：305-316.

15）Fernandes Ede S, de Mello FT, Ribeiro-Filho J, do Monte-Filho AP, Fernande MM, Coelho RJ, et al. The largest western experience with hepatopancreatoduodenectomy：lessons learned with 35 cases. Arq Bras Cir Dig 2016；29：17-20.

CQ16 遠位胆管癌，十二指腸乳頭部癌に対する低侵襲手術（腹腔鏡下／ロボット支援下膵頭十二指腸切除術）は推奨されるか？

腹腔鏡下あるいはロボット支援下膵頭十二指腸切除術が開腹手術と比較して有用とする報告はあるが，対象症例が胆道癌に限定されていないことなどから，胆道癌に対して妥当な術式かは明らかではない。

推奨なし（レベルC）

解説

　近年，消化器外科領域では腹腔鏡下手術あるいはロボット支援下手術といったMISの普及が著しい。遠位胆管癌，十二指腸乳頭部癌に対する標準術式は膵頭十二指腸切除術であり，腹腔鏡下あるいはロボット支援下膵頭十二指腸切除術が開腹手術と比べて安全性および癌の根治性において許容されるかは重要な臨床課題となってきている。

　腹腔鏡下あるいはロボット支援下膵頭十二指腸切除術についてレビューを行うと，胆道癌のみを取り扱ったRCTやメタアナリシスは認められなかったが，遠位胆管癌，乳頭部癌に膵癌を含めた症例を対象とした研究，あるいは対象症例に言及していない研究を含めると，RCTを4編[1~4]，メタアナリシスを6編[5~10]，システマティックレビュー3編[11~13]を認めた。RCT4編は全て腹腔鏡下手術と開腹手術を比較したもので，Ricciら[5]がメタアナリシスとしてその内容を報告している。これによると腹腔鏡下手術で手術時間が長く，在院日数が短いが，術後合併症発症率，根治切除率，死亡率などには差がなかったとしている。ロボット支援下膵頭十二指腸切除術のみを取り扱ったメタアナリシスは2編であり[6,7]，ロボット支援下手術で出血量が少ないが，手術時間が長く，術後合併症や死亡率には差がなかったとしている。また，長期成績としてはKamarajahら[11]が，MISと開腹手術を比較して，3年，5年生存率に差がなかったとしているが，膵臓癌なども含めた検討であることには留意する。

　胆管癌のみを対象とした後ろ向き研究としては，Kimら[14]が91例のminimally invasive pancreatoduodenectomy（MIPD）と335例の開腹膵頭十二指腸切除を行った遠位胆管癌症例を比較検討し，MIPDで手術時間が長く，リンパ節郭清個数が少ないが，出血量が少なく，在院期間が短く，術後合併症や予後には有意差を認めなかったとしている。Xuら[15]は217例のロボット支援下膵頭十二指腸切除術と228例の開腹膵頭十二指腸切除を行った遠位胆管癌症例を後ろ向きに比較検討し，ロボット支援下手術で出血量が少なく，在院日数が少なく，手術時間，リンパ節郭清個数，根治切除率などには差がなかったことを報告している。今回のレビューでは乳頭部癌のみを対象とした腹腔鏡下あるいはロボット支援下膵頭十二指腸切除術を比較検討している研究は認めなかった。

　患者・市民の価値観からみると，患者がより低侵襲な治療を望む可能性は高いと考えられる。また，腹腔鏡下手術，ロボット支援下手術は器機などによる費用の増大が見込まれるが，本邦では術前登録制度や施設基準を設けることにより安全性が担保された上で，2020年よりこれらの術式は保険適用になっている。

　このように，腹腔鏡下あるいはロボット支援下膵頭十二指腸切除術は，手術成績，安全性の面からは妥当と結論づけている論文が多いが，そのほとんどがMIS手術に熟達したHVCからであることには注意を要する。さらに，RCTやメタアナリシスによる手術成績，術後合併症，長期成績などの検討には，遠位胆管癌，乳頭部癌とともに膵頭部癌が対象症例に含まれており，一方で，胆管癌のみを対象とした研究は全て後ろ向き研究であることも考慮する。

委員会投票結果

行うことを 強く推奨する	行うことを 弱く推奨する	行わないことを 弱く推奨する	行わないことを 強く推奨する	推奨なし
0%（20名中0名）	5%（20名中1名）	5%（20名中1名）	0%（20名中0名）	90%（20名中18名）

棄権者：0名

引用文献

1) Palanivelu C, Senthilnathan P, Sabnis SC, Babu NS, Srivatsan Gurumurthy S, Anand Vijai N, et al. Randomized clinical trial of laparoscopic versus open pancreatoduodenectomy for periampullary tumours. Br J Surg 2017；104：1443-1450.

2) Poves I, Burdío F, Morató O, Iglesias M, Radosevic A, Ilzarbe L, et al. Comparison of perioperative outcomes between laparoscopic and open approach for pancreatoduodenectomy：the PADULAP randomized controlled trial. Ann Surg 2018；268：731-739.

3) van Hilst J, de Rooij T, Bosscha K, Brinkman DJ, van Dieren S, Dijkgraaf MG, et al. Laparoscopic versus open pancreatoduodenectomy for pancreatic or periampullary tumours（LEOPARD-2）：a multicentre, patient-blinded, randomised controlled phase 2/3 trial. Lancet Gastroenterol Hepatol 2019；4：199-207.

4) Wang M, Li D, Chen R, Huang X, Li J, Liu Y, et al. Laparoscopic versus open pancreatoduodenectomy for pancreatic or periampullary tumours：a multicentre, open-label, randomised controlled trial. Lancet Gastroenterol Hepatol 2021；6：438-447.

5) Ricci C, Stocco A, Ingaldi C, Alberici L, Serbassi F, De Raffele E, et al. Trial sequential meta-analysis of laparoscopic versus open pancreaticoduodenectomy：is it the time to stop the randomization? Surg Endosc 2023；37：1878-1889.

6) Shin SH, Kim YJ, Song KB, Kim SR, Hwang DW, Lee JH, et al. Totally laparoscopic or robot-assisted pancreaticoduodenectomy versus open surgery for periampullary neoplasms：separate systematic reviews and meta-analyses. Surg Endosc 2017；31：3459-3474.

7) Podda M, Gerardi C, Di Saverio S, Marino MV, Davies RJ, Pellino G, et al. Robotic-assisted versus open pancreaticoduodenectomy for patients with benign and malignant periampullary disease：a systematic review and meta-analysis of short-term outcomes. Surg Endosc 2020；34：2390-2409.

8) Yan Q, Xu LB, Ren ZF, Liu C. Robotic versus open pancreaticoduodenectomy：a meta-analysis of short-term outcomes. Surg Endosc 2020；34：501-509.

9) Kamarajah SK, Bundred JR, Marc OS, Jiao LR, Hilal MA, Manas DM, et al. A systematic review and network meta-analysis of different surgical approaches for pancreaticoduodenectomy. HPB（Oxford）2020；22：329-339.

10) Wang K, Dong SS, Zhang W, Ni YY, Xie F, Wang JC, et al. Surgical methods influence on the risk of anastomotic fistula after pancreaticoduodenectomy：a systematic review and network meta-analysis. Surg Endosc 2023；37：3380-3397.

11) Kamarajah SK, Gujjuri R, Bundred JR, Hilal MA, White SA. Long-term survival after minimally invasive resection versus open pancreaticoduodenectomy for periampullary cancers：a systematic review, meta-analysis and meta-regression. HPB（Oxford）2021；23：197-205.

12) Chen K, Liu XL, Pan Y, Maher H, Wang XF. Expanding laparoscopic pancreaticoduodenectomy to pancreatic-head and periampullary malignancy：major findings based on systematic review and meta-analysis. BMC Gastroenterol 2018；18：102.

13) Yin T, Qin T, Wei K, Shen M, Zhang Z, Wen J, et al. Comparison of safety and effectiveness between laparoscopic and open pancreatoduodenectomy：a systematic review and meta-analysis. Int J Surg 2022；105：106799.

14) Kim SH, Lee B, Hwang HK, Lee JS, Han HS, Lee WJ, et al. Comparison of postoperative complications and long-term oncological outcomes in minimally invasive versus open pancreatoduodenectomy for distal cholangiocarcinoma：a propensity score-matched analysis. J Hepatobiliary Pancreat Sci 2022；29：329-337.

15) Xu S, Zhang XP, Zhao GD, Zou WB, Zhao ZM, Hu MG, et al. Robotic versus open pancreaticoduodenectomy for distal cholangiocarcinoma：a multicenter propensity score-matched study. Surg Endosc 2022；36：8237-8248.

CQ17 深達度 T2 までの胆嚢癌に対する低侵襲手術（腹腔鏡下 / ロボット支援下）は推奨されるか？

深達度 T2 までの胆嚢癌に対する低侵襲手術（腹腔鏡下 / ロボット支援下）は胆道癌に対する手術，および腹部の低侵襲手術いずれの経験も豊富な施設で行うことを提案する。
推奨度 2（レベル B）

解説

近年，消化器外科領域では腹腔鏡下手術に加え，ロボット支援下手術が広く普及し，肝胆道領域でも低侵襲手術の需要が高まっている。なかでも，腹腔鏡下胆嚢摘出術は低侵襲手術の先駆けとして胆嚢結石症に対して広く普及してきた。しかし，胆嚢癌に対する低侵襲手術は，開腹手術に比べて出血量や在院日数が少ない可能性があるものの，癌の不完全な切除，胆汁漏出による腹膜再発，port site recurrence，リンパ節郭清の正確性などの問題から適応について一定の見解を得ていない[1]。そのため胆道癌診療ガイドライン第3版のCQ27「胆嚢癌を疑う症例には腹腔鏡下手術ではなく開腹手術を行うべきか？」では「原則として開腹手術を行うことを提案する。推奨度 2（レベル C）」とされた。日本では 2022 年 4 月に「腹腔鏡下胆嚢悪性腫瘍手術（胆嚢床切除を伴うもの）」が保険収載されたことを踏まえ，第3版での文献検索以降にあたる 2017 年 5 月以降のレビューを行ったところ胆嚢癌に対する腹腔鏡下手術のメタアナリシスが 5 件[2~6]，ロボット支援下手術のシステマティックレビューが 1 件[7]，腹腔鏡下手術とロボット支援下手術をあわせたシステマティックレビューが 1 件[8]で，無作為化比較試験は 0 件であった。

Zhang ら[9] の T2 胆嚢癌に対する腹腔鏡下手術と開腹手術を比較したメタアナリシスでは，術後 3 年および 5 年の全生存率および無再発生存率は同等，輸血量，合併症，リンパ節郭清個数も 2 群間で有意差を認めず，手術時間，出血量，術後在院日数の点で腹腔鏡下手術は開腹手術より優れていると報告している。Ahmed ら[6] の T1 から T3 胆嚢癌に対する腹腔鏡下手術と開腹手術を比較したメタアナリシスでは，全生存および無再発生存率，30 日死亡率，再発率，術中胆嚢損傷，手術時間，術後補助療法，輸血量で有意差がなかった。リンパ節郭清個数については腹腔鏡下手術と比し開腹手術の方が有意に多かったが，術後合併症，R0 切除率，術中出血量，ドレーン抜去時期，経口摂取回復に要した時間（diet recovery time），在院日数，90 日死亡率の点で，腹腔鏡下手術は開腹手術より優れていると報告している。一方，Karjol ら[4] は 2 群間で再発率，手術時間，出血量，リンパ節郭清個数，術後合併症に有意差はないものの，腹腔鏡下手術と比較し開腹手術の 5 年生存率が有意に良好（45.8% vs. 36.1%，オッズ比：1.45，95% CI：1.12-1.88）と報告している。その他の複数の研究で，胆嚢癌に対する腹腔鏡下手術は，開腹手術と比較し，術中出血量の減少，術後経口摂取の回復度，入院期間の短縮などの短期アウトカムの改善に寄与していた。さらに，罹患率や死亡率，R0 切除率，採取リンパ節数，5 年無再発生存率，5 年全生存率についても，腹腔鏡下手術と開腹手術の間に差はなく，手術の安全性と正確性も保証されていたと報告されている[10~16]。

胆嚢癌に対するロボット支援下手術の Jiayi ら[7] のシステマティックレビューでは，ロボット支援下手術を受けた 74 名のうち 4 名（5.4%）が術中胆嚢穿孔や肝外胆管切除などのため開腹移行となり，5 名（6.8%）で術後合併症が生じ，在院死亡はゼロであった。R0 切除率は 96.8% で，平均観察期間 12 ヵ月において 2 年生存率は 60.5～100% と報告された。Tschuor ら[17] は，胆嚢癌に対しロボット支援下手術を行った 20 名と，ヒストリカルコントロールとして開腹手術 23 名を比較し，出血量と術後在院日数がロボット支援下手術で有意に少なかったが，両群で手術時間，30 日重症合併症率および再入院率，リンパ節郭清個数に明らかな差を認めなかった。Byun ら[18] は，13 名の T2 以上の進行胆嚢癌患者にロボット支援下による extended cholecystectomy と regional lymphadenectomy を施行し，1：3 の propensity score matching で 39 名の開腹

手術患者の手術成績と比較して，両群で手術時間，出血量，術後合併症，リンパ節郭清個数は同等であるが，術後在院日数や疼痛はロボット支援下手術が有意に優れており，早期回復の観点から有用であると報告している。Goel ら[19] も 27 名の胆囊癌患者に対するロボット支援下手術と 70 名のマッチさせた開腹手術を後ろ向きに比較し，出血量，術後在院日数，術後合併症はロボット支援下手術で有意に少なく，リンパ節郭清個数は両群で同等であることからロボット支援下手術は安全で有用と結論づけている。現状では報告された患者数は少なく，長期予後に関するデータはほとんどない点に留意する必要がある。

　本邦からの多施設共同後方視的研究[20] では 2000〜2020 年の間に実施された 129 名の胆囊癌疑い患者に対する腹腔鏡下手術（胆囊床切除 114 名，S4b＋5 切除 15 名）の検討が行われた。リンパ節郭清は 61 名（54%），肝外胆管切除は 3 名（3%）で併施され，手術時間（中央値）269 分，出血量（中央値）30 mL，用手補助および開腹 conversion 率 8%，術後合併症率 2% と短期成績は許容範囲内であることが示された。最終病理診断では全体の 82 名（64%）が胆囊癌と確定し，Tis/T1a/T1b/T2 あわせて 69 名（84%），N0 が 73 名（89%）と比較的早期の病変が主体で，胆囊頸部の病変は 8 名（10%）に留まった。R1 切除は 3 名（4%）で認め，うち 2 名が肝切離面（術式は胆囊床切除 1，S4b＋5 切除 1）で 1 名が遠位胆管断端（術式は胆囊床切除＋肝外胆管切除）であった。また 5 年全生存率および無再発生存率はそれぞれ 79%，87% と良好だった。再発は全て T2 以上だった 9 名（11%）に認め，部位は肝臓 6，リンパ節 3，局所 1 であり port site 再発または腹膜播種は認めなかった。以上から，腹腔鏡下手術は胆囊癌が疑われる患者に対して安全に施行可能であり，腫瘍学的な成績も満足される結果だったことから治療選択肢の 1 つになりうると報告している。この報告に基づき 2022 年 4 月より「腹腔鏡下胆囊悪性腫瘍手術（胆囊床切除を伴うもの）」が保険収載された。一方で本研究は胆道癌および腹部の低侵襲手術に習熟した専門施設において長期にわたって集積された患者の後方視的な解析であり，強い患者選択バイアスがあること，術前画像診断の正診率は高くないことから術中の良悪性の鑑別や進行度の診断も含めて腹腔鏡下手術の適応や術式の選択についても施設判断に委ねられていたことは大きな limitation である。無作為化比較試験は現実的には困難であり，今後は標準化に向けて多施設共同で前方視的に胆囊癌に対する低侵襲手術を受けた患者を集積する研究が望まれる。なお本邦では本ガイドライン公表時点でロボット支援下胆囊悪性腫瘍手術は保険収載されていない。

　以上から，腹腔鏡下あるいはロボット支援下による胆囊癌手術は，短期成績においていくつかの点で開腹手術よりも優れ，また癌の根治性の観点からもおおむね妥当である可能性が高い。しかし本邦を含めいずれも低侵襲手術に精通した施設からの報告であり，適応や術式の標準化に向けて様々な課題が残されていること，さらにロボット支援下手術に特化したメタアナリシスは存在せず長期成績は不明であることを考慮する。

委員会投票結果

行うことを 強く推奨する	行うことを 弱く推奨する	行わないことを 弱く推奨する	行わないことを 強く推奨する	推奨なし
0%（21 名中 0 名）	90%（21 名中 19 名）	5%（21 名中 1 名）	0%（21 名中 0 名）	5%（21 名中 1 名）

棄権者：0 名

引用文献

1）日本肝胆膵外科学会，胆道癌診療ガイドライン作成出版委員会．エビデンスに基づいた胆道癌診療ガイドライン改訂第 3 版．医学図書出版，東京，2019.
2）Nakanishi H, Miangul S, Oluwaremi TT, Sim BL, Hong SS, Than CA. Open versus laparoscopic surgery in the

management of patients with gallbladder cancer : a systematic review and meta-analysis. Am J Surg 2022 ; 224 : 348-357.

3) Lv TR, Yang C, Regmi P, Ma WJ, Hu HJ, Liu F, et al. The role of laparoscopic surgery in the surgical management of gallbladder carcinoma : a systematic review and meta-analysis. Asian J Surg 2021 ; 44 : 1493-1502.

4) Karjol U, Jonnada P, Anwar AZ, Chandranath A, Cheruku S. A systemic review and meta-analysis of laparoscopic surgery versus open surgery for gallbladder cancer. Indian J Surg Oncol 2024 ; 15 : 218-225.

5) Feng X, Cao JS, Chen MY, Zhang B, Juengpanich S, Hu JH, et al. Laparoscopic surgery for early gallbladder carcinoma : a systematic review and meta-analysis. World J Clin Cases 2020 ; 8 : 1074-1086.

6) Ahmed SH, Usmani SUR, Mushtaq R, Samad S, Abid M, Moeed A, et al. Role of laparoscopic surgery in the management of gallbladder cancer : systematic review & meta-analysis. Am J Surg 2023 ; 225 : 975-987.

7) Jiayi W, Shelat VG. Robot-assisted radical cholecystectomy for gallbladder cancer : a review. J Clin Transl Res 2022 ; 8 : 103-109.

8) Liu F, Wu ZR, Hu HJ, Jin YW, Ma WJ, Wang JK, et al. Current status and future perspectives of minimally invasive surgery in gallbladder carcinoma. ANZ J Surg 2021 ; 91 : 264-268.

9) Zhang W, Ouyang DL, Che X. Short- and long-term outcomes of laparoscopic vs open surgery for T2 gallbladder cancer : a systematic review and meta-analysis. World J Gastrointest Surg 2022 ; 14 : 1387-1396.

10) Vega EA, De Aretxabala X, Qiao W, Newhook TE, Okuno M, Castillo F, et al. Comparison of oncological outcomes after open and laparoscopic re-resection of incidental gallbladder cancer. Br J Surg 2020 ; 107 : 289-300.

11) Dou C, Zhang C, Zhang C, Liu J. Propensity score analysis of outcomes following laparoscopic or open radical resection for gallbladder cancer in T2 and T3 stages. J Gastrointest Surg 2022 ; 26 : 1416-1424.

12) Navarro JG, Kang I, Hwang HK, Yoon DS, Lee WJ, Kang CM. Oncologic safety of laparoscopic radical cholecystectomy in pT2 gallbladder cancer : a propensity score matching analysis compared to open approach. Medicine (Baltimore) 2020 ; 99 : e20039.

13) Jang JY, Han HS, Yoon YS, Cho JY, Choi Y. Retrospective comparison of outcomes of laparoscopic and open surgery for T2 gallbladder cancer - thirteen-year experience. Surg Oncol 2019 ; 29 : 142-147.

14) Feng JW, Yang XH, Liu CW, Wu BQ, Sun DL, Chen XM, et al. Comparison of laparoscopic and open approach in treating gallbladder cancer. J Surg Res 2019 ; 234 : 269-276.

15) Nag HH, Sachan A, Nekarakanti PK. Laparoscopic versus open extended cholecystectomy with bi-segmentectomy (s4b and s5) in patients with gallbladder cancer. J Minim Access Surg 2021 ; 17 : 21-27.

16) Cho JK, Kim JR, Jang JY, Kim HG, Kim JM, Kwag SJ, et al. Comparison of the oncological outcomes of open versus laparoscopic surgery for T2 gallbladder cancer : a propensity-score-matched analysis. J Clin Med 2022 ; 11 : 2644.

17) Tschuor C, Pickens RC, Isenberg EE, Motz BM, Salibi PN, Robinson JN, et al. Robotic resection of gallbladder cancer : a single-center retrospective comparative study to open resection. Am Surg 2023 ; 89 : 888-896.

18) Byun Y, Choi YJ, Kang JS, Han Y, Kim H, Kwon W, et al. Early outcomes of robotic extended cholecystectomy for the treatment of gallbladder cancer. J Hepatobiliary Pancreat Sci 2020 ; 27 : 324-330.

19) Goel M, Khobragade K, Patkar S, Kanetkar A, Kurunkar S. Robotic surgery for gallbladder cancer : operative technique and early outcomes. J Surg Oncol 2019 ; 119 : 958-963.

20) Minagawa T, Itano O, Hasegawa S, Wada H, Abe Y, Kitago M, et al. Short- and long-term outcomes of laparoscopic radical gallbladder resection for gallbladder carcinoma : a multi-institutional retrospective study in Japan. J Hepatobiliary Pancreat Sci 2023 ; 30 : 1046-1054.

FRQ4　肝門部領域胆管癌に対する低侵襲（腹腔鏡下 / ロボット支援下）手術は有用か？

肝門部領域胆管癌に対する低侵襲（腹腔鏡下 / ロボット支援下）手術は現時点では有用性に関する根拠が不十分である。

解説

消化器外科領域においては，腹腔鏡下手術あるいはロボット支援下手術といった MIS が増加傾向にある。しかし，肝門部領域胆管癌に対する外科治療においては，片葉以上の大量肝切除，肝十二指腸間膜のリンパ節郭清，および複数の細径胆管を再建する技術的困難性に加えて，癌遺残のない切除のために病巣と周囲臓器の剝離が可能かを術中所見に基づいて的確に判断する必要があることなどから，MIS の適応についてはいまだ明らかではない。

2010 年頃から海外を中心に肝門部領域胆管癌に対する腹腔鏡下手術[1] あるいはロボット支援下手術[2] の報告が散見されるが，現在までに前向き研究や RCT は認められず，単施設あるいは多施設の後ろ向き研究，もしくはシステマティックレビューがあるのみである。多施設での腹腔鏡下手術の検討として，Wang ら[3] は 256 例の腹腔鏡下手術と 389 例の開腹手術とを比較して，腹腔鏡下手術では肝管空腸吻合数が少なく，胆管形成を要する症例も少なく，術後在院期間が短かったが，出血，胆汁漏，腹腔内膿瘍，肝不全といった重篤な術後合併症には有意差を認めなかったとしている。一方で，propensity score matching により症例の背景を揃えて検討すると，術後在院期間の短縮のみが有意差を示し，その他の因子には有意差を認めなかったとしている。ロボット支援下手術の検討として，Xu ら[4] は導入初期の 10 例のロボット支援下手術を 32 例の開腹手術と比較し，ロボット支援下手術は，手術時間が長く，術後合併症率が高率で，高コストになったことを報告している。

Berardi ら[5] は 18 論文の MIS 372 例（腹腔鏡 310 例，ロボット支援下手術 62 例）のレビューにおいて，腹腔鏡下手術の手術時間 205～610 分，出血量 101.1～1,360mL，開腹移行率 1.9%，血管合併切除率 9.9%，術後在院期間 9～16 日，R0 率 82.4%，major complication 12.7%，死亡率 6.4% と報告している。また，長期成績に言及している論文では，1 年，2 年全生存率はそれぞれ 62.5～91.6%，25.0～52.1% であり，1 編のみであるが，3 年無再発生存 47% と報告している[6]。一方，ロボット支援下手術では，手術時間 276～840 分，出血量 150～1,360mL，開腹移行率 11.6%，血管合併切除例は認めず，術後在院期間 5.9～36.2 日，R0 率 72.6%，major complication 12.9%，死亡率 1.6% と報告している。長期成績は無再発生存期間中央値 15.5 ヵ月とする報告[4] や観察期間 8.45 ヵ月で無再発生存 75%，全生存 100% とする報告[7] を認めている。このように，肝門部領域胆管癌に対する MIS は手術成績，安全性の面からは妥当とする報告がレビューされているが，益と害の評価をする際には，対象症例の術式に言及していない論文や胆管切除や肝区域切除など肝門部領域胆管癌には術式がそぐわない症例も含まれている論文があり，その上で腹腔鏡下手術の死亡率 6.4% という海外からの報告は高率と考えられる。また，予後について言及している論文数も限られ，発表されている MIS の手術成績にはラーニングカーブ半ばの成績であるとの指摘もあり[8]，長期成績は現時点では明らかとはいえない。

患者・市民の価値観からみると，患者がより低侵襲な治療を望む可能性は高いと考えられるが，肝門部領域胆管癌に対する MIS に関する報告は，MIS 手術に熟達した HVC からの後方視的研究であること，患者選択を行った上での成績であることを考慮する。費用対効果からみても，現時点では，本邦では肝門部領域胆管癌に対する腹腔鏡下手術，ロボット支援下手術ともに保険適用ではない。

肝門部領域胆管癌においては，開腹でも手術リスクが高い現状であり，海外からの報告においても鏡視下手術の死亡率はいまだ高いと考えられる。したがって，本邦における過去の医療過誤の問題などの社会的影響を

鑑みると，施設基準設定や事前登録制などの前向き評価と情報公開が望ましく，ガイドラインで推奨するには時期尚早と考える。今後は大規模な前向き研究により，肝門部領域胆管癌に対する MIS の短期成績，長期成績が明らかにされることが期待される。

引用文献

1) Yu H, Wu SD, Chen DX, Zhu G. Laparoscopic resection of Bismuth type Ⅰ and Ⅱ hilar cholangiocarcinoma：an audit of 14 cases from two institutions. Dig Surg 2011；28：44-49.

2) Giulianotti PC, Sbrana F, Bianco FM, Addeo P. Robot-assisted laparoscopic extended right hepatectomy with biliary reconstruction. J Laparoendosc Adv Surg Tech A 2010；20：159-163.

3) Wang M, Qin T, Zhang H, Li J, Deng X, Zhang Y, et al. Laparoscopic versus open surgery for perihilar cholangiocarcinoma：a multicenter propensity score analysis of short- term outcomes. BMC Cancer 2023；23：394.

4) Xu Y, Wang H, Ji W, Tang M, Li H, Leng J, et al. Robotic radical resection for hilar cholangiocarcinoma：perioperative and long-term outcomes of an initial series. Surg Endosc 2016；30：3060-3070.

5) Berardi G, Lucarini A, Colasanti M, Mariano G, Ferretti S, Meniconi RL, et al. Minimally invasive surgery for perihilar cholangiocarcinoma：a systematic review of the short- and long-term results. Cancers（Basel）2023；15：3048.

6) Li J, Xiong Y, Yang G, Zhang L, Riaz M, Xu J, et al. Complete laparoscopic radical resection of hilar cholangiocarcinoma：technical aspects and long-term results from a single center. Wideochir Inne Tech Maloinwazyjne 2021；16：62-75.

7) Cillo U, D'Amico FE, Furlanetto A, Perin L, Gringeri E. Robotic hepatectomy and biliary reconstruction for perihilar cholangiocarcinoma：a pioneer western case series. Updates Surg 2021；73：999-1006.

8) Jingdong L, Yongfu X, Yang G, Jian X, Xujian H, Jianhua L, et al. Minimally invasive surgery for hilar cholangiocarcinoma：a multicenter retrospective analysis of 158 patients. Surg Endosc 2021；35：6612-6622.

BQ16 肝外胆管に直接浸潤のない胆嚢癌に肝外胆管切除を行うか？

原則として肝外胆管切除は行わない。

解説

　肝外胆管に直接浸潤のない胆嚢癌に対し，肝外胆管切除が必要であるとするこれまでの報告では，その根拠として胆嚢癌が胆管周囲のリンパ管を介して進展すること，非連続な肝十二指腸間膜内の腫瘍進展があることなどをあげ[1,2]，リンパ節転移陽性例[2,3]，胆嚢頸部に病変が存在する症例[4,5]，神経周囲浸潤を伴う症例[5] などでも予防的肝外胆管切除を考慮するべきといった意見があった。

　しかし，実際の予後解析では，本邦の胆道癌登録を用いた胆嚢癌症例の後方視的検討において，単変量解析では肝外胆管切除群は胆管非切除群と比較して予後は良好であったものの，多変量解析により示された予後因子は神経周囲浸潤のみであり，肝外胆管切除は有意な予後因子とされなかった[6]。また，大規模な多施設共同の後ろ向き試験でも，肝外胆管に直接浸潤のない胆嚢癌の予後解析において，肝外胆管切除の有無は予後に有意な差を与えなかった[7]。同様に，いくつかの単施設での後ろ向きの検討においても，肝外胆管に直接浸潤のない胆嚢癌に対する肝外胆管切除は，生存率に統計学的な有意差をもたらさなかった[8~11]。その一方で，遠隔転移を伴わない T2 胆嚢癌 1,609 例を対象とした最新の全国胆道癌登録を用いた報告によると，肝外胆管切除による疾患特異的生存率の改善効果はこれまでの報告と同様に認められなかったが，N1 症例に限定したサブグループ解析では有意な予後の改善が認められた[12]。ただし，同研究でも肝外胆管切除により術後合併症が有意に高率となることは指摘されている。

　肝外胆管に直接浸潤のない胆嚢癌に対する肝外胆管切除は，risk and benefit の観点からは胆道再建に伴う縫合不全・胆管炎や，吻合部狭窄などの合併症の risk があることから，胆管切除を行わなかった症例と比較して benefit が risk を上回ることはないと考えられる。癌の根治が見込まれる患者において，術後 QOL を良好に維持するという観点からも，根治性と術後 QOL の維持を両立する手術治療の提供が求められる。医療費の側面からは，肝外胆管切除それ自体のコストもさることながら，術後合併症が発生した場合の費用負担の増大も見込まれる。

　以上より，リンパ節転移陽性 T2 胆嚢癌などの限られた症例に対しては肝外胆管切除に意義が認められるが，一方で肝外胆管切除により術後合併症率が高くなることも明らかであり，肝外胆管に直接浸潤のない胆嚢癌に対しては一律には肝外胆管切除を行わない。

引用文献

1) Tsukada K, Hatakeyama K, Kurosaki I, Uchida K, Shirai Y, Muto T, et al. Outcome of radical surgery for carcinoma of the gallbladder according to the TNM stage. Surgery 1996；120：816-821.
2) Shimizu Y, Ohtsuka M, Ito H, Kimura F, Shimizu H, Togawa A, et al. Should the extrahepatic bile duct be resected for locally advanced gallbladder cancer? Surgery 2004；136：1012-1017.
3) Kokudo N, Makuuchi M, Natori T, Sakamoto Y, Yamamoto J, Seki M, et al. Strategies for surgical treatment of gallbladder carcinoma based on information available before resection. Arch Surg 2003；138：741-750.
4) Suzuki S, Yokoi Y, Kurachi K, Inaba K, Ota S, Azuma M, et al. Appraisal of surgical treatment for pT2 gallbladder carcinomas. World J Surg 2004；28：160-165.
5) Sakamoto Y, Kosuge T, Shimada K, Sano T, Hibi T, Yamamoto J, et al. Clinical significance of extrahepatic bile duct resection for advanced gallbladder cancer. J Surg Oncol 2006；94：298-306.

6) Horiguchi A, Miyakawa S, Ishihara S, Miyazaki M, Ohtsuka M, Shimizu H, et al. Gallbladder bed resection or hepatectomy of segments 4a and 5 for pT2 gallbladder carcinoma : analysis of Japanese registration cases by the study group for biliary surgery of the Japanese Society of Hepato-Biliary-Pancreatic Surgery. J Hepatobiliary Pancreat Sci 2013 ; 20 : 518-524.

7) Araida T, Higuchi R, Hamano M, Kodera Y, Takeshita N, Ota T, et al. Should the extrahepatic bile duct be resected or preserved in R0 radical surgery for advanced gallbladder carcinoma? Results of a Japanese Society of Biliary Surgery Survey : a multicenter study. Surg Today 2009 ; 39 : 770-779.

8) Choi SB, Han HJ, Kim WB, Song TJ, Suh SO, Choi SY. Surgical strategy for T2 and T3 gallbladder cancer : is extrahepatic bile duct resection always necessary? Langenbecks Arch Surg 2013 ; 398 : 1137-1144.

9) Higuchi R, Ota T, Araida T, Kajiyama H, Yazawa T, Furukawa T, et al. Surgical approaches to advanced gallbladder cancer : a 40-year single-institution study of prognostic factors and resectability. Ann Surg Oncol 2014 ; 21 : 4308-4316.

10) Ha TY, Yoon YI, Hwang S, Park YJ, Kang SH, Jung BH, et al. Effect of reoperation on long-term outcome of pT1b/T2 gallbladder carcinoma after initial laparoscopic cholecystectomy. J Gastrointest Surg 2015 ; 19 : 298-305.

11) Igami T, Ebata T, Yokoyama Y, Sugawara G, Mizuno T, Yamaguchi J, et al. Combined extrahepatic bile duct resection for locally advanced gallbladder carcinoma : does it work? World J Surg 2015 ; 39 : 1810-1817.

12) Kato H, Horiguchi A, Ishihara S, Nakamura M, Endo I. Clinical significance of extrahepatic bile duct resection for T2 gallbladder cancer using data from the Japanese Biliary Tract Cancer Registry between 2014 and 2018. J Hepatobiliary Pancreat Sci 2023 ; 30 : 1316-1323.

BQ17 肝浸潤を疑う胆嚢癌にはどのような肝切除を施行するか？

十分な surgical margin を確保した胆嚢床切除を行う。

解説

　肝浸潤を疑う胆嚢癌に対する系統的肝 S4b + S5 切除は，胆嚢静脈が P4b + P5 を中心に還流することを根拠として，微小転移を含めて十分な surgical margin を確保するための術式である[1,2]。しかし，胆嚢癌の胆嚢静脈浸潤の頻度は 0～10% との報告もあり[3]，浸潤経路も肝側進展は胆嚢床からの直接浸潤，あるいは Glisson 鞘浸潤を経由するとの報告もある[4]。また，T2b 胆嚢癌では胆嚢床から 2～5 cm の胆嚢静脈中に腫瘍細胞が確認されるとの報告もある[5]。Wang ら[6] の報告では，T2b 胆嚢癌に対する S4b + S5 切除と胆嚢床切除の比較が行われ，累積生存解析では短期成績は胆嚢床切除が良好であったが，経年的に胆嚢床切除の生存率が低下し 3 年生存率は S4b + S5 切除の方が良好であった。短期成績には手術の侵襲度や合併症が影響するが，長期成績には切除範囲に微小転移が含まれるかが影響するものと考察されている。その他にも，S4b/S5 への微小転移を含めて病変を切除するという点で S4b + S5 切除を支持する報告がある。de Savornin Lohman ら[7] による胆嚢癌切除症例の研究でも年齢，腫瘍の grade，静脈浸潤の有無，resection margin が予後予測因子として報告されており（R1：HR 1.67, 95 % CI = 1.24-2.25, Rx：HR 1.91, 95 % CI = 1.29-2.80），術式選択の要となる。また，T2 胆嚢癌に対する S4b + S5 切除と胆嚢床切除の有効性を検討した本邦の胆道癌登録データを用いた後ろ向き研究[8] では，5 年全生存率，再発様式に有意差はないとの結果であった。これらの結果から，胆道癌診療ガイドライン第 3 版では「十分な surgical margin を確保した胆嚢床切除を行うことを提案する。推奨度 2（レベル C）」とされた。

　今回，第 3 版での文献検索以降にあたる 2017 年 5 月以降のレビューを行ったところ，前向き研究や RCT は行われておらず，単施設もしくは多施設の後ろ向き研究およびシステマティックレビューに限られていた。T2 胆嚢癌に対する S4b + S5 切除（n = 627）と胆嚢床切除（n = 1,459）の治療成績を比較した Chen らのメタアナリシス[9] では，1 年無病生存率は S4b + S5 切除群が良好であったが（RR = 1.07, 95 % CI = 1.02-1.13，P = 0.007），3 年患者生存率は S4b + S5 切除群が不良（RR = 0.90, 95% CI = 0.82-0.99，P = 0.03），5 年患者生存率は両群で同等であった。術後合併症リスクは S4b + S5 切除群で高かった（RR = 1.90, 95% CI = 1.00-3.60，P = 0.05）。以上から T2 胆嚢癌に対する S4b + S5 切除が胆嚢床切除と比し腫瘍学的に有利な可能性はあるが，術後合併症率が高いことから患者の状態や外科医の技量を勘案して術式選択する，と結論づけた。一方，T2/T3 胆嚢癌に対する S4b + S5 切除（n = 649）と胆嚢床切除（n = 1,146）の治療成績を比較した Matsui ら[10] のメタアナリシスで，術後合併症については胆嚢床切除が S4b + S5 切除よりも有意に低かったが（OR = 0.40, 95% CI = 0.26-0.60，P < 0.001），5 年患者生存率・5 年無病生存率・肝転移については両群で有意差を認めなかった。Kwon ら[11] による韓国，日本，チリ，米国 14 施設の T2 胆嚢癌 937 件を集積した国際共同研究でも，S4b + 5 切除（n = 257）と胆嚢床切除（n = 432）の 5 年無再発生存率は同等であった（71.5% vs. 74.1%，P = 0.72）。インドの Nag ら[12] による matched case-control study では，T2/T3 胆嚢癌に対する S4b + S5 切除と胆嚢床切除を各群 35 例で 1：1 で比較したところ，S4b + S5 切除が胆嚢床切除と比し術中出血量とすべての術後合併症，および胆汁漏が有意に少なかったものの，患者生存率および無再発生存率いずれも両群間で有意差を認めなかった。なお，今回レビューの対象となった文献を参照する限りは，S4b + S5 切除と比較して胆嚢床切除の実施数が多い傾向であった。

　肝浸潤を疑う胆嚢癌に対する肝切除については，S4b + S5 切除が胆嚢床切除よりも安全性と腫瘍根治性の両面で優れる根拠は乏しいことから，胆嚢床切除を選択する害が益を上回るとは言えず，微小転移を含めた十

分な surgical margin を確保することを前提に，胆嚢床切除を施行する。

引用文献

1）Sugita M, Ryu M, Satake M, Kinoshita T, Konishi M, Inoue K, et al. Intrahepatic inflow areas of the drainage vein of the gallbladder：analysis by angio-CT. Surgery 2000；128：417-421.

2）Suzuki M, Yamamoto K, Unno M, Katayose Y, Endo K, Oikawa M, et al. Detection of perfusion areas of the gallbladder vein on computed tomography during arterial portography（CTAP）--the background for dual S4a. S5 hepatic subsegmentectomy in advanced gallbladder carcinoma. Hepatogastroenterology 2000；47：631-635.

3）Lee H, Choi DW, Park JY, Youn S, Kwon W, Heo JS, et al. Surgical strategy for T2 gallbladder cancer according to tumor location. Ann Surg Oncol 2015；22：2779-2786.

4）Wakai T, Shirai Y, Sakata J, Nagahashi M, Ajioka Y, Hatakeyama K. Mode of hepatic spread from gallbladder carcinoma：an immunohistochemical analysis of 42 hepatectomized specimens. Am J Surg Pathol 2010；34：65-74.

5）Shindoh J, de Aretxabala X, Aloia TA, Roa JC, Roa I, Zimmitti G, et al. Tumor location is a strong predictor of tumor progression and survival in T2 gallbladder cancer：an international multicenter study. Ann Surg 2015；261：733-739.

6）Wang Z, Liu H, Huang Y, Wang J, Li J, Liu L, et al. Comparative analysis of postoperative curative effect of liver wedge resection and liver IVb + V segment resection in patients with T2b gallbladder cancer. Front Surg 2023；10：1139947.

7）de Savornin Lohman EAJ, de Bitter TJJ, Hannink G, Wietsma MFT, Vink-Borger E, Nagtegaal ID, et al. Development and external validation of a model to predict overall survival in patients with resected gallbladder cancer. Ann Surg 2023；277：e856-e863.

8）Horiguchi A, Miyakawa S, Ishihara S, Miyazaki M, Ohtsuka M, Shimizu H, et al. Gallbladder bed resection or hepatectomy of segments 4a and 5 for pT2 gallbladder carcinoma：analysis of Japanese registration cases by the study group for biliary surgery of the Japanese Society of Hepato-Biliary-Pancreatic Surgery. J Hepatobiliary Pancreat Sci 2013；20：518-524.

9）Chen Z, Yu J, Cao J, Lin C, Hu J, Zhang B, et al. Wedge resection versus segment IVb and V resection of the liver for T2 gallbladder cancer：a systematic review and meta-analysis. Front Oncol 2023；13：1186378.

10）Matsui S, Tanioka T, Nakajima K, Saito T, Kato S, Tomii C, et al. Surgical and oncological outcomes of wedge resection versus segment 4b + 5 resection for T2 and T3 gallbladder cancer：a meta-analysis. J Gastrointest Surg 2023；27：1954-1962.

11）Kwon W, Kim H, Han Y, Hwang YJ, Kim SG, Kwon HJ, et al. Role of tumour location and surgical extent on prognosis in T2 gallbladder cancer：an international multicentre study. Br J Surg 2020；107：1334-1343.

12）Nag HH, Nekarakanti PK, Sachan A, Nabi P, Tyagi S. Bi-segmentectomy versus wedge hepatic resection in extended cholecystectomy for T2 and T3 gallbladder cancer：a matched case-control study. Ann Hepatobiliary Pancreat Surg 2021；25：485-491.

BQ18 胆嚢摘出後深達度 ss 以上の胆嚢癌が判明した場合に追加切除を行うか？

一期的ないし二期的に追加根治術を行う。

解説

　胆嚢結石症などの良性胆嚢疾患の診断のもとに胆嚢摘出術が行われ，その後の病理組織学的検索で初めて胆嚢癌と診断される偶発胆嚢癌の頻度は 0.11〜2.5% と報告されている[1]。急性胆嚢炎や緊急手術例では胆嚢癌の頻度が上がるとの報告もあり，胆嚢摘出時には偶発癌を念頭に置く必要がある[2,3]。

　胆嚢摘出術後の病理組織学的検索で深達度が m（T1a）にとどまる症例では追加切除は不要である。深達度 mp（T1b）症例では依然議論の余地があり，単純胆嚢摘出術を推奨する報告[4]がある一方で，NCCN ガイドラインでは追加切除を推奨している。追加切除を不要とするためには標本を全割し，詳細に病理組織学的検索を行い ss（T2）病変の存在を否定することが望ましい[5]。

　深達度が ss（T2）以上の症例に対しては，追加切除を考慮すべきである。ss に浸潤した pT2 胆嚢癌においては，脈管侵襲，神経周囲浸潤，リンパ節転移を高率に認めると報告されている[6,7]。pT2，pT3 症例を対象とした後ろ向き研究では，追加切除がなされた群では，追加切除なしの単純胆嚢摘出群に比較して有意に予後良好であると報告されている[8〜10]。追加切除群と非追加切除群の成績は疾患特異的生存期間中央値が pT2 症例で 44.1 ヵ月 vs. 12.4 ヵ月（$P < 0.001$），pT3 症例で 23.0 ヵ月 vs. 9.7 ヵ月（$P = 0.001$）[8]，全生存期間中央値も T2 症例で 60 ヵ月 vs. 18.1 ヵ月（$P < 0.001$），T3 症例で 23.1 ヵ月 vs. 12.1 ヵ月（$P < 0.015$）[9]であった。よって ss 以上の進行胆嚢癌では，進行度に応じた肝切除やリンパ節郭清を伴う根治的二期的切除を考慮する。

　偶発癌と診断された場合，追加切除の至適時期に一定の見解はないが，初回手術から 4〜14 週以内に行うのが良いとされている[11,12]。

　追加切除標本の 4 割前後に遺残した癌が認められるとされ[10,13〜18]，癌遺残症例はその遺残部位や R0 切除にかかわらず一様に予後不良であることが報告されている[14,15]。一方本邦からの報告では胆嚢床や胆嚢管断端のような局所の残存の場合は予後が良いとの報告[17]もある。

　胆嚢摘出術中の胆汁漏出は偶発胆嚢癌における予後不良因子として報告されている[19]。偶発胆嚢癌症例の29〜67% で術中胆汁漏出を認めており，注意が必要である[19〜21]。

　腹腔鏡下胆摘術後の偶発胆嚢癌では，術中胆汁漏出に起因する port site recurrence が問題となるが，従前に比べ近年では減少傾向であると報告されている[22]。追加切除の際には，ルーチンでポート刺入部の切除をするか否かに関しては，生存率の改善に貢献しないため推奨しないという報告がある[22,23]。一方で，追加切除の際に非治癒因子が存在せず，転移巣切除を実施することで長期生存が得られる症例が存在することが報告されていることに加え，手技も比較的容易であるのでポート刺入部切除を実施するとの報告もある[24]。

引用文献

1) Matsuyama R, Yabusita Y, Homma Y, Kumamoto T, Endo I. Essential updates 2019/2020：surgical treatment of gallbladder cancer. Ann Gastroenterol Surg 2021；5：152-161.
2) Fujiwara K, Masatsugu T, Abe A, Hirano T, Sada M. Preoperative diagnoses and identification rates of unexpected gallbladder cancer. PLoS One 2020；15：e0239178.
3) Figueiredo WR, Santos RR, de Paula MMDRC. Comparative incidence of incidental gallbladder cancer in emergency cholecystectomies versus in elective cholecystectomies. Rev Col Bras Cir 2020；46：e20192366.

4) Kim BH, Kim SH, Song IS, Chun GS. The appropriate surgical strategy for T1b gallbladder cancer incidentally diagnosed after a simple cholecystectomy. Ann Hepatobiliary Pancreat Surg 2019 ; 23 : 327-333.

5) Pehlivanoglu B, Akkas G, Memis B, Basturk O, Reid MD, Saka B, et al. Reappraisal of T1b gallbladder cancer（GBC）: clinicopathologic analysis of 473 in situ and invasive GBCs and critical review of the literature highlights its rarity, and that it has a very good prognosis. Virchows Arch 2023 ; 482 : 311-323.

6) Lee H, Choi DW, Park JY, Youn S, Kwon W, Heo JS, et al. Surgical strategy for T2 gallbladder cancer according to tumor location. Ann Surg Oncol 2015 ; 22 : 2779-2786.

7) Sakata J, Kobayashi T, Tajima Y, Ohashi T, Hirose Y, Takano K, et al. Relevance of dissection of the posterior superior pancreaticoduodenal lymph nodes in gallbladder carcinoma. Ann Surg Oncol 2017 ; 24 : 2474-2481.

8) Lundgren L, Muszynska C, Ros A, Persson G, Gimm O, Andersson B, et al. Management of incidental gallbladder cancer in a national cohort. Br J Surg 2019 ; 106 : 1216-1227.

9) Vega EA, Vinuela E, Okuno M, Joechle K, Sanhueza M, Diaz C, et al. Incidental versus non-incidental gallbladder cancer : index cholecystectomy before oncologic re-resection negatively impacts survival in T2b tumors. HPB（Oxford）2019 ; 21 : 1046-1056.

10) de Savornin Lohman EAJ, van der Geest LG, de Bitter TJJ, Nagtegaal ID, van Laarhoven CJHM, van den Boezem P, et al. Re-resection in incidental gallbladder cancer : survival and the incidence of residual disease. Ann Surg Oncol 2020 ; 27 : 1132-1142.

11) Ethun CG, Postlewait LM, Le N, Pawlik TM, Buettner S, Poultsides G, et al. Association of optimal time interval to re-resection for incidental gallbladder cancer with overall survival : a multi-institution analysis from the US extrahepatic biliary malignancy consortium. JAMA Surg 2017 ; 152 : 143-149.

12) Patkar S, Patel S, Gupta A, Ramaswamy A, Ostwal V, Goel M. Revision surgery for incidental gallbladder cancer-challenging the dogma : ideal timing and real-world applicability. Ann Surg Oncol 2021 ; 28 : 6758-6766.

13) Watson H, Dasari B, Wyatt J, Hidalgo E, Prasad R, Lodge P, et al. Does a second resection provide a survival benefit in patients diagnosed with incidental T1b/T2 gallbladder cancer following cholecystectomy? HPB（Oxford）2017 ; 19 : 104-107.

14) Vinuela E, Vega EA, Yamashita S, Sanhueza M, Mege R, Cavada G, et al. Incidental gallbladder cancer : residual cancer discovered at oncologic extended resection determines outcome : a report from high- and low-incidence countries. Ann Surg Oncol 2017 ; 24 : 2334-2343.

15) Ramos E, Lluis N, Llado L, Torras J, Busquets J, Rafecas A, et al. Prognostic value and risk stratification of residual disease in patients with incidental gallbladder cancer. World J Surg Oncol 2020 ; 18 : 18.

16) Gil L, de Aretxabala X, Lendoire J, Duek F, Hepp J, Imventarza O. Incidental gallbladder cancer : how residual disease affects outcome in two referral HPB centers from South America. World J Surg 2019 ; 43 : 214-220.

17) Ando T, Sakata J, Nomura T, Takano K, Takizawa K, Miura K, et al. Anatomic location of residual disease after initial cholecystectomy independently determines outcomes after re-resection for incidental gallbladder cancer. Langenbecks Arch Surg 2021 ; 406 : 1521-1532.

18) Vega EA, De Aretxabala X, Qiao W, Newhook TE, Okuno M, Castillo F, et al. Comparison of oncological outcomes after open and laparoscopic re-resection of incidental gallbladder cancer. Br J Surg 2020 ; 107 : 289-300.

19) Blakely AM, Wong P, Chu P, Warner SG, Raoof M, Singh G, et al. Intraoperative bile spillage is associated with worse survival in gallbladder adenocarcinoma. J Surg Oncol 2019 ; 120 : 603-610.

20) Matsuyama R, Matsuo K, Mori R, Sugita M, Yamaguchi N, Kubota T, et al. Incidental gallbladder cancer on cholecystectomy : strategy for re-resection of presumed benign diseases from a retrospective multicenter study by the Yokohama clinical oncology group. In Vivo 2021 ; 35 : 1217-1225.

21) Horkoff MJ, Ahmed Z, Xu Y, Sutherland FR, Dixon E, Ball CG, et al. Adverse outcomes after bile spillage in incidental gallbladder cancers : a population-based study. Ann Surg 2021 ; 273 : 139-144.

22) Berger-Richardson D, Chesney TR, Englesakis M, Govindarajan A, Cleary SP, Swallow CJ. Trends in port-site metastasis after laparoscopic resection of incidental gallbladder cancer : a systematic review. Surgery 2017 ; 161 : 618-627.

23) Ethun CG, Postlewait LM, Le N, Pawlik TM, Poultsides G, Tran T, et al. Routine port-site excision in incidentally discovered gallbladder cancer is not associated with improved survival : a multi-institution analysis from the US extrahepatic biliary malignancy consortium. J Surg Oncol 2017 ; 115 : 805-811.

24) 坂田　純, 廣瀬雄己, 三浦宏平, 滝沢一泰, 小林　隆, 若井俊文 . 胆囊癌に対する外科治療の up-to-date. 胆道 2018 ; 32 : 105-113.

CQ18　十二指腸乳頭部腫瘍に内視鏡的／外科的乳頭切除術は膵頭十二指腸切除術に比し推奨されるか？

十二指腸乳頭部腺腫には膵頭十二指腸切除術に比し，行うことを提案する。
推奨度2（レベル C）
十二指腸乳頭部癌には膵頭十二指腸切除術に比し，行わないことを提案する。
推奨度2（レベル C）
ただし，完全切除が見込まれる病変に対しては患者因子や併存疾患の状態により行うことを提案する。
推奨度2（レベル C）

解説

　局所的乳頭切除（以下，局所切除）には，EP と TDA が含まれる。1983 年に EP が，1989 年に TDA が初めて報告されてから約 40 年が経過し，症例集積が進み，胆道癌診療ガイドライン第 3 版発行以降，現在までに各国の HVC から 5〜30 年間にわたる治療成績が多数報告されている。それらは 2023 年 9 月時点で邦文 33 編，英文 73 編に達するが RCT および前向き研究はいずれも存在せず，retrospective な観察研究が主なものであった。（レベル C，D）

　なお，以下の解説では引用文献を含め，全て胆道癌取扱い規約第 7 版に従った記載とした。

　乳頭部腫瘍に対する局所切除の適応決定において重要なのは，根治性と安全性が担保されるか否かである。局所切除において切除可能な範囲は，EP では共通管・胆管・膵管を含む乳頭部であり，TDA でも同様であるが胆管・膵管が EP より深部まで切除可能[1,2]とされ，乳頭部に限局する腺腫や深達度が T1a までの癌で，かつリンパ節転移のない病変は局所切除による根治が期待できることになる。しかしながら，病変の良悪性診断の精度は報告により異なり，生検で良性と診断された切除検体の最終病理診断が実際に非癌であった率は，本邦で 48〜81.9%[3〜5]，諸外国で 60〜86.7%[6〜10]に留まる。逆に生検で良性とされた病変が最終病理診断で腺腫内癌，浸潤癌とされる頻度はそれぞれ 4.6〜13.3%，3.3〜48.3%[3〜5]であった。また，癌病変のリンパ節転移診断も容易ではなく，EUS による診断のメタアナリシスで感度・特異度はいずれも約 70% であったと報告されている[11]。深達度との関係では T1a（OD）以深でリンパ節転移頻度が有意に増加することが報告されている[1,12]が，深達度診断に用いられる EUS や IDUS などの機器性能の限界から，T1a（M）と T1a（OD）を正確に区別することは困難とされる[13,14]。深達度とリンパ節転移の関連として，T1a（M）であればリンパ管侵襲やリンパ節転移を認めなかったとする報告[5,12]もあるが，cadaver 研究から Oddi 筋の外層には豊富な微小リンパ管網が発達し，粘膜層とのネットワークが存在することから，深達度 T1a（M）であっても，局所切除の適応とはなりにくいとの主張もある[15,16]。したがって，現時点では局所切除の適応を腺腫までに止めるのが妥当と考えられる。なお，2021 年に日本消化器内視鏡学会から発行された EP 診療ガイドライン[13]においても，「EP は，十二指腸乳頭部腺腫に行うことを提案する（推奨度 2，レベル C）」とされ，乳頭部癌に対する EP の適応については明記されていない。同じく 2021 年に European Society of Gastrointestinal Endoscopy より発表された乳頭部腫瘍に対する内視鏡治療ガイドラインには，胆管・膵管内進展のない乳頭部腺腫に対して EP を推奨する（強い推奨，エビデンスレベル中）と述べられているほか，乳頭部癌に対する局所切除の適応についても言及があり，深達度 T1 以上の乳頭部癌に対してはリンパ節郭清を伴う PD を推奨する（強い推奨，エビデンスレベル低）が，Tis 乳頭部癌に対しては遺残のない EP もしくは TDA が根治的治療である（強い推奨，エビデンスレベル低），と記載されている[17]。

　一方で，乳頭部癌に対する局所切除の有用性については国内外から多数の報告[1,3,5,18〜21]があり，先に述べた

偽陰性の問題や，頻度は少ないものの生検で癌とされた症例の偽陽性率が 1.1〜8.6% であるとの報告[4〜6,22]）も あわせ，局所切除が total biopsy としての意義をもつことを強調する意見もある。局所切除を先行させること の是非を判断するためには，局所切除を施行後に最終病理診断における深達度や断端の評価から根治切除とし て PD を行う場合と，初めから PD を施行した場合とを比較し，前者に生存・再発・術後合併症などの観点か ら不利益が生じないかを議論する必要がある。しかし，該当する研究としては TDA 後に追加切除として施行 した PD 術後に重篤な膵液漏を認めたことから，TDA から PD までの期間を 1〜2 ヵ月にすることで重症膵液 漏を回避できたとする報告[23]）を認めるのみであった。患者の意向や重篤な併存疾患を有するなどの理由で， 完全切除が可能と判断された乳頭部癌に対し EP の単独治療を施行した群と，追加切除（PD・TDA）を行っ た群とを比較し，生存・再発に差を認めなかったとする治療成績が示されているが[6,10,20]），両群は深達度やリン パ節転移の有無において複合的な集団となっているため，示された生存率や再発率の妥当性は検証困難であ る。術後合併症の評価基準についても，PD・TDA では C-D 分類，EP ではアメリカ内視鏡学会（AGES）分 類が主に用いられており，評価基準の統一が望まれる。生検組織における組織分化度や免疫染色パターンな ど，画像診断以外の方法により局所切除で根治が期待できる乳頭部病変を見出そうとする新たな研究成 果[22,24〜26]）も発表されており，多数例の長期経過観察による validation が待たれる。以上，乳頭部癌に対する 局所治療は，いずれも後方視的な観察研究による報告で，長期の経過観察を経た症例も少ないことから，乳頭 部癌に対する局所治療の是非を判断するのは時期尚早と考える。さらなる症例の蓄積や，診断技術の開発・進 歩による病変の進行度・進展度診断精度の向上により，将来的に標準治療として位置づけられる可能性がある。

　乳頭部腫瘍に対して保険収載されている標準的な治療は PD である。昨今，ロボット支援下手術・腹腔鏡下 手術が保険収載されて低侵襲化が進む方向にあり，NCD を用いた研究でも次第に手術成績の向上が認められ ている[27]）。しかし，2019 年における手術成績においても C-D 分類 grade Ⅲ以上の術後合併症率は 24.2%，術 後 90 日死亡率は 1.8% であり，いまだ侵襲の大きな治療である[27]）。加えて複数の消化管再建を行う PD におい ては，吻合部狭窄，逆行性胆管炎，糖尿病発症など晩期障害の可能性も看過しがたい。一方，EP の有害事象 として出血・膵炎・穿孔があげられ，国内の EP の HVC からの報告でも出血 6.3〜30%，膵炎 4.2〜11%，穿 孔 0〜4%，EP 関連死亡 0〜1.1%，外科的介入を要したものは 0〜8.9% といずれも極めて低率とは言いがた い[4,5,18,28]）。今後，日本消化器内視鏡学会ガイドラインに準じた適応の統一と手技の定型化による合併症の低減 が期待される。

　また，一定数の乳頭部癌が，局所切除のみで長期間制御できたことが示されており，局所切除により完全切 除が可能と判断された乳頭部癌に対する治療選択に際しては，医療者は複数科による合議を経て，患者因子や 併存疾患などの背景を加味した治療方針の決定を行い，同時に乳頭部腫瘍の診断に関連する医療技術の限界 や，局所治療・標準治療それぞれの期待される治療効果と有害事象について，患者が自身の価値観に基づいた 治療選択を行えるよう，正確な情報伝達に努める必要がある。

　2023 年現在，EP・TDA ともに保険収載はされていないが，EP は診療ガイドラインも刊行され，臨床現場 では両者とも乳頭部腫瘍に対する治療法として認知されていることから，本ガイドラインの CQ として掲載す るものである。

委員会投票結果

腺腫

行うことを 強く推奨する	行うことを 弱く推奨する	行わないことを 弱く推奨する	行わないことを 強く推奨する	推奨なし
9%（22 名中 2 名）	82%（22 名中 18 名）	9%（22 名中 2 名）	0%（22 名中 0 名）	0%（22 名中 0 名）

棄権者：0 名

癌

行うことを 強く推奨する	行うことを 弱く推奨する	行わないことを 弱く推奨する	行わないことを 強く推奨する	推奨なし
0%（22名中0名）	18%（22名中4名）	82%（22名中18名）	0%（22名中0名）	0%（22名中0名）

棄権者：0名

完全切除が見込まれる病変

行うことを 強く推奨する	行うことを 弱く推奨する	行わないことを 弱く推奨する	行わないことを 強く推奨する	推奨なし
0%（23名中0名）	91%（23名中21名）	0%（23名中0名）	0%（23名中0名）	4%（23名中1名）

棄権者：1名

引用文献

1) Miyamoto R, Takahashi A, Ogura T, Kitamura K, Ishida H, Matsudaira S, et al. Transduodenal ampullectomy for early ampullary cancer：clinical management, histopathological findings and long-term outcomes at a single center. Surgery 2023；173：912-919.
2) 小泉 大, 下平健太郎, 青木裕一, 目黒由行, 森嶋 計, 兼田裕司, 他. 外科的乳頭切除術の適応と実際. 消内視鏡 2022；34：119-124.
3) Abe S, Sakai A, Masuda A, Miki M, Harada Y, Nagao K, et al. Advantage of endoscopic papillectomy for ampullary tumors as an alternative treatment for pancreatoduodenectomy. Sci Rep 2022；12：15134.
4) Takahashi K, Ozawa E, Yasuda I, Komatsu N, Miyaaki H, Ohnita K, et al. Predictive factor of recurrence after endoscopic papillectomy for ampullary neoplasms. J Hepatobiliary Pancreat Sci 2021；28：625-634.
5) Yamamoto K, Itoi T, Sofuni A, Tsuchiya T, Tanaka R, Tonozuka R, et al. Expanding the indication of endoscopic papillectomy for T1a ampullary carcinoma. Dig Endosc 2019；31：188-196.
6) Yoon SB, Jung MK, Lee YS, Park JK, Jang DK, Lee JM, et al. Long-term outcomes of endoscopic papillectomy for ampullary adenoma with high-grade dysplasia or adenocarcinoma：a propensity score-matched analysis. Surg Endosc 2023；37：3522-3530.
7) Gondran H, Musquer N, Perez-Cuadrado-Robles E, Deprez PH, Buisson F, Berger A, et al. Efficacy and safety of endoscopic papillectomy：a multicenter, retrospective, cohort study on 227 patients. Therap Adv Gastroenterol 2022；15：17562848221090820.
8) Li S, Wang Z, Cai F, Linghu E, Sun G, Wang X, et al. New experience of endoscopic papillectomy for ampullary neoplasms. Surg Endosc 2019；33：612-619.
9) Lee R, Huelsen A, Gupta S, Hourigan LF. Endoscopic ampullectomy for non-invasive ampullary lesions：a single-center 10-year retrospective cohort study. Surg Endosc 2021；35：684-692.
10) Haraldsson E, Halimi A, Rangelova E, Valente R, Löhr JM, Arnelo U. Adenomatous neoplasia in the papilla of Vater endoscopic and/or surgical resection? Surg Endosc 2022；36：2401-2411.
11) Trikudanathan G, Njei B, Attam R, Arain M, Shaukat A. Staging accuracy of ampullary tumors by endoscopic ultrasound：meta-analysis and systematic review. Dig Endosc 2014；26：617-626.
12) Gu Z, Li Z, Yu W, Zhang Y, Wang C. Choice of surgical procedures for patients with stage T1 carcinoma of the papilla of Vater：a retrospective study. Transl Cancer Res 2020；9：7113-7124.
13) 糸井隆夫, 良沢昭銘, 潟沼朗生, 川嶋啓揮, 岩崎栄典, 橋元慎一, 他. 内視鏡的乳頭切除術（endoscopic papillectomy：EP）診療ガイドライン. Gstroenterol Endosc 2021；63：451-480.
14) Ito K, Fujita N, Noda Y, Kobayashi G, Horaguchi J, Takasawa O, et al. Preoperative evaluation of ampullary neoplasm with EUS and transpapillary intraductal US：a prospective and histopathologically controlled study. Gastrointest Endosc 2007；66：740-747.
15) Kagiya T, Shimoda H, Narita H, Odagiri T, Watanabe S, Ishido K, et al. Microanatomical profiles on the

lymphatic system in the human ampulla of Vater（immunohistochemistry and scanning electron microscopy）. J Hepatobiliary Pancreat Sci 2017；24：570-575.

16）木村憲央，菊池英純，石戸圭之輔，袴田健一．十二指腸乳頭部癌に対する縮小手術．外科 2022；84：1143-1151.

17）Vanbiervliet G, Moss A, Arvanitakis M, Arnelo U, Beyna T, Busch O, et al. Endoscopic management of superficial nonampullary duodenal tumors：European Society of Gastrointestinal Endoscopy（ESGE）Guideline. Endoscopy 2021；53：522-534.

18）Kawashima H, Ohno E, Ishikawa T, Iida T, Tanaka H, Furukawa K, et al. Endoscopic papillectomy for ampullary adenoma and early adenocarcinoma：analysis of factors related to treatment outcome and long-term prognosis. Dig Endosc 2021；33：858-869.

19）Min EK, Hong SS, Kim JS, Choi M, Hwang HS, Kang CM, et al. Surgical outcomes and comparative analysis of transduodenal ampullectomy and pancreaticoduodenectomy：a single-center study. Ann Surg Oncol 2022；29：2429-2440.

20）Hwang JS, So H, Oh D, Song TJ, Park DH, Seo DW, et al. Long-term outcomes of endoscopic papillectomy for early-stage cancer in duodenal ampullary adenoma：comparison to surgical treatment. J Gastroenterol Hepatol. 2021；36：2315-2323.

21）Swanson J, Littau M, Tonelli C, Cohn T, Luchette FA, Abdelsattar Z, et al. Early-stage ampullary cancer：is local excision an effective alternative to radical resection? J Am Coll Surg 2023；237：146-156.

22）Tanaka H, Kawashima H, Ohno E, Ishikawa T, Iida T, Ishikawa E, et al. Immunohistochemical staining for IMP3 in patients with duodenal papilla tumors：assessment of the potential for diagnosing endoscopic resectability and predicting prognosis. BMC Gastroenterol 2021；21：224.

23）Gracient A, Delcenserie R, Chatelain D, Brazier F, Lemouel JP, Regimbeau JM. Endoscopic or surgical ampullectomy for intramucosal ampullary tumor：the patient populations are not the same. J Visc Surg 2020；157：183-191.

24）Lv Y, Wang P, Chen J, Zhao L, Chen L, Zhuang Y, et al. Indicative value of pathological classification of duodenal papillary adenomas in clinical diagnosis and treatment. Surg Endosc 2022；36：5183-5197.

25）Yamamoto K, Itoi T, Nagata N, Sofuni A, Tsuchiya T, Ishii K, et al. Novel method for evaluating the indication for endoscopic papillectomy in patients with ampullary adenocarcinoma. Sci Rep 2021；11：600.

26）Cecinato P, Parmeggiani F, Braglia L, Carlinfante G, Zecchini R, Decembrino F, et al. Endoscopic papillectomy for ampullary adenomas：different outcomes in sporadic tumors and those associated with familial adenomatous polyposis. J Gastrointest Surg 2021；25：457-466.

27）Marubashi S, Takahashi A, Kakeji Y, Hasegawa H, Ueno H, Eguchi S, et al. Surgical outcomes in gastroenterological surgery in Japan：report of the National Clinical Database 2011-2019. Ann Gastroenterol Surg 2021；5：639-658.

28）Muro S, Kato H, Matsumi A, Ishihara Y, Saragai Y, Yabe S, et al. The long-term outcomes of endoscopic papillectomy and management of cases of incomplete resection：a single-center study. J Gastrointest Surg 2021；25：1247-1252.

CQ19　術中胆管切離断端上皮内癌陽性例に胆管の追加切除は推奨されるか？

リンパ節転移などの予後不良因子を認めない場合には，益と害のバランスを考慮して行うことを提案する。
推奨度2（レベルC）
リンパ節転移などの予後不良因子を認める場合には，行わないことを提案する。
推奨度2（レベルC）

解説

　胆管癌手術では，腫瘍遺残のない手術が求められる。胆管癌の局所進展様式に関する検討では，浸潤癌による長軸方向への壁内進展は肉眼的腫瘍縁から10 mm未満に留まることが多く，上皮内癌による表層拡大進展は20 mm以上に及ぶとされる[1~3]。術前の正確な進展範囲診断は容易でないが，近年では内視鏡的経乳頭マッピング生検が上皮内癌の進展度診断に有用であると報告されている[4,5]。一方，術中の迅速診断で胆管切離断端に上皮内癌を認めることは稀ではなく，4.2~23.1%と報告されている[6~11]。胆管切離断端に癌を認めた場合には，術中に追加切除を行うか否かの決断が必要になる。

　胆管の術中迅速組織診断の信頼性については，主に上皮内癌について検討した最近の報告で，診断の感度86~97.5%[10,12]，特異度99~100%[10,12]，偽陰性率2.1~22.3%[7,10,13]，偽陽性率0~3.6%[7,10,13]，正診率90.3~98.2%[10,12~14]と報告されている。

　肝門部領域胆管癌手術における追加切除に関しては，肝側は胆管の追加切除を，十二指腸側はPDや膵内胆管切除を選択することが可能である。遠位胆管癌に対するPD後の追加切除に関しては，肝門部胆管切除や肝切除の追加が可能である。しかし，肝葉切除例にPDの追加やPD例に肝葉切除を追加することは侵襲が大きいため，患者の状態や根治性を考慮し適応を慎重に検討する必要がある。

　胆管の追加切除長に関しては，肝門部領域胆管癌手術では肝側胆管断端を数mm程度[15]，十二指腸側胆管断端を膵内胆管の追求切除により19 mm程度切除することが可能と報告されている[13,16]。遠位胆管癌に対するPD例では，追加左肝切除により右肝管断端から9 mmの胆管の追加切除が可能であったことが報告されている[6]。

　追加切除による短期成績に関しては，肝門部領域胆管癌手術における肝側胆管の追加切除により胆管の吻合数と胆汁瘻が増加したとする報告（胆汁瘻：肝側胆管の追加切除あり44.4% vs. なし17.5%，$P = 0.02$）[17]と，膵内胆管切除で膵液瘻の発生率が増加したとする報告がある（膵液瘻：膵内胆管切除あり18% vs. なし5%，$P < 0.001$）[16]。遠位胆管癌に対するPD例では，肝側胆管の追加切除により合併症発生率は変わらなかったとする報告（追加切除なし39.6% vs. あり40.0%，P = not significance（NS））[9]と，左肝切除の追加により合併症は増加したが（C-D分類[18] 3以上の合併症：PD 69% vs. PDに左肝切除追加91%），手術死亡は増加しなかったとする報告がある（PD 2% vs. PDに左肝切除追加0%，P = NS）[9]。

　胆管切離断端上皮内癌陽性（R1cis）例に対する追加切除によるR0切除率は，主に肝門部領域胆管癌についての検討で肝側胆管断端は25.0~58.3%[8,10]と報告されている。また，浸潤癌陽性を含めた十二指腸側胆管切離断端陽性例に対する追加切除によるR0切除率は58%[13]と報告されている。遠位胆管癌に対するPD例における肝側胆管切離断端R1cis例に対する追加切除では57.6~87.5%がR0切除になったと報告されている[6,7,9]。

　追加切除後の長期成績に関しては，胆管癌切除例全体の検討で胆管切離断端R1cis例の予後はR0例と差を認めない[9,10,19,20]とする研究が多い。しかし，リンパ節転移陰性例に限定した検討では，胆管切離断端R1cis例よりもR0例の方が良好と報告されている[7,8,10,14]。実際，リンパ節転移陰性例で胆管追加切除によりR0切除と

なった症例では胆管切離断端 R1cis であった症例と比較して良好な成績であったと報告されている（5年生存率：胆管追加切除により R0 66.7〜83.3% vs. 胆管切離断端 R1cis 30.0〜35.1%）[7,8]。

　以上より，術中迅速組織診断で胆管切離断端上皮内癌陽性と診断された場合，リンパ節転移がない比較的早期の胆管癌では，胆管の追加切除が生存率を改善する可能性があるため，患者の状態を考慮して追加切除の適応を慎重に検討することが推奨される。

委員会投票結果

予後不良因子がない場合

行うことを 強く推奨する	行うことを 弱く推奨する	行わないことを 弱く推奨する	行わないことを 強く推奨する	推奨なし
4%（23名中1名）	78%（23名中18名）	9%（23名中2名）	0%（23名中0名）	0%（23名中0名）

棄権者：2名

予後不良因子がある場合

行うことを 強く推奨する	行うことを 弱く推奨する	行わないことを 弱く推奨する	行わないことを 強く推奨する	推奨なし
0%（23名中0名）	0%（23名中0名）	74%（23名中17名）	17%（23名中4名）	0%（23名中0名）

棄権者：2名

引用文献

1）Nakanishi Y, Zen Y, Kawakami H, Kubota K, Itoh T, Hirano S, et al. Extrahepatic bile duct carcinoma with extensive intraepithelial spread：a clinicopathological study of 21 cases. Mod Pathol 2008；21：807-816.
2）Ebata T, Watanabe H, Ajioka Y, Oda K, Nimura Y. Pathological appraisal of lines of resection for bile duct carcinoma. Br J Surg 2002；89：1260-1267.
3）Igami T, Nagino M, Oda K, Nishio H, Ebata T, Yokoyama Y, et al. Clinicopathologic study of cholangiocarcinoma with superficial spread. Ann Surg 2009；249：296-302.
4）Yao S, Taura K, Okuda Y, Kodama Y, Uza N, Gouda N, et al. Effect of mapping biopsy on surgical management of cholangiocarcinoma. J Surg Oncol 2018；118：997-1005.
5）Ito K, Sakamoto Y, Isayama H, Nakai Y, Watadani T, Tanaka M, et al. The impact of MDCT and endoscopic transpapillary mapping biopsy to predict longitudinal spread of extrahepatic cholangiocarcinoma. J Gastrointest Surg 2018；22：1528-1537.
6）Yamamoto R, Sugiura T, Ashida R, Ohgi K, Yamada M, Otsuka S, et al. Converted-hepatopancreatoduodenectomy for an intraoperative positive ductal margin after pancreatoduodenectomy in distal cholangiocarcinoma. Langenbecks Arch Surg 2022；407：2843-2852.
7）Yasukawa K, Shimizu A, Motoyama H, Kubota K, Notake T, Fukushima K, et al. Impact of remnant carcinoma in situ at the ductal stump on long-term outcomes in patients with distal cholangiocarcinoma. World J Surg 2021；45：291-301.
8）Tsukahara T, Ebata T, Shimoyama Y, Yokoyama Y, Igami T, Sugawara G, et al. Residual carcinoma in situ at the ductal stump has a negative survival effect：an analysis of early-stage cholangiocarcinomas. Ann Surg 2017；266：126-132.
9）Park Y, Hwang DW, Kim JH, Hong SM, Jun SY, Lee JH, et al. Prognostic comparison of the longitudinal margin status in distal bile duct cancer：R0 on first bile duct resection versus R0 after additional resection. J Hepatobiliary Pancreat Sci 2019；26：169-178.

10) Higuchi R, Yazawa T, Uemura S, Izumo W, Furukawa T, Yamamoto M. High-grade dysplasia/carcinoma in situ of the bile duct margin in patients with surgically resected node-negative perihilar cholangiocarcinoma is associated with poor survival : a retrospective study. J Hepatobiliary Pancreat Sci 2017 ; 24 : 456-465.

11) Kawano F, Ito H, Oba A, Ono Y, Sato T, Inoue Y, et al. Role of intraoperative assessment of proximal bile duct margin status and additional resection of perihilar cholangiocarcinoma : can local clearance trump tumor biology? A retrospective cohort study. Ann Surg Oncol 2023 ; 30 : 3348-3359.

12) Shiraki T, Kuroda H, Takada A, Nakazato Y, Kubota K, Imai Y. Intraoperative frozen section diagnosis of bile duct margin for extrahepatic cholangiocarcinoma. World J Gastroenterol 2018 ; 24 : 1332-1342.

13) Otsuka S, Ebata T, Yokoyama Y, Mizuno T, Tsukahara T, Shimoyama Y, et al. Clinical value of additional resection of a margin-positive distal bile duct in perihilar cholangiocarcinoma. Br J Surg 2019 ; 106 : 774-782.

14) Kurahara H, Maemura K, Mataki Y, Sakoda M, Iino S, Kawasaki Y, et al. Relationship between the surgical margin status, prognosis, and recurrence in extrahepatic bile duct cancer patients. Langenbecks Arch Surg 2017 ; 402 : 87-93.

15) Shingu Y, Ebata T, Nishio H, Igami T, Shimoyama Y, Nagino M. Clinical value of additional resection of a margin-positive proximal bile duct in hilar cholangiocarcinoma. Surgery 2010 ; 147 : 49-56.

16) Noji T, Okamura K, Tanaka K, Nakanishi Y, Asano T, Nakamura T, et al. Surgical technique and results of intrapancreatic bile duct resection for hilar malignancy (with video). HPB (Oxford) 2018 ; 20 : 1145-1149.

17) Ribero D, Amisano M, Lo Tesoriere R, Rosso S, Ferrero A, Capussotti L. Additional resection of an intraoperative margin-positive proximal bile duct improves survival in patients with hilar cholangiocarcinoma. Ann Surg 2011 ; 254 : 776-781 ; discussion 781-783.

18) Dindo D, Demartines N, Clavien PA. Classification of surgical complications : a new proposal with evaluation in a cohort of 6336 patients and results of a survey. Ann Surg 2004 ; 240 : 205-213.

19) Shin D, Lee S, Lee JH, Hong SM, Park SY, Yoo C, et al. Prognostic implication of high grade biliary intraepithelial neoplasia in bile duct resection margins in patients with resected perihilar cholangiocarcinoma. J Hepatobiliary Pancreat Sci 2020 ; 27 : 604-613.

20) Sasaki R, Takeda Y, Funato O, Nitta H, Kawamura H, Uesugi N, et al. Significance of ductal margin status in patients undergoing surgical resection for extrahepatic cholangiocarcinoma. World J Surg 2007 ; 31 : 1788-1796.

CQ20 術前生検で確定診断がつかないが，胆管癌を否定できない症例に対する外科治療は推奨されるか？

胆管癌を否定できない症例では，肝機能や全身状態に問題がなければ外科治療を行うことが提案される。
推奨度2（レベルC）

解説

　胆管癌が疑われる場合，組織学的な検査には，擦過細胞診，経乳頭的胆管生検，超音波内視鏡下穿刺吸引法（EUS-TA）や胆道鏡下生検などがある。最近のメタ解析やシステマティックレビューではいずれも特異度は優れるが感度が低いと報告されている（擦過細胞診 感度41.6〜56%／特異度99%[1~4]，経乳頭的胆管生検 感度48〜81%／特異度96.3〜100%[1,2,4~6]，EUS-TA 感度73.6〜80%／特異度97〜100%[1,2,5,7]，胆道鏡下生検 感度60〜71.9%／特異度98.0〜99.1%[1,8]）。

　術前に肝門部胆管癌の診断で外科切除された症例のうち，癌でなかったものの割合は3.1〜18.2%[9~17]（最近10年の報告では3.1〜13.7%[15~17]）と報告されている。Otsukaら[17]，梛野ら[18]は，2001〜2016年に肝門部胆管癌の診断で切除された707例中，術前の組織学的評価で癌陰性と診断された239例中18例が良性（7.5%）であったが221例が悪性（92.5%）であり，"組織学的に癌陽性が証明できなくても癌ではない"と証明することは難しいと述べている。

　肝門部胆管癌として切除された良性胆管狭窄の患者の短期成績は，術後在院期間が10〜20日[11,17]，手術の死亡率は0〜8.3%[9~12,14~17,19~21]であったと報告されている。近年，本邦における肝門部胆管癌に対する胆道再建を伴う肝切除の90日死亡は2〜5%程度，HVCでは2%を下回る成績が報告され[22]，良性胆管狭窄の患者の手術では肝門部胆管癌手術に比較して血管合併切除やPD併施が少なかったことも報告されている[17]。また，遠位胆管癌に対する膵頭十二指腸切除の90日死亡は0.85%程度と報告され手術の安全性は担保されている[22]。

　生存率に関しては，肝門部胆管癌として切除された良性胆管狭窄の患者の生存率が10年87%[17]，5年81%[15]，観察期間中央値35ヵ月で100%[11]と報告され比較的良好である。

　以上より，複数回の生検診断を行いPSCやIgG4-SCなどを十分除外診断した上で胆管癌を否定できない症例においては，施設における予定術式の短期成績を考慮しつつ，十分な説明と同意のもと外科切除を考慮しても良いと思われる。

委員会投票結果

行うことを強く推奨する	行うことを弱く推奨する	行わないことを弱く推奨する	行わないことを強く推奨する	推奨なし
8%（24名中2名）	83%（24名中20名）	4%（24名中1名）	0%（24名中0名）	0%（24名中0名）

棄権者：1名

引用文献

1) Sun B, Moon JH, Cai Q, Rerknimitr R, Ma S, Lakhtakia S, et al. Review article：Asia-Pacific consensus recommendations on endoscopic tissue acquisition for biliary strictures. Aliment Pharmacol Ther 2018；48：138-151.

2) Yoon SB, Moon SH, Ko SW, Lim H, Kang HS, Kim JH. Brush cytology, forceps biopsy, or endoscopic ultrasound-guided sampling for diagnosis of bile duct cancer：a meta-analysis. Dig Dis Sci 2022；67：3284-3297.

3) Burnett AS, Calvert TJ, Chokshi RJ. Sensitivity of endoscopic retrograde cholangiopancreatography standard cytology：10-y review of the literature. J Surg Res 2013；184：304-311.

4) Navaneethan U, Njei B, Lourdusamy V, Konjeti R, Vargo JJ, Parsi MA. Comparative effectiveness of biliary brush cytology and intraductal biopsy for detection of malignant biliary strictures：a systematic review and meta-analysis. Gastrointest Endosc 2015；81：168-176.

5) De Moura DTH, De Moura EGH, Bernardo WM, De Moura ETH, Baraca FI, Kondo A, et al. Endoscopic retrograde cholangiopancreatography versus endoscopic ultrasound for tissue diagnosis of malignant biliary stricture：systematic review and meta-analysis. Endosc Ultrasound 2018；7：10-19.

6) Jeon TY, Choi MH, Yoon SB, Soh JS, Moon SH. Systematic review and meta-analysis of percutaneous transluminal forceps biopsy for diagnosing malignant biliary strictures. Eur Radiol 2022；32：1747-1756.

7) Sadeghi A, Mohamadnejad M, Islami F, Keshtkar A, Biglari M, Malekzadeh R, et al. Diagnostic yield of EUS-guided FNA for malignant biliary stricture：a systematic review and meta-analysis. Gastrointest Endosc 2016；83：290-298.e1.

8) Badshah MB, Vanar V, Kandula M, Kalva N, Badshah MB, Revenur V, et al. Peroral cholangioscopy with cholangioscopy-directed biopsies in the diagnosis of biliary malignancies：a systemic review and meta-analysis. Eur J Gastroenterol Hepatol 2019；31：935-940.

9) Nakayama A, Imamura H, Shimada R, Miyagawa S, Makuuchi M, Kawasaki S. Proximal bile duct stricture disguised as malignant neoplasm. Surgery 1999；125：514-521.

10) Knoefel WT, Prenzel KL, Peiper M, Hosch SB, Gundlach M, Eisenberger CF, et al. Klatskin tumors and Klatskin mimicking lesions of the biliary tree. Eur J Surg Oncol 2003；29：658-661.

11) Corvera CU, Blumgart LH, Darvishian F, Klimstra DS, DeMatteo R, Fong Y, et al. Clinical and pathologic features of proximal biliary strictures masquerading as hilar cholangiocarcinoma. J Am Coll Surg 2005；201：862-869.

12) Juntermanns B, Kaiser GM, Reis H, Saner FH, Radunz S, Vernadakis S, et al. Klatskin-mimicking lesions：still a diagnostical and therapeutical dilemma? Hepatogastroenterology 2011；58：265-269.

13) Lytras D, Kalaitzakis E, Webster GJM, Imber CJ, Amin Z, Rodriguez-Justo M, et al. Cholangiocarcinoma or IgG4-associated cholangitis：how feasible it is to avoid unnecessary surgical interventions? Ann Surg 2012；256：1059-1067.

14) Wakai T, Shirai Y, Sakata J, Maruyama T, Ohashi T, Korira PV, et al. Clinicopathological features of benign biliary strictures masquerading as biliary malignancy. Am Surg 2012；78：1388-1391.

15) Scheuermann U, Widyaningsih R, Hoppe-Lotichius M, Heise M, Otto G. Detection of benign hilar bile duct stenoses-a retrospective analysis in 250 patients with suspicion of Klatskin tumour. Ann Med Surg (Lond) 2016；8：43-49.

16) Roos E, Hubers LM, Coelen RJS, Doorenspleet ME, de Vries N, Verheij J, et al. IgG4-associated cholangitis in patients resected for presumed perihilar cholangiocarcinoma：a 30-year tertiary care experience. Am J Gastroenterol 2018；113：765-772.

17) Otsuka S, Ebata T, Yokoyama Y, Igami T, Mizuno T, Yamaguchi J, et al. Benign hilar bile duct strictures resected as perihilar cholangiocarcinoma. Br J Surg 2019；106：1504-1511.

18) 梛野正人，江畑智希，大塚新平．肝門部領域胆管癌として切除された良性胆管狭窄病変．日消誌 2020；117：679-688.

19) Hadjis NS, Collier NA, Blumgart LH. Malignant masquerade at the hilum of the liver. Br J Surg 1985；72：659-661.

20) Uhlmann D, Wiedmann M, Schmidt F, Kluge R, Tannapfel A, Berr F, et al. Management and outcome in patients with Klatskin-mimicking lesions of the biliary tree. J Gastrointest Surg 2006；10：1144-1150.

21) Gamblin TC, Krasinskas AM, Slivka AS, Tublin ME, Demetris J, Shue E, et al. Fibroinflammatory biliary stricture：a rare bile duct lesion masquerading as cholangiocarcinoma. J Gastrointest Surg 2009；13：713-721.

22) Otsubo T, Kobayashi S, Sano K, Misawa T, Katagiri S, Nakayama H, et al. A nationwide certification system to increase the safety of highly advanced hepatobiliary-pancreatic surgery. J Hepatobiliary Pancreat Sci 2023；30：60-71.

CQ21 胆道癌の周術期における胆汁返還，シンバイオティクス投与，運動・栄養療法は推奨されるか？

周術期における胆汁返還，シンバイオティクス投与，運動・栄養療法は有用であり，行うことを提案する。

推奨度2（レベルC）

解説

　胆道癌手術は高難度かつ高侵襲であり，術後合併症が高率に発生する。近年の様々な研究により，周術期の胆汁返還，シンバイオティクス投与，運動・栄養療法により術後合併症が減少する可能性が示唆されている。

1）胆汁返還

　胆道癌術前に閉塞性黄疸を発症した場合，内瘻法（EBS）または外瘻法（ENBD，PTBD）で胆道ドレナージを行う。内瘻法がより生理的であり，肝再生，感染予防，腸管免疫および水分バランスを保つという点で，外瘻法より優れたドレナージ法であることが動物実験で証明されている[1,2]。

　ヒトでは，閉塞性黄疸による腸管粘膜の透過性の亢進が，内瘻ドレナージにより正常化する[3,4]。臨床研究では，ラクツロース／マンニトール比が腸透過性指数として使用されており，黄疸患者ではこの比が高値となるが，内瘻化により改善した[3,4]。外瘻ドレナージにおいても，ドレナージされた胆汁を飲用などにより腸管内に返還することにより，内瘻ドレナージと同様に腸管粘膜の透過性が低下（ラクツロース／マンニトール比が低下）し，腸管免疫機能が回復することが報告されている[5]。胆汁の腸肝循環が保たれ，消化管の免疫機能が維持されていることが生体にとって重要であることを示唆する。外瘻時の術前胆汁返還は，侵襲の高度な手術（胆道癌に対する広範囲肝切除など）が予定されている場合には有用である可能性が高いと考えられている。本邦の専門病院10施設中9施設で，胆汁返還は胆道癌肝切除の術前管理の一環として行われている[6]。一方，近年関連研究は行われていないのが現状である。なお，外瘻ドレナージ患者の多くは胆汁飲用が可能である。しかし，飲用を拒否する症例，あるいは多量胆汁排液（＞2L／日）症例には胆汁返還用の経鼻チューブを胃・十二指腸に留置して返還すると苦痛が緩和される。

2）シンバイオティクス投与

　手術侵襲に伴い腸内環境は不良になり，それが原因で術後感染性合併症がより高率に発生する。また，肝門部領域胆管癌手術において，術後合併症を発症する患者では，発症しない患者と比較し，術前から腸内環境が不良であることが知られている[7]。術後感染性合併症を認めた患者（n = 13）は認めない患者に比べ（n = 31），便中の短鎖脂肪酸（酢酸，プロピオン酸，酪酸）濃度が有意に低いことが判明した（$P = 0.029$）[7]。

　腸内細菌叢が乱れ，腸管粘膜の障害が起こるとbacterial translocationが誘発される。高侵襲外科手術ではこのbacterial translocationがさらに助長され，それが潜在的菌血症になり，敗血症，腹腔内膿瘍，創感染，肺炎などの感染性合併症を引き起こす[8]。

　シンバイオティクスとは，プロバイオティクスとプレバイオティクスを合わせたものである。プロバイオティクスは生体にとって有用と考えられている，いわゆる善玉菌であるビフィズス菌や乳酸桿菌であり，薬剤として，あるいは食品として日常的に服用，摂取されている。またプレバイオティクスは，腸管では吸収されない食物繊維やオリゴ糖であり，プロバイオティクスの成長を促進するものになる。すなわちシンバイオティクス療法とは，プロバイオティクスとプレバイオティクスを同時に投与してより効率的に腸内環境改善を促すことを目的としたものである[9~12]。

胆道癌手術の周術期にシンバイオティクスを投与すると，腸内環境の乱れが改善し，手術侵襲に伴う bacterial translocation が抑制され，最終的に感染性合併症発生が抑制されることがRCTで報告されている[10,11]。胆汁監視培養の結果から術中・術後に投与する抗菌薬を選定し，胆汁返還を含めた術前栄養管理およびシンバイオティクスを術前2週間投与することで，術後感染性合併症の発生率が30.0%から12.1%と有意に減少し（$P = 0.049$），術後在院日数（中央値）も38日から30日と有意に短縮した（$P = 0.045$）[11]。近年行われたシステマティックレビュー・メタアナリシスでは，消化器外科手術におけるシンバイオティクスの投与により，術後感染性合併症のリスクを約半分（オッズ比：0.46）に低下させることが証明された[13]。

シンバイオティクス投与には有害事象がほとんどないことが，複数の疾患を対象にしたRCTやシステマティックレビュー・メタアナリシスで証明されている[10,11,13]。また，シンバイオティクスが多剤耐性菌の発生を抑制するという基礎的データもある[14,15]。現在，胆管切除を伴う肝切除を対象にシンバイオティクスの多施設共同試験（SYNERGI study）が開始され，その結果が待たれる。

3）運動・栄養療法

外科手術において，術前筋肉量が術後のアウトカムに及ぼす影響に関する臨床研究の報告が近年増加傾向にある。これらの研究では，術前に筋肉量が少ないと術後短期合併症の発生率がより高くなり，悪性腫瘍手術後の長期予後が不良になるという報告が多い[16,17]。

肝門部領域胆管癌256例を対象にした臨床研究では，低筋肉量群（大腰筋筋肉量下位1/3群）は，それ以外の患者群と比較し，術後合併症発生率が有意に高率であり（54% vs. 37%），長期予後も不良であった（5年生存率33% vs. 57%）[18]。術前の筋肉量だけでなく，運動能力も重要である。肝胆膵外科手術を受けた患者に対する研究では，6分間歩行距離が400m以下，あるいは，術前平均歩数が5,000歩/日未満の患者で術後合併症発生が有意に高率であることを示した報告がある[19,20]。

術前に運動・栄養療法を行うと，6分間歩行距離は改善し，筋肉量が増え，体脂肪量が減り，筋肉脂肪比が有意に改善する[21]。運動療法の具体例として，強度が中程度以上の歩行，筋肉トレーニングがあげられる。また栄養療法としては，ロイシンを多く含むアミノ酸製剤の内服が推奨される[21]。

委員会投票結果

行うことを強く推奨する	行うことを弱く推奨する	行わないことを弱く推奨する	行わないことを強く推奨する	推奨なし
0%（23名中0名）	87%（23名中20名）	0%（23名中0名）	0%（23名中0名）	9%（23名中2名）

棄権者：1名

引用文献

1）Suzuki H, Iyomasa S, Nimura Y, Yoshida S. Internal biliary drainage, unlike external drainage, does not suppress the regeneration of cholestatic rat liver after partial hepatectomy. Hepatology 1994；20：1318-1322.
2）Kanai M, Tanaka M, Nimura Y, Nagino M, Katoh T, Ozawa T. Mitochondrial dysfunction in the non-obstructed lobe of rat liver after selective biliary obstruction. Hepatogastroenterology 1992；39：385-391.
3）Welsh FK, Ramsden CW, MacLennan K, Sheridan MB, Barclay GR, Guillou PJ, et al. Increased intestinal permeability and altered mucosal immunity in cholestatic jaundice. Ann Surg 1998；227：205-212.
4）Parks RW, Clements WD, Smye MG, Pope C, Rowlands BJ, Diamond T. Intestinal barrier dysfunction in clinical and experimental obstructive jaundice and its reversal by internal biliary drainage. Br J Surg 1996；83：1345-

1349.

5) Kamiya S, Nagino M, Kanazawa H, Komatsu S, Mayumi T, Takagi K, et al. The value of bile replacement during external biliary drainage : an analysis of intestinal permeability, integrity, and microflora. Ann Surg 2004 ; 239 : 510-517.

6) Chaudhary RJ, Higuchi R, Nagino M, Unno M, Ohtsuka M, Endo I, et al. Survey of preoperative management protocol for perihilar cholangiocarcinoma at 10 Japanese high-volume centers with a combined experience of 2,778 cases. J Hepatobiliary Pancreat Sci 2019 ; 26 : 490-502.

7) Yokoyama Y, Mizuno T, Sugawara G, Asahara T, Nomoto K, Igami T, et al. Profile of preoperative fecal organic acids closely predicts the incidence of postoperative infectious complications after major hepatectomy with extrahepatic bile duct resection : importance of fecal acetic acid plus butyric acid minus lactic acid gap. Surgery 2017 ; 162 : 928-936.

8) Yokoyama Y, Fukaya M, Mizuno T, Ebata T, Asahara T, Nagino M. Clinical importance of "occult-bacterial translocation" in patients undergoing highly invasive gastrointestinal surgery : a review. Surg Today 2021 ; 51 : 485-492.

9) Yokoyama Y, Miyake T, Kokuryo T, Asahara T, Nomoto K, Nagino M. Effect of perioperative synbiotic treatment on bacterial translocation and postoperative infectious complications after pancreatoduodenectomy. Dig Surg 2016 ; 33 : 220-229.

10) Yokoyama Y, Nishigaki E, Abe T, Fukaya M, Asahara T, Nomoto K, et al. Randomized clinical trial of the effect of perioperative synbiotics versus no synbiotics on bacterial translocation after oesophagectomy. Br J Surg 2014 ; 101 : 189-199.

11) Sugawara G, Nagino M, Nishio H, Ebata T, Takagi K, Asahara T, et al. Perioperative synbiotic treatment to prevent postoperative infectious complications in biliary cancer surgery : a randomized controlled trial. Ann Surg 2006 ; 244 : 706-714.

12) Kanazawa H, Nagino M, Kamiya S, Komatsu S, Mayumi T, Takagi K, et al. Synbiotics reduce postoperative infectious complications : a randomized controlled trial in biliary cancer patients undergoing hepatectomy. Langenbecks Arch Surg 2005 ; 390 : 104-113.

13) Chowdhury AH, Adiamah A, Kushairi A, Varadhan KK, Krznaric Z, Kulkarni AD, et al. Perioperative probiotics or synbiotics in adults undergoing elective abdominal surgery : a systematic review and meta-analysis of randomized controlled trials. Ann Surg 2020 ; 271 : 1036-1047.

14) Newman AM, Arshad M. The role of probiotics, prebiotics and synbiotics in combating multidrug-resistant organisms. Clin Ther 2020 ; 42 : 1637-1648.

15) Asahara T, Takahashi A, Yuki N, Kaji R, Takahashi T, Nomoto K. Protective effect of a synbiotic against multidrug-resistant acinetobacter baumannii in a murine infection model. Antimicrob Agents Chemother 2016 ; 60 : 3041-3050.

16) Robinson TN, Wu DS, Pointer L, Dunn CL, Cleveland JC Jr, Moss M. Simple frailty score predicts postoperative complications across surgical specialties. Am J Surg 2013 ; 206 : 544-550.

17) Snowden CP, Prentis JM, Anderson HL, Roberts DR, Randles D, Renton M, et al. Submaximal cardiopulmonary exercise testing predicts complications and hospital length of stay in patients undergoing major elective surgery. Ann Surg 2010 ; 251 : 535-541.

18) Otsuji H, Yokoyama Y, Ebata T, Igami T, Sugawara G, Mizuno T, et al. Surgery-related muscle loss and its association with postoperative complications after major hepatectomy with extrahepatic bile duct resection. World J Surg 2017 ; 41 : 498-507.

19) Nakajima H, Yokoyama Y, Inoue T, Nagaya M, Mizuno Y, Kayamoto A, et al. How many steps per day are necessary to prevent postoperative complications following hepato-pancreato-biliary surgeries for malignancy? Ann Surg Oncol 2020 ; 27 : 1387-1397.

20) Hayashi K, Yokoyama Y, Nakajima H, Nagino M, Inoue T, Nagaya M, et al. Preoperative 6-minute walk distance accurately predicts postoperative complications after operations for hepato-pancreato-biliary cancer. Surgery 2017 ; 161 : 525-532.

21) Nakajima H, Yokoyama Y, Inoue T, Nagaya M, Mizuno Y, Kadono I, et al. Clinical benefit of preoperative exercise and nutritional therapy for patients undergoing hepato-pancreato-biliary surgeries for malignancy. Ann Surg Oncol 2019 ; 26 : 264-272.

CQ22　胆道癌手術は手術数の多い施設が推奨されるか？

肝切除および膵頭十二指腸切除は，high-volume の専門施設，例えば本邦では日本肝胆膵
外科学会指定の修練施設など，で実施することが提案される。

推奨度 2（レベル C）

解説

　一般に複雑な外科手術を行う施設の症例数と手術成績との間には密接な関連があり，症例数の多い施設における術後死亡率は低いとされる。胆道癌手術に関してもこの "volume-outcome relationship" が指摘[1~5]され，専門的治療は high-volume の専門施設（HVC）への患者の centralization（集約化）が進められており，特に欧米で[6]この傾向がみられる。

　ドイツの 1,000 以上の施設における 2010 年から 2015 年の 110,332 名の肝切除術式および疾患別在院死亡率の調査では，肝切除を必要とする肝外胆管癌の死亡率が他の悪性腫瘍よりも高く（14.6% vs. 5.5%），なかでも胆管消化管吻合再建症例における死亡率は 25.5% と特に高い結果が示された[7]。また，肝切除術全体の周術期死亡率が 5.5~14.6% と同時期の米国，仏，日本の専門単施設や登録データの報告（3.4~14.5%）に比べやや高い傾向にあったことから，肝切除施行施設の集約化がドイツ国内で進んでいないことが問題であると考察している[7]。

　米国でも肝外胆管癌に関しての治療が「high-volume territory care centers」に集約される傾向がある。Johns Hopkins 大学の 2004 年から 2015 年の NCD を用いた研究[8]では，40,338 症例の胆管癌の手術結果を解析し，胆管癌に対する年間手術件数が 20 例以上の集約化された施設が全米各地で経年的に増加し，2015 年では胆管癌を扱う施設のうちの 40% 超が集約化されていた。また，2011~2015 年のデータを 2004~2007 年のデータと比較したところ[8]，30 日以内死亡には有意な差はなかったものの（13.1% vs. 11.5%），全体の死亡率が有意に低下し，HVC で手術を受け，NCCN ガイドラインに準拠した化学療法を受けた患者は胆管癌の生存期間に有意に良好な影響があることが報告された。一方で米国ではこの集約化に伴い，患者が治療を受ける集約化された施設までの移動距離が増大する（travel burden）という新たな課題[9]により，遠距離を移動する患者の予後の低下や，待機期間の延長が指摘されている。

　近年，日本においては，2008 年に日本肝胆膵外科学会の主導のもと，「肝胆膵外科高度技能専門医制度」が設立され，専門医養成のためのトレーニング施設が設けられており，年間で高難度肝胆膵外科手術を 50 例以上行う「修練施設 A」と，30 例以上を行う「修練施設 B」が認定されている。Otsubo ら[10,11]の研究によると，2012 年から 2019 年にかけての日本肝胆膵外科学会認定の高度技能専門医修練施設からのデータを基に，高難度手術 28 種類，合計 121,518 例の調査結果から，修練施設における 90 日在院死亡率が 2.1% から 0.98% へと年々有意に低下していることが明らかになってきた。さらに，Miura ら[12,13]の調査により専門医またはその指導医が手術に参加した場合と，そうでない場合とで肝胆膵癌手術における手術関連死亡率を比較し，肝切除術（14,970 例）において 3.5% vs. 4.3%（P = 0.012），膵頭十二指腸切除術（17,563 例）において 2.2% vs. 3.8%（P < 0.001）であり，専門医／指導医の参加群で死亡率が低い傾向が確認された。これらの研究結果を考慮すると，手術の技術のみならず術後の合併症への対応などの周術期管理においても，専門医や指導医を含むチーム医療が非常に有用であると解釈される。

　2021 年には肝門部領域胆管癌の benchmark 手術（手術時間 8 時間以下，出血量 1,100 mL 以下，R0 切除率57% 以上，術後肝不全率 35% 以下，胆汁漏率 47% 以下，3 ヵ月以内死亡率 13% 以下，5 年生存率 39.7% 以上などの基準を満たす手術と定義）に関する国際調査が発表された[14]。この論文における HVC は肝門部領域胆

管癌に対する肝切除を5年間で50件以上実施した施設と定義された。2014年から2018年にかけてアジア8施設（日本5，韓国3），欧州13施設，米国3施設から708件の切除例が集積された。アジア8施設（n＝272）は欧米16施設（n＝436）と比し，重篤な術後肝不全（ISGLS分類grade C）の発生率が有意に低く（1.7% vs. 7.7%，$P＝0.018$），在院死亡率は低い傾向を示し（2.0% vs. 5.9%，$P＝0.06$），生存率は有意に良好（HR：1.64，95% CI：1.26-2.13，$P＜0.001$）であった。また，benchmark以外の困難な患者が全手術の60%以上を占めるHVCの方が重篤な術後肝不全率および在院死亡率が低いことも示された。肝門部領域胆管癌に対する拡大肝切除のアジア（とくに日本）の優位性に加え，HVCの中でも困難・複雑な手術を多く手がける施設の方がより良好な治療成績が期待されることが判明した。

さらに，肝胆膵癌手術における死亡率に対する手術の集約化および施設の影響を調査する目的で，2019年から2020年のNCDデータに基づいた解析が行われた[15]。その結果，20,111例の膵頭十二指腸切除術症例と9,666例の高難度肝切除術はいずれも約70%が「修練施設A」，「修練施設B」で実施されており，その中で胆道癌が占める割合は8.5%であり，膵頭十二指腸切除術ならびに肝切除術における在院死亡率は，いずれも修練施設Aでの成績が有意に良好であることが示された。さらに，膵頭十二指腸切除術でも非修練施設と比較した「修練施設A」および「修練施設B」の30日以内死亡率はいずれも有意に低下し，肝胆膵外科領域では修練施設での治療が術後死亡率の低下につながることが示唆され，手術の質を向上させる要因としての"practice makes perfect"，"selective referral effect"，さらには他診療科の支援も含めた施設全体の救命率を表す"failure to rescue element"が考察され，非修練施設では，周術期の全身管理など，各診療科の連携やチーム診療も課題の1つと考えられた。

患者や市民・地方医師の立場からの視点では，日本では人口比に対して伊，仏，米国などに比べて専門施設が多いが，大都市圏と地方とで修練施設数に差があり，地方格差が問題である[1〜9,12,13,15,16]。さらに，非修練施設でも高難度手術が可能な施設が存在すること，患者の移動距離や手術待機期間に関する都市部と地域施設での格差拡大が懸念される。

侵襲度が高い胆道癌の治療に関しては，短期成績だけでなく長期予後も考慮した上で，肝胆膵外科領域に精通する専門医や指導医が在籍するHVCでの治療が提案されうる。しかしながら，これらの専門施設は主に都市部に集中しており，過疎化や高齢化が進む地域での医療アクセスは，我が国における重要な問題で，地域の状況や患者の背景を踏まえ，やむを得ず非修練施設での治療を選択するケースも存在する。

最近のエビデンスレベルの高い報告の数々を考慮すれば，HVCで実施されることが推奨され，日本においては単に学会修練施設での実施を推奨することも可能と考えられる。しかし，各都道府県の地域性や修練施設数の違い，高度技能専門医の移動などによる影響など，ガイドライン委員からは様々な意見が述べられた。その後の委員による投票の結果（推奨度1：4票，推奨度2：20票），および社会的影響や専門医制度の課題を踏まえ，推奨度を2（本邦では日本肝胆膵外科学会指定の修練施設などで実施することを提案する）に決定した。学会や医療行政を中心に安全性と利便性の両者に配慮したさらなる外科医療における制度設計が喫緊に求められている。

委員会投票結果

行うことを 強く推奨する	行うことを 弱く推奨する	行わないことを 弱く推奨する	行わないことを 強く推奨する	推奨なし
17%（24名中4名）	83%（24名中20名）	0%（24名中0名）	0%（24名中0名）	0%（24名中0名）

棄権者：0名

引用文献

1) van der Geest LGM, van Rijssen LB, Molenaar IQ, de Hingh IH, Groot Koerkamp B, Busch ORC, et al. Volume-outcome relationships in pancreatoduodenectomy for cancer. HPB（Oxford）2016；18：317-324.

2) Schneider EB, Ejaz A, Spolverato G, Hirose K, Makary MA, Wolfgang CL, et al. Hospital volume and patient outcomes in hepato-pancreatico-biliary surgery：is assessing differences in mortality enough? J Gastrointest Surg 2014；18：2105-2115.

3) Idrees JJ, Merath K, Gani F, Bagante F, Mehta R, Beal E, et al. Trends in centralization of surgical care and compliance with National Cancer Center Network guidelines for resected cholangiocarcinoma. HPB（Oxford）2019；21：981-989.

4) Beal EW, Mehta R, Tsilimigras DI, Hyer JM, Paredes AZ, Merath K, et al. Travel to a high volume hospital to undergo resection of gallbladder cancer：does it impact quality of care and long-term outcomes? HPB（Oxford）2020；22：41-49.

5) Elshami M, Ahmed FA, Hue JJ, Kakish H, Hoehn RS, Rothermel LD, et al. Average treatment effect of facility hepatopancreatobiliary malignancy case volume on survival of patients with nonoperatively managed hepatobiliary malignancies. Surgery 2023；173：289-298.

6) Gouma DJ, Obertop H. Centralization of surgery for periampullary malignancy. Br J Surg 1999；86：1361-1362.

7) Filmann N, Walter D, Schadde E, Bruns C, Keck T, Lang H, et al. Mortality after liver surgery in Germany. Br J Surg 2019；106：1523-1529.

8) Colavita PD, Tsirline VB, Belyansky I, Swan RZ, Walters AL, Lincourt AE, et al. Regionalization and outcomes of hepato-pancreato-biliary cancer surgery in USA. J Gastrointest Surg 2014；18：532-541.

9) O'Connor SC, Mogal H, Russell G, Ethun C, Fields RC, Jin L, et al. The effects of travel burden on outcomes after resection of extrahepatic biliary malignancies：results from the US extrahepatic biliary consortium. J Gastrointest Surg 2017；21：2016-2024.

10) Otsubo T, Kobayashi S, Sano K, Misawa T, Ota T, Katagiri S, et al. Safety-related outcomes of the Japanese Society of Hepato-Biliary-Pancreatic Surgery board certification system for expert surgeons. J Hepatobiliary Pancreat Sci 2017；24：252-261.

11) Otsubo T, Kobayashi S, Sano K, Misawa T, Katagiri S, Nakayama H, et al. A nationwide certification system to increase the safety of highly advanced hepatobiliary-pancreatic surgery. J Hepatobiliary Pancreat Sci 2023；30：60-71.

12) Miura F, Yamamoto M, Gotoh M, Konno H, Fujimoto J, Yanaga K, et al. Validation of the board certification system for expert surgeons（hepato-biliary-pancreatic field）using the data of the National Clinical Database of Japan：part 1 - hepatectomy of more than one segment. J Hepatobiliary Pancreat Sci 2016；23：313-323.

13) Miura F, Yamamoto M, Gotoh M, Konno H, Fujimoto J, Yanaga K, et al. Validation of the board certification system for expert surgeons（hepato-biliary-pancreatic field）using the data of the National Clinical Database of Japan：part 2 - pancreatoduodenectomy. J Hepatobiliary Pancreat Sci 2016；23：353-363.

14) Mueller M, Breuer E, Mizuno T, Bartsch F, Ratti F, Benzing C, et al. Perihilar cholangiocarcinoma-novel benchmark values for surgical and oncological outcomes from 24 expert centers. Ann Surg 2021；274：780-788.

15) Mise Y, Hirakawa S, Tachimori H, Kakeji Y, Kitagawa Y, Komatsu S, et al. Volume- and quality-controlled certification system promotes centralization of complex hepato-pancreatic-biliary surgery. J Hepatobiliary Pancreat Sci 2023；30：851-862.

16) Balzano G, Guarneri G, Pecorelli N, Paiella S, Rancoita PMV, Bassi C, et al. Modelling centralization of pancreatic surgery in a nationwide analysis. Br J Surg 2020；107：1510-1519.

FRQ5 胆道癌における borderline resectable 症例とはどのようなものか？

胆道癌における borderline resectable 症例とはどのようなものか，明らかなコンセンサス
は得られていない。

解説

Borderline resectable（BR）の概念は，2006 年に NCCN ガイドラインで取り上げられて以来，主として膵
癌において議論されてきた。NCCN ガイドライン[1] や膵癌取扱い規約[2] では，膵周囲の主要な動脈，静脈と癌
の接触の程度によって切除可能性を分類し，標準的な切除のみでは組織学的に癌が遺残する（R1 切除）可能
性の高い状態を BR と定義している。一方，こうした解剖学的要因に加え，CA19-9 値とリンパ節転移を含む
腫瘍生物学的要因と，performance status に基づく患者要因の 3 者を組み合わせて BR を判断する国際コンセ
ンサスも提唱されている[3]。R1 切除になる可能性が高い解剖学的状態を BR と定義するのか，解剖学的要因の
みならず腫瘍生物学的要因と患者要因を組み合わせて，切除しても予後の悪い一群を BR と定義するのか，
BR の概念・定義は膵癌においても議論の途上にある。

胆道癌において，resectable，unresectable からは独立した BR の概念や定義について述べている文献はわ
ずかである。肝門部領域胆管癌については，Matsuyama ら[4,5] は自施設の肝門部領域胆管癌切除例の予後を検
討し，所属リンパ節転移と脈管（門脈または肝動脈）浸潤の両方を有する症例の予後が他の切除例に比べて有
意に悪く，非外科的治療後の予後と変わりなかったことから，こうした状況を BR とすることを提唱した。（レ
ベル C）

一方，Kuriyama ら[6]，Gyoten ら[7] は肝門部領域胆管癌の切除可能性分類を解剖学的要因から検討し，胆管
因子として肝右三区域または左三区域切除，あるいはそれ以下の肝切除によって残肝の肝内胆管を根治的に切
離できるとともに，血管因子として門脈または肝動脈を合併切除し安全に再建できる状態を BR と定義した。
（レベル C）

遠位胆管癌については，Miura ら[8] は自施設の遠位胆管癌切除例の予後因子を検討し，多変量解析で組織学
的門脈浸潤のみが有意な予後因子であったことから，組織学的門脈浸潤は遠位胆管癌における BR の状態とみ
なすべきであろうと報告した。（レベル C）

胆嚢癌，乳頭部癌については，BR の概念や定義に関する文献はみられなかった。

以上から，胆道癌における BR 症例とはどのようなものかについては，現時点では明らかなコンセンサスは
なく，今後の検討が待たれる課題である。ただ，胆道癌には肝門部領域胆管癌，遠位胆管癌，胆嚢癌，乳頭部
癌が含まれ，それぞれに腫瘍学的あるいは外科治療上の特性がある。今後 BR の概念や定義を議論していく場
合，胆道癌をひとまとめにして議論することは困難で，個々の癌腫別に議論を進めることが妥当であろう。ま
たその場合，解剖学的要因のみで BR の定義を考えるのか，腫瘍生物学的要因や患者要因も組み合わせて考え
るのか，考え方の基盤を明らかにしつつ議論を進めることも大切であろう。

引用文献

1) National Comprehensive Cancer Network. NCCN clinical practice guidelines in oncology. Pancreatic
   adenocarcinoma. Version 2. 2023. https://www.nccn.org/professionals/physician_gls/pdf/pancreatic.pdf
2) 日本膵臓癌会編. 膵癌取扱い規約　第 8 版. 東京, 金原出版, 2023.
3) Isaji S, Mizuno S, Windsor JA, Bassi C, Fernández-Del Castillo C, Hackert T, et al. International consensus on

definition and criteria of borderline resectable pancreatic ductal adenocarcinoma 2017. Pancreatology 2018；18：2-11.

4）Matsuyama R, Morioka D, Mori R, Yabushita Y, Hiratani S, Ota Y, et al. Our rationale of initiating neoadjuvant chemotherapy for hilar cholangiocarcinoma：a proposal of criteria for "borderline resectable" in the field of surgery for hilar cholangiocarcinoma. World J Surg 2019；43：1094-1104.

5）Matsuyama R, Mori R, Ota Y, Homma Y, Yabusita Y, Hiratani S, et al. Impact of gemcitabine plus S1 neoadjuvant chemotherapy on borderline resectable perihilar cholangiocarcinoma. Ann Surg Oncol 2022；29：2393-2405.

6）Kuriyama N, Usui M, Gyoten K, Hayasaki A, Fujii T, Iizawa Y, et al. Neoadjuvant chemotherapy followed by curative-intent surgery for perihilar cholangiocarcinoma based on its anatomical resectability classification and lymph node status. BMC Cancer 2020；20：405.

7）Gyoten K, Kuriyama N, Maeda K, Ito T, Hayasaki A, Fujii T, et al. Safety and efficacy of neoadjuvant chemotherapy based on our resectability criteria for locally advanced perihilar cholangiocarcinoma. Langenbecks Arch Surg 2023；408：261.

8）Miura F, Sano K, Amano H, Toyota N, Wada K, Yoshida M, et al. Evaluation of portal vein invasion of distal cholangiocarcinoma as borderline resectability. J Hepatobiliary Pancreat Sci 2015；22：294-300.

FRQ6 切除不能胆道癌に対するコンバージョン手術は有用か？

現時点では根拠が不十分であり，有用性は明らかではない。

解説

コンバージョン手術とは初回切除不能と判断された場合でも，化学療法／化学放射線療法により腫瘍が縮小し切除が可能となり行われる手術のことである。切除不能胆道癌に対するコンバージョン手術の施行率は 14～53%[1~7]，術式には主に胆道再建を伴う major hepatectomy，PD や拡大胆摘術などが報告されている。最近報告された多施設研究[8]では門脈切除 30.3%，肝動脈切除 19.6% であったが，それ以外では血管合併切除の割合は少なく[1~7,9,10]，全体を通して major HPD の割合は少ない[1~10]。報告例における薬物療法導入から手術までの期間の中央値は 51 日～8.1 ヵ月[1~3,5~10]，コンバージョン手術死亡率は 0～25%[1~11]，R0 切除率は 45～100%[1~10] と報告されている。そして，コンバージョン手術例の生存期間中央値は 17.9～57.6 ヵ月[1~3,5,6,8]，5 年生存率 24～43%[7,8,10] で，化学療法／化学放射線療法後にコンバージョン手術に至らなかった症例の生存期間中央値 7.5～14.4 ヵ月[1,2,5~7,10]，5 年生存率 1.4～3.0%[7,10] に比較して有意に良好と報告されている。しかし，これらの報告は少数例の検討，対象疾患が同一でない，術式も様々で血管合併切除や HPD の割合は少ない，各研究における切除不能の定義が一定でない，使用されている薬物療法のレジメンが異なる，施設間で成績に差を認める，などの背景を有するため，現時点では根拠が不十分で，有用性は明らかではない，とした。（レベル C）

Oligometastasis（オリゴメタ）とは，Hellman ら[12]によって 1995 年に提案された，局所治療が有効な数／部位が限定的である遠隔転移のことである。胆道癌の根治的切除後の異時性転移に対する外科的切除±化学療法[13~24]，ラジオ波焼灼療法[15,19,24,25] や放射線治療[24,26,27] の有効性が，肝内胆管癌[15~17,19~24,28]，肝外胆管癌[16~18,22~27]，胆囊癌[17,18,29] や十二指腸乳頭部癌[13,14] で少数例の検討により報告されている。胆道癌根治的切除後の異時性再発に対する局所治療による死亡率は 0～5.0%[13~15,17,18,21~23,25,28]，局所治療±化学療法による生存期間中央値は 12.4～91.6 ヵ月[13,15,16,20,21,23~28]，5 年生存率は 14.0～44.0%[13,17,18,22,24] と報告されている。胆道癌のオリゴメタに関してコンセンサスは得られていないが，単一臓器[24,26]，腫瘍の個数[28]（単発[26,29]，3 つ以下[23,24]），初回手術からの遅発性再発[13,17,22~24]，胸腹壁転移以外[17]，初回手術で N0[17]，病理で腸型（vs. 膵胆道型）[14] などが生存に影響すると報告されている。また，同時性転移に対する治療成績[13,14,29] の報告は少なく，さらなる検討が望まれる。（レベル C）

近年，胆道癌に対する分子標的薬も開発されており[30,31]，切除不能例におけるコンバージョン手術やオリゴメタ症例における治療成績の向上が期待される。（レベル C）

引用文献

1) Kato A, Shimizu H, Ohtsuka M, Yoshidome H, Yoshitomi H, Furukawa K, et al. Surgical resection after downsizing chemotherapy for initially unresectable locally advanced biliary tract cancer : a retrospective single-center study. Ann Surg Oncol 2013 ; 20 : 318-324.
2) Kato A, Shimizu H, Ohtsuka M, Yoshitomi H, Furukawa K, Takayashiki T, et al. Downsizing chemotherapy for initially unresectable locally advanced biliary tract cancer patients treated with gemcitabine plus cisplatin combination therapy followed by radical surgery. Ann Surg Oncol 2015 ; 22 : S1093-S1099.
3) Rayar M, Sulpice L, Edeline J, Garin E, Levi Sandri GB, Meunier B, et al. Intra-arterial yttrium-90 radioembolization combined with systemic chemotherapy is a promising method for downstaging unresectable huge intrahepatic cholangiocarcinoma to surgical treatment. Ann Surg Oncol 2015 ; 22 : 3102-3108.

4) Agrawal S, Mohan L, Mourya C, Neyaz Z, Saxena R. Radiological downstaging with neoadjuvant therapy in unresectable gall bladder cancer cases. Asian Pac J Cancer Prev 2016；17：2137-2140.

5) Engineer R, Goel M, Chopra S, Patil P, Purandare N, Rangarajan V, et al. Neoadjuvant chemoradiation followed by surgery for locally advanced gallbladder cancers：a new paradigm. Ann Surg Oncol 2016；23：3009-3015.

6) Creasy JM, Goldman DA, Dudeja V, Lowery MA, Cerek A, Balachandran VP, et al. Systemic chemotherapy combined with resection for locally advanced gallbladder carcinoma：surgical and survival outcomes. J Am Coll Surg 2017；224：906-916.

7) Le Roy B, Gelli M, Pittau G, Allard MA, Pereira B, Serji B, et al. Neoadjuvant chemotherapy for initially unresectable intrahepatic cholangiocarcinoma. Br J Surg 2018；105：839-847.

8) Yabushita Y, Park JS, Yoon YS, Ohtsuka M, Kwon W, Choi GH, et al. Conversion surgery for initially unresectable locally advanced biliary tract cancer：a multicenter collaborative study conducted in Japan and Korea. J Hepatobiliary Pancreat Sci 2024；31：481-491.

9) Kobayashi S, Gotoh K, Takahashi H, Akita H, Marubashi S, Yamada T, et al. Clinicopathological features of surgically-resected biliary tract cancer following chemo-radiation therapy. Anticancer Res 2016；36：335-342.

10) Noji T, Nagayama M, Imai K, Kawamoto Y, Kuwatani M, Imamura M, et al. Conversion surgery for initially unresectable biliary malignancies：a multicenter retrospective cohort study. Surg Today 2020；50：1409-1417.

11) Jung JH, Lee HJ, Lee HS, Jo JH, Cho IR, Chung MJ, et al. Benefit of neoadjuvant concurrent chemoradiotherapy for locally advanced perihilar cholangiocarcinoma. World J Gastroenterol 2017；23：3301-3308.

12) Hellman S, Weichselbaum RR. Oligometastases. J Clin Oncol 1995；13：8-10.

13) Adam R, Chiche L, Aloia T, Elias D, Salmon R, Rivoire M, et al. Hepatic resection for noncolorectal nonendocrine liver metastases：analysis of 1,452 patients and development of a prognostic model. Ann Surg 2006；244：524-535.

14) de Jong MC, Tsai S, Cameron JL, Wolfgang CL, Hirose K, van Vledder MG, et al. Safety and efficacy of curative intent surgery for peri-ampullary liver metastasis. J Surg Oncol 2010；102：256-263.

15) Kamphues C, Seehofer D, Eisele RM, Denecke T, Pratschke J, Neumann UP, et al. Recurrent intrahepatic cholangiocarcinoma：single-center experience using repeated hepatectomy and radiofrequency ablation. J Hepatobiliary Pancreat Sci 2010；17：509-515.

16) Song SC, Heo JS, Choi DW, Choi SH, Kim WS, Kim MJ. Survival benefits of surgical resection in recurrent cholangiocarcinoma. J Korean Surg Soc 2011；81：187-194.

17) Takahashi Y, Ebata T, Yokoyama Y, Igami T, Sugawara G, Mizuno T, et al. Surgery for recurrent biliary tract cancer：a single-center experience with 74 consecutive resections. Ann Surg 2015；262：121-129.

18) Noji T, Tsuchikawa T, Mizota T, Okamura K, Nakamura T, Tamoto E, et al. Surgery for recurrent biliary carcinoma：results for 27 recurrent cases. World J Surg Oncol 2015；13：82.

19) Park HM, Yun SP, Lee EC, Lee SD, Han SS, Kim SH, et al. Outcomes for patients with recurrent intrahepatic cholangiocarcinoma after surgery. Ann Surg Oncol 2016；23：4392-4400.

20) Spolverato G, Kim Y, Alexandrescu S, Marques HP, Lamelas J, Aldrighetti L, et al. Management and outcomes of patients with recurrent intrahepatic cholangiocarcinoma following previous curative-intent surgical resection. Ann Surg Oncol 2016；23：235-243.

21) Souche R, Addeo P, Oussoultzoglou E, Herrero A, Rosso E, Navarro F, et al. First and repeat liver resection for primary and recurrent intrahepatic cholangiocarcinoma. Am J Surg 2016；212：221-229.

22) Miyazaki Y, Kokudo T, Amikura K, Kageyama Y, Takahashi A, Ohkohchi N, et al. Survival of surgery for recurrent biliary tract cancer：a single-center experience and systematic review of literature. Jpn J Clin Oncol 2017；47：206-212.

23) Yoh T, Hatano E, Seo S, Okuda Y, Fuji H, Ikeno Y, et al. Long-term survival of recurrent intrahepatic cholangiocarcinoma：the impact and selection of repeat surgery. World J Surg 2018；42：1848-1856.

24) Morino K, Seo S, Yoh T, Fukumitsu K, Ishii T, Taura K, et al. Proposed definition for oligometastatic recurrence in biliary tract cancer based on results of locoregional treatment：a propensity-score-stratified analysis. Ann Surg Oncol 2020；27：1908-1917.

25) Park SY, Kim JH, Won HJ, Shin YM, Kim PN. Radiofrequency ablation of hepatic metastases after curative resection of extrahepatic cholangiocarcinoma. AJR Am J Roentgenol 2011；197：W1129-1134.

26) Kim SW, Lim DH, Park HC, Park W, Park JO, Park YS. Salvage radiation therapy for isolated local recurrence of extrahepatic cholangiocarcinoma after radical surgery：a retrospective study. Ann Surg Oncol 2015；22：1308-1314.

27) Kim E, Kim YJ, Kim K, Song C, Lim JS, Oh DY, et al. Salvage radiotherapy for locoregionally recurrent

extrahepatic bile duct cancer after radical surgery. Br J Radiol 2017 ; 90 : 20170308.

28） Zhang SJ, Hu P, Wang N, Shen Q, Sun AX, Kuang M, et al. Thermal ablation versus repeated hepatic resection for recurrent intrahepatic cholangiocarcinoma. Ann Surg Oncol 2013 ; 20 : 3596-3602.

29） Higuchi R, Ono H, Matsuyama R, Takemura Y, Kobayashi S, Otsubo T, et al. Examination of the characteristics of long-term survivors among patients with gallbladder cancer with liver metastasis who underwent surgical treatment : a retrospective multicenter study（ACRoS1406）. BMC Gastroenterol 2022 ; 22 : 152.

30） Goyal L, Meric-Bernstam F, Hollebecque A, Valle JW, Morizane C, Karasic TB, et al. Futibatinib for *FGFR2*-rearranged intrahepatic cholangiocarcinoma. N Engl J Med 2023 ; 388 : 228-239.

31） Oh DY, Lee KH, Lee DW, Yoon J, Kim TY, Bang JH, et al. Gemcitabine and cisplatin plus durvalumab with or without tremelimumab in chemotherapy-naive patients with advanced biliary tract cancer : an open-label, single-centre, phase 2 study. Lancet Gastroenterol Hepatol 2022 ; 7 : 522-532.

FRQ7 肝門部領域胆管癌に対する肝移植は有用か？

欧米からの報告ではリンパ節・肝内・肝外転移を伴わず局所進行のため切除不能な肝門部領域胆管癌に対し，厳格な患者選択の下での肝移植は長期予後をもたらし治癒を期待し得る。今後，本邦でのエビデンス創生が期待される。

解説

米国では 1990 年代以降，主に Mayo Clinic がリンパ節・肝内・肝外転移を伴わず局所進行のため切除不能と判断された肝門部領域胆管癌に対し，術前化学放射線療法（体外照射 45 Gy＋照射開始後 5-FU 3 日間＋胆管内照射 I^{192} 20〜30 Gy＋移植に至るまで週 1 回カペシタビンを継続）を行い，病勢進行がなく肝移植に至った患者では 5 年生存率が 70％ を超えることを明らかにした[1]。この結果から，米国では 2009 年に臓器調達移植ネットワーク（organ procurement and transplantation network：OPTN）の定める通常の肝移植適応疾患のひとつとして承認され，2010 年より全米の施設で実施可能となった。2012 年に報告された Mayo Clinic を含む 12 施設における後方視的多施設共同試験では，1993 年から 2010 年に術前化学放射線治療後に病勢進行がないことを確認後，肝移植に至った 214 名の 5 年無再発生存率は観察期間中央値 2.5 年で 65％ と極めて良好であった[2]。移植後の再発は 43 名（20％）に認め，脳死ドナーまたは生体ドナー，PSC 合併の有無いずれも予後には影響せず，また術前治療の内容や staging，手術のタイミングも施設間で違いがみられたものの予後との相関はなく，米国の適応基準が妥当であることが明らかとなった。その後，Mayo Clinic は移植後の再発予測因子として CA19-9 上昇，門脈浸潤，摘出肝の病理検索における術前化学放射線療法の奏効度を同定した[3,4]。2019 年 2 月に国際肝移植学会がオランダ・ロッテルダムで開催した transplant oncology に関する初の国際コンセンサス会議では，肝門部領域胆管癌の移植適応はあくまで切除不能な病変に限り術前化学放射線療法後に肝移植を行うことがエビデンスレベル「中」で条件付き推奨とされた[5]。

なお，全米で適応承認となった 2010 年から 2017 年にかけて肝移植を受けた切除不能な肝門部領域胆管癌 155 名を対象とした研究では，6 件以上の移植を経験した 7 施設は 6 件未満の 23 施設と比し 5 年生存率が有意に良好（45.8％ vs. 26.0％）であり，Mayo Clinic の成績が必ずしも他の施設で再現されていない現実が明らかとなった[6]。同様に欧州からはドイツ，アイルランド，オランダより切除不能な肝門部領域胆管癌患者に対する肝移植のまとまった治療成績（それぞれ 20 名以上の患者が含まれている）が報告されているが，術前治療は「なし」も含め多岐にわたり，かつ 5 年生存率も 30〜50％ 台とばらつきがあることから，肝移植はいまだ確立された治療戦略とは言いがたい[7~9]。

2021 年には Cambridge ら[10] が 2000 年から 2019 年までに肝門部領域胆管癌に対する肝移植の長期予後を報告した 20 編を対象とするメタアナリシスを行った結果が示された。移植を受けた 428 名のうち 272 名（63.6％）が術前化学放射線治療後であった。術前治療群の 5 年生存率が 65.1％（95％ CI：55.1％-74.5％）で，術前治療なし群の 31.6％（95％ CI：23.1％-40.7％）よりも明らかに良好であった。移植後 3 年以上経過した患者における再発率は術前治療群 24.1％（95％ CI：17.9％-30.9％），術前治療なし群で 51.7％（95％ CI：33.8％-69.4％）であり，改めて術前治療を完遂した後，病勢進行のない患者に限って肝移植を行うことが長期生存をもたらす上で必須であることが確認された。2022 年に Breuer ら[11] が発表した肝門部領域胆管癌に対する肝移植の国際 benchmark 研究では，2014 年から 2018 年にかけて北米 8・欧州 9 の HVC（肝移植≧50 件／年）で Mayo Clinic 基準を満たす患者に対して術前治療後に肝移植を行った benchmark 患者（90 日以内死亡が 5.2％ 以下，1 年時点での comprehensive complication index が 33.7 以下，術後合併症 C-D≧Ⅲa が 66.7％ 以下）120 名の 5 年無病生存率は 50.2％ であり，同時期に治癒切除を受けた Bismuth-Corlette Ⅳ型でリンパ節転移のない

患者106名の17.4%より有意に予後良好であった（*P* ＜ 0.001）。この論文では少なくとも切除不能な患者に対しては術前治療後の肝移植の検討が必須で，いまだ移植が許可されていない国ではガイドラインの再考が望ましく，また切除可能な患者においてもリンパ節転移がなければ移植適応となりうることを患者に説明すべき，と結論づけている。

　一方で，2021年にMuellerら[12]が発表した肝門部領域胆管癌に対する肝切除の国際benchmark研究では欧米とアジアで治療成績が大きく異なる現状が明らかとなった。米国3，欧州13，アジア8（うち日本5，韓国3）のHVC（5年間で50件以上の肝門部領域胆管癌に対する大肝切除の実績を有する）で2014年から2018年にかけて手術を受けた1,829名中，708名がbenchmark手術（基準は手術時間8時間以下，出血量1,100mL以下，R0切除57%以上，ISGLS術後肝不全35%以下，胆汁漏47%以下，在院死亡率8%以下，3ヵ月以内死亡率13%以下，3ヵ月以内術後合併症C-D ≧ Ⅲa 70%以下，3ヵ月以内comprehensive complication index 30.5以下）を満たした。本研究ではアジアの施設（272名）では欧州および米国の施設（436名）と比較して術後の高度肝不全発生率が有意に低く（1.7% vs. 7.7%，*P* = 0.018），在院死亡率は低い傾向にあり（2.0% vs. 5.9%，*P* = 0.06），患者全生存率も有意に良好（HR：1.64）であった。またアジアでは門脈塞栓術が41.5%（欧米では24.8%，*P* ＜ 0.001）の患者で用いられ予定残肝が大きく，手術時間が498分と欧米の398分よりも長く（*P* = 0.03），郭清されたリンパ節個数も多い（8.3個 vs. 5.7個，*P* = 0.04）。この結果から肝門部領域胆管癌に対する切除戦略の世界レベルでの地域格差が明らかとなった。

　以上より，現時点では厳格な患者選択の下で行われる，切除不能な肝門部領域胆管癌に対する肝移植は安全かつ有効である可能性は高く，米国のNCCN Guidelines Version 6. 2024 Biliary Tract Cancersでは治療の選択肢として明記されている。現在スペイン（NCT04378023）とノルウェー（NCT04993131）で切除不能な患者に対する前向き臨床試験が進行中である（なおフランスにおける切除可能例に対する肝切除と肝移植の無作為化比較試験NCT02232932は肝移植群の術前drop out率が高く中止された）。しかしながら欧米における「切除不能」の定義は不明確である。欧米ではUICC分類第7版まではBismuth-Corlette Ⅳ型がT4として分類され長らく切除不能と考えられ，切除成績の報告は本邦が中心であったが[13]，UICC分類第8版からは削除され，近年欧米からも切除例の報告がみられる[14]。

　日本では2022年9月に先進医療Bとして「生体肝移植術　切除が不可能な肝門部胆管がん」（jRCT107022005）が告示され，将来的な保険収載を目指して全国10施設（北海道大学，東北大学，東京大学，慶應義塾大学，名古屋大学，京都大学，岡山大学，愛媛大学，九州大学，熊本大学）で熊本大学を主幹とした前向き臨床試験が始められた。切除不能の4条件として①残肝の容量・機能不足，②門脈および・または肝動脈への浸潤により予定残肝への血流保持（再建）が不能，③病変が胆管分離限界点（通常，右肝切除では門脈臍部右縁，右三区域切除では門脈臍部左縁，左肝切除では右後区域胆管が門脈右後区域枝の背側を回り込む点と，右前区域胆管の右肝動脈前下枝（A5）・前上枝（A8）分岐部に相当する点，左三区域切除では右後区域動門脈枝（A6/7およびP6/7）との剥離限界）を超えて予定残肝の末梢側へ浸潤，④原発性硬化性胆管炎に合併した局在不明の胆管癌をあげ，主要評価項目は生体肝移植後3年までの患者生存期間である。本臨床試験には上記10施設に加え，肝門部領域胆管癌に対する豊富な切除経験を有し世界に発信してきた本邦のエキスパートが候補患者のリクルートに加えて適応中央判定委員として加わっており，肝三区域切除によって切除できない病変が切除不能であることはコンセンサスが得られていると考えられる。予定残肝への血流保持（再建）に関しては，各患者の血管解剖と浸潤程度および各施設の血行再建の経験によっても判断が異なる可能性がある。術前治療を含む患者選択とともに，肝移植の真の適応をこれから確立する段階にあり，本邦でのエビデンスの創生が強く望まれる。

引用文献

1) Heimbach JK, Gores GJ, Haddock MG, Alberts SR, Pedersen R, Kremers W, et al. Predictors of disease recurrence following neoadjuvant chemoradiotherapy and liver transplantation for unresectable perihilar cholangiocarcinoma. Transplantation 2006；82：1703-1707.

2) Darwish Murad S, Kim WR, Harnois DM, Douglas DD, Burton J, Kulik LM, et al. Efficacy of neoadjuvant chemoradiation, followed by liver transplantation, for perihilar cholangiocarcinoma at 12 US centers. Gastroenterology 2012；143：88-98.

3) Darwish Murad S, Kim WR, Therneau T Gores GJ, Rosen CB, Martenson JA, et al. Predictors of pretransplant dropout and posttransplant recurrence in patients with perihilar cholangiocarcinoma. Hepatology 2012；56：972-981.

4) Lehrke HD, Heimbach JK, Wu TT, Jenkins SM, Gores GJ, Rosen CB, et al. Prognostic significance of the histologic response of perihilar cholangiocarcinoma to preoperative neoadjuvant chemoradiation in liver explants. Am J Surg Pathol 2016；40：510-518.

5) Sapisochin G, Javle M, Lerut J, Ohtsuka M, Ghobrial M, Hibi T, et al. Liver transplantation for cholangiocarcinoma and mixed hepatocellular cholangiocarcinoma：working group report from the ILTS transplant oncology consensus conference. Transplantation 2020；104：1125-1130.

6) Kitajima T, Hibi T, Moonka D, Sapisochin G, Abouljoud MS, Nagai S. Center experience affects liver transplant outcomes in patients with hilar cholangiocarcinoma. Ann Surg Oncol 2020；27：5209-5221.

7) Dondorf F, Ute β F, Fahrner R, Felgenderff P, Ardelt M, Tautenhahn HM, et al. Liver transplant for perihilar cholangiocarcinoma（Klatskin tumor）：the essential role of patient selection. Exp Clin Transplant 2019；17：363-369.

8) Zaborowski A, Heneghan HM, Fiore B, Stafford A, Gallagher T, Geoghegan J, et al. Neoadjuvant chemoradiotherapy and liver transplantation for unresectable hilar cholangiocarcinoma：the Irish experience of the Mayo protocol. Transplantation 2020；104：2097-2104.

9) Hoogwater FJH, Kuipers H, de Meijer VE, Maulat C, Muscari F, Polak WG, et al. Role of neoadjuvant chemoradiotherapy in liver transplantation for unresectable perihilar cholangiocarcinoma：multicentre, retrospective cohort study. BJS Open 2023；7：zrad025.

10) Cambridge WA, Fairfield C, Powell JJ, Harrison EM, Søreide K, Wigmore SJ, et al. Meta-analysis and meta-regression of survival after liver transplantation for unresectable perihilar cholangiocarcinoma. Ann Surg 2021；273：240-250.

11) Breuer E, Mueller M, Doyle MB, Yang L, Murad SD, Anwar IJ, et al. Liver transplantation as a new standard of care in patients with perihilar cholangiocarcinoma? Results from an international benchmark study. Ann Surg 2022；276：846-853.

12) Mueller M, Breuer E, Mizuno T, Barsch F, Ratti F, Benzing C, et al. Perihilar cholangiocarcinoma – novel benchmark values for surgical and oncological outcomes from 24 expert centers. Ann Surg 2021；274：780-788.

13) Ebata T, Mizuno T, Yokoyama Y, Igami T, Sugawara G, Nagino M. Surgical resection for Bismuth type IV perihilar cholangiocarcinoma. Br J Surg 2018；105：829-838.

14) Ruzzenente A, Bagante F, Olthof PB, Aldrighetti L, Alikhanov R, Cescon M, et al. Surgery for Bismuth-Corlette type 4 perihilar cholangiocarcinoma：results from a western multicenter collaborative group. Ann Surg Oncol 2021；28：7719-7729.

FRQ8 残肝容積不足例に対する計画的二期的肝切除術，liver venous deprivation は有用か？

いずれの手技も胆道癌に限定したデータに乏しく，臨床研究によるエビデンスの蓄積が必要である。

解説

全肝の 50～60% 以上の肝切除を伴う胆道癌症例では，術後肝不全を回避するために肝機能の評価とともに，術式に応じた予定残肝容積（FLRV）の評価が必要である。また，胆管癌症例で 69 歳以上の高齢者では，FLRV 率 45% 以上を新たな安全域として提唱している報告[1]もある。本邦では FLRV 不足例には術前門脈塞栓術（PVE）が一般的に行われている。胆道癌を含む肝腫瘍では門脈塞栓術による残肝肥大率の正確な予測はいまだ困難であるが[2,3]，近年では FLRV を初回残肝容積率，ALP 値，ChE 値で評価する predictive scoring system も提案されている[4]。しかしながら PVE を施行しても一定期間で予定した肝容積が得られない場合もあり，PVE に付加的な肝動脈塞栓が試みられている。しかし，肝細胞癌や転移性肝腫瘍に比べ，胆道癌では残肝容積の増補効果は認められるものの，肝梗塞や膿瘍形成のリスクが極めて高く報告は限定的である[5,6]。PVE の限界を補いさらなる FLRV 増大を期待する新たな 2 つの術前手技として，計画的二期的肝切除術（ALPPS）と，PVE に加え肝静脈も塞栓する LVD が海外より報告された。

1）ALPPS

2017 年に Schlitt ら[7]により 'In-Situ Split' Liver Resection としてより効果的な残肝肥大を期待して考案され，その機序は初回手術で肝離断とともに血行遮断を行うことで，肝実質離断による肝内門脈間吻合の形成阻害などの機序で FLRV の肥大率や肥大速度が促進される。二期目の肝切除は初回肝離断から中央値 9 日間で 74% の肥大率である[8]ことから，PVE 単独施行時よりも短い間隔で二期的予定肝切除を施行できる可能性が拡大したとされ，本法は欧米を中心に急速に普及し，2012 年には国際登録が開始された[8,9]。しかし，初回肝切除に関連した死亡が高率で，重篤な合併症の発症割合も非常に高く，二期的手術が困難となるといった課題が指摘されてきた[8~11]。また，短期間に著明に肥大した FLRV の生理学的機能も依然十分には解明されておらず，生体に有利な肥大か臨床的に問題である。Lang ら[9]の 2020 年の国際登録の報告の中で，ALPPS の登録に胆道癌の占める割合は 12%（肝内胆管癌（intrahepatic cholangiocarcinoma：ICC）7%，肝門部領域胆管癌（PHCC）5%）と比率は少なく，2015 年に ALPPS と従来の二期的肝切除戦略とのシステマティックレビューとメタアナリシスが実施されたが，臨床計画上の問題から論文は現在，撤回されている。疾患別に経緯を以下に示す。

a．ICC

経腸間膜静脈的に ALPPS を併用した手技が 2014 年に欧州で hybrid ALPPS と命名され，欧州では片葉の局所進行 ICC に多く用いられている。FLRV 肥大率は中央値 11 日間の 99 例の報告では 75% 肥大し，97% の切除率と 88% の R0 切除率が得られている[12]。ALPPS 後の重度合併症は 29% で，二期的肝切除術後の 90 日死亡率は 7% で転移性肝癌相当のリスクと評価されている[13,14]。侵襲性を軽減する目的で，切離範囲を縮小した partial ALPPS，穿刺針で焼灼する ablation-assisted ALPPS が考案されたが，2016 年以降はロボットや腹腔鏡下の ALPPS が報告され[9,14~20]，十分な残肝容積の増加が得られ合併症も少なく二期的肝切除が施行されている。しかしながら，これらの変法も胆管閉塞の伴わない ICC に限られている。2023 年には，主肝静脈や下大静脈に浸潤し一般的には切除不能と考えられる ICC に対し，ALPPS と体外肝切除＋自家肝移植を組み合わせた症例報告[21]も認められた。

b. PHCC および胆嚢癌

　胆管ドレナージを伴うような Bismuth type Ⅱ を超える PHCC や肝門部に進展する胆嚢癌に対する肝切除では，FLRV 肥大の程度が強くても初回 ALPPS による血行障害に起因する胆道感染や敗血症などの合併症リスクが高く，肝不全を含めた多臓器不全を招来しやすい。Lang らの報告[9]でも ALPPS が提唱されて以来，報告数は他の肝腫瘍に比べ少なく，国際 ALPPS 登録の最初の報告では，PHCC の二期的肝切除後の死亡率が ALPPS 非施行例の PHCC 術後死亡率 13% よりも高い 48% と報告され[10]，この時点では PHCC に対しての応用は推奨されていなかった[11]。2016 年以降 partial ALPPS が考案され[22]，本邦でも経回腸静脈的 PVE を併用した partial ALPPS を Sakamoto らが PHCC 2 例と胆嚢癌 1 例に施行し，14 日で約 40% の FLRV を確保し合併症なく手術を完遂した[23,24]。その後，少数例での partial ALPPS の報告が散見され，施行が増加している[25,26]。Tsui ら[27]は胆嚢床側に進展する進行胆嚢癌に対する肝中央二区域切除において両側 FLRV 不足に対し double split を 2 例に施行し，外側区域＋後区域の FLRV をそれぞれ 73%，55% まで肥大させ手術を安全に完遂している。2023 年に欧米の 8 つの Expert 施設における 2010～2020 年までの 39 症例の ALPPS を施行した PHCC の再評価が行われた[28]。それによると包括的な術前評価を行い，腹腔鏡下やロボット支援下で初回肝切離を行った結果，短期間で急速な FLRV 増大が得られ，かつ C-D Grade 3a 以上の合併症率は 23% と低下し，死亡例はなかったと良好な結果が報告された。さらに，右肝切除または右三区域切除の二期的肝切除での R0 切除率は 80% 以上で，術後合併症は 31%，90 日以内の死亡率は 7.7% と，初回の国際登録データと比べリスクが著明に減少し，耐術例の 5 年生存率は 53% との結果を得ている。この結果から経験豊かな施設であれば PHCC 症例に対する ALPPS は適応でないとする現状に異議を唱えている[28]。近年は手術侵襲の少ない鏡視下やロボット支援下の門脈枝結紮や初回肝切離 ALPPS が工夫されており[27]，欧米の近年のデータでは胆道癌の FLRV 不足例での ALPPS の有効性（肝容積増加と高い R0 切除率）と安全性は新たな検証の時期に来ている。

2）LVD

　術前 PVE に加え二期的に肝静脈を塞栓する手技である。門脈塞栓のみで起きる肝動脈血流増加を抑制し PVE の限界を補うという原理に基づいたもので，2009 年に Hwang ら[29]によって報告され，近年，徐々に報告が増加してきている。LVD は ALPPS のように手術介入は行わず，interventional radiology（IVR）支援下に安全に標的肝静脈本幹をコイルや塞栓物質で充填するため侵襲は少なく，ALPPS には及ばないものの PVE の効果に上乗せした FLRV 増大をもたらし，二期的肝切除を合併症が少なく遂行できている[30]。当初，FLRV 増大率は PVE の 14.2% に比べ LVD では 27.6% と増補が認められ，初回塞栓後の重篤な合併症を認めず，二期的肝切除後の残肝肥大も良好と報告された[29]。Hwang ら[31]はさらに 8 年間のデータ集積による PVE-LVD を施行した 42 例の胆道癌（PHCC 34 例，ICC 3 例，胆嚢癌 1 例）での FLRV の解析と 3 年生存率を報告し，FLRV 増大率は PVE の平均 13.3% に比べ LVD 後で平均 28.9% と上乗せの結果であった。2017 年以降は欧州での塞栓手技の改良で，施行後 1 週間までに 53.4% の FLRV の急速な増大を認め，22～45 日の間に 9 例で二期的に R0 肝切除を施行している[32]。Hocquelet ら[33]は PHCC において PVE-LVD と胆管ドレナージをほぼ同時に行った 6 例と門脈塞栓（＋胆管ドレナージ）のみの 6 例を比較し，FLRV 増大率の中央値が 58% vs. 37% と LVD 併用群で 1.6 倍の上乗せ効果を認め，二期的肝切除後の在院日数減少と死亡例ゼロの結果を報告している。本邦では肝内胆管癌症例において，Haruki ら[34]が化学療法後 conversion 症例に dual hepatic vein embolization を用いて有効性を報告している。2020 年以降，欧州や本邦からも PVE との比較研究がなされ，LVD 併用による FLRV の高い増大効果と二期的肝切除の安全性や完遂率がともに高いとの報告が増えている[34~39]。対象症例として PHCC や ICC の占める割合が増えてきているものの，胆道癌のみでのデータ蓄積が

いまだ不十分との指摘も論述されている。また，塞栓する肝静脈の範囲，穿刺アプローチ，PVE と LVD の施行間隔，FLRV の評価時期や二期的肝切除の施行時期についても未解決である。

　ALPPS と LVD のいずれを選択するか？　の命題について，Chebaro ら[40] は 2011～2020 年までの 8 施設で集積した 209 例での後方視的比較解析を行った。LVD を施行する比率が高く（59%），また ALPPS は転移性肝癌に，LVD は PHCC におおむね選択されていたと報告している。残肝肥大までの期間と率は ALPPS が LVD より早くかつ高く，二期的肝切除遂行率は 90% vs. 72.6% と ALPPS 群が高かった。一方で，LVD 群では二期的肝切除まで 27 日かかるものの，手術時間や出血量，在院日数は低く，90 日死亡は 6.8% vs. 1.7% と LVD 群が低い傾向にあったが有効性について明確な評価は論述されていなかった。以上をまとめると，欧州の 2012 年から継続される ALPPS の debate では，初回手術を腹腔鏡下で行う低侵襲手技により末梢の ICC に対しての施行は許容されつつあるが PHCC に対する施行は依然問題視され，2024 年の専門家のコメントでも，1）どのような患者が選択されるのか，2）初回どのような低侵襲外科処置が望ましいのか，3）術前胆管ドレナージが必要なのか，などが議論されている[41]。胆道癌でも胆管を閉塞する PHCC や胆嚢癌と，大型胆管を閉塞せず肝静脈に浸潤する ICC や他の肝腫瘍とでは，背景肝の細胞障害機序は異なると推察される。前者では胆管炎など潜在的な急性炎症の有無，血管合併切除や消化管再建，他臓器切除などの付加治療が，FLRV 増大や二期的肝切除の治療成績の違いに影響することを念頭におく必要があると考える。

　現状では，本邦では胆道癌での FLRV 不足例への ALPPS や LVD の併用に関する有効性と安全性のデータは乏しいことからも "胆道癌で残肝容積不足例に対する ALPPS および LVD は推奨されるか" の問いに対しては，今後は国内での十分なエビデンスはなく，限られた適格症例において経験豊かな施設の十分な周術期管理のもとで前向き臨床試験として検討を行うことが望まれる。

引用文献

1）Watanabe Y, Kuboki S, Shimizu H, Ohtsuka M, Yoshitomi H, Furukawa K, et al. A new proposal of criteria for the future remnant liver volume in older patients undergoing major hepatectomy for biliary tract cancer. Ann Surg 2018；267：338-345.

2）Nanashima A, Tobinaga S, Abo T, Sumida Y, Araki M, Hayashi H, et al. Relationship of hepatic functional parameters with changes of functional liver volume using technetium-99m galactosyl serum albumin scintigraphy in patients undergoing preoperative portal vein embolization：a follow-up report. J Surg Res 2010；164：e235-242.

3）Kasai Y, Hatano E, Iguchi K, Seo S, Taura K, Yasuchika K, et al. Prediction of the remnant liver hypertrophy ratio after preoperative portal vein embolization. Eur Surg Res 2013；51：129-137.

4）Watanabe N, Yamamoto Y, Sugiura T, Okamura Y, Ito T, Ashida R, et al. A predictive scoring system for insufficient liver hypertrophy after preoperative portal vein embolization. Surgery 2018；163：1014-1019.

5）Nagino M, Kanai M, Morioka A, Yamamoto H, Kawabata Y, Hayakawa N, et al. Portal and arterial embolization before extensive liver resection in patients with markedly poor functional reserve. J Vasc Interv Radiol 2000；11：1063-1068.

6）Glantzounis GK, Tokidis E, Basourakos SP, Ntzani EE, Lianos GD, Pentheroudakis G. The role of portal vein embolization in the surgical management of primary hepatobiliary cancers. A systematic review. Eur J Surg Oncol 2017；43：32-41.

7）Schlitt HJ, Hackl C, Lang SA. 'In-Situ Split' liver resection/ALPPS - historical development and current practice. Visc Med 2017；33：408-412.

8）Schlegel A, Lesurtel M, Melloul E, Limani P, Tschuor C, Graf R, et al. ALPPS：from human to mice highlighting accelerated and novel mechanisms of liver regeneration. Ann Surg 2014；260：839-846.

9）Lang H, Baumgart J, Mittler J. Associated liver partition and portal vein ligation for staged hepatectomy（ALPPS）registry：what have we learned? Gut Liver 2020；14：699-706.

10）Olthof PB, Coelen RJS, Wiggers JK, Groot Koerkamp B, Malago M, Hernandez-Alejandro R, et al. High mortality after ALPPS for perihilar cholangiocarcinoma : case-control analysis including the first series from the international ALPPS registry. HPB（Oxford）2017 ; 19 : 381-387.

11) Rassam F, Roos E, van Lienden KP, van Hooft JE, Klümpen HJ, van Tienhoven G, et al. Modern work-up and extended resection in perihilar cholangiocarcinoma : the AMC experience. Langenbecks Arch Surg 2018 ; 403 : 289-307.

12) Li J, Moustafa M, Linecker M, Lurje G, Capobianco I, Baumgart J, et al. ALPPS for locally advanced intrahepatic cholangiocarcinoma : did aggressive surgery lead to the oncological benefit? An international multi-center study. Ann Surg Oncol 2020 ; 27 : 1372-1384.

13) Balci D, Sakamoto Y, Li J, Di Benedetto F, Kirimker EO, Petrowsky H. Associating liver partition and portal vein ligation for staged hepatectomy（ALPPS）procedure for cholangiocarcinoma. Int J Surg 2020 ; 82S : 97-102.

14) Bednarsch J, Czigany Z, Lurje I, Strnad P, Bruners P, Ulmer TF, et al. The role of ALPPS in intrahepatic cholangiocarcinoma. Langenbecks Arch Surg 2019 ; 404 : 885-894.

15) Sakamoto Y, Inagaki F, Omichi K, Ohkura N, Hasegawa K, Kokudo N. Associating liver partial partition and transileocecal portal vein embolization for staged hepatectomy. Ann Surg 2016 ; 264 : e21-e22.

16) Røsok BI, Björnsson B, Sparrelid E, Hasselgren K, Pomianowska E, Gasslander T, et al. Scandinavian multicenter study on the safety and feasibility of the associating liver partition and portal vein ligation for staged hepatectomy procedure. Surgery 2016 ; 159 : 1279-1286.

17) Ha S, Alshahrani AA, Hwang S. ALPPS in a patient with periductal infiltrating intrahepatic cholangiocarcinoma. Ann Hepatobiliary Pancreat Surg 2017 ; 21 : 223-227.

18) Botea F, Barcu A, Croitoru A, Tomescu D, Lupescu I, Dumitru R, et al. Parenchyma sparing ALPPS－ultrasound guided partition through segment 4 to maximize resectability（with video）. Chirurgia（Bucur）2022 ; 117 : 81-93.

19) Kogure M, Arai T, Momose H, Matsuski R, Suzuki Y, Sakamoto Y. Rescue partial ALPPS for left hemihepatectomy with reconstruction of the middle hepatic vein. Dig Surg 2021 ; 38 : 325-329.

20) Di Benedetto F, Magistri P. First case of full robotic ALPPS for intrahepatic cholangiocarcinoma. Ann Surg Oncol 2021 ; 28 : 865.

21) Baimas-George M, Strand MS, Davis JM, Eskind LB, Lessne M, Levi DM, et al. Future liver remnant augmentation preceding ex vivo hepatectomy with IVC replacement : a strategy to achieve R0 margins. Langenbecks Arch Surg 2023 ; 408 : 156.

22) Balci D, Kirimker EO, Üstüner E, Yilmaz AA, Azap A. Stage I-laparoscopy partial ALPPS procedure for perihilar cholangiocarcinoma. J Surg Oncol 2020 ; 121 : 1022-1026.

23) Sakamoto Y, Matsumura M, Yamashita S, Ohkura N, Hasegawa K, Kokudo N. Partial TIPE ALPPS for perihilar cancer. Ann Surg 2018 ; 267 : e18-e20.

24) 小暮正晴，松本亮太，鈴木　裕，阪本良弘．肝門部領域胆管癌に ALPPS は適応可能か？　胆と膵　2019 ; 40 : 395-398.

25) Kumar N, Duncan T, O'Reilly D, Káposztás Z, Parry C, Rees J, et al. Partial ALPPS with a longer wait between procedures is safe and yields adequate future liver remnant hypertrophy. Ann Hepatobiliary Pancreat Surg 2019 ; 23 : 13-19.

26) Melekhina O, Efanov M, Alikhanov R, Tsvirkun V, Kulezneva Y, Kazakov I, et al. Percutaneous radiofrequency-assisted liver partition versus portal vein embolization before hepatectomy for perihilar cholangiocarcinoma. BJS Open 2020 ; 4 : 101-108.

27) Tsui TY, Heumann A, Vashist YK, Izbicki JR. How we do it : double in situ split for staged mesohepatectomy in patients with advanced gall bladder cancer and marginal future liver remnant. Langenbecks Arch Surg 2016 ; 401 : 565-571.

28) Balci D, Nadalin S, Mehrabi A, Alikhanov R, Fernandes ESM, Benedetto FD, et al. Revival of associating liver partition and portal vein ligation for staged hepatectomy for perihilar cholangiocarcinoma : an international multicenter study with promising outcomes. Surgery 2023 ; 173 : 1398-1404.

29) Hwang S, Lee SG, Ko GY, Kim BS, Sung KB, Kim MH, et al. Sequential preoperative ipsilateral hepatic vein embolization after portal vein embolization to induce further liver regeneration in patients with hepatobiliary malignancy. Ann Surg 2009 ; 249 : 608-616.

30) Ko GY, Hwang S, Sung KB, Gwon DI, Lee SG. Interventional oncology : new options for interstitial treatments and intravascular approaches : right hepatic vein embolization after right portal vein embolization for inducing hypertrophy of the future liver remnant.　J Hepatobiliary Pancreat Sci 2010 ; 17 : 410-412.

31) Hwang S, Ha TY, Ko GY, Kwon DI, Song GW, Jung DH, et al. Preoperative sequential portal and hepatic vein embolization in patients with hepatobiliary malignancy. World J Surg 2015 ; 39 : 2990-2998.

32) Guiu B, Quenet F, Escal L, Bibeau F, Piron L, Rouanet P, et al. Extended liver venous deprivation before major hepatectomy induces marked and very rapid increase in future liver remnant function. Eur Radiol 2017 ; 27 : 3343-3352.

33) Hocquelet A, Sotiriadis C, Duran R, Guiu B, Yamaguchi T, Halkic N, et al. Preoperative portal vein embolization alone with biliary drainage compared to a combination of simultaneous portal vein, right hepatic vein embolization and biliary drainage in Klatskin tumor. Cardiovasc Intervent Radiol 2018 ; 41 : 1885-1891.

34) Haruki K, Furukawa K, Ashida H, Shirai Y, Onda S, Tsunematsu M, et al. Simultaneous dual hepatic vascular embolization (DHVE) for massive hepatectomy. Ann Surg Oncol 2021 ; 28 : 8246.

35) Kobayashi K, Yamaguchi T, Denys A, Perron L, Halkic N, Demartines N, et al. Liver venous deprivation compared to portal vein embolization to induce hypertrophy of the future liver remnant before major hepatectomy : a single center experience. Surgery 2020 ; 167 : 917-923.

36) Le Roy B, Gallon A, Cauchy F, Pereira B, Gagnière J, Lambert C, et al. Combined biembolization induces higher hypertrophy than portal vein embolization before major liver resection. HPB (Oxford) 2020 ; 22 : 298-305.

37) Laurent C, Fernandez B, Marichez A, Adam JP, Papadopoulos P, Lapuyade B, et al. Radiological simultaneous portohepatic vein embolization (RASPE) before major hepatectomy : a better way to optimize liver hypertrophy compared to portal vein embolization. Ann Surg 2020 ; 272 : 199-205.

38) Heil J, Schadde E. Simultaneous portal and hepatic vein embolization before major liver resection. Langenbecks Arch Surg 2021 ; 406 : 1295-1305.

39) Araki K, Shibuya K, Harimoto N, Watanabe A, Tsukagoshi M, Ishii N, et al. A prospective study of sequential hepatic vein embolization after portal vein embolization in patients scheduled for right-sided major hepatectomy : results of feasibility and surgical strategy using functional liver assessment. J Hepatobiliary Pancreat Sci 2023 ; 30 : 91-101.

40) Chebaro A, Buc E, Durin T, Chiche L, Brustia R, Didier A, et al. Liver venous deprivation or associating liver partition and portal vein ligation for staged hepatectomy? : a retrospective multicentric study. Ann Surg 2021 ; 274 : 874-880.

41) Donati M, Zanatta M, Oldhafer KJ. Associating liver partition and portal vein ligation for staged hepatectomy for perihilar cholangiocarcinoma : resurgence of a surgical method. Surgery 2024 ; 175 : 569-570.

FRQ9　胆道癌に対する術後経過観察はどのように行うか？

再発危険因子を有する症例に対しては術後3年目までは短い間隔でCTを中心とした画像診断と腫瘍マーカー測定により再発チェックを行う。
術後観察期間に関しては，できるだけ長期間に渡り継続する。

解説

　胆道癌に対して術後の綿密なfollow upによる再発の早期発見により生存期間が延長するとの明確なevidenceは存在しない。しかし，近年の化学治療の進歩を考えると再発早期発見によって迅速な治療を開始することで生存期間の延長効果が一定程度，期待される。事実，Nooijenら[1]はBILCAP臨床試験にエントリーし，術後，体系的follow up（術後1年間は3ヵ月毎，2年目は半年に1回のCTと腫瘍マーカー検査，3年目以降は年に1回のCT）を行った群（structured group）と，臨床試験に登録されずroutineの検査を行わなかった群（pragmatic group）で予後を比較し，structured groupが有意に予後良好であったと報告した。Structured groupでは再発後の化学療法の施行頻度が高かったことから，再発による症状が顕在化しperformance statusが低下する前に化学治療を導入できたことが予後に影響した可能性を指摘している。Nakahashiらの報告[2]では再発時に臨床症状を有しなかった症例は70%であり，それらはMDCTまたは腫瘍マーカー上昇によって再発を発見し得たとしている。また，症例数は限られるものの，再発巣の外科的切除により予後の延長効果を認めた報告[2,3]もあることから，臨床症状が顕在化する前に再発を診断するための統一されたサーベイランス法が必要と考えられる。

1）サーベイランスの間隔と期間

　胆道癌の術後サーベイランスの間隔について，米国の主要がんセンターによって構成されるNCCN[4]や，欧州のESMO[5]は，胆道癌（肝門部領域・遠位胆管，胆囊，十二指腸乳頭部）に関して術後2年間は3〜6ヵ月，それ以降は半年または1年毎の検査（CTまたはMRI検査，CEA・CA19-9採血）を術後5年まで行うことを推奨しているが，根拠は提示されていない。

　外来受診は再発の好発時期には間隔を密にする必要がある。肝門部領域胆管癌と遠位胆管癌に関する報告[3]では，再発率は両者においてともに術後3年間ほぼ時間に比例して増加し，術後約3年目以降に減少していた。遠位胆管癌では術後約6年目以降では再発をほぼ認めなかったが，肝門部領域胆管癌では術後3年目以降も再発は少数ながらも一定数存在し，術後10年後まで再発を認めていた。肝門部領域胆管癌の予後に関する他の報告[2]においても同様の傾向にあり，術後10年までは画像診断を含めたfollow upを必要としている。このような晩期再発例には異所性発生癌も含まれている可能性があり，外科的または化学治療による予後改善の可能性もある。よって，サーベイランスの間隔は術後3年，6年，それ以降で徐々に広げていきつつ，患者の状況を勘案し可能な限り長期間継続することが適切と考えられる。

2）再発危険因子によるサーベイランス間隔の変更

　胆道癌においてリンパ節転移陽性は再発の独立した危険因子として重要であるが[2,3]，加えて肝門部領域胆管癌，遠位胆管癌のいずれにおいても病理学的切離断端浸潤癌陽性，病理学的診断時に判明した遠隔転移が独立した早期再発の危険因子であり，さらに肝門部領域胆管癌ではpT3/4も同じく危険因子として報告されている[3]。Nakahashiら[2]はR0症例に限定した肝門部領域胆管癌の検討で，リンパ節転移陽性に加え病理学的静脈侵襲陽性も独立した再発危険因子と報告している。また，Komayaら[6]は遠位胆管癌術後のrecurrence free survival の検討で，神経周囲浸潤，膵浸潤も独立した早期再発の危険因子として報告している。

　胆嚢癌に関する再発危険因子としては，Li ら[7]が R0 切除を行った 276 例の検討により CA125 高値，T3/4，肝浸潤，リンパ節転移を術後 1 年以内の早期再発の独立した因子として報告している。また，Marogonis ら[8]の R2，N2 リンパ節転移，T4 症例を除く胆嚢癌根治切除 217 例の検討では再発までの中央値は 9.5 ヵ月であり，T3，リンパ管・静脈浸潤，R1 を独立した再発危険因子としてあげている。

　十二指腸乳頭部癌の再発危険因子に関しては，Ma ら[9]は 501 例の切除例のうち，再発が確認された 170 例中 107 例（62.9%）が術後 1 年以内の再発であったとしている。再発の危険因子として，他の胆道癌と同様に T3/4，リンパ節転移陽性，リンパ管・静脈侵襲陽性，組織学的低分化，病理学的断端癌陽性などがあげられている[9〜12]。

　以上から，各種胆道癌に一貫してリンパ節転移，静脈侵襲，神経周囲浸潤，pT3/4（PHCC），膵浸潤，病理学的切離断端浸潤癌陽性，病理学的診断時に判明した遠隔転移が早期再発のリスク因子としてあげられ，サーベイランスの頻度を高める対象と考える。

3) サーベイランスに必要な検査

　実臨床の場では胆道癌のサーベイランスとして造影 CT 検査，腫瘍マーカー（CEA，CA19-9）検査が主たる役割を担っている。腫瘍マーカー値単独では偽陰性，偽陽性があるため，再発に対する診断では CT 検査がより重要な役割を持つ。しかし，造影 CT 検査は腎機能，放射線被曝量，造影剤アレルギー，検査費用などの問題があり，頻度を必要以上に高めることは避けなければならない。したがって，術後の病理診断で再発危険因子を有すると判明した症例は，再発率が高い術後 3 年間の CT 撮像間隔を短縮する。また，腎機能低下例や造影剤アレルギー例では単純 CT 検査や MRI 検査の活用が必要となる。一方，腫瘍マーカー検査は侵襲度も低く，主治医の判断で 3 年目以降も症例に応じた頻度の選択が可能である。

　以上をふまえ，胆道癌術後サーベイランスの 1 例を表 1 に示す。危険因子の程度などを参考に患者毎に検査の頻度と内容を決定する。

表 1　胆道癌術後サーベイランス法の 1 提案例

術後経過年		〜3 年	3〜6 年	6 年〜[†]
CT を中心とした画像診断	危険因子[*]無	6 ヵ月毎	6 ヵ月毎	1 年毎
	危険因子[*]有	3〜4 ヵ月毎		
腫瘍マーカー（CEA，CA19-9）		3〜4 ヵ月毎	3〜6 ヵ月毎	1 年毎

[*]：リンパ節転移，静脈侵襲，神経周囲浸潤，pT3/4（PHCC），膵浸潤，切離断端浸潤癌陽性，病理学的診断時に判明した遠隔転移。[†]：可能なかぎり長期間継続。

引用文献

1) Nooijen LE, van der Snee L, Ten Haaft B, Kazemier G, Klümpen HJ, Bridgewater J, et al. A critical appraisal of the potential benefit of post-operative structured follow-up after resection for biliary tract cancer. HPB（Oxford）2024；26：179-197.

2) Nakahashi K, Ebata T, Yokoyama Y, Igami T, Mizuno T, Yamaguchi J, et al. How long should follow-up be

continued after R0 resection of perihilar cholangiocarcinoma? Surgery 2020；168：617-624.

3）Nakanishi Y, Okamura K, Tsuchikawa T, Nakamura T, Noji T, Asano T, et al. Time to recurrence after surgical resection and survival after recurrence among patients with perihilar and distal cholangiocarcinomas. Ann Surg Oncol 2020；27：4171-4180.

4）National Comprehensive Cancer Network Guidelines. https：//www.nccn.org.

5）Vogel A, Bridgewater J, Edeline J, Kelley RK, Klümpen HJ, Malka D, et al. Biliary tract cancer：ESMO Clinical Practice Guideline for diagnosis, treatment and follow-up. Ann Oncol 2023；34：127-140.

6）Komaya K, Ebata T, Shirai K, Ohira S, Morofuji N, Akutagawa A, et al. Recurrence after resection with curative intent for distal cholangiocarcinoma. Br J Surg 2017；104：426-433.

7）Li Q, Li N, Gao Q, Liu H, Xue F, Cheng Y, et al. The clinical impact of early recurrence and its recurrence patterns in patients with gallbladder carcinoma after radical resection. Eur J Surg Oncol 2023；49：106959.

8）Margonis GA, Gani F, Buettner S, Amini N, Sasaki K, Andereatos N, et al. Rates and patterns of recurrence after curative intent resection for gallbladder cancer：a multi-institution analysis from the US Extra-hepatic Biliary Malignancy Consortium. HPB（Oxford）2016；18：872-878.

9）Ma CH, Lee JH, Song KB, Hwang DW, Kim SC. Predictors of early recurrence following a curative resection in patients with a carcinoma of the ampulla of Vater. Ann Surg Treat Res 2020；99：259-267.

10）Tashiro K, Kuroki N, Einama T, Iwasaki T, Miyata Y, Aosasa S, et al. Prognostic significance of regional lymph node metastasis according to station in ampullary carcinoma. J Hepatobiliary Pancreat Sci 2020；27：712-720.

11）Moekotte AL, van Roessel S, Malleo G, Rajak R, Ecker BL, Fontana M, et al. Development and external validation of a prediction model for survival in patients with resected ampullary adenocarcinoma. Eur J Surg Oncol 2020；46：1717-1726.

12）Kim H, Kwon W, Kim JR, Byun Y, Jang JY, Kim SW. Recurrence patterns after pancreaticoduodenectomy for ampullary cancer. J Hepatobiliary Pancreat Sci 2019；26：179-186.

第Ⅶ章.
薬物療法

CQ23 切除不能胆道癌に対してファーストラインの薬物療法は何が推奨されるか？

切除不能胆道癌に対するファーストライン薬物療法として，
ゲムシタビン＋シスプラチン＋ S-1 併用療法，ゲムシタビン＋シスプラチン＋デュルバル
マブ併用療法，ゲムシタビン＋シスプラチン＋ペムブロリズマブ併用療法を推奨する。
推奨度1（レベル A）
ただし，全身状態や併存症などから上記治療が適さない患者に対しては，
ゲムシタビン＋シスプラチン併用療法，ゲムシタビン＋ S-1 併用療法を提案する。
推奨度2（レベル B）

解説

　胆道癌の5年相対生存率は 24.5%（国立がんセンターがん情報サービス）と，いまだ予後不良な疾患である。切除可能胆道癌では外科的切除が行われるが，術後補助化学療法を行っても3年無再発生存割合は 62.4% であり[1]，術後再発が少なくない。このため，切除不能胆道癌に対する薬物療法が果たす役割は大きい。

　英国において，ゲムシタビン単独とゲムシタビン＋シスプラチン併用療法（GC 療法）のランダム化第Ⅲ相試験（ABC-02 試験）が実施され[2]，GC 療法による全生存期間の優越性が示された。我が国でも同様のレジメンを用いた小規模な比較試験（BT22 試験）が行われ[3]，GC 療法が良好な治療成績を示した。これらのランダム化比較試験の結果が示され，GC 療法が国際的な切除不能胆道癌に対する標準治療として確立し，長らく国内外で広く用いられてきた。

　近年，GC 療法を比較対照とし，試験治療が全生存期間の優越性を示したランダム化第Ⅲ相試験が3編報告されている。ゲムシタビン＋シスプラチン＋ S-1 併用療法（GCS 療法）は，我が国で行われたランダム化第Ⅲ相試験（MITSUBA）において，GC 療法に対する全生存期間の優越性を示した（HR：0.79，90% CI：0.628-0.996［$P = 0.046$]）[4]。有害事象は GC 療法群で末梢神経障害，GCS 群で下痢，口内炎，皮疹が多く発現していたが，悪心は 51% および 51%，発熱性好中球減少症は4% および5% と GCS 療法は忍容可能と結論されている。GC 療法に抗 PD-L1 抗体であるデュルバルマブを上乗せする3剤併用療法（GCD 療法）は，国際共同ランダム化第Ⅲ相試験（TOPAZ-1）において，GC 療法＋プラセボに対する全生存期間の優越性を示した（HR：0.80，95% CI：0.66-0.97［$P = 0.021$]）[5]。PD-L1 の発現状況にかかわらず効果が期待される結果であった。有害事象は，GCD 群に免疫誘発性有害事象が多く発現していたが，全グレードで 12.7%，グレード3以上は 2.4% と忍容可能であった。GC 療法に抗 PD-1 抗体であるペムブロリズマブを上乗せする3剤併用療法（GCP 療法）は，国際共同ランダム化二重盲検第Ⅲ相試験（KEYNOTE-966）において，GC 療法＋プラセボに対する全生存期間の優越性を示した（HR：0.83，95% CI：0.72-0.95［$P = 0.0034$]）[6]。有害事象としては，GCP 群に免疫誘発性有害事象が多く発現していたが，全グレードで 22%，グレード3以上は7% と忍容可能と判断された。これら3つの臨床試験は，試験の規模やデザイン，治療スケジュール，安全性のプロファイルが異なる（表1）。また，有効性の指標である全生存期間，無増悪生存期間，奏効割合にも違いがあるが，直接の比較はなされておらず，優劣は明らかでない。このため，実臨床では3つのレジメンそれぞれの用法用量や有害事象の発現状況を考慮して使い分ける。

表 1　GC 療法を対照としたランダム化第Ⅲ相試験

		MITSUBA 試験		TOPAZ-1 試験		KEYNOTE-966 試験	
実施体制		本邦単独・非盲検		国際共同・二重盲検		国際共同・二重盲検	
治療		GC 療法	GCS 療法	GC 療法	GCD 療法	GC 療法	GCP 療法
患者数（人）		123	123	344	341	536	533
統計設定		片側 α ＝5%		両側 α ＝3%（中間解析）		両側 α ＝5%	
治療スケジュール	1～8 サイクル目	2 投 1 休	1 投 1 休	2 投 1 休	2 投 1 休	2 投 1 休	2 投 1 休
	9 サイクル以降	規定なし		プラセボ / デュルバルマブ単独・4 週毎		GEM ＋プラセボ / ペムブロリズマブ・2 投 1 休	
全生存期間の HR（95% CI）		—	0.791 (0.628-0.996)	—	0.80 (0.66-0.97)	—	0.83 (0.72-0.95)
悪心発現割合		51%	51%	34%	40%	46%	44%
発熱性好中球減少症発現割合		4%	5%	3%	4%	1%	1%
免疫関連有害事象発現割合		Not available	Not available	5%	13%	13%	22%

　GC 療法に対して非劣性を示すレジメンとしてゲムシタビン＋ S-1 併用療法（GS 療法）が報告されている。GC 療法と GS 療法を比較したランダム化第Ⅲ相試験（FUGA-BT 試験）では，GS 療法群の全生存期間の HR が 0.945（90% CI：0.78-1.15［非劣性 P ＝ 0.046］）であった[7]。有害事象発現割合はそれぞれ，悪心が 37% および 32%，発熱性好中球減少症が両群とも 2% であった。GS 療法は点滴時間が短いという利便性がある。

　その他，切除不能胆道癌に対するファーストラインの薬物療法として，GC 療法に対するゲムシタビン＋オキサリプラチン併用療法（GEMOX 療法）の非劣性を検証するランダム化第Ⅲ相試験，GEMOX 療法＋プラセボに対する GEMOX ＋エルロチニブ併用療法の優越性を検証するランダム化第Ⅲ相試験が行われたが，いずれも有意差を示さなかった[8,9]。フルオロウラシル＋エトポシド＋レボホリナート併用療法（FELV 療法）とエピルビシン＋シスプラチン＋フルオロウラシル（ECF 療法）のランダム化第Ⅲ相試験は，予定登録数を大幅に満たさず終了となった[10]。

　以上より，切除不能胆道癌に対するファーストライン薬物療法として，GCS 療法，GCD 療法，GCP 療法を行うことを推奨する。（レベル A）

　全身状態や併存疾患のためこれらの治療が適さない患者では，GC 療法，GS 療法が選択肢になりうる。ただし，GC 療法，GS 療法はともに，3 剤併用療法が適さない患者を対象として行われた試験に基づくエビデンスはないため，行うことを提案する。（レベル B）

　なお，ゲムシタビン単独療法は ABC-02 試験において GC 療法との比較対照として用いられ，全生存期間中央値 8.1 ヵ月（95% CI：7.1-8.7），奏効割合 15.5% と報告されている[2]。また，S-1 単独療法は GS 療法とのランダム化第Ⅱ相試験において 1 年生存割合 40.0%，奏効割合 17.4% と報告されている[11]。このため，GC 療法，GS 療法がともに適さない患者においてゲムシタビン単独療法および S-1 単独療法が用いられることがあるが，有効性のエビデンスは限られる。（レベル C）

1）エビデンスの評価

（1）検索：文献検索の結果，第Ⅲ相の RCT が 8 編，メタ解析が 1 編であった。

（2）評価：RCT のうち，1 編は症例集積が不十分なまま終了している。他，7 件について評価を行った。

（3）統合：いずれの RCT も試験治療が異なるため，メタ解析は行わなかった。

2) 益と害のバランス評価

　本 CQ に対する推奨の作成にあたっては，予後不良な本疾患の生存期間を最重視し，各治療に共通かつ QOL に影響する悪心，各治療による差異が大きい免疫誘発性有害事象，重篤な有害事象の一つとして発熱性好中球減少症を重視した。GCS 療法，GCD 療法，GCP 療法はいずれも，GC 療法と比較した益（生存期間）の増分に対して，害（悪心，発熱性好中球減少症，免疫誘発性有害事象の発現頻度）の増加は軽微であり，益が勝ると判断した。

3) 患者・市民の価値観・希望

　GCD および GCP 療法は 2 週連続 1 週休薬に対して，GCS 療法は隔週であるため，通院頻度が異なる。ただし，GCD 療法は，9 サイクル目以降は 4 週ごとの投与となる。6 週あたりの医療費のうち自己負担分（3 割）は GCD および GCP 療法が GCS 療法に比べてそれぞれ約 75 万，約 25 万円高くなる。内服薬の自己管理能力，および医療費による経済的負担により GCS 療法，GCD 療法，GCP 療法に対する患者の希望は様々な可能性がある。

4) 資源利用と費用対効果

　GCS 療法，GCD 療法，GCP 療法とも保険が適用されているが，前項に記載のごとく，GCD 療法および GCP 療法は GCS 療法に比べて高額であり，社会的なコストも大きい。

委員会投票結果

GCS

行うことを 強く推奨する	行うことを 弱く推奨する	行わないことを 弱く推奨する	行わないことを 強く推奨する	推奨なし
74%（23 名中 17 名）	13%（23 名中 3 名）	0%（23 名中 0 名）	0%（23 名中 0 名）	0%（23 名中 0 名）

棄権者：3 名

GCD

行うことを 強く推奨する	行うことを 弱く推奨する	行わないことを 弱く推奨する	行わないことを 強く推奨する	推奨なし
83%（23 名中 19 名）	4%（23 名中 1 名）	0%（23 名中 0 名）	0%（23 名中 0 名）	0%（23 名中 0 名）

棄権者：3 名

GCP

行うことを 強く推奨する	行うことを 弱く推奨する	行わないことを 弱く推奨する	行わないことを 強く推奨する	推奨なし
74%（23 名中 17 名）	9%（23 名中 2 名）	0%（23 名中 0 名）	0%（23 名中 0 名）	0%（23 名中 0 名）

棄権者：4 名

GC

行うことを 強く推奨する	行うことを 弱く推奨する	行わないことを 弱く推奨する	行わないことを 強く推奨する	推奨なし
52%（23 名中 12 名）	39%（23 名中 9 名）	0%（23 名中 0 名）	0%（23 名中 0 名）	0%（23 名中 0 名）

棄権者：2 名

GS

行うことを 強く推奨する	行うことを 弱く推奨する	行わないことを 弱く推奨する	行わないことを 強く推奨する	推奨なし
52%（23 名中 12 名）	43%（23 名中 10 名）	0%（23 名中 0 名）	0%（23 名中 0 名）	0%（23 名中 0 名）

棄権者：1 名

引用文献

1) Nakachi K, Ikeda M, Konishi M, Nomura S, Katayama H, Kataoka T, et al. Adjuvant S-1 compared with observation in resected biliary tract cancer （JCOG1202, ASCOT）：a multicentre, open-label, randomised, controlled, phase 3 trial. Lancet 2023；401：195-203.

2) Valle J, Wasan H, Palmer DH, Cunningham D, Anthoney A, Maraveyas A, et al. Cisplatin plus gemcitabine versus gemcitabine for biliary tract cancer. N Engl J Med 2010；362：1273-1281.

3) Okusaka T, Nakachi K, Fukutomi A, Mizuno N, Ohkawa S, Funakoshi A, et al. Gemcitabine alone or in combination with cisplatin in patients with biliary tract cancer：a comparative multicentre study in Japan. Br J Cancer 2010；103：469-474.

4) Ioka T, Kanai M, Kobayashi S, Sakai D, Eguchi H, Baba H, et al. Randomized phase Ⅲ study of gemcitabine, cisplatin plus S-1 versus gemcitabine, cisplatin for advanced biliary tract cancer （KHBO1401- MITSUBA）. J Hepatobiliary Pancreat Sci 2023；30：102-110.

5) Oh DY, He AR, Qin S, Chen LT, Okusaka T, Vogel A, et al. Durvalumab plus gemcitabine and cisplatin in advanced biliary tract cancer. NEJM Evidence 2022；1：EVIDoa2200015.

6) Kelley RK, Ueno M, Yoo C, Finn R, Furuse J, Ren Z, et al. Pembrolizumab in combination with gemcitabine and cisplatin compared with gemcitabine and cisplatin alone for patients with advanced biliary tract cancer （KEYNOTE-966）：a randomised, double-blind, placebo-controlled, phase 3 trial. Lancet 2023；401：1853-1865.

7) Morizane C, Okusaka T, Mizusawa J, Katayama H, Ueno M, Ikeda M, et al. Combination gemcitabine plus S-1 versus gemcitabine plus cisplatin for advanced/recurrent biliary tract cancer：the FUGA-BT （JCOG1113） randomized phase Ⅲ clinical trial. Ann Oncol 2019；30：1950-1958.

8) Sharma A, Mohanti BK, Chaudhary SP, Sreenivas V, Sahoo RK, Shukla NK, et al. Modified gemcitabine and oxaliplatin or gemcitabine ＋ cisplatin in unresectable gallbladder cancer：Results of a phase Ⅲ randomised controlled trial. Eur J Cancer 2019；123：162-170.

9) Lee J, Park SH, Chang HM, Kim JS, Choi HJ, Lee MA, et al., Gemcitabine and oxaliplatin with or without erlotinib in advanced biliary-tract cancer：a multicentre, open-label, randomised, phase 3 study. Lancet Oncol 2012；13：181-188.

10) Rao S, Cunningham D, Hawkins RE, Hill ME, Smith D, Daniel F, et al. Phase Ⅲ study of 5FU, etoposide and leucovorin （FELV） compared to epirubicin, cisplatin and 5FU （ECF） in previously untreated patients with advanced biliary cancer. Br J Cancer 2005；92：1650-1654.

11) Morizane C, Okusaka T, Mizusawa J, Takashima A, Ueno M, Ikeda M, et al. Randomized phase Ⅱ study of gemcitabine plus S-1 versus S-1 in advanced biliary tract cancer：a Japan Clinical Oncology Group trial （JCOG 0805）. Cancer Sci 2013；104：1211-1216.

CQ24　切除不能胆道癌に対するセカンドラインの薬物療法は推奨されるか？

1　切除不能胆道癌に対するセカンドラインの薬物療法を提案する。

　1-1　FOLFOX＊を提案する

推奨度2（レベルB）

　1-2　S-1を提案する

推奨度2（レベルC）

2　ただし特定の遺伝子異常を有する場合は当該遺伝子異常に対する標的療法を推奨あるいは提案する。

　2-1　*FGFR2*融合遺伝子・再構成陽性胆道癌に対するFGFR阻害薬

推奨度1（レベルC）

　2-2　*IDH1*変異陽性胆道癌に対するIDH1阻害薬＊

推奨度2（レベルB）

　2-3　*HER2*陽性胆道癌に対するHER2阻害薬＊

推奨度2（レベルC）

　2-4　*BRAF*V600E変異陽性固形癌に対するBRAF阻害薬＋MEK阻害薬

推奨度1（レベルC）

　2-5　MSI-H陽性固形癌に対する抗PD1抗体薬

推奨度1（レベルC）

　2-6　TMB-H陽性固形癌に対する抗PD1抗体薬

推奨度1（レベルC）

　2-7　*NTRK1/2/3*融合遺伝子陽性固形癌に対するTRK阻害薬

推奨度1（レベルC）

＊2025年3月現在保険適用外

解説

　進行胆道癌のファーストラインの薬物療法は大きな進歩を遂げたが，その治療成績はいまだ満足ができるものとは言えない。そのため進行胆道癌患者の予後改善には有効なセカンドラインの薬物療法の開発が重要である。しかし第Ⅲ相試験として，延命効果が証明されたセカンドラインの薬物療法はFOLFOXのみである（2025年3月現在，国内で胆道癌は保険適用外：以後適用外と記載）。この第Ⅲ相試験（ABC-06試験）では，主要評価項目である全生存期間中央値がFOLFOX療法＋症状コントロール群で6.2ヵ月に対して症状コントロール群で5.3ヵ月（95％CI：4.1-5.8ヵ月），HR：0.69（95％CI：0.50-0.97，*P* = 0.031）であった[1]。一方，我が国では保険適用の関係からS-1療法が日常診療として広く用いられてきた。セカンドラインにおけるS-1については，我が国から第Ⅱ相試験の結果が3編報告されており，奏効率は7.5〜22.7％，無増悪生存期間中央値は2.5〜5.5ヵ月，MSTは6.8〜13.5ヵ月と報告されている[2~4]。

　このように胆道癌のセカンドラインの薬物療法はエビデンス，選択肢が限られているが，一方で，胆道癌は以前より治療ターゲットとなり得る遺伝子異常などのバイオマーカーが複数報告されており，関心がもたれていた。近年のゲノム解析技術および創薬の進歩により，特定の遺伝子異常を有する腫瘍に対する標的療法が胆道癌でも広く開発されてきている。国内でも実用化されたものとして*FGFR2*融合遺伝子・再構成陽性の胆道癌（国内の報告では肝内胆管癌の5〜7％に陽性）に対するFGFR阻害薬（ペミガチニブ，フチバチニブ，タスルグラチニブ）がある。いずれも国際共同第Ⅱ相試験が実施されペミガチニブは奏効率35.5％（95％CI：

26.5-45.4)[5]，フチバチニブは奏効率 42%（95%CI：32-52）[6]，タスルグラチニブは奏効率 30.2%（95% CI：19.2-43.0）[7]，と良好な成績であった。また，肝内胆管癌の 10～20％で陽性とされる *IDH1* 変異例に対する IDH1 阻害薬イボシデニブについては，ランダム化比較試験（ClarIDHy 試験）でイボシデニブはプラセボに対し無増悪生存期間の有意な延長（中央値 2.7 ヵ月 vs. 1.4 ヵ月，HR：0.37（95% CI：0.25-0.54））[8] を示した（適用外）。*HER2* 陽性例に対する HER2 阻害薬については，ペルツズマブ＋トラスツズマブ（奏効率 23%）[9]，トラスツズマブ デルクステカン（奏効率 22～36.4%）[10,11]，ザニダタマブ（奏効率 41.3%）[12]，ツカチニブ＋トラスツズマブ（奏効率 46.7%）[13] と，複数の薬剤で良好な奏効率が報告されている。HER2 阻害薬はいずれも国内では適用外である。また，特定の臓器原発に限らず臓器横断的に特定の遺伝子異常が認められれば適用となる標的療法もあり，胆道癌にも適用可能である。臓器横断的なターゲットと薬剤の組み合わせは，MSI-H[14] や TMB-H に対するペムブロリズマブ[15]，*NTRK* 融合遺伝子に対するエヌトレクチニブ[16]，ラロトレクチニブ[17]，*BRAF* V600E 変異に対するダブラフェニブ＋トラメチニブ，*RET* 融合遺伝子に対するセルペルカチニブ[19] がある[18]。

　本推奨文作成に当たり実施した文献検索の結果，RCT が 6 編，そのうち第Ⅲ相試験は 1 編のみであった。症状コントロール群を対照としているのはその第Ⅲ相試験（ABC-06 試験）のみで，それ以外の RCT は何らかの積極的な薬物療法を対照群に設定しており，適切なメタ解析が実施不可能と考え，行わなかった。対象例数は不十分だが，第Ⅱ相試験も含めた 43 編でシステマティックレビューを行った。特定の遺伝子異常に対する標的療法に関する文献は個別に評価した。RCT は *IDH1* 変異に関する ClarIDHy 試験のみで，プライマリーエンドポイントである無増悪生存期間は有意な延長がみられたが，増悪時にクロスオーバーを許容していたこともあり全生存期間は有意な差はみられなかった。プラセボ対照の RCT であることからエビデンスレベルの強さは「B」としたが，全生存期間の延長を証明したものではないことに注意が必要である。それ以外の標的療法については，奏効率がプライマリーエンドポイントの単群第Ⅱ相試験に関する文献はみられたが RCT の文献はなかった。そのため，いずれも良好な奏効率が示されていたが，全生存期間の延長効果を証明した報告はない。そのため，エビデンスの強さはいずれも「C」とした。

　益と害のバランスについては，FOLFOX や S-1，各種標的治療において，有害事象は報告されているが，いずれも忍容性において大きな問題となるレジメン・薬剤はなかった。予後不良ですでにファーストラインの薬物療法が無効・不耐となった患者において有効性を期待しうる薬剤の存在は意義が大きく，積極的抗癌治療を希望する患者にとっては害よりも益が勝る可能性が高いと判断した。患者・市民の価値観・希望においては，予後不良で治療選択肢も少ない進行胆道癌にとって有効性が期待し得るセカンドラインの薬物療法はその存在自体が大変貴重である。FOLFOX 療法，IDH1 阻害薬，HER2 阻害薬は現在我が国では胆道癌に対して保険適用ではないため，保険診療として実施可能となることが患者・市民の価値観・希望の観点からも重要であり，その点も考慮して現時点での推奨度は「弱」とした。また，特定の遺伝子異常に対する標的療法については，遺伝子異常の有無を調べるがん遺伝子プロファイル検査をどの施設で受けられるか，どのタイミングで受けるか，二次的所見がみられた場合の遺伝相談外来などサポート体制はあるか，といった点について十分な情報共有が重要である。

　費用対効果については，特定の遺伝子異常の有無を評価するがん遺伝子プロファイル検査の費用（検体提出時 44,000 点，エキスパートパネルに基づく結果説明時に 12,000 点の算定）は留意が必要である。それぞれの遺伝子異常の陽性率が高くないためより多くの患者ががん遺伝子プロファイル検査や該当するコンパニオン診断を受けることになり，医療資源が費やされている。標的療法の薬剤費も高額であり，その点も留意は必要である。

委員会投票結果

1　セカンドライン

行うことを 強く推奨する	行うことを 弱く推奨する	行わないことを 弱く推奨する	行わないことを 強く推奨する	推奨なし
5%（22名中1名）	86%（22名中19名）	5%（22名中1名）	0%（22名中0名）	0%（22名中0名）

棄権者：1名

1-1　FOLFOX

行うことを 強く推奨する	行うことを 弱く推奨する	行わないことを 弱く推奨する	行わないことを 強く推奨する	推奨なし
0%（22名中0名）	82%（22名中18名）	0%（22名中0名）	0%（22名中0名）	14%（22名中3名）

棄権者：1名

1-2　S-1

行うことを 強く推奨する	行うことを 弱く推奨する	行わないことを 弱く推奨する	行わないことを 強く推奨する	推奨なし
0%（22名中0名）	95%（22名中21名）	0%（22名中0名）	0%（22名中0名）	0%（22名中0名）

棄権者：1名

2-0　遺伝子異常

行うことを 強く推奨する	行うことを 弱く推奨する	行わないことを 弱く推奨する	行わないことを 強く推奨する	推奨なし
73%（22名中16名）	18%（22名中4名）	5%（22名中1名）	0%（22名中0名）	0%（22名中0名）

棄権者：1名

2-1　FGFR2

行うことを 強く推奨する	行うことを 弱く推奨する	行わないことを 弱く推奨する	行わないことを 強く推奨する	推奨なし
77%（22名中17名）	18%（22名中4名）	0%（22名中0名）	0%（22名中0名）	0%（22名中0名）

棄権者：1名

2-2　IDH1

行うことを 強く推奨する	行うことを 弱く推奨する	行わないことを 弱く推奨する	行わないことを 強く推奨する	推奨なし
9%（22名中2名）	82%（22名中18名）	5%（22名中1名）	0%（22名中0名）	5%（22名中1名）

棄権者：0名

2-3 HER2

行うことを 強く推奨する	行うことを 弱く推奨する	行わないことを 弱く推奨する	行わないことを 強く推奨する	推奨なし
5%（22名中1名）	73%（22名中16名）	9%（22名中2名）	0%（22名中0名）	9%（22名中2名）

棄権者：1名

2-4 BRAF

行うことを 強く推奨する	行うことを 弱く推奨する	行わないことを 弱く推奨する	行わないことを 強く推奨する	推奨なし
77%（22名中17名）	18%（22名中4名）	0%（22名中0名）	5%（22名中1名）	0%（22名中0名）

棄権者：0名

2-5 MSI-H

行うことを 強く推奨する	行うことを 弱く推奨する	行わないことを 弱く推奨する	行わないことを 強く推奨する	推奨なし
95%（22名中21名）	5%（22名中1名）	0%（22名中0名）	0%（22名中0名）	0%（22名中0名）

棄権者：0名

2-6 TMB-H

行うことを 強く推奨する	行うことを 弱く推奨する	行わないことを 弱く推奨する	行わないことを 強く推奨する	推奨なし
91%（22名中20名）	9%（22名中2名）	0%（22名中0名）	0%（22名中0名）	0%（22名中0名）

棄権者：0名

2-7 NTRK

行うことを 強く推奨する	行うことを 弱く推奨する	行わないことを 弱く推奨する	行わないことを 強く推奨する	推奨なし
91%（22名中20名）	9%（22名中2名）	0%（22名中0名）	0%（22名中0名）	0%（22名中0名）

棄権者：0名

引用文献

1) Lamarca A, Palmer DH, Wasan HS, Ross PJ, Ma YT, Arora A, et al. Second-line FOLFOX chemotherapy versus active symptom control for advanced biliary tract cancer（ABC-06）：a phase 3, open-label, randomised, controlled trial. Lancet Oncol 2021；22：690-701.
2) Sasaki T, Isayama H, Nakai Y, Mizuno S, Yamamoto K, Yagioka H, et al. Multicenter phase Ⅱ study of S-1 monotherapy as second-line chemotherapy for advanced biliary tract cancer refractory to gemcitabine. Invest New Drugs 2012；30：708-713.
3) Sasaki T, Isayama H, Yashima Y, Yagioka H, Kogure H, Arizumi T, et al. S-1 monotherapy in patients with

advanced biliary tract cancer. Oncology 2009 ; 77 : 71-74.

4) Suzuki E, Ikeda M, Okusaka T, Nakamori S, Ohwaka S, Nagakawa T, et al. A multicenter phase Ⅱ study of S-1 for gemcitabine-refractory biliary tract cancer. Cancer Chemother Pharmacol 2013 ; 71 : 1141-1146.

5) Abou-Alfa GK, Sahai V, Hollebecque A, Vaccaro G, Melisi D, Al-Rajabi R, et al. Pemigatinib for previously treated, locally advanced or metastatic cholangiocarcinoma : a multicentre, open-label, phase 2 study. Lancet Oncol 2020 ; 21 : 671-684.

6) Goyal L, Meric-Bernstam F, Hollebecque A, Valle JW, Morizane C, Karasic TB, et al. Futibatinib for FGFR2-rearranged intrahepatic cholangiocarcinoma. N Engl J Med 2023 ; 388 : 228-239.

7) Furuse J, Jiang B, Kuwahara T, Satoh T, Ma X, Yan S, et al. Pivotal single-arm, phase 2 trial of tasurgratinib for patients with fibroblast growth factor receptor (FGFR) -2 gene fusion-positive cholangiocarcinoma (CCA). J Clin Oncol 2024 ; 42 (Suppl 3) : 471.

8) Abou-Alfa GK, Macarulla T, Javle MM, Kelley RK, Lubner SJ, Adeva J, et al. Ivosidenib in IDH1-mutant, chemotherapy-refractory cholangiocarcinoma (ClarIDHy) : a multicentre, randomised, double-blind, placebo-controlled, phase 3 study. Lancet Oncol 2020 ; 21 : 796-807.

9) Javle M, Borad MJ, Azad NS, Kurzrock R, Abou-Alfa GK, George B, et al. Pertuzumab and trastuzumab for HER2-positive, metastatic biliary tract cancer (MyPathway) : a multicentre, open-label, phase 2a, multiple basket study. Lancet Oncol 2021 ; 22 : 1290-1300.

10) Meric-Bernstam F, Makker V, Oaknin A, Oh DY, Banerjee S, Martin AG, et al. Efficacy and safety of trastuzumab deruxtecan in patients with HER2-expressing solid tumors : primary results from the DESTINY-PanTumor02 phase Ⅱ trial. J Clin Oncol 2024 ; 42 : 47-58.

11) Ohba A, Morizane C, Kawamoto Y, Komatsu Y, Ueno M, Kobayashi S, et al. Trastuzumab deruxtecan in human epidermal growth factor receptor 2-expressing biliary tract cancer (HERB ; NCCH1805) : a multicenter, single-arm, phase Ⅱ trial. J Clin Oncol 2024 ; 42 : 3207-3217.

12) Harding JJ, Fan J, Oh DY, Choi HJ, Kim JW, Chang HM, et al. Zanidatamab for HER2-amplified, unresectable, locally advanced or metastatic biliary tract cancer (HERIZON-BTC-01) : a multicentre, single-arm, phase 2b study. Lancet Oncol 2023 ; 24 : 772-782.

13) Nakamura Y, Mizuno N, Sunakawa Y, Canon JL, Galsky MD, Hamilton E, et al. Tucatinib and trastuzumab for previously treated human epidermal growth factor receptor 2-positive metastatic biliary tract cancer (SGNTUC-019) : a phase Ⅱ basket study. J Clin Oncol 2023 ; 41 : 5569-5578.

14) Marabelle A, Le DT, Ascierto PA, Di Giacomo AM, Jesus-Acosta AD, Delord JP, et al. Efficacy of pembrolizumab in patients with noncolorectal high microsatellite instability/mismatch repair-deficient cancer : results from the phase Ⅱ KEYNOTE-158 study. J Clin Oncol 2020 ; 38 : 1-10.

15) Marabelle A, Fakih M, Lopez J, Shah M, Frommer RS, Nakagawa K, et al. Association of tumour mutational burden with outcomes in patients with advanced solid tumours treated with pembrolizumab : prospective biomarker analysis of the multicohort, open-label, phase 2 KEYNOTE-158 study. Lancet Oncol 2020 ; 21 : 1353-1365.

16) Doebele RC, Drilon A, Paz-Ares L, Siena S, Shaw AT, Farago AF, et al. Entrectinib in patients with advanced or metastatic NTRK fusion-positive solid tumours : integrated analysis of three phase 1-2 trials. Lancet Oncol 2020 ; 21 : 271-282.

17) Hong DS, DuBois SG, Kummar S, Farago AF, Albert CM, Rohrberg KS, et al. Larotrectinib in patients with TRK fusion-positive solid tumours : a pooled analysis of three phase 1/2 clinical trials. Lancet Oncol 2020 ; 21 : 531-540.

18) Subbiah V, Lassen U, Elez E, Ltaliano A, Curigliano G, Javle M, et al. Dabrafenib plus trametinib in patients with BRAF (V600E) -mutated biliary tract cancer (ROAR) : a phase 2, open-label, single-arm, multicentre basket trial. Lancet Oncol 2020 ; 21 : 1234-1243.

19) Subbiah V, Wolf J, Konda B, Kang H, Spira A, Weiss J, et al. Tumour-agnostic efficacy and safety of selpercatinib in patients with RET fusion-positive solid tumours other than lung or thyroid tumours (LIBRETTO-001) : a phase 1/2, open-label, basket trial. Lancet Oncol 2022 ; 23 : 1261-1273.

CQ25 切除可能胆道癌に対する術前化学療法は推奨されるか？

切除可能胆道癌に対する術前補助化学療法については，現時点で明確な推奨を提示できない。

推奨なし（レベル D）

解説

近年の第Ⅲ相試験で，肉眼的根治切除を受けた胆道癌患者に対する術後補助化学療法による生存期間延長が示された[1~3]。しかし胆道癌に対する手術は，高侵襲かつ術後合併症の発生率も高いため，術後回復が遷延し，術後補助化学療法が実施できない場合があることや[4]，二区域以上の大量肝切除後は忍容性，完遂割合が低いことが報告されている[5]。また術後補助化学療法を実施しても術後5年無再発生存割合は30~50％と依然低く，さらに有効な補助療法の開発が必要である。

補助療法には術後のほか術前に行う選択肢もあり，術前補助化学療法の場合には，体力がある時期に実施できることによる完遂割合の増加，また微小転移消失や原発巣縮小による R0 切除割合の増加が期待される。一方で薬物投与に伴う有害事象や術後合併症の増加，病状進行に伴う非切除割合の増加などの不利益も考えられる。

このような背景から本 CQ では，切除可能胆道癌に対する術前補助化学療法が推奨されるかを明確にするべく文献検索を行った。胆道癌に対する術前化学療法としては，ハイリスク切除可能胆道癌に対する再発抑制・予後改善を目指した術前治療，および切除不能局所進行胆道癌に対する down size, down staging を目的とした術前治療の二つがあるが，本 CQ は切除可能胆道癌を対象とするため，前者に関わる文献を検索し，術前化学治療の安全性・有効性について検討した。

1993~2023 年に報告された胆道癌（肝門部領域胆管癌，遠位胆管癌，胆嚢癌，乳頭部癌，肝内胆管癌）を対象とした術前化学療法に関する文献検索の結果，RCT は存在せず，前向き単アーム臨床試験（I, Ⅱ相）7編[6~12]，多施設後ろ向き観察比較研究 11 編[13~23]，単施設前向き観察比較研究 1 編[24]，単施設後ろ向き観察比較研究 7 編[25~31]があった。

全 26 編中 11 編は米国 National Cancer Database（NCDB）[14~22]や Surveillance, Epidemiology, and End Results database（SEER）[13]，多施設共同[23]の後ろ向き観察研究であり，術前化学療法を受けた患者数は中央値 182 人（範囲 62~793 人）で，レジメンおよび治療期間についてはいずれも記載がなかった。

残り 15 編の術前治療レジメンはゲムシタビン＋放射線療法（n = 5）[9~12,29]，ゲムシタビン＋シスプラチン（n = 4）[25~27,30]，ゲムシタビン＋ S-1（n = 3）[8,24,26]，ゲムシタビン＋ナブパクリタキセル（n = 1）[6]，シスプラチン＋ S-1（n = 1）[7]，その他 FOLFOX[27,30]，GEMOX[25]，ゲムシタビン，5FU or カペシタビンベースのレジメン[28,30,31]であり，術前化学療法を受けた患者数は中央値 52 人（範囲 11~254 人）と少なかった。

術前治療レジメンに化学療法だけでなく，放射線治療を含む論文が 13 編[7,9~12,18~21,28~31]，術後補助療法を含む論文が 14 編[6,8,10,13,15,18~21,23,25,26,28,30]あり，純粋に術前化学療法の治療効果を評価できる論文は少なかった。また対象患者の治療時期が 10 年以上にわたるものが 14 編[9,13,16~18,20,21,23,26~31]，2010 年以前の古いレジメンを含むものが 23 編[9~31]と多く，術前化学療法レジメン，施行期間にもバラつきがあるため最新の胆道癌に対する化学療法の効果を反映しているとは言い難い。なお日本人を対象とした多施設後ろ向き観察研究はなかった。

後ろ向き観察比較研究では，術前治療後に切除不能となった患者が術前治療群から除外されているため，治療成績が過大評価されている可能性がある。また当初切除不能，あるいは進行癌と診断されていたが術前治療後に down staging され切除できた患者が術前治療群に含まれているが，その割合については記載がなく不明

であった。このようなバイアスリスクがあるため8編[13,16,18~22,25]では propensity score matching analysis が行われていたが，完全なバイアスの解消は困難と考えられる。

　術前治療レジメン内容記載のある15編中[6~12,24~31]，7編[6~12]は単アームで手術先行群との比較がないため安全性・有効性の評価が困難であった。残りの8編[24~31]では術前治療群と手術先行群が比較されていたが，いずれも後ろ向き研究で患者背景が異なるため，術前治療群と手術先行群の治療成績の比較にはバイアスリスクがあると考えられた。

　術前治療群と手術先行群の比較がされている19編は1編[24]を除き，すべて後ろ向き観察研究であり，ランダム化比較試験はなかったため，エビデンスレベルに大差はないと考え，全てを対象に以下の解析を行った。まず，全生存期間に関する術前治療群と手術先行群の全体の比較では8編で有意差なし[21,23,25~30]，4編で術前治療群の方が予後良好[14,18,20,22]，1編で術前治療群の方が予後不良[31]であった。また5編では進行癌（stage Ⅱ，Ⅲなど）において術前治療群の方が予後良好[13,15~17,19]と報告され，結果に一貫性がなかった。肝内胆管癌，肝門部領域胆管癌，遠位胆管癌，胆嚢癌，乳頭部癌については，各々9編，7編，7編，5編，3編で解析対象に含まれていたが，文献毎に疾患割合が異なっており，これが一貫性のない結果につながった可能性も考えられる。また無増悪生存期間については，術前治療群と手術先行群全体の比較で5編いずれも有意差がなかった[23,25~27,29]。このため胆道癌に対する術前治療群による全生存期間や無増悪生存期間の延長効果については不確かであった。

　術前治療に伴う有害事象発生割合（CTCAE Grade 3 以上 or 重篤な有害事象）については5編で18~80%と報告されていた[6~8,12,26]。また術前治療群において，非切除割合は8編で報告があり0~30%[6~8,10~12,25,26]，全ての術後合併症発生割合については5編で報告があり9~70%[6,8,12,23,30]，C-D Grade Ⅲa以上の術後合併症発生割合については8編で報告があり0~67%[6~8,10,23,25,26,30]，また全切除症例におけるR0切除割合については17編で報告があり68~100%[6~12,17,18,20~23,25,26,28,30]と，いずれもバラつきを認めた。生存期間と同様，これらについても前向き比較研究がないため，術前治療群と切除先行群で非切除割合，術後合併症発生割合，あるいはR0切除割合に差があるかについては不確かであった。

　まとめると，これまでに報告された論文の中に前向きランダム化比較試験（RCT：第Ⅲ相試験，および第Ⅱ相試験）は存在せず，比較研究は1編[24]を除き，18編[13~23,25~31]全てが後ろ向き観察研究であるため，現時点で切除可能胆道癌に対する術前補助化学療法の有効性・安全性に関して高いエビデンスは存在しないと言える。いくつかの後ろ向き比較観察研究が存在するが，上述のように術前治療群と手術先行群の患者背景が異なる，治療レジメン・治療期間が多岐にわたる，アウトカムについて一貫性がないことから比較結果の解釈にlimitation がありエビデンスの確実性は D（とても低い：効果の推定値がほとんど確信できない）とした。

　術前補助化学療法に対する患者，臨床医の意向は，その安全性・有効性が明確でない現時点では大きくバラつくと思われる。また安全性・有効性が確立された術前化学療法レジメンが存在しないことから，費用対効果については今回検討しなかった。

今後の研究について

　切除可能胆道癌に対する術前補助化学療法の意義については，前向きランダム化比較試験による検証が不可欠と考えられる。現在，欧米およびアジアにおいて術前治療の有効性を検証する第Ⅲ相試験が実施されており[32~35]，それらの結果により，その有効性・安全性が明らかになってくると思われる。

委員会投票結果

行うことを 強く推奨する	行うことを 弱く推奨する	行わないことを 弱く推奨する	行わないことを 強く推奨する	推奨なし
0%（23 名中 0 名）	4%（23 名中 1 名）	0%（23 名中 0 名）	0%（23 名中 0 名）	87%（23 名中 20 名）

棄権者：2 名

引用文献

1) Nakachi K, Ikeda M, Konishi M, Nomura S, Katayama H, Kataoka T, et al. Adjuvant S-1 compared with observation in resected biliary tract cancer（JCOG1202, ASCOT）：a multicentre, open-label, randomised, controlled, phase 3 trial. Lancet 2022；401：195-203.

2) Bridgewater J, Fletcher P, Palmer DH, Malik HZ, Prasad R, Mirza D, et al. Long-term outcomes and exploratory analyses of the randomized phase Ⅲ BILCAP study. J Clin Oncol 2022；40：2048-2057.

3) Primrose JN, Fox RP, Palmer DH, Malik HZ, Prasad R, Mirza D, et al. Capecitabine compared with observation in resected biliary tract cancer（BILCAP）：a randomised, controlled, multicentre, phase 3 study. Lancet Oncol 2019；20：663-673.

4) Kobayashi S, Ikeda M, Nakachi K, Ueno M, Okusaka T, Todaka A, et al. A Multicenter survey on eligibility for a randomized phase Ⅲ trial of adjuvant chemotherapy for resected biliary tract cancer（JCOG1202, ASCOT）. Ann Surg Oncol 2023；30：7331-7337.

5) Kobayashi S, Nakachi K, Ikeda M, Konishi M, Ogawa G, Sugiura T, et al. Feasibility of S-1 adjuvant chemotherapy after major hepatectomy for biliary tract cancers：an exploratory subset analysis of JCOG1202. European Journal of Surgical Oncology 2024；50：107324.

6) Maithel SK, Keilson JM, Cao HST, Rupji M, Mahipal A, Lin BS, et al. NEO-GAP：a single-arm, phase Ⅱ feasibility trial of neoadjuvant gemcitabine, cisplatin, and nab-paclitaxel for resectable, high-risk intrahepatic cholangiocarcinoma. Ann Surg Oncol 2023；30：6558-6566.

7) Abe Y, Itano O, Takemura Y, Minagawa T, Ojima H, Shinoda M, et al. Phase I study of neoadjuvant S-1 plus cisplatin with concurrent radiation for biliary tract cancer（Tokyo Study Group for Biliary Cancer：TOSBIC02）. Ann Gastroenterol Surg 2023；7：808-818.

8) Matsuyama R, Mori R, Ota Y, Homma Y, Yabusita Y, Hiratani S, et al. Impact of gemcitabine plus S1 neoadjuvant chemotherapy on borderline resectable perihilar cholangiocarcinoma. Ann Surg Oncol 2022；29：2393-2405.

9) Kobayashi S, Gotoh K, Takahashi H, Akita H, Marubashi S, Yamada T, et al. Clinicopathological features of surgically-resected biliary tract cancer following chemo-radiation therapy. Anticancer Res 2016；36：335-342.

10) Kobayashi S, Tomokuni A, Gotoh K, Takahashi H, Akita H, Marubashi S, et al. Evaluation of the safety and pathological effects of neoadjuvant full-dose gemcitabine combination radiation therapy in patients with biliary tract cancer. Cancer Chemother Pharmacol 2015；76：1191-1198.

11) Katayose Y, Nakagawa K, Yoshida H, Morikawa T, Hayashi H, Okada T, et al. Neoadjuvant chemoradiation therapy for cholangiocarcinoma to improve R0 resection rate：The first report of phase Ⅱ study. Journal of Clinical Oncology 2015；33：402.

12) Katayose, Rikiyama T, Motoi F, Yamamoto K, Yoshida H, Morikawa T, et al. Phase I trial of neoadjuvant chemoradiation with gemcitabine and surgical resection for cholangiocarcinoma patients（NACRAC study）. Hepatogastroenterology 2011；58：1866-1872.

13) Toyoda J, Sahara K, Takahashi T, Miyake K, Yabushita Y, Sawada Y, et al. Neoadjuvant therapy for extrahepatic biliary tract cancer：a propensity score-matched survival analysis. J Clin Med 2023；12：2654.

14) Parente A, Kamarajah SK, Baia M, Tirotta F, Manzia TM, Hilal MA, et al. Neoadjuvant chemotherapy for intrahepatic, perihilar, and distal cholangiocarcinoma：a national population-based comparative cohort study. J Gastrointest Surg 2023；27：741-749.

15) Alaimo L, Moazzam Z, Lima H, Endo Y, Woldesenbet S, Ejaz A, et al. Impact of staging concordance and downstaging after neoadjuvant therapy on survival following resection of intrahepatic cholangiocarcinoma：a

Bayesian analysis. Ann Surg Oncol 2023；30：4799-4808.

16) Ozer M, Goksu SY, Sanford NN, Porembka M, Khurshid H, Ahn C, et al. A propensity score analysis of chemotherapy use in patients with resectable gallbladder cancer. JAMA Netw Open 2022；5：e2146912.

17) Marcus R, Christopher W, Keller J, Nassoiy S, Chang SC, Goldfarb M, et al. Systemic Therapy is associated with improved oncologic outcomes in resectable stage Ⅱ／Ⅲ intrahepatic cholangiocarcinoma：an examination of the national cancer database over the past decade. Cancers 2022；14：4320.

18) Adam MA, Glencer A, AlMasri S, Winters S, Bahary N, Singhi A, al. Neoadjuvant therapy versus upfront resection for nonpancreatic periampullary adenocarcinoma. Ann Surg Oncol 2022；30：165-174.

19) Utuama O, Permuth JB, Dagne G, Sanchez-Anguiano A, Alman A, Kumar A, et al. Neoadjuvant chemotherapy for intrahepatic cholangiocarcinoma：a propensity score survival analysis supporting use in patients with high-risk disease. Ann Surg Oncol 2021；28：1939-1949.

20) Mason MC, Massarweh NN, Tzeng CD, Chiang YJ, Chun YS, Aloia TA, et al. Time to rethink upfront surgery for resectable intrahepatic cholangiocarcinoma? Implications from the neoadjuvant experience. Ann Surg Oncol 2021；28：6725-6735.

21) Guo M, Beal EW, Miller ED, Williams TM, Tsung A, Dillhoff M, et al. Neoadjuvant therapy versus surgery first for ampullary carcinoma：a propensity score-matched analysis of the NCDB. J Surg Oncol 2021；123：1558-1567.

22) Yadav S, Xie H, Bin-Riaz I, Sharma P, Durani U, Goyal G, et al. Neoadjuvant vs. adjuvant chemotherapy for cholangiocarcinoma：a propensity score matched analysis. Eur J Surg Oncol 2019；45：1432-1438.

23) Buettner S, Koerkamp BG, Ejaz A, Buisman FE, Kim Y, Margonis GA, et al. The effect of preoperative chemotherapy treatment in surgically treated intrahepatic cholangiocarcinoma patients-A multi-institutional analysis. J Surg Oncol 2017；115：312-318.

24) Kuriyama N, Usui M, Gyoten K, Hayasaki A, Fujii T, Iizawa Y, et al. Neoadjuvant chemotherapy followed by curative-intent surgery for perihilar cholangiocarcinoma based on its anatomical resectability classification and lymph node status. BMC Cancer 2020；20：405.

25) Patkar S, Patel S, Gupta A, Ostwal V, Ramaswamy A, Shetty N, et al. Lessons learnt from 1300 consecutive gallbladder cancer surgeries：Evolving role of peri-operative chemotherapy in the treatment paradigm. Eur J Surg Oncol 2023；49：107035.

26) Gyoten K, Kuriyama N, Maeda K, Ito T, Hayasi A, Fujii T, et al. Safety and efficacy of neoadjuvant chemotherapy based on our resectability criteria for locally advanced perihilar cholangiocarcinoma. Langenbecks Arch Surg 2023；408：261.

27) Sutton TL, Billingsley KG, Walker BS, Enestvedt CK, Dewwey E, et al. Neoadjuvant chemotherapy is associated with improved survival in patients undergoing hepatic resection for intrahepatic cholangiocarcinoma. American Journal of Surgery 2021；221：1182-1187.

28) Cloyd JM, Prakash L, Vauthey JN, Aloia TA, Chun YS, Tzeng CW, et al. The role of preoperative therapy prior to pancreatoduodenectomy for distal cholangiocarcinoma. Am J Surg 2019；218：145-150.

29) Kobayashi S, Tomokuni A, Gotoh K, Takahashi H, Akita H, Marubashi S, et al. A retrospective analysis of the clinical effects of neoadjuvant combination therapy with full-dose gemcitabine and radiation therapy in patients with biliary tract cancer. Eur J Surg Oncol 2017；43：763-771.

30) Cloyd JM, Wang H, Overman M, Zhao J, Denbo J, Prakash L, et al. Influence of preoperative therapy on short- and long-term outcomes of patients with adenocarcinoma of the ampulla of Vater. Ann Surg Oncol 2017；24：2031-2039.

31) Glazer ES, Liu P, Abdalla EK, Curley SA. Neither neoadjuvant nor adjuvant therapy increases survival after biliary tract cancer resection with wide negative margins. J Gastrointest Surg 2012；16：1666-1671.

32) Goetze TO, Bechstein WO, Bankstahl US, Keck T, Konigsrainer A, Lang SA, et al. Neoadjuvant chemotherapy with gemcitabine plus cisplatin followed by radical liver resection versus immediate radical liver resection alone with or without adjuvant chemotherapy in incidentally detected gallbladder carcinoma after simple cholecystectomy or in front of radical resection of BTC（ICC/ECC）- a phase Ⅲ study of the German registry of incidental gallbladder carcinoma platform（GR）- the AIO/ CALGP/ ACO- GAIN-trial. BMC Cancer 2020；20：122.

33) Khan TM, Verbus EA, Hong H, Ethun CG, Maithel SK, Hernandez JM. Perioperative versus adjuvant chemotherapy in the management of incidentally found gallbladder cancer（OPT-IN）. Ann Surg Oncol 2022；29：37-38.

34) JCOG1920：切除可能胆道癌に対する術前補助化学療法としてのゲムシタビン＋シスプラチン＋S-1（GCS）療法

の第Ⅲ相試験．https：//jrct.niph.go.jp/latest-detail/jRCTs031200388

35）Phase Ⅱ-Ⅲ clinical trial of PD1 antibody（Toripalimab），lenvatinib and GEMOX neoadjuvant treatment for resectable intrahepatic cholangiocarcinoma with high-risk recurrence factors. https：//clinicaltrials.gov/ct2/show/record/NCT04669496

CQ26　根治切除後胆道癌に対する補助化学療法は推奨されるか？

根治切除後胆道癌の患者に対して，S-1 補助化学療法を行うことを推奨する。
推奨度 1（レベル A）

解説

　胆道癌では，外科切除が根治を期待できる治療法であるが，切除例においても再発の可能性は高く，治療成績向上のために有効な補助化学療法の開発が期待されてきた。2010 年代より根治切除後胆道癌の患者を対象とした補助化学療法に関する RCT の結果が相次いで発表されている。本 CQ では 2012 年から 2023 年までに公表された論文を対象としたシステマティック・レビューで抽出された RCT 6 試験・7 編，ならびに統合解析 1 編を検討した（表 1）[1~8]。

　RCT 5 試験[1~5,7] は無治療経過観察に対する補助化学療法の有効性と安全性を評価し，補助化学療法のレジメンは 5-フルオロウラシル・ロイコボリン，ゲムシタビン，ゲムシタビン＋オキサリプラチン（GEMOX），カペシタビン，テガフール・ギメラシル・オテラシルカリウム（S-1）であった。RCT 1 試験[8] はカペシタビンに対するゲムシタビン＋シスプラチン（GC）の優越性を評価した。ASCOT 試験は，本邦 38 施設で肝内胆管癌，肝外胆管癌，胆嚢癌，十二指腸乳頭部癌の肉眼的根治切除例を対象に行われ（肝外胆管・胆嚢・十二指腸乳頭部癌は UICC 第 7 版 T1N0 症例を除く），無治療経過観察群と S-1 補助化学療法群（40~60 mg/m^2，1 日 2 回 4 週間経口投与後 2 週間休薬を 4 サイクル）に 1：1 で無作為割り付けし，S-1 補助化学療法の有効性と安全性を評価した[7]。440 例（観察群 222 例，S-I 群 218 例）が登録され，3 年全生存率は無治療経過観察群で 67.6%（95% CI：61.0-73.3%）に対し S-1 補助化学療法群で 77.1%（95%CI：70.9-82.1%）（調整 HR：0.69，95%CI：0.51-0.94，片側 $P = 0.0080$）であり，intention to treat（ITT）解析において S-1 補助化学療法の全生存期間における有効性を証明した。ASCOT 試験は ITT 解析において補助化学療法の有効性を唯一示し，BILCAP 試験[4,5] は per protocol（PP）解析においてカペシタビン補助化学療法の有効性を示した一方，ゲムシタビン・ベースの補助化学療法で全生存期間ならびに無再発生存期間における有効性を示した試験は ITT

表 1　根治切除後胆道癌における補助化学療法に関するランダム化比較試験ならびに統合解析結果

試験番号	試験名	報告者(論文年)	対象疾患	治療内容	患者数	全生存期間 ITT 中央値	ITT 生存割合(%)	ITT HR(95%信頼区間)	ITT P値	PP 中央値	PP 生存割合(%)	PP HR(95%信頼区間)	PP P値	無再発生存期間 ITT 中央値	ITT 生存率(%)	ITT HR(95%信頼区間)	ITT P値	PP 中央値	PP 生存率(%)	PP HR(95%信頼区間)	PP P値
#1	ESPAC-3	Neoptolemos[1] (2012)	乳頭部癌 肝外胆管癌	手術単独	88	35.2 (月)		1						19.5 (月)		1					
				5-FU/FA	83	38.9		0.95 (0.71-1.28)	0.74					23.0 (月)		0.69 (0.51-0.95)	0.02				
				ゲムシタビン	73	45.7		0.77 (0.57-1.05)	0.10					29.1 (月)		0.68 (0.50-0.95)	0.02				
#2	BCAT	Ebata[2] (2018)	肝外胆管癌	手術単独	108	63.8 (月)	51.6% (5年)	1						39.9 (月)	44.0% (5年)	1					
				ゲムシタビン	117	62.3 (月)	51.7% (5年)	1.01 (0.70-1.45)	0.964					36.0 (月)	45.7% (5年)	0.93 (0.66-1.32)	0.693				
#3	PRODIGE 12-ACCORD 18	Edeline[3] (2019)	肝内胆管癌 肝外胆管癌 胆嚢癌	手術単独	99	50.8 (月)	52% (4年)	1						18.5 (月)	33% (4年)	1					
				GEMOX	95	75.8 (月)	51% (4年)	1.08 (0.70-1.66)	0.74					30.4 (月)	36% (4年)	0.88 (0.62-1.25)	0.48				
#4	BILCAP	Primrose[4] (2019) Bridgewater[5] (2022)	肝内胆管癌 肝外胆管癌 胆嚢癌	手術単独	224	36.1 (月)		1		36.1 (月)		1		17.4 (月)	31% (5年)	1		16.8 (月)		1	
				カペシタビン	223	49.6 (月)		0.84 (0.67-1.06)		52.3 (月)		0.79 (0.63-1.00)		24.3 (月)	34% (5年)	0.81 (0.65-1.01)		25.3 (月)		0.77 (0.61-0.97)	
#5	#2 と 3 の統合解析	Edeline[6] (2022)	肝内胆管癌 肝外胆管癌 胆嚢癌	手術単独	207	60.0 (月)	49.3% (5年)	1	0.85					25.2 (月)	36.6% (5年)	1	0.46				
				ゲムシタビン・GEMOX	212	61.2 (月)	50.5% (5年)	1.03 (0.78-1.35)						34.8 (月)	40.8% (5年)	0.91 (0.71-1.16)					
#6	JCOG1202, ASCOT	Nakachi[7] (2023)	肝内胆管癌 肝外胆管癌 胆嚢癌 乳頭部癌	手術単独	222	6.1 (年)	67.6% (3年)	1	0.008			1		3.5 (年)	50.9% (3年)	1	0.088			1	
				S-1	218	未到達	77.1% (3年)	0.69 (0.51-0.94)				0.70 (0.52-0.95)		5.3 (年)	62.4% (3年)	0.80 (0.61-1.04)					
#7	STAMP	Jeong H[8] (2023)	肝外胆管癌 【リンパ節 転移陽性 例のみ】	カペシタビン	51	35.7 (月)	71.0% (2年)	1	0.404		72.4% (2年)	1	0.343	11.1 (月)	25.1% (2年)	1			25.6% (2年)	1	0.476
				GC	50	35.7 (月)	77.8% (2年)	1.08 (0.71-1.64)			77.8% (2年)	1.14 (0.75-1.74)		14.3 (月)	38.5% (2年)	0.96 (0.71-1.30)	0.43		38.5% (2年)	0.99 (0.73-1.34)	

PP：per protocol，5-FU/FA：5-フルオロウラシル・ロイコボリン，GEMOX：ゲムシタビン＋オキサリプラチン，S-1：カペシタビン，テガフール・ギメラシル・オテラシルカリウム，GC：ゲムシタビン＋シスプラチン

解析，PP 解析ともに皆無であった。Grade 3/4 の有害事象においては，いずれのレジメンも許容範囲内だった。根治切除後胆道癌において，S-1 補助化学療法の有効性が証明され，同じくフルオロピリミジン系のカペシタビンによる補助化学療法の有効性も示唆されるが，ゲムシタビン・ベースの補助化学療法は無効と考えられた。

　本邦において，S-1 は胆道癌に対する保険適用がすでに得られており，根治切除後胆道癌の患者に対してS-1 補助化学療法を行うことを推奨する。カペシタビンによる補助化学療法は欧米において標準治療として位置づけられているが，本邦においては胆道癌に対するカペシタビンの保険適用はなく有効性も有害事象も評価されていないことから，根治切除後胆道癌の患者に対するカペシタビンによる補助化学療法は，行うべきかどうか不明（推奨なし），とする。S-1 による補助化学療法は，すでに胃癌，膵癌，大腸癌などで保険適用となっており，胆道癌に対する適用は患者・市民に受容されるものと想定され，費用対効果も適切であると考える。

委員会投票結果

行うことを 強く推奨する	行うことを 弱く推奨する	行わないことを 弱く推奨する	行わないことを 強く推奨する	推奨なし
83%（23 名中 19 名）	4%（23 名中 1 名）	0%（23 名中 0 名）	0%（23 名中 0 名）	0%（23 名中 0 名）

棄権者：3 名

引用文献

1) Neoptolemos JP, Moore MJ, Cox TF, Valle JW, Palmer DH, McDonald AC, et al. Effect of adjuvant chemotherapy with fluorouracil plus folinic acid or gemcitabine vs observation on survival in patients with resected periampullary adenocarcinoma. JAMA 2012；308：147.

2) Ebata T, Hirano S, Konishi M, Uesaka K, Tsuchiya Y, Ohtsuka M, et al. Randomized clinical trial of adjuvant gemcitabine chemotherapy versus observation in resected bile duct cancer. Br J Surg 2018；105：192-202.

3) Edeline J, Benabdelghani M, Bertaut A, Watelet J, Hammel P, Joly J-P, et al. Gemcitabine and oxaliplatin chemotherapy or surveillance in resected biliary tract cancer（PRODIGE 12-ACCORD 18-UNICANCER GI）：a randomized phase Ⅲ study. J Clin Oncol 2019；37：658-667.

4) Primrose JN, Fox RP, Palmer DH, Malik HZ, Prasad R, Mirza D, et al. Capecitabine compared with observation in resected biliary tract cancer（BILCAP）：a randomised, controlled, multicentre, phase 3 study. Lancet Oncol 2019；20：663-673.

5) Bridgewater J, Fletcher P, Palmer DH, Malik HZ, Prasad R, Mirza D, et al. Long-term outcomes and exploratory analyses of the randomized phase Ⅲ BILCAP study. J Clin Oncol 2022；40：2048-2057.

6) Edeline J, Hirano S, Bertaut A, Konishi M, Benabdelghani M, Uesaka K, et al. Individual patient data meta-analysis of adjuvant gemcitabine-based chemotherapy for biliary tract cancer：combined analysis of the BCAT and PRODIGE-12 studies. Eur J Cancer 2022；164：80-87.

7) Nakachi K, Ikeda M, Konishi M, Nomura S, Katayama H, Kataoka T, et al. Adjuvant S-1 compared with observation in resected biliary tract cancer（JCOG1202, ASCOT）：a multicentre, open-label, randomised, controlled, phase 3 trial. Lancet 2023；401：195-203.

8) Jeong H, Kim KP, Jeong JH, Hwang DW, Lee JH, Kim KH, et al. Adjuvant gemcitabine plus cisplatin versus capecitabine in node-positive extrahepatic cholangiocarcinoma：the STAMP randomized trial. Hepatology 2023；77：1540-1549.

CQ27	閉塞性黄疸を伴う切除不能胆道癌に対する薬物療法はどこまで減黄して開始することが推奨されるか？

総ビリルビン値が少なくとも 3.0 mg/dL 以下または基準値上限の 2.5 倍以下に改善した状態で開始することを提案する。

推奨度 2（レベル C）

解説

　胆道癌の薬物療法は，黄疸がないか，または黄疸がある場合には適切な胆道ドレナージが行われた患者が対象となる。本邦で使用可能な薬剤として，ゲムシタビン，シスプラチン，テガフール・ギメラシル・オテラシルカリウム配合薬（S-1）などの細胞障害性抗癌薬とデュルバルマブなどの免疫チェックポイント阻害薬や分子標的薬がある。

　これらの薬剤を用いた臨床試験では，総ビリルビン値が基準値上限の 1.5 倍から 2.5 倍以下または 3.0 mg/dL 以下であることが適格基準とされることが多い[1~6]。しかし，実臨床では，適切な胆道ドレナージが行われ，減黄中の患者に対して，治療を開始する最適な時期についてのエビデンスは不足している。

　黄疸時と黄疸のない状態での薬物療法の安全性と有効性を検証した大規模な前向き試験はまだ行われていない。ゲムシタビンを投与した胆道癌患者を対象とした観察研究では，黄疸をきたしている例においても適切な減量を行えば毒性を増加させることなく継続が可能とされている[7]。言い換えると，黄疸を有する例において，減量せずに薬物療法を施行した場合には，毒性の増加が予想される。Venook ら[8] は，肝機能障害または腎機能障害を認める患者を対象とした第 I 相試験において，総ビリルビン中央値が 2.7 mg/dL（範囲 1.7~5.7 mg/dL）の肝障害を有する症例では，$800 \, mg/m^2$ の減量投与で治療を開始し，忍容性を評価してから増量することが妥当であるとしている。Shibata ら[9] は，肝機能障害を有する患者を対象とした前向き試験を行い，総ビリルビン値基準値上限の 3.0~10.0 倍の高度の肝機能障害 8 例を含む 15 例において，適切な胆道ドレナージが施行されていれば，ゲムシタビン $800 \, mg/m^2$ または $1,000 \, mg/m^2$ の初回投与は可能であると報告している。Teusink ら[10] は，血清総ビリルビン値 4.5 mg/dL 以下であれば，ゲムシタビンは減量せずに投与可能であったとしている。S-1 の報告は少ないが，Yoon ら[11] は，中等度から重度の肝機能障害を有する胆道癌患者では，減量すべき，と結論している。

　Lamarca ら[12]の後ろ向き研究では，適切な胆道ドレナージが施行され，総ビリルビン中央値が 3.2 mg/dL（範囲 1.87~16.7 mg/dL）の閉塞性黄疸の患者に対し，ゲムシタビン＋シスプラチン併用療法を施行した場合，全生存期間中央値が 9.5 ヵ月（95% CI：5.7-12.8）であり，ABC-02 試験と比べて遜色ない結果であったと報告されている。一方で，肝転移による黄疸は予後が不良であったとしている。

　上記の報告から，閉塞性黄疸を有する胆道癌患者では，全身の状態が良好でかつ適切な胆道ドレナージが行われ，総ビリルビン値が順調に低下している場合，総ビリルビン値が基準値内まで改善していなくても薬物療法の開始が可能であると考えられる。ただし，これは第 I 相試験や小規模な後ろ向き研究でのエビデンスに基づくものである。黄疸を伴う患者に対する免疫チェックポイント阻害薬や分子標的薬を含むレジメン投与のエビデンスも十分ではない。

　以上より，閉塞性黄疸例に対しては総ビリルビン値が少なくとも 3.0 mg/dL 以下または基準値上限の 2.5 倍以下に改善した状態で開始することが望ましい。減黄が不十分な例に対しては，リスクとベネフィットを十分に考慮して治療を開始し，必要に応じて薬剤の減量を行う必要がある。

委員会投票結果

一回目

行うことを 強く推奨する	行うことを 弱く推奨する	行わないことを 弱く推奨する	行わないことを 強く推奨する	推奨なし
0%（22名中0名）	41%（22名中9名）	0%（22名中0名）	0%（22名中0名）	59%（22名中13名）

棄権者：0名

（二回目）

行うことを 強く推奨する	行うことを 弱く推奨する	行わないことを 弱く推奨する	行わないことを 強く推奨する	推奨なし
0%（22名中0名）	91%（22名中20名）	0%（22名中0名）	0%（22名中0名）	9%（22名中2名）

棄権者：0名

引用文献

1) Furuse J, Okusaka T, Boku N, Ohkawa S, Sawaki A, Masumoto T, et al. S-1 monotherapy as first-line treatment in patients with advanced biliary tract cancer：a multicenter phase Ⅱ study. Cancer Chemother Pharmacol 2008；62：849-855.

2) Valle J, Wasan H, Palmer DH, Cunningham D, Anthoney A, Maraveyas A, et al. Cisplatin plus gemcitabine versus gemcitabine for biliary tract cancer. N Engl J Med 2010；362：1273-1281.

3) Ioka T, Kanai M, Kobayashi S, Sakai D, Eguchi H, Baba H, et al. Randomized phase Ⅲ study of gemcitabine, cisplatin plus S-1 versus gemcitabine, cisplatin for advanced biliary tract cancer（KHBO1401- MITSUBA）. J Hepatobiliary Pancreat Sci 2023；30：102-110.

4) Morizane C, Okusaka T, Mizusawa J, Katayama H, Ueno M, Ikeda M, et al. Combination gemcitabine plus S-1 versus gemcitabine plus cisplatin for advanced/recurrent biliary tract cancer：the FUGA-BT（JCOG1113）randomized phase Ⅲ clinical trial. Ann Oncol 2019；30：1950-1958.

5) Oh DY, Ruth He A, Qin S, Chen LT, Okusaka T, Vogel A, et al. Durvalumab plus Gemcitabine and Cisplatin in Advanced Biliary Tract Cancer. NEJM Evid 2022；1：EVIDoa2200015.

6) Kelley RK, Ueno M, Yoo C, Finn RS, Furuse J, Ren Z, et al. Pembrolizumab in combination with gemcitabine and cisplatin compared with gemcitabine and cisplatin alone for patients with advanced biliary tract cancer（KEYNOTE-966）：a randomised, double-blind, placebo-controlled, phase 3 trial. Lancet 2023；401：1853-1865.

7) Okubo S, Nishiuma S, Kobayashi N, Taketsuna M, Taniai H. Safety and effectiveness of gemcitabine in 260 patients with biliary tract cancer in a Japanese clinical practice based on post-marketing surveillance in Japan. Jpn J Clin Oncol 2012；42：1043-1053.

8) Venook AP, Egorin MJ, Rosner GL, Hollis D, Mani S, Hawkins M, et al. Phase I and pharmacokinetic trial of gemcitabine in patients with hepatic or renal dysfunction：cancer and Leukemia Group B 9565. J Clin Oncol 2000；18：2780-2787.

9) Shibata T, Ebata T, Fujita K, Shimokata T, Maeda O, Mitsuma A, et al. Optimal dose of gemcitabine for the treatment of biliary tract or pancreatic cancer in patients with liver dysfunction. Cancer Sci 2016；107：168-172.

10) Teusink AC, Hall PD. Toxicities of gemcitabine in patients with severe hepatic dysfunction. Ann Pharmacother 2010；44：750-754.

11) Yoon DH, Lee HJ, Hong YS, Kim KP, Lee SS, Lee JL, et al. A phase I study of S-1 treatment with a 3 week schedule in advanced biliary cancer patients with or without hepatic dysfunction. Invest New Drugs 2011；29：332-339.

12) Lamarca A, Benafif S, Ross P, Bridgewater J, Valle JW. Cisplatin and gemcitabine in patients with advanced biliary tract cancer（ABC）and persistent jaundice despite optimal stenting：effective intervention in patients with luminal disease. Eur J Cancer 2015；51：1694-1703.

第Ⅷ章.
放射線治療

FRQ10 切除不能胆道癌に放射線治療，または化学放射線療法は有用か？

放射線治療，化学放射線療法の有用性は，現時点では根拠が不十分であり，明確な推奨はできない。今後の臨床研究に期待する。

解説

切除不能胆道癌の治療として放射線治療は支持療法単独に比して生存率改善，症状緩和に有効で古くから用いられてきたが，近年化学療法の進展に伴い一次治療として用いられることは少ない。従来の放射線治療では周辺臓器・特に消化管障害を避けるため，外部放射線の総線量は約 50 Gy/25 回程度に制限され，腺癌を制御するには不十分な線量であったが，近年，高精度放射線治療の普及に伴い，腫瘍に高線量を照射しながらも周辺臓器の線量を抑えつつ有害事象を低減できる体幹部定位照射，強度変調放射線治療，粒子線治療などが登場し，肝内・肝門部などでは良好な成績が報告されるようになっている。どのような場合に放射線治療が推奨されるかが明確になれば臨床決断の助けとなり，重要な臨床課題と考えられる。

1）放射線療法

切除不能胆道癌に対する放射線療法（表 1）の目的は，延命（姑息的治療）あるいはステント開存性の維持，減黄，疼痛緩和（対症的治療）などである。放射線療法は他の姑息的治療あるいは支持療法と比較して延命効果があるとする報告は多い（表 2）が，大規模なランダム化比較試験は実現していない。主症状の閉塞性黄疸に対して，照射による減黄も試みられるが縮小効果は即効性でないため，胆道ドレナージが優先され，長期間の減黄維持にはステント留置が必要である。Shinchi ら[1] は減黄単独群の生存期間中央値（MST）4.4 ヵ月，ステント群 6.4 ヵ月に比して放射線療法を加えた群の MST が 10.6 ヵ月に延長したことより，放射線療法はステント開存・予後延長に有用であるとした。Shinohara ら[2] は米国の地域癌登録大規模データベース SEER を解析し，放射線治療群 475 例の MST 9 ヵ月は無治療群 2,210 例の MST 4 ヵ月に比して有意な延長を示した。

表 1　胆道癌に対して行われる放射線治療の種類

外部照射	[1]従来の放射線治療
	[2]三次元原体照射法（three-dimensional conformal radiation therapy：3D-CRT）
	[3]強度変調放射線治療（intensity modulated radiation therapy：IMRT）
	[4]体幹部定位照射（stereotactic body radiotherapy：SBRT）
	[5]粒子線治療（particle beam radiotherapy）
	術中照射（intraoperative radiation therapy：IORT）
内部照射	[6]腔内照射（brachytherapy）

[1]X 線シミュレータを用いた二次元治療計画に基づく放射線治療。
[2]外照射によって病巣の形に一致した線量分布を作ろうとする手段を原体照射（CRT）と呼ぶが，一般的には近年の CT シミュレータによる三次元放射線治療計画を用いた照射方法。
[3]強度変調放射線治療：コンピュータを用いて照射野の形状を変化させたビームを複数用いて，腫瘍の形に適した線量分布を構築して行う放射線治療。
[4]体幹部定位照射：胸部や腹部の病巣に対し，高い精度で集中して放射線をあてる治療法で「ピンポイント照射」などとも呼ばれる。原発性肝癌の体幹部定位照射が保険収載された。
[5]粒子線治療：我が国では陽子線治療と重粒子線（炭素線）治療が行われている。
[6]線量率によって高線量率（12 Gy/hr 以上）と低線量率（0.4 〜 2 Gy/hr）に分別される。従来の低線量率小線源治療から，遠隔操作により患者以外の被曝がない高線量率小線源治療が登場した。

表 2　切除不能胆道癌に対する放射線療法

Treatment	n	MST (月)	P-value	Study design		Author (発表年)
ステント + RT ±化学療法	30	*10.6	*< 0.05	Cohort study	RT はステント開存・生存期間延長に有用	Shinchi[1] (2000)
ステントのみ	10	†*6.4	†< 0.05			
減黄のみ	11	†4.4				
ステント + RT + BT（LDR）	93	12	NA	Cohort study	外部照射＋腔内照射	Takamura[7] (2003)
ステント + RT + BT（LDR）	24	387 日	< 0.05	RCT	RT はステント開存・生存期間延長に有用	Válek[6] (2007)
ステント ± BT	24	298 日				
RT	475	9	< 0.0001	SEER Cohort study	RT 有用：2 年以降は有意差なし傾向スコア解析でも有意差なし	Shinohara[2] (2009)
RT（−）	2,210	4				
BT ± RT	193	11	< 0.0001	SEER Cohort study	BT 有用：肝内胆管も含み2 年以降は有意差なし	Shinohara[8] (2010)
RT（−）	6,859	4				
RT	28	22.1	0.0031	Cohort study	手術群は MST 48.7 ヵ月腔内照射は生存に寄与せず	Isayama[3] (2012)
BSC RT（−）	11	5.7				
RT	153	2 生 40%	NS	JROSG Cohort study	傾向スコア解析：腔内照射は生存に寄与せず，局所制御率が向上（2 局 35% vs. 65%）	Yoshioka[9] (2014)
RT + BT（HDR）	56	31%				
RT	25	367d	0.025	Cohort study	37.0 〜 40.7 Gy/10 〜 11 回RT はステント開存・生存期間延長に有用	Tan[4] (2015)
ステントのみ	13	267d				
CRT（GEM）± BT	27 遠位	14	NA	P Ⅱ	50.4 Gy/28 回（BT 6 例）急性期 G3　GI 18.5%	Autorino[45] (2016)
RT ±化学療法± BT	76	13.5	NA	Cohort study	50（16 〜 75）Gy/（1.8 〜 2 Gy/ 回）	Bisello[46] (2019)
BT	17 論文	BT 単独 11.8 vs. BT +/RT 10.5	NA	systematic review	BT ステント開存期間延長：10 vs. 4 〜 6	Taggar[10] (2021)

NA：not available，RT：external beam radiotherapy，CRT：chemoradiotherapy，LDR：低線量率，HDR：高線量率，
G：grade，GI：gastrointestinal，P Ⅱ：phase Ⅱ trial，2 生：2 年生存率，2 局：2 年局所制御率，
BSC：best supportive care，JROSG：Japanese Radiation Oncology Study Group/ 日本放射線腫瘍学研究機構

同様の報告は多く，放射線療法により予後の延長とともにステント開存期間が延長する傾向にある[3,4]。（レベル C）

　胆道癌に対しては一般的に外照射が行われているが，消化管や脊髄などの周囲臓器耐容線量を考慮して，通常分割照射では総線量 45〜50 Gy 程度が用いられる。一方，放射線治療で腺癌を制御するには高線量が必要とされ，Alden ら[5] は 55 Gy 未満では 2 年生存率 0% であったが，外部照射 45 Gy に腔内照射 24〜26 Gy 程度を加えた 55 Gy を超える線量群では 2 年生存率 48% だったとしている。腔内照射は周辺正常組織の線量を減じつつ，病変部に高線量を照射できるため，副作用少なく治療効果をあげることが期待される。Válek ら[6] は前向きランダム化比較試験を行い，ステント留置後に放射線療法（外部照射＋腔内照射）を加えた 21 例でMST 387 日と，ステントのみ 21 例の MST 298 日と比較して生存率の向上，およびステント開存期間延長を示した。Takamura ら[7] は外部照射 50 Gy と腔内照射 27〜50 Gy（平均 39.2 Gy）を併用し MST 11.9 ヵ月（5 年生存率 4.3%）を得た。SEER データベースを用いた大規模疫学調査[8] でも 193 例の腔内照射群では MST 11 ヵ月と 6,859 例の放射線治療無施行群の MST 4 ヵ月に比較して良好な成績が示されており，腔内照射の併用はおおむね肯定的に考えられている。我が国の多施設調査でも腔内照射は，生存率改善は認めないが，傾向スコアを用いた解析で局所制御率を改善し（2 年局所制御率：腔内照射群 65％と対照群 35％）胆管開存や

QOL の維持に有用とされた（表 2）[9]。最近のシステマティックレビューでも胆管開存への有効性が確認されている[10]。一方，Bowling ら[11] はステント留置のみの MST 7 ヵ月が外部照射と腔内照射の併用で 10 ヵ月へと 3 ヵ月の延長を見たが治療期間を考えると，患者にとって有用性に乏しいとしている。腔内照射の線量投与方法や，線量分割にも定まったものはなく，胆管炎や消化管障害などに注意が必要で標準的な放射線療法は確立していない。国内では腔内照射の施行件数は減少している。（レベル C）

放射線治療の技術の進歩で従来の X 線シミュレータを用いた二次元治療計画に基づく放射線治療から，CTを用いた三次元治療計画（three-dimensional conformal radiation therapy：3D-CRT）が一般的になった（表1,2）。3D-CRT での成績は MST 10.6〜22 ヵ月程度で，有害事象 Grade 3 以上が 18.5〜33％程度に認められている（表 2）。近年，高精度放射線治療技術である強度変調放射線治療（intensity modulated radiation therapy：IMRT）を用いて有害事象を減らす試み[12] や，体幹部定位照射（SBRT），粒子線治療などを用いて高線量を投与する試みが行われている（表 3）。MRI とリニアックを一体化した MR リニアックも導入されており，治療直前および照射中に患者の MRI 画像を取得し，リアルタイムに腫瘍とリスク臓器を観察しながら治療が可能である[13]。

体幹部定位照射は肝臓癌で有用性が認められ，我が国でも原発性肝癌（5 cm 以下の肝内胆管癌を含む）は保険適用となっている。肝内胆管癌や肝門部癌で MST 17〜35.5 ヵ月と優れた成績が報告されているが[14〜20]，消化管の有害事象に注意が必要である[14]。Tao ら[20] は肝内胆管癌に対して 58.05 Gy（35〜100 Gy）/3〜30 回の照射を行い，（89％ 前化学療法（主にゲムシタビン＋シスプラチン：GC 療法），63％同時化学療法（カペシタビン），47％維持化学療法を使用）MST 30 ヵ月を得た。高線量群で局所制御率も生存率も優れていた（biological equivalent dose（BED）≧ 80.5 Gy：3 年生存率 73% vs. BED ＜ 80.5 Gy：38%（$P = 0.02$））。（レベル C）

肝内胆管癌診療ガイドラインでは直径 5 cm 以下で転移病巣のない切除不能肝内胆管癌に対しては定位放射線治療を考慮してもよいと記載されている[21]。

一方肝外胆管癌は消化管が近接しており線量増加が困難な例も多く，IMRT を用いることにより有害事象を軽減し，線量増加を図る試みがあるが必ずしも成績改善に結びついていない。Elganainy ら[22] は IMRT などで線量増加（30 Gy から 75 Gy へ）を行ったが従来の標準的な 50.4 Gy/28 回（BED 59.5 Gy, equivalent dose in 2 Gy fraction（EQD2）：49.6 Gy）を超える線量投与も成績改善につながらず，MST は 18.7 ヵ月であった。粒子線治療でも近年胆道癌の治療成績報告[23〜30] があり，陽子線を用いて肝内胆管癌に高線量を投与した前向き多施設試験で 2 年生存率 46.5％と好成績が得られた[23]。陽子線治療では Makita ら[24] が BED 70 Gy 以上で局所制御が良好だったとしており，後ろ向き多施設症例集積研究[30] でも EQD2 ≧ 67 Gy で MST が 25 ヵ月と（EQD2 ＜ 67 Gy では 15 ヵ月）肝外胆道癌でも線量依存性が認められた。（レベル C）

最近，消化管と腫瘍の間にスペーサー（ネスキープ：粒子線で保険適用となった）を挿入して線量増加を図る試みが行われている。粒子線治療は X 線に比して大型の腫瘍でも比較的安全に施行可能であり，切除不能肝内胆管癌は保険収載され，肝内胆管癌診療ガイドラインでは転移病巣のない切除不能肝内胆管癌に対しては粒子線治療を考慮してよいと記載されている[21]。肝内胆管癌の陽子線治療では辺縁型・肝門部：72.6〜76 Gy（relative biological effectiveness（RBE））/20〜22 回，消化管近接型：76 Gy（RBE）/38 回，炭素イオン線では辺縁型：48.0 Gy（RBE）/2 回，60 Gy（RBE）/4 回，肝門部型：52.8〜60.0 Gy（RBE）/12 回，消化管近接型：60.0〜76 Gy（RBE）/12〜20 回などの線量分割が用いられている。先進医療として行われている肝外胆道癌の陽子線治療では，1）肝門部〜中部胆管，70.2〜72.6 Gy（RBE）/22〜26 回，2）消化管近接，50〜60 Gy（RBE）/25〜30 回，3）同時ブースト法，67.5 Gy（RBE）/25〜30 回などのスケジュールが用いられている。

なお，治療法選択の際，主に生存期間（率）について議論されることが多いが，放射線療法では，局所制御

表 3　切除不能胆道癌に対する体幹部定位照射と粒子線治療

Treatment	n	regimen	MST（月）		Author（発表年）
定位照射	27（肝内 1，肝門部 26）	45 Gy/3 回	10.6	消化管障害に留意：6 例潰瘍 3 例十二指腸狭窄	Kopek[14)]（2010）
定位照射±化学療法	13（肝門部）	RT 3×4 Gy/ 週（32～56 Gy）	33.5	5 例化学療法併用 重篤な有害事象なし	Momm[15)]（2010）
定位照射＋化学療法	10（肝門部）	RT 30 Gy/3 回 + GEM	35.5	奏効率 80%	Polistina[16)]（2011）
定位照射	58（肝内 33：肝外 25）	30～60 Gy/3～5 回 ないし 38～44 Gy/19～22 回 + 15～18 Gy/1 回	10 2 局 72%	G3　10%	Jung[17)]（2014）
定位照射	34（42 病変：肝内 31，肝門 2，境界 9）	30 Gy/3 回	17	有害事象 G3（12%）4 局　79%	Mahadevan[18)]（2015）
定位照射	31（肝内 6：肝外 25）	40 Gy/5 回	15.7 肝移植 5 例 31.3	G3 以上（16%）2 局　47%	Sandler[19)]（2016）
定位照射（含む IMRT/陽子線）	肝内 79	58.05 Gy（35～100 Gy）/3～30 回 89% 前化学療法，63% 同時化学療法（5FUb），47% 維持化学療法	30	高線量群で 局所制御率・生存率向上 重篤な有害事象なし	Tao[20)]（2016）
定位照射	肝内 28	36～54 Gy/3～5 回	15	G3 以上なし	Shen[47)]（2017）
定位照射 システマティック レビュー	10 研究 231 名（部位治療法混在）	多様	15（1 生肝内 57.1%，肝外 81.5%）	晩期 G2 以上 十二指腸（5.9～22.2%）胆管炎（1.7～8.6%）胆管狭窄（1.7～8.3%）	Frakulli[48)]（2019）
定位照射 システマティック レビュー	226	30～55 Gy/3～5 回	13.6	急性期 G3 以上 10% 未満，晩期 10～20%	Lee[49)]（2019）
定位照射±化学療法	64 名，82 病変（肝内 41，肝外 34，他 7）	39～48 Gy/3～12 回	15 2 生 34%	BED10：最大線量 91 Gy 以上で 良好（MST 24 vs. 13）	Brunner[50)]（2019）
定位照射	37 SBRT：61 CRT：72 TARE	45 Gy/3～5 回	48：20：14	NCDB：CRT や TARE と比較 IPTW で補正後も CRT（HR = 0.22），TARE（HR = 0.58）より良好	Sebastian[51)]（2019）
定位照射	17	40 Gy/5 回	18.5	MRI リニアックの初期報告	Luterstein[13)]（2019）
定位照射	40（肝内 25，肝門 15）	40 Gy/1～5 回	23（肝門 10，肝内 23）	急性期 G3 以上　36%	Kozak[52)]（2019）
定位照射	41（肝内 15：肝門 26）	42 Gy/3 回，60 Gy/6 回	11.8	胆管炎急性期 9 例，晩期 8 例	Thuehøj[53)]（2021）
定位照射	6 論文 145 名	45 Gy/3～5 回	14（10～48）	肝内胆管癌システマチック レビュー	Bisello[54)]（2021）
粒子線（陽子線）	28 肝内 6/ 肝外 12/ 術後再発 10	68.2 Gy（50.6～80）2～3.2 Gy/ 回	12	BED10：70 Gy 以上が局所制御に有用（1 局：70 Gy 以上 83.1% vs. 22.2%）	Makita[24)]（2014）
粒子線（陽子線）	肝内 37	67.5 Gy（RBE）/15 回	22.5	多施設 P Ⅱ：G3 4.8%	Hong[23)]（2015）
粒子線（陽子線）	肝内 20（根治 12 例 対症 8 例）	56.1～72.6 Gy（RBE）/17～22 回	根治例 27.5 対症例 9.6	4 例 TS-1 同時併用	Ohkawa[25)]（2015）
粒子線（炭素線）	肝内 27：肝外 29	52.8～76 Gy（RBE）/4～26 回	14.8 肝内 23.8 肝門 12.6	4 例肝不全死，胆管狭窄 1 例	Kasuya[26)]（2019）
粒子線（陽子線）	肝内 25	66～74 Gy（RBE）	25	胆管炎 3 例	Shimizu[27)]（2019）
粒子線（陽子線）	肝内 25	32.5～75 Gy（RBE）	20.1	洞性徐脈，腹痛各 1 例	Parzen[28)]（2020）
粒子線（陽子線）	肝内 18：肝外 15	66～72.6 Gy（RBE）/10～22 回	19.3	急性期 G3 以上 皮膚炎 7% 晩期 G3 以上 潰瘍 10%	Hung[29)]（2020）
粒子線（陽子線＋炭素線）	肝内 68：肝外 82	多様	21 肝内 23，肝外 20	急性期 G3 以上 2.2%，晩期 G3 以上 2.7%（G5：2 例）	Yamazaki[30)]（2022）

CRT：chemoradiotherapy, GEM：gemcitabine, 1, 2, 4 局：1, 2, 4 年局所制御率，1, 2 生：1, 2 年生存率，G：grade, BED10：biological equivalent dose（$a / β = 10$），P Ⅱ：phase Ⅱ trial, IPTW：inverse probability of treatment weighting
記載なきものは全て Cohort study，JASTRO 統一方針：本文参照

によるステント開存性の維持，疼痛緩和などが期待できることも利点の一つである。根治切除不能例で，高齢などで化学療法の適応とならない場合，治療方針決定の際には，放射線療法について説明する。

2) 化学放射線療法

　全身状態良好な切除不能例にはゲムシタビン，シスプラチン，TS-1，デュルバルマブなどを併用した化学療法が標準治療であるが，集学治療の一環として化学療法による放射線増感効果・照射野以外の転移抑制，転移病巣の制御を目的として化学放射線療法が行われてきた（表4）。5-FU やカペシタビンを用いたフッ化ピリミジン系薬剤併用の報告が多かったが，ゲムシタビン，シスプラチン，TS-1 なども使用されている。化学放射線療法は，無治療に比して予後延長が期待され[31,32]，放射線治療群 106 例の MST 9.93 ヵ月は BSC 群 70 例の MST 3.1 ヵ月に比して有意な延長を示した[33]。放射線療法単独と放射線化学療法を比較したランダム化比較試験はみられないが，小規模な非ランダム化試験として Foo ら[34] が放射線外照射および腔内照射に 5-FU の全身投与を併用し，有意差は得られなかったものの化学療法併用群で生存率改善の可能性を示唆している。同様に放射線治療単独に比しての化学放射線治療の有効性報告[35~37] は多いが，化学療法単独に優る成績を示したエビデンスレベルの高い報告はない。動注化学療法は胆管および周囲組織に高濃度の薬剤分布が期待でき，左右肝管より末梢の肝内胆管は，固有肝動脈の枝から血流を受けているため，肝内胆管および周囲間実質への分布が良好である。Matsumoto ら[38] は肝内胆管進展例や肝実質浸潤例に対する併用療法として放射線治療に加えて動注化学療法を用いて MST 19.5 ヵ月を報告している。近年ゲムシタビンや S-1 などの新規薬剤を用いた化学放射線治療の報告で 10~18.7 ヵ月の MST が報告されている[22,29,31,33~40]。予後因子の 1 つとして腫瘍の大きさが報告されており，4 cm 以下の症例では化学放射線治療に腔内照射を加えることにより MST 21.4 ヵ月と，4 cm 超の腫瘍での MST 8.7 ヵ月と比して生存期間改善を得た報告[31] があるが，全体では化学放射線治療に腔内照射を加えても成績向上は得られなかった[31,41]。国内 31 施設で 2000~2011 年に 555 名の胆道癌患者が放射線治療を受け（外部照射 78%，腔内照射 17%，術中照射 5%），外部照射は主に 3D-CRT を用いて 50~50.4 Gy 程度投与されていた。化学療法は 47% で使用され（同時併用 64%，放射線治療後が 63%）ゲムシタビンが最多であった[32]。非切除例では化学放射線療法群（逐次的・同時併用を問わず：148 例）の MST 16 ヵ月が，放射線治療単独群（137 例）の MST 13 ヵ月より良い傾向だった[35]。Pollom ら[42] は SEER で 2,343 例の解析を行い，放射線療法は化学療法非併用例では有効性に乏しいが（HR = 1.09, $P = 0.34$），化学療法併用例では有用（HR = 0.82, $P = 0.02$）であった，とした。少数例ではあるが Chen ら[37] は肝門部，Sinha ら[43] は胆嚢癌で，同時併用化学放射線療法が放射線治療単独に比して良好な結果を示し，Torgeson ら[44] も NCDB を用いた解析で化学療法単独に比して化学放射線療法がより有効な傾向を示したとしている。一方，Phelip ら[40] は少数例ながら化学療法（ゲムシタビン＋オキサリプラチン）と化学放射線療法（シスプラチン＋ 5-FU ＋放射線治療 50 Gy）を比較したランダム化試験を行い，MST で 19.9 ヵ月と 13.5 ヵ月となり，化学療法は化学放射線療法と同等以上であるとした。（レベル C）

　概して化学放射線療法では MST が 1 年を超える報告が多く今後は免疫チェックポイント阻害剤との併用も期待されるが，併用のタイミング（同時併用か交互か，維持療法など）や放射線治療法の内容，薬剤の種類や投与量などの標準的レジメンは確立されていない。

3) エビデンスの評価

a. 検索結果の概要

　本 FRQ について網羅的文献検索を行った所，149 文献が抽出された。一次スクリーニングで 90 文献が除外され，59 文献で二次スクリーニングを行った。少数例（10 例未満）の文献は除き最終的に 54 文献が採用され

表4　切除不能胆道癌に対する化学放射線療法

Treatment	n	MST （月）	Study design		Author （発表年）
ステント + CRT （5FUb or GEM）+ BT	25	16.5	Cohort study	CRT + BT 有用性認めず 腫瘍径 4 cm 未満では MST 21.4 ヵ月と 4 cm 超の 8.7 ヵ月より良好（P = 0.01）	Brunner[31] （2004）
ステントのみ	39	9.3 （NS）			
CRT（ia）	22	19.5	Cohort study	肝門部：動注化学療法 3 生 18% エピルビシン 2 回動注	Matsumoto[38] （2004）
RT ±化学療法	24 18 CRT,6 RT	11	Cohort study	原発 24 例，局所再発 6 例 15 例が遠隔転移	Moureau- Zabotto[39] （2013）
CRT	148 （同時 106）	16 （同時 15）	JROSG Cohort study	日本の多施設データ	Yoshioka[35] （2014）
RT	137	13 （NS）			
化学療法	16	19.9	Randomized PⅡ	GEM + L-OHP vs. CDDP + 5-FU + RT 50 Gy	Phelip[40] （2014）
CRT	18	13.5（NS）			
CRT	106	42.57 wks	Cohort study	CRT は BSC に比して有効 5-FU or GEN + RT 50.4 Gy vs. BSC	Yi[33] （2014）
BSC	70	13.29 wks （P<0.001）			
CRT	16	13.5	Cohort study	肝門部：CRT が RT に比して有効な傾向	Chen[37] （2015）
RT	18	6.7 （P = 0.003）			
CRT	18	9.6	Cohort study	GEM + CDDP + RT 45 Gy/25 fr	Lee[36] （2016）
RT	451	10	SEER Cohort study	化学療法非併用例は RT 有用性認めず HR 1.09（P = 0.34） 化学療法併用例で CRT 有用　HR 0.82（P=0.02）	Pollom[42] （2016）
RT（−）	1,892	9.3 （NS）			
化学療法	1,871	12.6	NCDB Cohort study	CRT が化学療法に比して有効な傾向	Torgeson[44] （2017）
CRT	1,071	14.5			
CRT（IMRT 45 Gy + BT 14 Gy）	50	17.5	Cohort study	GEM 同時併用	Engineer[41] （2017）
CRT（IMRT 57 Gy）	22	16			
CRT	RT 35 IMRT 44 陽子 1	18.7	Cohort study	50.4 Gy/28 fr（30〜75 Gy）IMRT 線量増加無効 急性期 GI G3 以上 11% 他 15%（血液毒性以外） 晩期 28%腹水 30 例（10 例が胆道炎），消化管出血 11 例	Elganainy[22] （2018）
化学療法	20	7.5	Cohort study	胆囊癌：GEM 同時併用 CRT 群が良好 45〜50 Gy/（1.8〜2 Gy/ 回）（GTV には 52〜57 Gy/SIB）	Sinha[43] （2022）
CRT（IMRT）	25	18 （P = 0.0001）			

RT：external beam radiotherapy, CRT：chemoradiotherapy, 3 生：3 年生存率, PⅡ：phaseⅡ trial, 5-FUb：5-FU based, GEM：gemcitabine, ia：エピネフリン + 5-FU +マイトマイシン C +エピルビシン 2 回動注，GC：gemcitabine + cisplatin, JROSG：Japanese Radiation Oncology Study Group, GTV：gross tumor volume, SIB：simultaneous integrated boost, G：grade, GI：gastrointestinal. L-OHP：oxaliplatin, CDDP：cisplatin, BSC：best supportive care

た。

　放射線治療群と支持療法のみの比較は 8 論文[1〜4,6,8,31,36]が該当し，ランダム化比較試験が 1 編[6]，観察研究 7 編[1,3,4,31,36]（うち広域癌データベースを用いたもの 2 編[2,8]）であった。放射線治療の観察研究（第二相試験 1 編[45]，多施設コホート 1 編[46]）が 2 編あった。小線源治療（brachytherapy：BT）の意義について 4 文献[9,10,45,46]（システマティックレビュー 1 編[10]，観察研究 3 編[9,45,46]）が抽出された。他特殊な放射線治療として動注化学療法併用 1 編[38]が認められた。高精度放射線治療（SBRT，IMRT，粒子線治療）ではコホート研究（後ろ向き観察研究）が主であり粒子線 8 編[23〜30]，SBRT 16 編[13〜20,47〜54]（3 編のシステマティックレビュー[48,49,50]，広域データベースによる CRT や TARE との比較研究 1 編[51]，1 編の第二相試験[23]が認められた），IMRT 1 編[50]であった。

　化学放射線療法と支持療法のみとの比較は 3 編[31,36,42]（後ろ向き観察研究 2 編[31,36]と広域データベース研究 1 編[42]）。化学放射線療法のコホート研究 4 編[22,36,37,41]，化学放射線療法と放射線治療単独の比較 3 編[35,37,42]，化学

放射線療法と化学療法の比較が3編[40,43,44]，CRT と CRT に BT を加えた群の比較が1編[41] 認められた。

b. 評価

　総じて RT は支持療法のみに比してステント開存・生存期間延長に有用な傾向を見るが MST は1年程度に留まり，2年以降の長期予後には貢献しない。BT によるステント開存期間の延長が複数報告されている。肝内胆管癌では高線量投与による生存期間延長が認められているが，肝外胆道癌では線量増加による生存期間延長について一致した見解がない。現在の標準治療である化学療法との比較がなく，高精度放射線治療は後ろ向きの少数例の報告に留まり，高いレベルのエビデンスに乏しい。

　化学放射線療法については化学放射線療法が放射線治療単独に比して有用な傾向はあるものの，化学療法単独に比して優越性を示す報告は少ない。

c. 統合

　後ろ向き観察研究主体で，現在の高精度放射線治療を用いた RCT が存在しない。

　化学療法が適応とならない患者や，休薬を余儀なくされる場合には一考できるが，一次治療としてのエビデンスに乏しい。高精度放射線治療技術が複数導入されているが，高いエビデンスレベルの報告がない。

d. 益と害のバランス評価

　放射線治療の"益"のアウトカムである「全生存期間延長」は無治療と比較した場合は複数の報告から示唆されるが化学療法に比して優れた成績はほとんど認められない。

　"QOL"の観点から，ステント開存性の維持，減黄，疼痛緩和（対症的治療）などが報告されており"益"が想定される。一方"害"のアウトカムである"有害事象の増加"については高精度放射線治療化による有害事象軽減が期待されるが，後ろ向きの少数例の報告に留まり，高いレベルのエビデンスに乏しい。一部の粒子線治療は高度先進医療として行われており費用負担の増加の問題がある。

e. 患者・市民の価値観・希望

　胆道癌の放射線治療は，化学療法の進展に伴い，現状第一選択にはなりにくいが，高齢化が進む我が国では化学療法の適応にならない患者の増加が予想され，低侵襲な放射線治療は有用なオプションの一つと考えられ患者の希望にとって有益な治療法である。

f. 資源利用と費用対効果

　費用対効果の論文は認められなかった。放射線治療は保険適用であり，適応患者全例に施行しても社会的なコストは軽微である。照射方法は多岐にわたるため，各照射法間の比較は困難である。再発リスク・追加治療の選択肢と効果，気管を含めた資源の評価，比較は現時点では困難であり，同様の評価を試みた研究論文はなかった。一方粒子線治療は先進医療として施行されており，治療可能な施設は限られ，施行可能な専門医も限られている。

g. 今後の研究について

　化学療法の進展は著しく，新規薬剤を用いた研究がなされている。食道癌や膵臓癌など他の消化器癌では，化学放射線療法が，放射線療法単独と比較して良好とされ，直腸癌などでは術前化学放射線療法が行われるようになった。今後，前向き臨床試験の蓄積によって，胆道癌に対する放射線療法と化学療法との併用療法が生存期間（率）や QOL の向上に寄与するか否かを明らかにしていく必要がある。

用語解説

Gy（RBE）= gray（relative biological effectiveness）

粒子線から X 線に照射線量を換算した単位で，物理的な吸収線量（Gy）に RBE 値を乗じたものである。陽子線治療の RBE は 1.1，重粒子線では 3.0 を用いている。

BED：生物学的等価線量（biological equivalent dose）= n × d ×（1 + d/［α / β］）

EQD2：1 回 2Gy の通常分割照射での等価線量（equivalent dose in 2 Gy fraction）

= n × d ×（α / β + d）/（α / β + 2）

n：照射回数，d：一回線量，α / β 比：放射線治療における理論（LQ モデル）に基づく数値

細胞生存率曲線は線量 D のとき，S = e$^{-(\alpha D + \beta D^2)}$ で表され，α D 成分 = β D^2 成分となる線量の値が α / β 値を示す。α / β 値により，晩期反応系正常組織（α / β 値は小さい）と早期反応系組織・腫瘍（α / β 値は大きい）に区別される。

引用文献

1）Shinchi H, Takao S, Nishida H, Aikou T. Length and quality of survival following external beam radiotherapy combined with expandable metallic stent for unresectable hilar cholangiocarcinoma. J Surg Oncol 2000；75：89-94.

2）Shinohara ET, Mitra N, Guo M, Metz JM. Radiotherapy is associated with improved survival in adjuvant and palliative treatment of extrahepatic cholangiocarcinomas. Int J Radiat Oncol Biol Phys 2009；74：1191-1198.

3）Isayama H, Tsujino T, Nakai Y, Sasaki T, Nakagawa K, Yamashita H, et al. Clinical benefit of radiation therapy and metallic stenting for unresectable hilar cholangiocarcinoma. World J Gastroenterol 2012；18：2364-2370.

4）Tan Y, Zhu JY, Qiu BA, Xia NX, Wang JH. Percutaneous biliary stenting combined with radiotherapy as a treatment for unresectable hilar cholangiocarcinoma. Oncol Lett 2015；10：2537-2542.

5）Alden ME, Mohiuddin M. The impact of radiation dose in combined external beam and intraluminal Ir-192 brachytherapy for bile duct cancer. Int J Radiat Oncol Biol Phys 1994；28：945-951.

6）Válek V, Kysela P, Kala Z, Kiss I, Tomásek J, Petera J. Brachytherapy and percutaneous stenting in the treatment of cholangiocarcinoma：a prospective randomised study. Eur J Radiol 2007；62：175-179.

7）Takamura A, Saito H, Kamada T, Hiramatsu K, Takeuchi S, Hasegawa M, et al. Intraluminal low-dose-rate 192Ir brachytherapy combined with external beam radiotherapy and biliary stenting for unresectable extrahepatic bile duct carcinoma. Int J Radiat Oncol Biol Phys 2003；57：1357-1365.

8）Shinohara ET, Guo M, Mitra N, Metz JM. Brachytherapy in the treatment of cholangiocarcinoma. Int J Radiat Oncol Biol Phys 2010；78：722-728.

9）Yoshioka Y, Ogawa K, Oikawa H, Onishi H, Kanesaka N, Tamamoto T, et al. Impact of intraluminal brachytherapy on survival outcome for radiation therapy for unresectable biliary tract cancer：a propensity-score matched-pair analysis. Int J Radiat Oncol Biol Phys 2014；89：822-829.

10）Taggar AS, Mann P, Folkert MR, Aliakbari S, Myrehaug SD, Dawson LA. A systematic review of intraluminal high dose rate brachytherapy in the management of malignant biliary tract obstruction and cholangiocarcinoma. Radiother Oncol 2021；165：60-74.

11）Bowling TE, Galbraith SM, Hatfield AR, Solano J, Spittle MF. A retrospective comparison of endoscopic stenting alone with stenting and radiotherapy in non-resectable cholangiocarcinoma. Gut 1996；39：852-855.

12）Yovino S, Poppe M, Jabbour S, David V, Garofalo M, Pandya N, et al. Intensity-modulated radiation therapy significantly improves acute gastrointestinal toxicity in pancreatic and ampullary cancers. Int J Radiat Oncol Biol Phys 2011；79：158-162.

13）Luterstein E, Cao M, Lamb JM, Raldow A, Low D, Steinberg ML, et al. Clinical outcomes using magnetic resonance-guided stereotactic body radiation therapy in patients with locally advanced cholangiocarcinoma. Adv Radiat Oncol 2019；5：189-195.

14）Kopek N, Holt MI, Hansen AT, Høyer M. Stereotactic body radiotherapy for unresectable cholangiocarcinoma.

Radiother Oncol 2010；94：47-52.

15) Momm F, Schubert E, Henne K, Hodapp N, Frommhold H, Harder J, et al. Stereotactic fractionated radiotherapy for Klatskin tumours. Radiother Oncol 2010；95：99-102.

16) Polistina FA, Guglielmi R, Baiocchi C, Francescon P, Scalchi P, Febbraro A, et al. Chemoradiation treatment with gemcitabine plus stereotactic body radiotherapy for unresectable, non-metastatic, locally advanced hilar cholangiocarcinoma. Results of a five year experience. Radiother Oncol 2011；99：120-123.

17) Jung DH, Kim MS, Cho CK, Yoo HJ, Jang WI, Seo YS, et al. Outcomes of stereotactic body radiotherapy for unresectable primary or recurrent cholangiocarcinoma. Radiat Oncol J 2014；32：163-169.

18) Mahadevan A, Dagoglu N, Mancias J, Raven K, Khwaja K, Tseng JF, et al. Stereotactic body radiotherapy（SBRT） for intrahepatic and hilar cholangiocarcinoma. J Cancer 2015；6：1099-1104.

19) Sandler KA, Veruttipong D, Agopian VG, Finn RS, Hong JC, Kaldas FM, et al. Stereotactic body radiotherapy （SBRT） for locally advanced extrahepatic and intrahepatic cholangiocarcinoma. Adv Radiat Oncol 2016；1：237-243.

20) Tao R, Krishnan S, Bhosale PR, Javle MM, Aloia TA, Shroff RT, et al. Ablative radiotherapy doses lead to a substantial prolongation of survival in patients with inoperable intrahepatic cholangiocarcinoma：a retrospective dose response analysis. J Clin Oncol 2016；34：219-226.

21) 日本肝癌研究会. 肝内胆管癌診療ガイドライン 2021 年版. 71-72, 73（粒子線）, 金原出版, 東京, 2020.

22) Elganainy D, Holliday EB, Taniguchi CM, Smith GL, Shroff R, Javle M, et al. Dose escalation of radiotherapy in unresectable extrahepatic cholangiocarcinoma. Cancer Med 2018；7：4880-4892.

23) Hong TS, Wo JY, Yeap BY, Ben-Josef E, McDonnell EI, Blaszkowsky LS, et al. Multi-institutional phase Ⅱ study of high-dose hypofractionated proton beam therapy in patients with localized, unresectable hepatocellular carcinoma and intrahepatic cholangiocarcinoma. J Clin Oncol 2016；34：460-468.

24) Makita C, Nakamura T, Takada A, Takayama K, Suzuki M, Ishikawa Y, et al. Clinical outcomes and toxicity of proton beam therapy for advanced cholangiocarcinoma. Radiat Oncol 2014；9：26.

25) Ohkawa A, Mizumoto M, Ishikawa H, Abei M, Fukuda K, Hashimoto T, et al. H. Proton beam therapy for unresectable intrahepatic cholangiocarcinoma. J Gastroenterol Hepatol 2015；30：957-963.

26) Kasuya G, Terashima K, Shibuya K, Toyama S, Ebner DK, Tsuji H, et al. Carbon-ion radiotherapy for cholangiocarcinoma：a multi-institutional study by and the Japan carbon-ion radiation oncology study group （J-CROS）. Oncotarget 2019；10：4369-4379.

27) Shimizu S, Okumura T, Oshiro Y, Fukumitsu N, Fukuda K, Ishige K, et al. Clinical outcomes of previously untreated patients with unresectable intrahepatic cholangiocarcinoma following proton beam therapy. Radiat Oncol 2019；14：241.

28) Parzen JS, Hartsell W, Chang J, Apisarnthanarax S, Molitoris J, Durci M, et al. Hypofractionated proton beam radiotherapy in patients with unresectable liver tumors：multi-institutional prospective results from the Proton Collaborative Group. Radiat Oncol 2020；15：255.

29) Hung SP, Huang BS, Hsieh CE, Lee CH, Tsang NM, Chang JT, et al. Clinical outcomes of patients with unresectable cholangiocarcinoma treated with proton beam therapy. Am J Clin Oncol 2020；43：180-186.

30) Yamazaki H, Kimoto T, Suzuki M, Murakami M, Suzuki O, Takagi M, et al. Particle beam therapy for intrahepatic and extrahepatic biliary duct carcinoma：a multi-institutional retrospective data analysis. Cancers （Basel） 2022；14：5864.

31) Brunner TB, Schwab D, Meyer T, Sauer R. Chemoradiation may prolong survival of patients with non-bulky unresectable extrahepatic biliary carcinoma. A retrospective analysis. Strahlenther Onkol 2004；180：751-757.

32) Isohashi F, Ogawa K, Oikawa H, Onishi H, Uchida N, Maebayashi T, et al. Patterns of radiotherapy practice for biliary tract cancer in Japan：results of the Japanese radiation oncology study group （JROSG） survey. Radiat Oncol 2013；8：76.

33) Yi SW, Kang DR, Kim KS, Park MS, Seong J, Park JY, et al. Efficacy of concurrent chemoradiotherapy with 5-fluorouracil or gemcitabine in locally advanced biliary tract cancer. Cancer Chemother Pharmacol 2014；73：191-198.

34) Foo ML, Gunderson LL, Bender CE, Buskirk SJ. External radiation therapy and transcatheter iridium in the treatment of extrahepatic bile duct carcinoma. Int J Radiat Oncol Biol Phys 1997；39：929-935.

35) Yoshioka Y, Ogawa K, Oikawa H, Onishi H, Uchida N, Maebayashi T, et al. Factors influencing survival outcome for radiotherapy for biliary tract cancer：a multicenter retrospective study. Radiother Oncol 2014；110：546-552.

36) Lee KJ, Yi SW, Cha J, Seong J, Bang S, Song SY, et al. A pilot study of concurrent chemoradiotherapy with

gemcitabine and cisplatin in patients with locally advanced biliary tract cancer. Cancer Chemother Pharmacol 2016 ; 78 : 841-846.

37) Chen SC, Chen MH, Li CP, Chen MH, Chang PM, Liu CY, et al. External beam radiation therapy with or without concurrent chemotherapy for patients with unresectable locally advanced hilar cholangiocarcinoma. Hepatogastroenterology 2015 ; 62 : 102-107.

38) Matsumoto S, Kiyosue H, Komatsu E, Wakisaka M, Tomonari K, Hori Y, et al. Radiotherapy combined with transarterial infusion chemotherapy and concurrent infusion of a vasoconstrictor agent for nonresectable advanced hepatic hilar duct carcinoma. Cancer 2004 ; 100 : 2422-2429.

39) Moureau-Zabotto L, Turrini O, Resbeut M, Raoul JL, Giovannini M, Poizat F, et al. Impact of radiotherapy in the management of locally advanced extrahepatic cholangiocarcinoma. BMC Cancer 2013 ; 13 : 568.

40) Phelip JM, Vendrely V, Rostain F, Subtil F, Jouve JL, Gasmi M, et al. Gemcitabine plus cisplatin versus chemoradiotherapy in locally advanced biliary tract cancer : Fédération Francophone de Cancérologie Digestive 9902 phase Ⅱ randomised study. Eur J Cancer 2014 ; 50 : 2975-2982.

41) Engineer R, Mehta S, Kalyani N, Chaudhari S, Dharia T, Shetty N, et al. High dose chemoradiation for unresectable hilar cholangiocarcinomas using intensity modulated external beam radiotherapy : a single tertiary care centre experience. J Gastrointest Oncol 2017 ; 8 : 180-186.

42) Pollom EL, Alagappan M, Park LS, Whittemore AS, Koong AC, Chang DT. Does radiotherapy still have a role in unresected biliary tract cancer? Cancer Med 2017 ; 6 : 129-141.

43) Sinha S, Engineer R, Ostwal V, Ramaswamy A, Chopra S, Shetty N. Radiotherapy for locally advanced unresectable gallbladder cancer - A way forward : Comparative study of chemotherapy versus chemoradiotherapy. J Cancer Res Ther 2022 ; 18 : 147-151.

44) Torgeson A, Lloyd S, Boothe D, Cannon G, Garrido-Laguna I, Whisenant J, et al. Chemoradiation therapy for unresected extrahepatic cholangiocarcinoma : a propensity score-matched analysis. Ann Surg Oncol 2017 ; 24 : 4001-4008.

45) Autorino R, Mattiucci GC, Ardito F, Balducci M, Deodato F, Macchia G, et al. Radiochemotherapy with gemcitabine in unresectable extrahepatic cholangiocarcinoma : long-term results of a phase Ⅱ study. Anticancer Res 2016 ; 36 : 737-740.

46) Bisello S, Buwenge M, Palloni A, Autorino R, Cellini F, Macchia G, et al. Radiotherapy or chemoradiation in unresectable biliary cancer : a retrospective study. Anticancer Res 2019 ; 39 : 3095-3100.

47) Shen ZT, Zhou H, Li AM, Li B, Shen JS, Zhu XX. Clinical outcomes and prognostic factors of stereotactic body radiation therapy for intrahepatic cholangiocarcinoma. Oncotarget 2017 ; 8 : 93541-93550.

48) Frakulli R, Buwenge M, Macchia G, Cammelli S, Deodato F, Cilla S, et al. Stereotactic body radiation therapy in cholangiocarcinoma : a systematic review. Br J Radiol 2019 ; 92 : 20180688.

49) Lee J, Yoon WS, Koom WS, Rim CH. Efficacy of stereotactic body radiotherapy for unresectable or recurrent cholangiocarcinoma : a meta-analysis and systematic review. Strahlenther Onkol 2019 ; 195 : 93-102.

50) Brunner TB, Blanck O, Lewitzki V, Abbasi-Senger N, Momm F, Riesterer O, et al. Stereotactic body radiotherapy dose and its impact on local control and overall survival of patients for locally advanced intrahepatic and extrahepatic cholangiocarcinoma. Radiother Oncol 2019 ; 132 : 42-47.

51) Sebastian NT, Tan Y, Miller ED, Williams TM, Alexandra Diaz D. Stereotactic body radiation therapy is associated with improved overall survival compared to chemoradiation or radioembolization in the treatment of unresectable intrahepatic cholangiocarcinoma. Clin Transl Radiat Oncol 2019 ; 19 : 66-71.

52) Kozak MM, Toesca DAS, von Eyben R, Pollom EL, Chang DT. Stereotactic body radiation therapy for cholangiocarcinoma : optimizing locoregional control with elective nodal irradiation. Adv Radiat Oncol 2019 ; 5 : 77-84.

53) Thuehøj AU, Andersen NC, Worm ES, Høyer M, Tabaksblat EM, Weber B, et al. Clinical outcomes after stereotactic ablative radiotherapy in locally advanced cholangiocarcinoma. Acta Oncol 2022 ; 61 : 197-201.

54) Bisello S, Camilletti AC, Bertini F, Buwenge M, Arcelli A, Macchia G, et al. Stereotactic radiotherapy in intrahepatic cholangiocarcinoma : a systematic review. Mol Clin Oncol 2021 ; 15 : 152.

FRQ11 胆道癌切除例に対する術後放射線療法・術後化学放射線療法は有用か？

断端陽性例もしくはリンパ節転移例に対しては行うことを考慮してよいが，臨床研究として行うことが望ましい。

解説

放射線治療は胆道癌手術の補助療法として用いられることがある。欧米では病期に応じて（断端陽性例，リンパ節陽性例など）用いられているが，我が国では化学療法の進展に伴い用いられることは少ない。どのような場合に放射線治療が推奨されるかが明確になれば臨床決断の助けとなり，重要な臨床課題と考えられる。

1) エビデンスの評価

a. 検索結果の概要

本 FRQ について網羅的文献検索を行った所，85 文献が抽出された。一次スクリーニングで 18 文献が除外され，67 文献に二次スクリーニングを行った。少数例の文献は除き最終的に 49 文献が採用された。

術後放射線治療と手術単独との比較では 17 論文[1~17] が該当し，ランダム化比較試験 1 編[1]，観察研究 16 編[2~17] であった（広域データベース使用論文 7 編[6,8~13]，メタアナリシス 3 編[7,14,15]，術中照射 2 編[16,17]）他，高精度放射線治療である IMRT と従来の RT の比較 1 編[18] があった。

化学放射線療法と手術単独との比較では 6 論文[19~24] が該当し，ランダム化比較試験 2 編（乳頭部）[22,23]，観察研究 4 編[19~21,24] であった。術後化学放射線療法後の維持療法の有無で比較した論文 1 編[25]，化学放射線療法と放射線療法単独の比較 1 編[26]，化学放射線療法と化学療法の比較 1 編（広域データベース）[27]，術後化学療法と引き続く化学放射線療法の多施設第二相試験 1 編[28] があった。複数の術後補助療法と手術単独との比較では 11 編[29~39]（メタアナリシス 3 編[35,37,39]，ネットワークメタアナリシス 1 編[38]）が該当した。

術前化学放射線療法と手術単独との比較 2 編[40,41]，術前化学放射線療法の前向き第二相試験 1 編[42]，コホート研究 1 編[43] を認めた。肝移植を前提とした術前化学放射線療法 3 編[44~46]（メタアナリシス 1 編[45] を含む）であった。

b. 評価

我が国では一定した見解はないが，欧米では術後放射線療法の有用性は主に断端陽性例，リンパ節転移陽性例で認められている。一方完全切除された症例，特に早期症例では有害事象の増加のため有用性に乏しいものとされる。ランダム化比較試験は旧来の治療計画が用いられた時代のもので現在に当てはめることはできない。化学放射線療法は放射線治療単独に比して優れた成績を示すことが多いが，観察研究に加えて，少数の前向き試験が認められるのみであり，今後のエビデンスの蓄積が必要である。

c. 統合

術後放射線治療では，現在主流となってきた高精度放射線治療を用いた RCT がなく，後ろ向き観察研究が主体でエビデンスに乏しい。一般的に有用性を認めないものから，断端陽性，リンパ節陽性例で有用性を認める報告が多い傾向にある。化学放射線療法は放射線治療単独に比して予後を延長する傾向にあるが，化学療法との比較で有意性を示す研究はなく今後の研究が必要である。

d. 益と害のバランス評価

　放射線治療の"益"のアウトカムである「全生存期間延長」は無治療と比較した場合は複数の報告から示唆されるが化学療法に比して優れた成績はほとんど認められない。

　"QOL"の観点から，ステント開存性の維持，減黄，疼痛緩和（対症的治療）などが報告されており"益"が想定される。一方"害"のアウトカムである"有害事象の増加"については高精度化による軽減が期待されるが，後ろ向きの少数例報告に留まり，高いレベルのエビデンスに乏しい。

e. 患者・市民の価値観・希望

　解析したアウトカムにおいて推奨のエビデンスは弱く，患者個々の状態により益・害が大きく変わると予想されるため，優劣は明らかでなく患者の状態や状況・希望を考慮して選択するとした。

f. 資源利用と費用対効果

　放射線治療は保険適用であり，適応患者全例に施行しても社会的なコストは軽微である。照射方法は多岐にわたるため，各照射法間の比較は困難である。再発リスク・追加治療の選択肢と効果，期間を含めた資源の評価，比較は現時点では困難であり，費用対効果の評価を試みた研究論文はなかった。

g. 今後の研究について

　化学療法の進展は著しく，新規薬剤を用いた研究がなされている。食道癌や膵臓癌など他の消化器癌では，化学放射線療法が，放射線療法単独と比較して良好とされ，直腸癌などでは術前化学放射線療法が行われるようになった。今後，前向き臨床試験の蓄積によって，胆道癌に対する放射線療法と化学療法との併用療法が生存期間（率）やQOLの向上に寄与するか否かを明らかにしていく必要がある。

2) 放射線療法

　胆道癌は術後病理組織所見において非治癒切除となる頻度，および局所再発率が高い。このため切除症例の局所制御率を高めるため，術後化学療法や放射線療法が行われることがある（表1）。放射線療法は術中照射・外照射・腔内照射などをそれぞれ単独または，いずれか2者または3者の組み合わせで施行されてきたが，大規模な比較試験の報告はない。術中照射・腔内照射の施行数は減少している。

　Pittら[1]は，前向きランダム化比較試験として遠隔転移がない胆管癌50例において切除31例と非切除19例を放射線療法施行群23例と未施行群27例に振り分けて比較検討したところ，放射線治療群のMST 14ヵ月は非治療群のMST 15ヵ月と有意差なく，切除例では放射線治療群14例，非治療群17例ともにMST 20ヵ月であった。一方，Gerhardsら[2]は胆管癌切除後91例に対して，20例の手術単独群と，切除後補助療法群71例（外照射（平均46 Gy）を施行した30例と外照射（平均42 Gy）に腔内照射（平均10 Gy）を加えた41例）の解析を行い，非照射群のMST 8ヵ月に対して照射群では24ヵ月と有意に予後が延長した。同様に術後照射は有用とする報告[3,4]と，有用性が認められなかった報告[5]があるが，断端陽性例，リンパ節陽性例で有効とする報告[3,6,7]が多い。近年導入された高精度放射線治療（SBRT，IMRTなど）を用いた報告も認められるようになり，Leeら[18]が肝内胆管癌でIMRTと3D-CRTを比較して同等の成績を報告している一方，肝内胆管癌ではJiaら[4]はIMRTが3D-CRTより有効であったとしている。（レベルC）

　米国の地域癌登録大規模データベースSEERを用いた2,000例以上の検討で，手術単独群のMST 9ヵ月に比して，術後照射群ではMST 16ヵ月であり，術後放射線治療の有用性が示された[8]。同様に胆嚢癌でも，4,000例以上のSEERのデータで手術単独のMST 8ヵ月が放射線療法を加えることによって14〜15ヵ月に延長し，

表 1　胆道癌に対する術後放射線療法

Treatment	n	MST (月)	*P*-value	Study design		Author (発表年)
RT ± BT	14	20	NS	RCT	RT 有用性認めず：生存も QOL も RT の有用性認めず	Pitt[1] (1995)
RT（－）	17	20				
RT ± BT	71	24	< 0.01	Cohort study	肝門部 RT 有用：術後腸管を用いた BT は有害事象を増加させ生存に寄与せず	Gerhards[2] (2003)
RT（－）	20	8				
RT ± BT	39	23	NS	Cohort study	RT 有用性認めず：pⅢ/Ⅳa では有用	Sagawa[5] (2005)
RT（－）	30	20				
RT	701	16	< 0.0001	SEER Cohort study	RT 有用：傾向スコア解析では有意差なし	Shinohara[8] (2009)
RT（－）	1,372	9				
RT	395	14	< 0.001	SEER Cohort study	胆囊：n1 や肝臓浸潤例で RT 有用	Mojika[9] (2007)
RT（－）	1,930	8				
RT	760	15	< 0.0001	SEER Cohort study	胆囊：RT 有用：30 ヵ月以降生存曲線重なる n1 や T2 以上で有用	Wang[6] (2008)
RT（－）	3,420	8				
RT	31	26	N	Cohort study	局所制御 RT 有効（61.7% vs. 35.6%）断端陽性，リンパ節陽性で RT 有用	Gwak[3] (2010)
RT（－）	47	19				
RT	268	13 ～ 40.8	< 0.001	Metaanalysis	RT 有用：特に断端陽性，n1 補助療法 HR 0.62	Bonet Beltrán[7] (2012)
RT（－）	377	8 ～ 34				
RT	473	localized：28/regional：18	localized：0.038	SEER Cohort study	経過観察期間 3 ヵ月未満を除外 localized は RT（－）が良好 術後 RT 長期生存には有効性認めず	Vern-Gross[10] (2011)
RT（－）	1,018	36/18	regional：0.80			
RT (IMRT)	14	21.8	0.049	Cohort study	肝内胆管癌，術後 IMRT 有効 56.8（50 ～ 60）Gy/ 25 ～ 30 回 特に血管侵襲例	Jia[4] (2015)
RT（－）	24	15				
RT	303	32	0.26 傾向スコアで補正後	SEER	乳頭部癌 全体では有意差なし N2 で23m vs. 17m と有意	Kamarajah[11] (2018)
RT（－）	803	30				
3D-CRT	27	31.3	0.957	Cohort study	胆道癌：IMRT は 3D-CRT と同等の結果 2 年無再発率 25.9% vs. 47.4%, p=0.088	Lee[18] (2019)
IMRT	30	21.7				
RT vs. RT（－）	21 試験 1,465 名	5 年生存率 (OR = 0.63：95% CI = 0.50-0.81)	0.0002	Metaanalysis	肝外胆道癌：RT 有用 特に n1，断端陽性例	Ren[14] (2020)
RT vs. RT（－）	23 論文 1,731 名	5 年生存率 (25.6% vs. 31.7%)	0.115	Metaanalysis	肝外胆管癌で RT 有用性認めず Grade 3 以上の有害事象 9.8%	Choi[15] (2021)
RT	2,162 例から 1,509 抽出	29.3	< 0.001	NCDB	遠位胆管癌 傾向スコアで補正抽出して比較 断端・n にかかわらず術後 RT 有用	Kamarajah[12] (2021)
RT（－）	4,155 例から 1,509 抽出	26.8				
RT	2,261 例から 2,067 抽出	26.2	< 0.001	NCDB	胆囊癌 傾向スコアで補正すると 断端・n にかかわらず術後 RT 有用	Kamarajah[13] (2022)
RT（－）	7,514 例から 2,067 抽出	21.5				

RT：external beam radiotherapy, n1：リンパ節転移陽性, localized：T1-2, regional：T3- and/or N1, IMRT：intensity modulated radiotherapy, 3D-CRT：three-dimentional conformal radiation therapy

特に T2 以上の原発巣やリンパ節転移陽性例・肝浸潤例で術後放射線治療が有用であった[6,9]。一方経過観察が 3 ヵ月未満例を除外すると T1～2 ではむしろ手術単独群の生存率が優れており，進行例でも放射線療法の有効性は示せなかった[10]。Kamarajah ら[11] は SEER に加えて，米国の院内がん登録大規模データベース NCDB[12,13] を用いた傾向スコアマッチで検討を行い乳頭部癌，遠位胆管，胆囊癌で術後照射の有用性を示した。乳頭部癌では n2 例で有効性が認められたが，遠位胆管癌や，胆囊癌ではリンパ節転移陽性，陰性，断端陽性・陰性，化学療法併用の有無，いずれの群においても有意差は保たれた[12,13]。

　胆囊癌やファーター乳頭癌を除いた肝外胆管癌において観察研究のメタアナリシス / システマティックレビューが行われ，術後照射が有意に全生存率を改善することが示された（HR 0.62, *P* < 0.001）[7]。晩期放射線毒性は通過障害あるいは消化管出血が 2～9% と軽微であった。Ren らのメタアナリシス[14] では 21 論文，1,465 名が解析され，胆囊を含む肝外胆道癌で，術後放射線療法群が無治療群に比して 5 年生存率で優れた結果を示した（odds ratio(OR)0.63, *P* = 0.0002）。特にリンパ節転移陽性群では OR 0.15（*P* < 0.00001），断端陽性例

ではOR 0.40（P = 0.02）であった。一方Choiら[15]は23論文1,731名のデータを用いて肝外胆管癌のメタアナリシスを行い術後照射の有用性を否定している（5年生存率25.6% vs. 31.7%，P = 0.115）。メタアナリシスでは補助療法としての放射線治療が断端陽性例や，リンパ節転移陽性例で有用とされることが多く[9,11]，大規模データベース報告では遠位・胆嚢癌で断端陽性・陰性，リンパ節転移陽性・陰性にかかわらず有用性報告があるなど[6,9,12,13]亜部位毎に異なる可能性も含めて，症例選択の必要性を示唆している。（レベルC）

　術中照射は目的とする部位に正確に照射可能で，放射線感受性の高い周囲正常組織を照射野からはずすことができる。1回線量や照射野を大きくすると合併症が生じやすくなるため，一般的には外照射が併用される。術中照射21 Gyと，術後照射44 Gy程度を加えることによりⅣA期のR1症例（顕微鏡的に癌細胞を認めるもの）の5年生存率が39.2%と，切除のみ13.5%に比して改善したもの[16]から，有益性が認められなかったとする報告[17]もある。（レベルC）

　以上により大規模なランダム試験がなくエビデンスレベルは低く，切除後断端・リンパ節陽性例には放射線療法を考慮しても良いが臨床研究として行うのが望ましい。一方治癒切除例に対してはその適応は慎重でなければならない。

3）化学放射線療法

　胆道癌に対する補助療法として放射線療法と化学療法の併用が有効との報告は多く，切除断端陽性例やリンパ節転移を有する症例に関しては，フッ化ピリミジン系薬剤併用の術後化学放射線治療や引き続く維持化学療法なども行われる（表2）。

　一般的には術後化学放射線治療は断端陽性例やT2〜3以上，リンパ節陽性例などの進行例で有用とする報告が多い[30,31,47]。我が国の多施設集計では術後放射線治療例（212例）のMSTは31ヵ月で[27]，特にリンパ節転移陽性例では化学放射線療法（同時・順次問わず）が放射線療法単独より良好（MST 31 vs. 13ヵ月，P < 0.001）だった。断端・リンパ節転移陽性例でも術後化学放射線療法施行により断端陰性例と同等の生存率であったとする報告[23]や，維持化学療法の重要性を示唆する研究[19,25,26]もあり併用方法も検討を要する。Kimら[25]は韓国で多施設多数例での検討を行い，断端陽性例，リンパ節陽性例で術後照射が有用で，中でもCRT施行後の維持化学療法群の成績が良好であった。同様に化学療法例と化学放射線療法併用例では有意な予後延長を示したが，放射線治療単独では有意とならなかった報告がある[32〜36]。また断端陽性例でCRTを施行しても有意な生存率改善が得られなかった報告もある[41]。（レベルC）

　SEERを用いた胆嚢癌の検討で，傾向スコアで補正した結果，化学療法単独より化学放射線療法の成績が良好だったとの報告がある[28]。Hoehnら[30]もNCDBを用いた解析で胆嚢癌T2〜3では化学放射線療法が有用だが，リンパ節転移陰性例では有用性を認めなかった。一方，胆嚢癌[13]や遠位胆管癌[12,15]では，切除断端の陽性の有無，リンパ節転移の有無，化学療法の有無にかかわらず，術後照射により生存期間延長が示された研究もある。Horganら[37]の術後補助療法全般のメタアナリシス／システマティックレビューでは，有意差はないが補助療法群が良好な傾向を示した（OR 0.74，P = 0.06）。特に断端陽性例（OR 0.36，P = 0.002）やリンパ節陽性群（OR 0.49，P = 0.004）では補助療法が有用であった。化学療法（OR 0.39，P < 0.01）や化学放射線療法（OR 0.61，P < 0.049）が放射線療法単独（OR 0.98，P = 0.9）より良好な傾向を示した。Shiら[35]の肝外胆道癌のメタアナリシスでは，RTのみでは有意差がないがCRTは有用，かつR0では有意差がないがR1で有効とした。遠位では同時併用CRTのみが有用であった。Chenら[38]はネットワークメタアナリシスを用いて各補助療法間の比較を行い，ゲムシタビンが最良の結果を示し，CRTは断端陽性，リンパ節陽性群で有用とした。（レベルC）

　South West Oncology Group（SWOG）の多施設前向き第二相試験で術後化学放射線療法のエビデンスが示された。遠位胆管癌と胆嚢癌（pT2〜4，断端陽性かリンパ節転移陽性例）で4クールの術後化学療法（ゲム

表2　胆道癌に対する補助化学放射線療法

(1) 術後

Treatment	n	MST（月）	P-value	Study design		Author（発表年）
CRT（5-FUb）+ 維持化療 / 過去対照症例	34 / 30	36.9 / 22	<0.05	Cohort study	遠位：CRT＋維持化療有用	Hughes[19] (2007)
CRT（5-FUb） / CRT（-）	110(PA 63/BD 46) / 108(57/49)	1.8年 / 1.6年	NS	EORTC 40891 RCT	膵・傍乳頭部癌で有用性認めず	Smeenk[22] (2007)
CAI/RT / CAI/RT（-）	59(PA 31/BD 28) / 61(31/30)	19 / 18	NS	RCT	膵・乳頭部癌では有用性認めず 乳頭部癌では肝転移を減らす	Morak[23] (2008)
CRT R1pN1 / 手術単独 R0pN0	42 / 23	5生36% / 42%	0.6	Cohort study	肝外：高リスク群の成績が低リスク群と等しくCRTは有効 CRT G3 7%	Borghero[24] (2008)
CRT（5-FUb 他）+維持化療 / CRT（5-FUb 他）	90 / 30	未達（3生62.6%） / 22.1（30.8%）	<0.01	Cohort study	肝外：維持化療有用	Lim[26] (2009)
R0 CRT / R1 or R2 CRT	52 / 90	5生44% / 33%	0.27	Cohort study	肝外：断端陽性例でCRT有用	Park[47] (2011)
CRT(5-FUb +他) / CRT（-）	66 / 120	39.9 / 40.1	NS	Cohort study	乳頭部CRT有用性認めず：n1でRT有用	Narang[21] (2011)
CRT, RT, 化学療法	6,712 手術単独4,915 vs 補助療法1,797	NA	NS	Systematic review/Metaanalysis	全体では補助療法の有用性認めず R1, n1で有用性 化学療法, CRTがRTに優る	Horgan[37] (2012)
CRT / RT	86 / 121	37 / 26	0.106	JROSG Cohort study	n1例ではCRT（同時・順次問わず）がRT単独より良好（MST 31 vs. 13, p <0.001）	Yoshioka[27] (2014)
CRT / 化学療法 / 手術単独	1,012 / 417 / 5,261	1.77年 / 1.03年 / 1.5年	<0.001	NCDB Cohort study	胆嚢癌：n1やT2～3でCRT有用 n0では有用性認めず	Hoehn[30] (2015)
CRT / 化学療法 / RT / 手術単独	49 / 90 / 29 / 168	5生 47.6% / 37.9% / 42.9% / 43.2%	0.596	Cohort study	肝門＋遠位：多変量解析 化学療法（HR 0.622, P = 0.008）とCRT（HR 0.462, P = 0.003）は予後を延長したが, RT（0.587, P = 0.078）は有意ではなかった	Im[32] (2016)
CRT, RT, 化学療法 / 手術単独	56 / 102	72.9 / 51.1	0.172	Cohort study	遠位：R0症例の韓国多施設データ：補助療法全体では有用性認めず：RTのみでは有用性認めないが, 化学療法やCRTは有用	Kim[33] (2016)
化学療法（GC）⇒ CRT（cap）	69(GB 23：EHCC 46) R0 66.7%	2生70.6% n0 60.9%	NA	SWOG S0809 P Ⅱ	肝外：リンパ節陽性例での前向き多施設試験 有害事象 G3 52%, G4 11% G5（消化管出血1例）	Ben-Josef[29] Gholami[48] (2015) (2023)
(C) RT, 化学療法 / 手術単独	767 / 904	5生40% / 37.5%	0.067	Metaanalysis	乳頭部：(C) RT, 化学療法の有用性認めず	Acharya[39] (2017)
CRT：RT：化学療法 / 手術単独	89：5：35 / 95	21.9 / 20, HR 0.58	0.013	多施設 Cohort study	肝門部：n1で化学療法, CRT有用	Krasnick[34] (2018)
CRT / CRT（-）	22 / 22	49 / 43	NS	Cohort study	肝外：CRT 50～50.4 Gy/25～28回＋5-FU ないしS-1, 断端陽性例でもCRT有効性認めず	Sugiura[20] (2020)
CRT, RT	8論文 685人	HR 0.69	0.03	Systematic review/Metaanalysis	肝外：CRT有用, RTのみは有意差なし R1で有効, R0では有意差なし 遠位では同時併用CRTのみ有用	Shi[35] (2020)
手術単独 / 化学療法 / CRT	146 / 34 / 148	3yOS：64.4% / 65.10% / 70.60%	0.93	Cohort study	肝門部を除く肝外胆管癌 pT3, 未分化, 腫瘍径 ≥ 5 cm, n1, 断端陽性例でRT有用	Chang[31] (2021)
RT（RT, CRT, CRT →化学療法） / RT（-）	516 / 959	全体HR 0.74, P < 0.001 / n + HR 0.67, P < 0.001 35.2 vs. 23.6 P = 0.01 断端陽性HR 0.6, P < 0.001 39.7 vs. 23.0 P = 0.01		KROG 18-14 韓国多施設 Cohort	肝外：RT有効 特にCRT後の維持化学療法群が良好	Kim[25] (2021)
RT（-） / 化学療法 / RT / CRT	90 / 67 / 18 / 21	5生27% / 38% / 8.20% / 49.40%	ref / 0.071 / 0.369 / 0.092	Cohort study	肝門部：CRTと化学療法が有用でR1切除後はCRTが有用 Ⅲ～ⅣのR0では化学療法/CRTが有用	Im[36] (2021)
手術単独 vs. CRT vs. FU vs. GEM vs. RT	22論文 14,646人	n + CRT HR 0.69 断端陽性CRT HR 0.22		Network metaanalysis	胆道癌：各補助療法の評価 GEMが最良, CRTは断端陽性, n1例で有用	Chen[38] (2021)
CRT / 化学療法	497 / 425	28 / 25	0.142	SEER	胆道全体：傾向スコアで補正すると有意に化学療法よりCRTが優れた傾向（特に胆嚢癌）	Zhu[28] (2023)

(2) 術前

Treatment	n	MST（月）	P-value	Study design		Author（発表年）
RT（45 Gy/25回）+ GEM	24	NA	NA	P Ⅱ	R0：70.8%	Katayose[42] (2015)
RT（50～60 Gy）+ GEM / 手術単独	27 / 79	3年 RFS 78%, 3生85% / 58%, 69%	RFS P = 0.0263	Cohort study	傾向スコアで補正すると生存率が HR 0.3505	Kobayashi[40] (2017)
CRT / RT（-）	12 / 45	32.9 / 27.1	0.26	Cohort study	肝門部：NAC, OS有意差なし 術前CRTで断端, リンパ節陽性率ともダウンステージ（R0 83.3% vs. 66.7%, n1 25% vs. 55.6%）	Jung[41] (2017)
RT（50 Gy）+ S-1	15	37（切除例11例）vs. 10（非切除4例）	NA	Cohort study	切除不能15例で11例が切除可能となり9例R0切除	Sumiyoshi[43] (2018)

RT：external beam radiotherapy, CRT：chemoradiotherapy, 2, 3, 5生：2, 3, 5年生存率, G：grade, OR：odds ratio, 5-FUb：5-FU based, cap：capecitabine, GEM：gemcitabine, PA：pancreatic cancer, BD：bile duct cancer, P Ⅱ：phase Ⅱ trial, R0：断端陰性, R1：断端陽性, n1：リンパ節転移陽性, JROSG：Japanese Radiation Oncology Study Group, RFS：recurrence-free survival, GB：gallbladder, EHCC：extrahepatic cholangiocarcinoma, NA：not available, GC：gemcitabine + cisplatin, NAC：neo adjuvant chemotherapy

シタビン＋カペシタビン）を先行させ，カペシタビン同時併用化学放射線療法（IMRT を含む）を行い MST 35 ヵ月と良好な結果が報告された[29]。化学療法を先行させることにより，早期に遠隔転移を生じる症例で放射線治療を省略可能であり今後考慮される方法である。2 年無再発生存率が 49.8％と，既存対照群の 29.7％と比して有意に優れていたとしている（$P = 0.004$）[48]。（レベル B）

Narang ら[21] は乳頭部癌で 66 例の 5-FU を用いた化学放射線治療群を 120 例の対照群と比較し，MST では 39.9 ヵ月と 40.1 ヵ月で有意差がなかったが，リンパ節陽性群に限ると 15.7 ヵ月が 32.1 ヵ月へと生存期間の延長が認められ，背景を調整した多変量解析でも化学放射線治療が有意な予後因子であることを報告した。乳頭部癌で 2 本の前向き試験が報告された。Smeenk ら[22] は膵癌と乳頭部癌対象で術後に 5-FU 併用後で 2 週間の休止をいれた 40 Gy の化学放射線療法を行った前向きランダム化試験（EORTC 40891）の長期予後を解析し，術後化学放射線療法では生存率は向上を認めなかった。Morak らは膵癌と乳頭部癌について術後動注化学放射線療法（celiac axis infusion chemotherapy：CAI）6 クールと放射線治療 54 Gy/30 回（CAI/RT）を交替で行う前向き比較試験を行い，CAI/RT は予後に寄与しないが，乳頭部癌では肝臓転移を減らし無増悪生存期間を延長[23] することで，患者 QOL 向上に寄与したと述べている[49]。これらを含めた乳頭部癌のシステマティックレビューでも術後照射による予後改善は認められなかった[39]。リンパ節転移例に限った試験の必要性や，乳頭部癌と膵臓癌は分けて検討すべきとの考察はあるものの，現在，乳頭部癌に補助療法としての術後化学放射線療法の推奨はされない。（レベル B）

術前化学放射線療法により R0 切除が増加し，リンパ節転移陽性例が減少し予後延長の可能性を示唆する報告がある[40]。Katayose ら[42] は第二相試験として 45 Gy/25 回のゲムシタビン同時併用化学放射線療法を 24 名に施行し，R0 切除が 70.8％で可能であったとしている。Kobayashi ら[40] は 50～60 Gy のゲムシタビン同時併用化学放射線療法を行い，3 年無再発生存率 78％と手術単独例の 58％より改善したと報告している。Sumiyoshi ら[43] も切除不能 15 例中 11 例が切除可能となったと報告している。一方 Jung ら[41] はダウンステージは可能だったが生存率の有意な改善は認められなかったとしている。（レベル C）

欧米ではリンパ節転移陰性の肝門部局所進行胆道癌に厳密な症例選択を行った上で，術前化学放射線療法と肝移植を行い，断端陰性率の改善と優れた 5 年生存率 45～73％を得ている[44]。Cambridge ら[45] はメタアナリシスを行い 20 論文，428 名の患者のデータから術前化学放射線治療を行うと 3 年再発率が 51.7％から 24.1％へ低減し，5 年生存率が 31.6％（95％ CI：23.1-40.7％）から 65.1％（95％ CI：55.1-74.5％）へ改善したとしている。肝内胆管癌でも術前化学放射線療法後の肝移植の報告がみられるようになったが，有効性についてはいまだ議論がある[46]。（レベル C）

化学療法の進展は著しく，新規薬剤を用いた研究がなされている。食道癌や膵臓癌など他の消化器癌では，化学放射線療法が，放射線療法単独と比較して良好とされ，直腸癌などでは術前化学放射線療法が行われるようになった。今後，前向き臨床試験の蓄積によって，胆道癌に対する放射線療法と化学療法との併用療法が生存期間（率）や QOL の向上に寄与するか否かを明らかにしていく必要がある。

引用文献

1）Pitt HA, Nakeeb A, Abrams RA, Coleman J, Piantadosi S, Yeo CJ, et al. Perihilar cholangiocarcinoma. Postoperative radiotherapy does not improve survival. Ann Surg 1995；221：788-797.
2）Gerhards MF, van Gulik TM, González González D, Rauws EA, Gouma DJ. Results of postoperative radiotherapy for resectable hilar cholangiocarcinoma. World J Surg 2003；27：173-179.
3）Gwak HK, Kim WC, Kim HJ, Park JH. Extrahepatic bile duct cancers：surgery alone versus surgery plus postoperative radiation therapy. Int J Radiat Oncol Biol Phys 2010；78：194-198.

4) Jia AY, Wu JX, Zhao YT, Li YX, Wang Z, Rong WQ, et al. Intensity-modulated radiotherapy following null-margin resection is associated with improved survival in the treatment of intrahepatic cholangiocarcinoma. J Gastrointest Oncol 2015 ; 6 : 126-133.

5) Sagawa N, Kondo S, Morikawa T, Okushiba S, Katoh H. Effectiveness of radiation therapy after surgery for hilar cholangiocarcinoma. Surg Today 2005 ; 35 : 548-552.

6) Wang SJ, Fuller CD, Kim JS, Sittig DF, Thomas CR Jr, Ravdin PM. Prediction model for estimating the survival benefit of adjuvant radiotherapy for gallbladder cancer. J Clin Oncol 2008 ; 26 : 2112-2117.

7) Bonet Beltrán M, Allal AS, Gich I, Solé JM, Carrió I. Is adjuvant radiotherapy needed after curative resection of extrahepatic biliary tract cancers? A systematic review with a meta-analysis of observational studies. Cancer Treat Rev 2012 ; 38 : 111-119.

8) Shinohara ET, Mitra N, Guo M, Metz JM. Radiotherapy is associated with improved survival in adjuvant and palliative treatment of extrahepatic cholangiocarcinomas. Int J Radiat Oncol Biol Phys 2009 ; 74 : 1191-1198.

9) Mojica P, Smith D, Ellenhorn J. Adjuvant radiation therapy is associated with improved survival for gallbladder carcinoma with regional metastatic disease. J Surg Oncol 2007 ; 96 : 8-13.

10) Vern-Gross TZ, Shivnani AT, Chen K, Lee CM, Tward JD, MacDonald OK, et al. Survival outcomes in resected extrahepatic cholangiocarcinoma : effect of adjuvant radiotherapy in a surveillance, epidemiology, and end results analysis. Int J Radiat Oncol Biol Phys 2011 ; 81 : 189-198.

11) Kamarajah SK. Adjuvant radiotherapy following pancreaticoduodenectomy for ampullary adenocarcinoma improves survival in node-positive patients : a propensity score analysis. Clin Transl Oncol 2018 ; 20 : 1212-1218.

12) Kamarajah SK, Bednar F, Cho CS, Nathan H. Survival benefit with adjuvant radiotherapy after resection of distal cholangiocarcinoma : a propensity-matched National Cancer Database analysis. Cancer 2021 ; 127 : 1266-1274.

13) Kamarajah SK, Al-Rawashdeh W, White SA, Abu Hilal M, Salti GI, Dahdaleh FS. Adjuvant radiotherapy improves long-term survival after resection for gallbladder cancer A population-based cohort study. Eur J Surg Oncol 2022 ; 48 : 425-434.

14) Ren B, Guo Q, Yang Y, Liu L, Wei S, Chen W, et al. A meta-analysis of the efficacy of postoperative adjuvant radiotherapy versus no radiotherapy for extrahepatic cholangiocarcinoma and gallbladder carcinoma. Radiat Oncol 2020 ; 15 : 15.

15) Choi SH, Rim CH, Shin IS, Yoon WS, Koom WS, Seong J. Adjuvant radiotherapy for extrahepatic cholangiocarcinoma : a quality assessment-based meta-analysis. Liver Cancer 2021 ; 10 : 419-432.

16) Todoroki T, Ohara K, Kawamoto T, Koike N, Yoshida S, Kashiwagi H, et al. Benefits of adjuvant radiotherapy after radical resection of locally advanced main hepatic duct carcinoma. Int J Radiat Oncol Biol Phys 2000 ; 46 : 581-587.

17) Nakano K, Chijiiwa K, Toyonaga T, Ueda J, Takamatsu Y, Kimura M, et al. Combination therapy of resection and intraoperative radiation for patients with carcinomas of extrahepatic bile duct and ampulla of Vater : prognostic advantage over resection alone? Hepatogastroenterology 2003 ; 50 : 928-933.

18) Lee HC, Lee JH, Lee SW, Lee JH, Yu M, Jang HS, et al. Retrospective analysis of intensity-modulated radiotherapy and three-dimensional conformal radiotherapy of postoperative treatment for biliary tract cancer. Radiat Oncol J 2019 ; 37 : 279-285.

19) Hughes MA, Frassica DA, Yeo CJ, Riall TS, Lillemoe KD, Cameron JL, et al. Adjuvant concurrent chemoradiation for adenocarcinoma of the distal common bile duct. Int J Radiat Oncol Biol Phys 2007 ; 68 : 178-182.

20) Sugiura T, Uesaka K, Okamura Y, Ito T, Yamamoto Y, Ashida R, et al. Adjuvant chemoradiotherapy for positive hepatic ductal margin on cholangiocarcinoma. Ann Gastroenterol Surg 2020 ; 4 : 455-463.

21) Narang AK, Miller RC, Hsu CC, Bhatia S, Pawlik TM, Laheru D, et al. Evaluation of adjuvant chemoradiation therapy for ampullary adenocarcinoma : the Johns Hopkins Hospital-Mayo Clinic collaborative study. Radiat Oncol 2011 ; 6 : 126.

22) Smeenk HG, van Eijck CH, Hop WC, Erdmann J, Tran KC, Debois M, et al. Long-term survival and metastatic pattern of pancreatic and periampullary cancer after adjuvant chemoradiation or observation : long-term results of EORTC trial 40891. Ann Surg 2007 ; 246 : 734-740.

23) Morak MJ, van der Gaast A, Incrocci L, van Dekken H, Hermans JJ, Jeekel J, et al. Adjuvant intra-arterial chemotherapy and radiotherapy versus surgery alone in resectable pancreatic and periampullary cancer : a prospective randomized controlled trial. Ann Surg 2008 ; 248 : 1031-1041.

24) Borghero Y, Crane CH, Szklaruk J, Oyarzo M, Curley S, Pisters PW, et al. Extrahepatic bile duct adenocarcinoma : patients at high-risk for local recurrence treated with surgery and adjuvant chemoradiation have an equivalent overall survival to patients with standard-risk treated with surgery alone. Ann Surg Oncol 2008 ; 15 : 3147-3156.

25) Lim KH, Oh DY, Chie EK, Jang JY, Im SA, Kim TY, et al. Adjuvant concurrent chemoradiation therapy(CCRT) alone versus CCRT followed by adjuvant chemotherapy : which is better in patients with radically resected extrahepatic biliary tract cancer? : a non-randomized, single center study. BMC Cancer 2009 ; 9 : 345.

26) Yoshioka Y, Ogawa K, Oikawa H, Onishi H, Uchida N, Maebayashi T, et al. Factors influencing survival outcome for radiotherapy for biliary tract cancer : a multicenter retrospective study. Radiother Oncol 2014 ; 110 : 546-552.

27) Zhu Y, Liu X, Lin Y, Tang L, Yi X, Xu H, et al. Adjuvant chemoradiotherapy vs chemotherapy for resectable biliary tract cancer : a propensity score matching analysis based on the SEER database. Eur J Med Res 2023 ; 28 : 310.

28) Ben-Josef E, Guthrie KA, El-Khoueiry AB, Corless CL, Zalupski MM, Lowy AM, et al. A phase Ⅱ intergroup trial of adjuvant capecitabine and gemcitabine followed by radiotherapy and concurrent capecitabine in extrahepatic cholangiocarcinoma and gallbladder carcinoma. J Clin Oncol 2015 ; 33 : 2617-2622.

29) Kim K, Yu JI, Jung W, Kim TH, Seong J, Kim WC, et al. Role of adjuvant radiotherapy in extrahepatic bile duct cancer : a multicenter retrospective study (Korean Radiation Oncology Group 18-14). Eur J Cancer 2021 ; 157 : 31-39.

30) Hoehn RS, Wima K, Ertel AE, Meier A, Ahmad SA, Shah SA, et al. Adjuvant therapy for gallbladder cancer : an Analysis of the National Cancer Data Base. J Gastrointest Surg 2015 ; 19 : 1794-1801.

31) Chang WI, Kim BH, Kang HC, Kim K, Lee KH, Oh DY, et al. The role of adjuvant chemoradiotherapy in nonhilar extrahepatic bile duct cancer : a long-term single-institution analysis. Int J Radiat Oncol Biol Phys 2021 ; 111 : 395-404.

32) Im JH, Seong J, Lee IJ, Park JS, Yoon DS, Kim KS, et al. Surgery alone versus surgery followed by chemotherapy and radiotherapy in resected extrahepatic bile duct cancer : treatment outcome analysis of 336 patients. Cancer Res Treat 2016 ; 48 : 583-595.

33) Kim YS, Hwang IG, Park SE, Go SI, Kang JH, Park I, et al. Role of adjuvant therapy after R0 resection for patients with distal cholangiocarcinoma. Cancer Chemother Pharmacol 2016 ; 77 : 979-985.

34) Krasnick BA, Jin LX, Davidson JT 4th, Sanford DE, Ethun CG, Pawlik TM, et al. Adjuvant therapy is associated with improved survival after curative resection for hilar cholangiocarcinoma : a multi-institution analysis from the U.S. extrahepatic biliary malignancy consortium. J Surg Oncol 2018 ; 117 : 363-371.

35) Shi XQ, Zhang JY, Tian H, Tang LN, Li AL. Role of adjuvant (chemo) radiotherapy for resected extrahepatic cholangiocarcinoma : a meta-analysis. J Zhejiang Univ Sci B 2020 ; 21 : 549-559.

36) Im JH, Choi GH, Lee WJ, Han DH, Park SW, Bang S, et al. Adjuvant radiotherapy and chemotherapy offer a recurrence and survival benefit in patients with resected perihilar cholangiocarcinoma. J Cancer Res Clin Oncol 2021 ; 147 : 2435-2445.

37) Horgan AM, Amir E, Walter T, Knox JJ. Adjuvant therapy in the treatment of biliary tract cancer : a systematic review and meta-analysis. J Clin Oncol 2012 ; 30 : 1934-1940.

38) Chen X, Meng F, Xiong H, Zou Y. Adjuvant therapy for resectable biliary tract cancer : a Bayesian network analysis. Front Oncol 2021 ; 11 : 600027.

39) Acharya A, Markar SR, Sodergren MH, Malietzis G, Darzi A, Athanasiou T, et al. Meta-analysis of adjuvant therapy following curative surgery for periampullary adenocarcinoma. Br J Surg 2017 ; 104 : 814-822.

40) Kobayashi S, Tomokuni A, Gotoh K, Takahashi H, Akita H, Marubashi S, et al. A retrospective analysis of the clinical effects of neoadjuvant combination therapy with full-dose gemcitabine and radiation therapy in patients with biliary tract cancer. Eur J Surg Oncol 2017 ; 43 : 763-771.

41) Jung JH, Lee HJ, Lee HS, Jo JH, Cho IR, Chung MJ, et al. Benefit of neoadjuvant concurrent chemoradiotherapy for locally advanced perihilar cholangiocarcinoma. World J Gastroenterol 2017 ; 23 : 3301-3308.

42) Katayose Y, Nakagawa K, Yoshida H, Morikawa T, Hayashi H, Okada T, et al. Neoadjuvant chemoradiation therapy for cholangiocarcinoma to improve R0 resection rate : the first report of phase Ⅱ study. J Clin Oncol 2015 ; 33 (Suppl 3) : 402.

43) Sumiyoshi T, Shima Y, Okabayashi T, Negoro Y, Shimada Y, Iwata J, et al. Chemoradiotherapy for initially unresectable locally advanced cholangiocarcinoma. World J Surg 2018 ; 42 : 2910-2918.

44) Darwish Murad S, Kim WR, Harnois DM, Douglas DD, Burton J, Kulik LM, et al. Efficacy of neoadjuvant

chemoradiation, followed by liver transplantation, for perihilar cholangiocarcinoma at 12 US centers. Gastroenterology 2012 ; 143 : 88-98.

45) Cambridge WA, Fairfield C, Powell JJ, Harrison EM, Søreide K, Wigmore SJ, et al. Meta-analysis and meta-regression of survival after liver transplantation for unresectable perihilar cholangiocarcinoma. Ann Surg 2021 ; 273 : 240-250.

46) Hue JJ, Rocha FG, Ammori JB, Hardacre JM, Rothermel LD, Chavin KD, et al. A comparison of surgical resection and liver transplantation in the treatment of intrahepatic cholangiocarcinoma in the era of modern chemotherapy : an analysis of the National Cancer Database. J Surg Oncol 2021 ; 123 : 949-956.

47) Park JH, Choi EK, Ahn SD, Lee SW, Song SY, Yoon SM, et al. Postoperative chemoradiotherapy for extrahepatic bile duct cancer. Int J Radiat Oncol Biol Phys 2011 ; 79 : 696-704.

48) Gholami S, Colby S, Horowitz DP, Guthrie KA, Ben-Josef E, El-Khoueiry AB, et al. Adjuvant chemoradiation in patients with lymph node-positive biliary tract cancers : secondary analysis of a single-arm clinical trial (SWOG 0809). Ann Surg Oncol 2023 ; 30 : 1354-1363.

49) Morak MJ, Pek CJ, Kompanje EJ, Hop WC, Kazemier G, van Eijck CH. Quality of life after adjuvant intra-arterial chemotherapy and radiotherapy versus surgery alone in resectable pancreatic and periampullary cancer : a prospective randomized controlled study. Cancer 2010 ; 116 : 830-836.

第IX章.
病理

BQ19　胆道における腫瘍類似病変にはどのようなものがあるか?

胆道における腫瘍類似病変には，①硬化性胆管炎，②黄色肉芽腫性胆嚢炎，③胆嚢腺筋腫症，④非腫瘍性胆嚢ポリープなどがあげられる。

解説

胆管の腫瘍類似病変として，硬化性胆管炎，胆嚢の腫瘍性病変として，黄色肉芽腫性胆嚢炎・胆嚢腺筋腫症・非腫瘍性胆嚢ポリープがあり，十二指腸乳頭部癌の類似病変として乳頭部炎，過形成がある。

①胆管の腫瘍様病変

1）硬化性胆管炎（sclerosing cholangitis）

硬化性胆管炎は，肝外胆管，肝内胆管，またはその両者の胆管壁とその周囲に高度の線維化と慢性炎症がみられ，限局性ないしびまん性の胆管狭窄や閉塞，拡張をきたす病態であり，胆管癌（平坦型，結節型）との鑑別が重要である。原発性，IgG4関連，それに原因が明らかな続発性（二次性）硬化性胆管炎に分類される[1]。

a. PSC

PSC（図1）は，原因不明の進行性疾患で，病初期は無症状の症例が多い[2]。胆管の狭窄や拡張に伴い胆汁うっ滞，黄疸や胆管炎が出現し，肝線維化が進展し，肝硬変，肝機能不全へと進行する。我が国では20歳代と50～60歳代に2峰性のピークがみられ，若年発症例では潰瘍性大腸炎の合併率が高い（36％に合併）[3]。進行例では，胆管癌を合併する例がある（3.6％に合併）[4]。本疾患の病態に自己免疫の関与が示唆され，核周囲型抗好中球細胞質抗体（p-ANCA）などの自己抗体も検出される[5,6]。

PSCの病理所見は，肝内外胆管の線維化と，胆管の狭小化・消失ならびに拡張を特徴とする。組織学的には，肝外胆管や肝門部胆管では，胆管壁の管腔縁に強い炎症性変化（リンパ球，形質細胞，好中球など）と胆管上皮のびらん・潰瘍があり，上皮の反応性過形成もみられる。肝内胆管では，胆管周囲の同心円状の線維化（玉

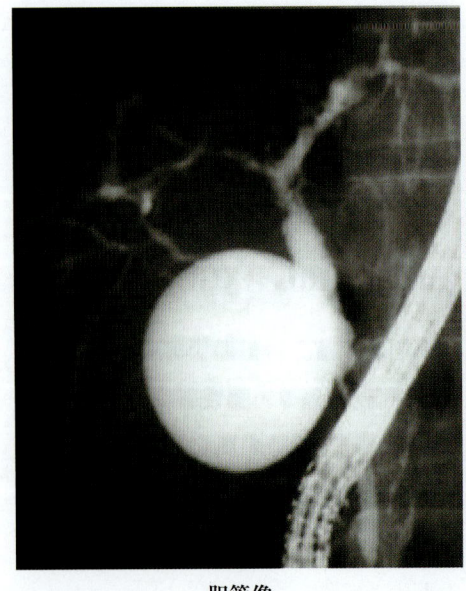 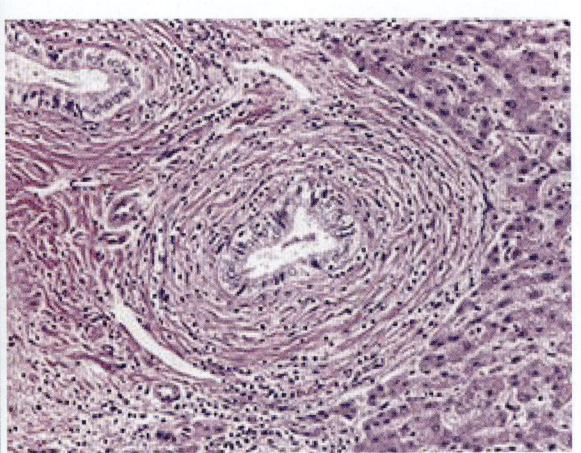

胆管像　　　　　　　　　　　　　　　　胆管周囲の同心円状線維化

図1　PSC

葱状線維化）や胆管消失部では，その部分に円状線維瘢痕化（線維性芯）がみられる。

b. IgG4-SC

IgG4-SC は，血中 IgG4 値の上昇，病変局所の線維化とリンパ球，形質細胞の著しい浸潤などを特徴とする（表 1，図 2）[7,8]。狭窄部位では全周性の胆管壁の肥厚を認め，狭窄を認めない部位にも同様の変化がみられることが多い。自己免疫性膵炎を極めて高率に合併し，硬化性唾液腺炎，後腹膜線維症などを合併する症例もある[9]。高齢の男性に好発し，閉塞性黄疸で発症することが多い。ステロイド治療に奏効して臨床徴候，画像所見などの改善を認める。IgG4-SC は，比較的新しい疾患概念であるため，従来，PSC と診断されていた症例の中に，本疾患が含まれている可能性もある。

表 1　PSC と IgG4-SC

	PSC	IgG4-SC
性別	男＞女	男＞女
年齢	若年者＞中高年	中高年
発症様式	肝機能異常	黄疸
検査成績	抗核抗体陽性	抗核抗体陽性
	p-ANCA 陽性	IgG4 高値
	IgG4 基準値内	sIL-2R 高値
他臓器病変	炎症性腸疾患	自己免疫性膵炎
		慢性硬化性唾液腺炎
		後腹膜線維症
		他の IgG4 関連病変
治療	支持療法，肝移植	ステロイド
病変の局在	びまん性	限局性＞びまん性
	胆管内腔側	全層性
腫瘤形成（偽腫瘍）	なし	あり
リンパ球・形質細胞浸潤	あり	あり
好酸球浸潤	あり	あり
黄色肉芽腫性炎症	あり	なし
上皮のびらん性変化	強い	弱い
胆管上皮の異型性	時にあり	なし
附属腺周囲の硬化性炎症	弱い	強い
閉塞性静脈炎	なし	あり
IgG4 陽性細胞の浸潤	少数	多数

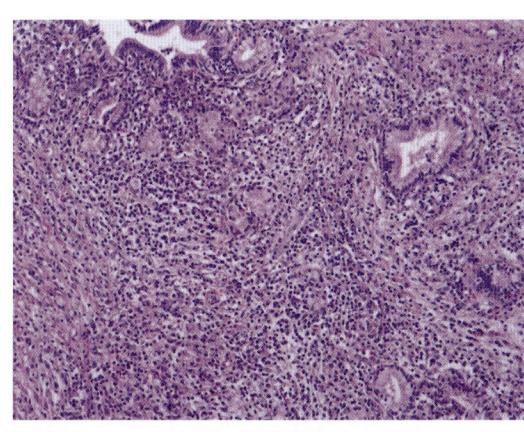 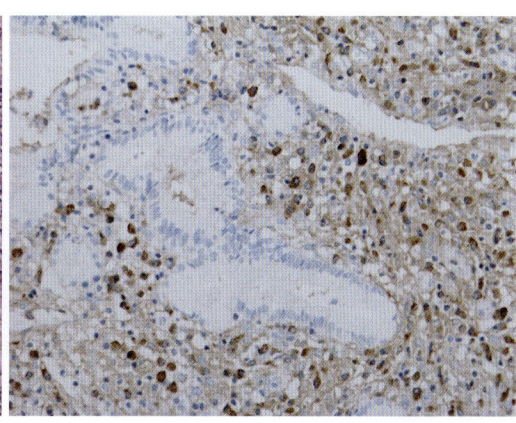

線維化とリンパ球・形質細胞浸潤（H&E 染色）　　　IgG4 陽性の形質細胞浸潤（免疫染色）

図 2　IgG4 関連硬化性胆管炎

　IgG4-SC の病理所見は，胆管壁に密なリンパ球・形質細胞浸潤，線維化，閉塞性静脈炎がみられる。免疫組織化学的には，多数の IgG4 陽性細胞の浸潤が確認される。胆管壁結合織に炎症の主座があり，上皮は正常であることが多い[10]。胆管癌例でも，血中の IgG4 が高値を示し，また癌病変および周囲の胆管粘膜中にも IgG4 陽性形質細胞浸潤の目立つ症例があり，鑑別に注意する必要がある[11]。また，炎症性変化と線維化が局所的に目立ち，腫瘤性の病変が目立つ例は，炎症性偽腫瘍（リンパ球形質細胞型）と診断される[12]。腫瘤型，結節型の胆管癌に類似する。

2）irAE 胆管炎

　免疫チェックポイント阻害薬（immune checkpoint inhibitor：ICI）による治療では，過剰な自己免疫反応により免疫関連有害事象（irAE）をきたすことがある[13]。irAE 胆管炎は，硬化性胆管炎の病態を呈するため，IgG4-SC や PSC との鑑別を要する[14,15]。irAE 胆管炎の特徴としては，狭窄を伴わない肝外胆管の拡張，IgG4 などの免疫関連胆管炎を示唆する検査所見が陰性，胆管生検で CD8 陽性 T 細胞の浸潤が認められるが，IgG4 陽性細胞の浸潤は有意ではない，などがあげられる。なお，irAE 胆管炎は，MRCP などの画像診断で診断されることが多い一方で，MRCP で異常が検出できずに肝生検で診断されることもある[16]。

②胆嚢の腫瘍様病変

1）黄色肉芽腫性胆嚢炎（xanthogranulomatous cholecystitis：XGC）（図3）

　XGC は，胆石症患者の1〜2%にみられ，女性に多い。境界が不明瞭な黄色の結節性病変であり，肥厚した胆嚢壁に連続し，腸管や肝などの周囲臓器に病変が波及する例があり，胆嚢癌などの悪性腫瘍との鑑別が問題となる[17]。組織学的には，泡沫細胞を主体に，単球，リンパ球，形質細胞，好中球などの炎症細胞浸潤に加えて，異物型巨細胞と肉芽組織の形成が混在する比較的限局した炎症巣よりなる。

　RA 洞内に貯留した胆汁成分が胆嚢壁内に漏出し，これに対する異物反応により肉芽腫性炎症が形成される。胆嚢胆汁や病変組織より大腸菌などが検出される[17,18]。胆汁成分を貪食したマクロファージは泡沫細胞となり，異物型巨細胞の出現もみられ，肉芽組織が形成される。経過とともに，病巣周囲から線維化が進行する。二次感染があると病巣中心部に好中球浸潤が強い。陳旧化した病巣は漿膜下層に線維組織の増生がみられる。類似の病変は，胆管にも発生し，黄色肉芽腫性胆管炎と呼ばれる。

2）胆嚢腺筋腫症（adenomyomatosis）（図4）

　胆嚢腺筋腫症は腺筋過形成（adenomyomatous hyperplasia）とも呼ばれ，RA 洞と平滑筋（線維筋組織）の増生で，胆嚢壁が限局性もしくはびまん性に肥厚を呈する病変である。漿膜下層にいたる胆嚢壁が肥厚するために，隆起型ないしびまん浸潤型の胆嚢癌との鑑別を要する例がある。病変の部位や広がりから，以下の3型に分類される[19,20]。（ⅰ）胆嚢の底部を中心に限局した腫瘤を形成する底部型（限局型），（ⅱ）胆嚢の頚部や体部に全周性の壁の肥厚をきたし，内腔が狭くなっている分節型（輪状型），（ⅲ）胆嚢壁全体に RA 洞の増生が及びびまん性の肥厚を認める広範型（びまん型）。

　組織学的に，胆嚢腺筋腫症は RA 洞が固有筋層から漿膜下層にかけて増生・拡張し，それを取り囲むようにして平滑筋線維と膠原線維が増加する。RA 洞は胆嚢固有上皮で覆われることが多いが，時として幽門腺化生などの化生性変化も伴う。組織学的には RA 洞の被覆上皮は過形成を示し，異型は乏しいが，炎症や結石を合併すると，上皮細胞に反応性異型が生じ，平滑筋組織内へ浸潤様に侵入増生することがある。（胆嚢癌の合併は，BQ1 を参照）

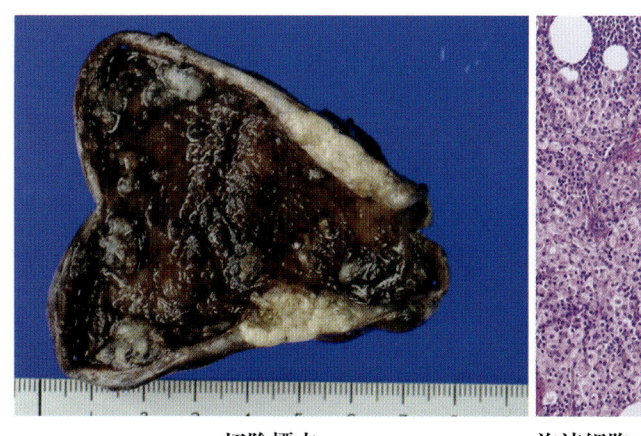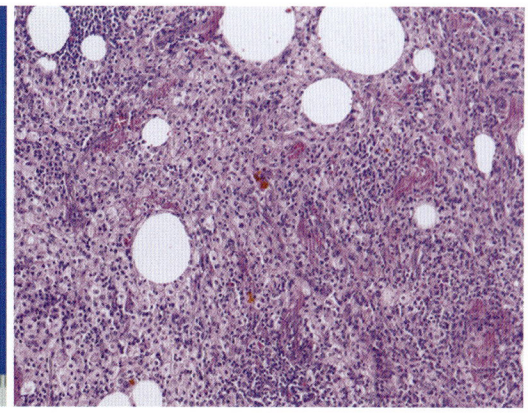

切除標本　　　　　　　　　泡沫細胞（マクロファージ）集簇・肉芽組織形
　　　　　　　　　　　　　成を伴う炎症性腫瘤

図3　黄色肉芽腫性胆嚢炎（XGC）

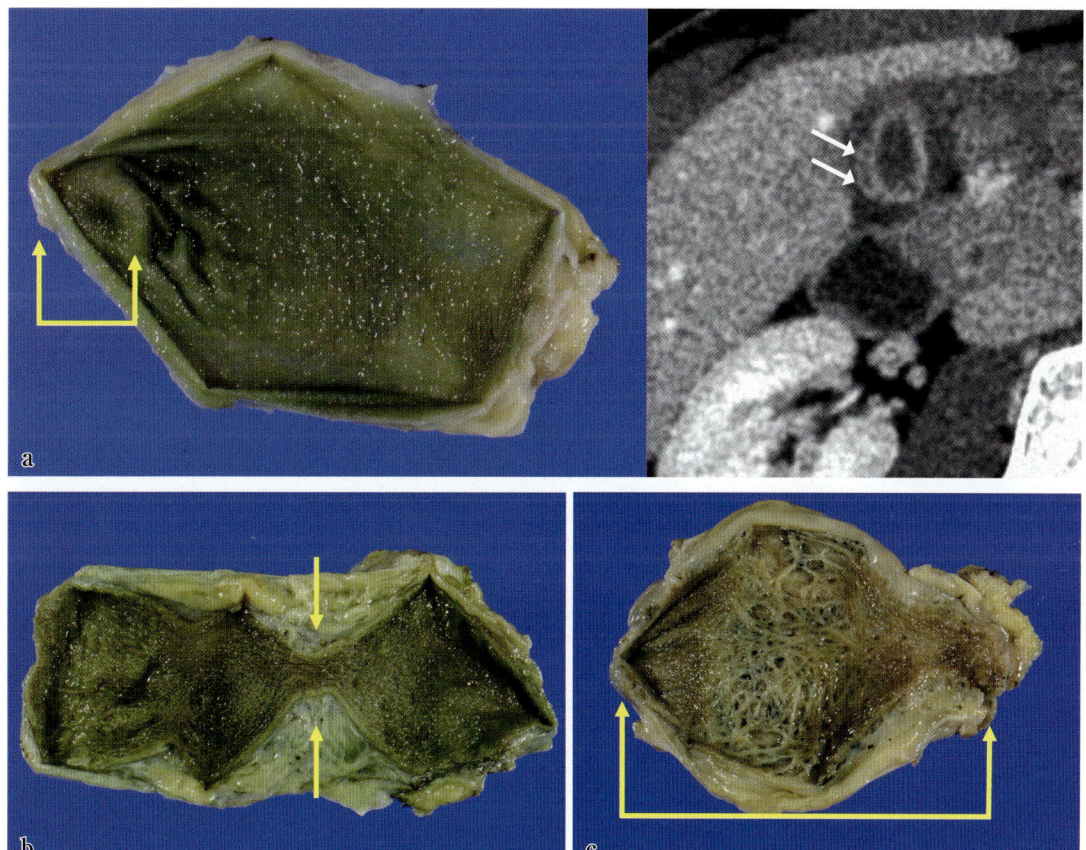

図4　胆嚢腺筋腫症
a：fundal type
　　胆嚢底部の限局性壁肥厚（切除標本：矢印，CT：胆嚢結石合併）。
b：segmental type
　　胆嚢体部の限局性壁肥厚（切除標本：矢印）。
c：diffuse type
　　胆嚢頸部から底部にかけての壁肥厚（切除標本：矢印）。

3) 非腫瘍性胆嚢ポリープ（gallbladder polyps）（図5, 6）

「ポリープ」は限局性隆起性病変の総称であり，非腫瘍性病変のみならず腫瘍性病変（腺腫，癌など）も含まれる[21~25]。非腫瘍性ポリープとしては，コレステロールポリープ，過形成ポリープ，肉芽組織ポリープ，炎症性ポリープ，線維性ポリープ，リンパ性ポリープがあげられる。ポリープの大きさ別の頻度では，胆嚢ポリープの大部分は，最大径5 mm以下の小隆起性病変で，その多くはコレステロールポリープか過形成性ポリープである。最大径10 mm未満のポリープの大部分が良性病変である。一方，10 mm以上の大型ポリープでは，その多くが悪性である。

a. コレステロールポリープ（cholesterol polyp）

コレステロールポリープは，細い茎を有する桑実状の有茎性（ないし亜有茎性）ポリープで，黄色調を呈する。組織学的には，ポリープ表面は過形成を伴う胆嚢固有上皮で覆われ，粘膜固有層には脂質を貪食したマクロファージ（泡沫細胞）が集簇している。

b. 過形成性ポリープ（hyperplastic polyp）

過形成性ポリープは，それを構成する上皮細胞により，固有上皮型と化生上皮型に分けられる。

- 固有上皮型過形成性ポリープ　hyperplastic polyp, proper epithelium type

肉眼所見では桑実状で有茎性ないし亜有茎性を呈する。組織学的には，ポリープは異型に乏しい胆嚢固有上皮からなり，しばしばコレステローシスを伴いコレステロールポリープとの鑑別が必要である。

- 化生上皮型過形成性ポリープ　hyperplastic polyp, metaplastic epithelium type

一般に広基性で比較的平滑な表面を呈する肉眼所見である。組織学的には，ポリープは粘膜固有層内に増生した幽門腺型の化生腺管よりなる。

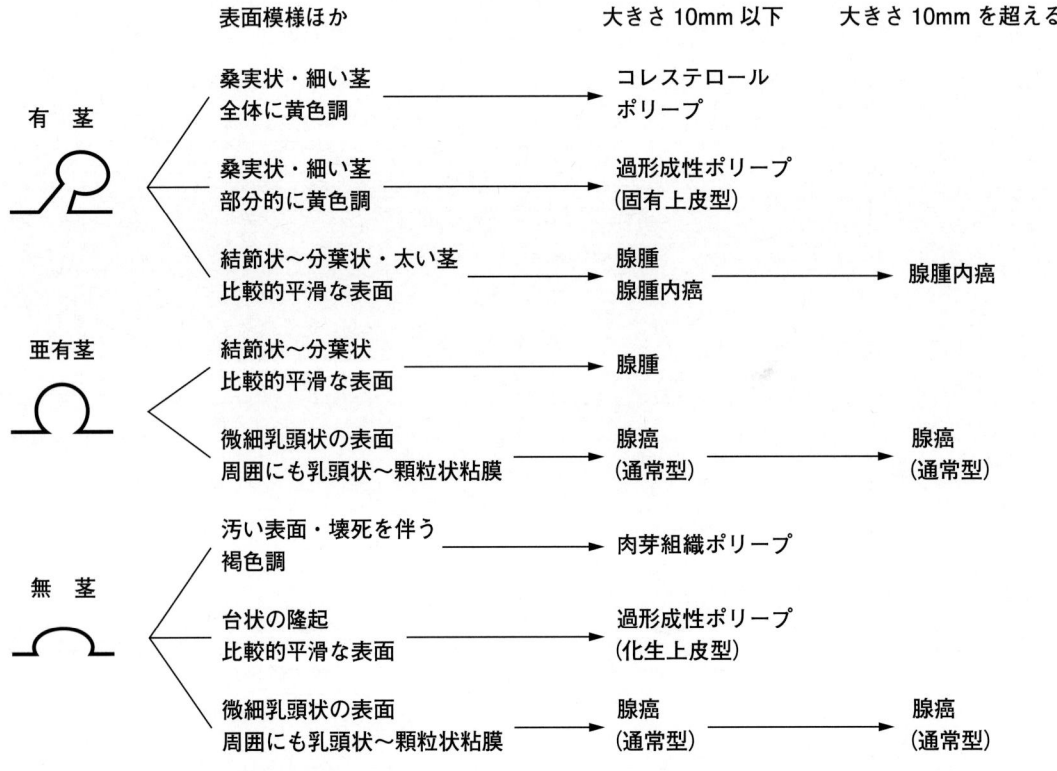

図5　胆嚢ポリープの肉眼的鑑別

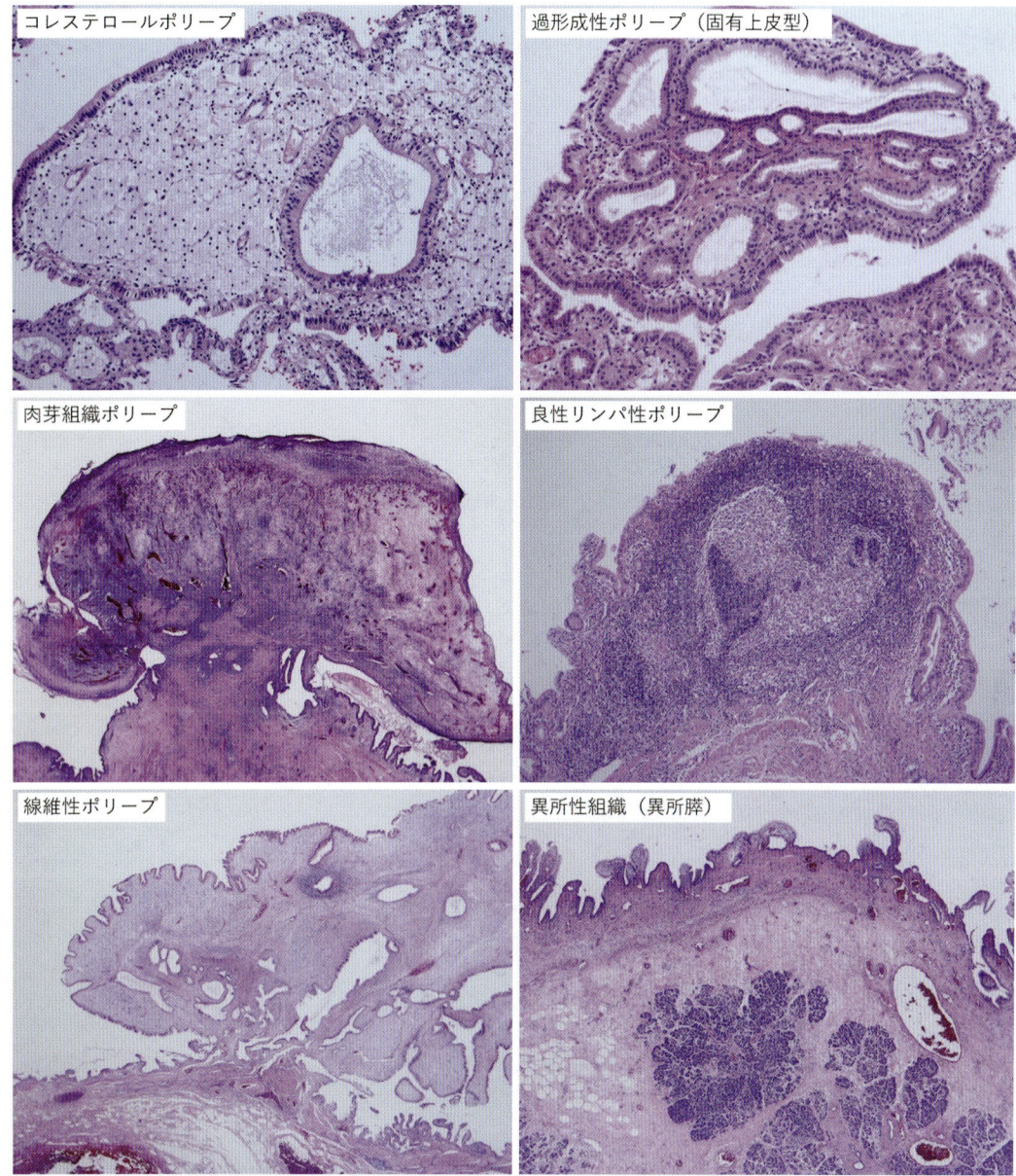

図6　非腫瘍性胆嚢ポリープ

c. 肉芽組織ポリープ（granulation tissue polyp）

　肉芽組織ポリープは，肉芽組織の増生で形成されたポリープである。肉眼的に，ポリープは壊死組織が付着した比較的粗造な表面で，胆汁成分を含む壊死物質により褐色調から暗緑色調を呈する。組織学的に，ポリープは壊死物質を伴う肉芽組織よりなる。

d. 良性リンパ性ポリープ（benign lymphoid polyp）

　良性リンパ性ポリープは，粘膜内に形成されたリンパ濾胞の孤立性・集合性の過形成によりポリープが形成されたものである。組織学的には，粘膜固有層内に腫大した胚中心を有するリンパ濾胞の過形成が認められ，粘膜上皮で覆われている。

e. 線維性ポリープ（fibrous polyp）

線維性ポリープは，毛細血管を含む線維性結合組織（線維性間質）により構成されるポリープで，表面は一層の上皮成分で覆われることが多い。

f. 炎症性ポリープ（inflammatory polyp）

炎症性ポリープは，胆囊炎に際して反応性に粘膜が隆起しポリープを形成してきたものと考えられる。組織学的には，毛細血管に富む浮腫状の疎性結合組織ないし線維性結合組織よりなり上皮成分で覆われていることもある。

g. 異所性組織（heterotopic tissue）

稀ではあるが，胃粘膜組織や膵組織，肝組織などの異所性組織が，ポリープ様病変として認められることがある。

③十二指腸乳頭部の腫瘍類似病変

乳頭部炎（papillitis），乳頭領域の腺筋腫性過形成（adenomyomatous hyperplasia）などがある。

乳頭部炎は十二指腸乳頭部（膨大部）の炎症であり，内視鏡的に発赤，十二指腸乳頭部が腫大，変形，びらん形成を伴うために，乳頭部腫瘍との鑑別が問題となる。十二指腸乳頭部の炎症に伴い，炎症による上皮の反応性過形成や，好酸性細胞質を有し腫大した細胞が出現する。

乳頭部領域の腺筋腫症はadenomyomatosis, adenomyomaとも呼ばれ，乳頭部壁内の腺組織（附属腺）の過形成であり，平滑筋組織の増生があり，狭窄をきたし，乳頭部癌などの悪性腫瘍との鑑別が必要である[19,26]。右季肋部痛や黄疸などで発症する。最近，胆管系に附属腺組織が分布することが明らかとなり，乳頭部にも密に分布し，種々の刺激で過形成を呈する。類似の病変が，総胆管末端部にも発生する[26,27]。

引用文献

1) Ludwig DR, Anderson MA, Itani M, Sharbidre KG, Lalwani N, Paspulati RM. Secondary sclerosing cholangitis：mimics of primary sclerosing cholangitis. Abdom Radiol（NY）2023；4：151-165.
2) Krones E, Graziadei I, Trauner M, Fickert P. Evolving concepts in primary sclerosing cholangitis. Liver Int 2012；32：352-369.
3) Takikawa H, Manabe T. Primary sclerosing cholangitis in Japan--analysis of 192 cases. J Gastroenterol 1997；32：134-137.
4) Tanaka A, Takamori Y, Toda G, Ohnishi S, Takikawa H. Outcome and prognostic factors of 391 Japanese patients with primary sclerosing cholangitis. Liver Int 2008；28：983-989.
5) Terjung B, Worman HJ. Anti-neutrophil antibodies in primary sclerosing cholangitis. Best Pract Res Clin Gastroenterol 2001；15：629-642.
6) Zauli D, Schrumpf E, Crespi C, Cassani F, Fausa O, Aadland E. An autoantibody profile in primary sclerosing cholangitis. J Hepatol 1987；5：14-18.
7) Kamisawa T, Nakazawa T, Tazuma S, Zen Y, Tanaka A, Ohara H, et al. Clinical practice guidelines for IgG4-related sclerosing cholangitis. J Hepatobiliary Pancreat Sci 2019；26：9-42.
8) 神澤輝実，中沢貴宏，田妻　進，全　　陽，田中　篤，大原弘隆，他. IgG4関連硬化性胆管炎診療ガイドライン. 胆道 2019；33：169-210.
9) Zen Y, Harada K, Sasaki M, Sato Y, Tsuneyama K, Haratake J, et al. IgG4-related sclerosing cholangitis with and without hepatic inflammatory pseudotumor, and sclerosing pancreatitis-associated sclerosing cholangitis：

do they belong to a spectrum of sclerosing pancreatitis? Am J Surg Pathol 2004；28：1193-1203.

10) Nakanuma Y, Zen Y, Portman BC. Diseases of the bile ducts. MacSween's Pathology of the Liver（Eds. Burt A, Portman B, Ferrell L）. Churchill Livingstone 6th ed., Edinburg, London, New York, Oxford, Philadelphia, St Louis, Sydney, Toronto, 2011, pp.491- 562.

11) Harada K, Shimoda S, Kimura Y, Sato Y, Ikeda H, Igarashi S, et al. Significance of immunoglobulin G4（IgG4）-positive cells in extrahepatic cholangiocarcinoma：Molecular mechanism of IgG4 reaction in cancer tissue. Hepatology 2012；56：157-164.

12) Zen Y, Fujii T, Sato Y, Masuda S, Nakanuma Y. Pathological classification of hepatic inflammatory pseudotumor with respect to IgG4-related disease. Mod Pathol 2007；20：884-894.

13) 肱岡範，丸木雄太，大場彬博，永塩美邦，平岡伸介，奥坂拓志．免疫チェックポイント阻害薬の免疫関連有害事象による硬化性胆管炎．胆道 2022；36：77-81.

14) Onoyama T, Takeda Y, Yamashita T, Hamamoto W, Sakamoto Y, Koda H, et al. Programmed cell death-1 inhibitor-related sclerosing cholangitis：A systematic review. World J Gastroenterol 2020；26：353-365.

15) 丸木雄太．大型胆管疾患免疫チェックポイント阻害剤による硬化性胆管炎．肝胆膵 2020；80：989-996.

16) 全　陽．威厳性病変の病理－病理医が知っておきたい組織所見－「肝臓」．病理と臨 2021；39：438-443.

17) Albores-Saavedra J and Langeles-Angeles A. Diseases of the gallbladder. MacSween's Pathology of the Liver （Eds. Burt A, Portman B, Ferrell L）. Churchill Livingstone 6th ed., Edinburg, London, New York, Oxford, Philadelphia, St Louis, Sydney, Toronto, 2011, pp.563- 597.

18) Sawada S, Harada K, Isse K, Sato Y, Sasaki M, Kaizaki Y, et al. Involvement of Escherichia coli in pathogenesis of xanthogranulomatous cholecystitis with scavenger receptor class A and CXCL16-CXCR6 interaction. Pathol Int 2007；57：652-663.

19) 萱原正都，中川原寿俊，北川裕久，太田哲生．胆管末端部の adenomyomatosis の診断と治療．胆道 2010；24：192-198.

20) Nishimura A, Shirai Y, Hatakeyama K. Segmental adenomyomatosis of the gallbladder predisposes to cholecystolithiasis. J Hepatobiliary Pancreat Surg 2004；11：342-347.

21) 羽賀敏博，吉澤忠司，鬼島　宏．腫瘍様病変（ポリープを含む）および腺筋腫症．鬼島　宏，福嶋敬宜（編）：腫瘍病理鑑別診断アトラス　胆道癌・膵癌．文光堂，2015.

22) 鬼島　宏．胆嚢・胆管・十二指腸乳頭部．外科病理学（編集主幹：深山正久，森永正二郎），第 5 版，文光堂，東京，2020, 684-720.

23) 吉澤忠司，鬼島　宏．腺腫．坂元亨宇，平岡伸介，尾島英知（編）：癌診療指針のための病理診断プラクティス　肝・胆・膵腫瘍．中山書店，2014.

24) Klimstra DS, Lam AK, Paradis V, Schirmacher P（ed.）. WHO classification of tumours. 5th edition. Digestive system（edited by WHO classification of tumours editorial board）. Chapter 9：Tumours of the gallbladder and extrahepatic bile ducts. IARC, Lyon, 2019, pp. 265-294.

25) Klimstra DS, Nagtegaal ID, Rugge M, Salto-Tellez N（ed.）. WHO classification of tumours. 5th edition. Digestive system（edited by WHO classification of tumours editorial board）. Chapter 4：Tumours of the small intestine and ampulla. IARC, Lyon, 2019, pp. 110-134.

26) Handra-Luca A, Terris B, Couvelard A, Bonte H, Flejou JF. Adenomyoma and adenomyomatous hyperplasia of the Vaterian system：clinical, pathological, and new immunohistochemical features of 13 cases. Mod Pathol 2003；16：530-536.

27) Carpino G, Cardinale V, Onori P, Franchitto A, Berloco PB, Rossi M, et al. Biliary tree stem/progenitor cells in glands of extrahepatic and intraheptic bile ducts：an anatomical in situ study yielding evidence of maturational lineages. Anat 2012；220：186-199.

BQ20　胆道の IPNB, BilIN, dysplasia とはどのようなものか?

IPNB（intraductal papillary neoplasm of bile duct）は, 肉眼的に病変が認識される胆管内乳頭状腫瘍である。

BilIN（biliary intraepithelial neoplasia）は, 組織学的に病変が認識される胆道上皮内腫瘍である。

Dysplasia は, 癌か癌でないか鑑別が難しい異型を有する上皮性病変である。

解説

近年, 胆道癌（腺癌）との鑑別を要する非浸潤性腫瘍性病変（上皮性腫瘍）が発見されるようになり, IPNB, BilIN, dysplasia といった概念が提唱された。胆道癌は先行病変を伴わずに発症することがほとんどであり, かかる病変が良性腫瘍性病変・前癌病変・初期癌病変のいずれに相当するかが議論されている。

1) IPNB

IPNB とは, 肝外胆管ないし肝内の大型胆管に発生し, 肉眼的に病変が認識される胆管内乳頭状腫瘍のことであり[1~5], 胃型形質ないし腸型形質を呈する上皮が豊富な粘液産生をすることが多い[6]。IPNB は組織学的異型に応じて, 低異型度（low-grade intraepithelial neoplasia）, 高異型度（high-grade intraepithelial neoplasia：上皮内癌相当を含む）, 浸潤性（associated invasive carcinoma）に分類される[7,8]。しかし, 切除された IPNB の大部分は癌（high-grade intraepithelial neoplasia もしくは associated invasive carcinoma）であり, "IPNB は前癌病変である" という概念は疑問視されている。膵 intraductal papillary mucinous neoplasm（IPMN）には adenoma あるいは hyperplasia 相当の病変が多数存在しているので, "IPNB は膵 IPMN の counterpart である" という概念についても今後の検討が必要である。低悪性度病変とされているが, 細胞周期蛋白の発現や遺伝子変異が報告されており, 前癌病変としての意味付けが不明である[1,9]。（レベル D）

IPNB の病態や発癌機序に関しては十分な検討がなされておらず, また, IPNB といわゆる papillary cholangiocarcinoma との違いは明確ではない。したがって, IPNB が真に独立した疾患概念として臨床的意義があるのかどうかは全く不明である[5,6,10]。

2019 年の現 WHO 分類（表1）では IPNB と同様の腫瘍が, 胆嚢に発生すると ICPN, 十二指腸乳頭部に発生すると intra-ampullary papillary-tubular neoplasm（IAPN）（もしくは non-invasive pancreaticobiliary papillary neoplasm：NPPN）と称している[7,11]。

2) BilIN

BilIN は, 組織学的に病変が認識される胆道上皮内腫瘍のことである[4,12~14]。組織学的異型に応じて BilIN は, 低異型度（low-grade）と, 高異型度（high-grade：上皮内癌相当を含む）に分類される[7,8]。分子生物学的にも細胞周期蛋白（cyclin D1, p21 など）の発現や遺伝子異常（TP53, CDKN2A など）が軽度異形成上皮から高度異形成上皮になるにつれて強くなることが報告されている[15~18]。（レベル D）

また, 肝内胆管癌と関連することが報告されている B/C 型肝炎, あるいはアルコール性の肝硬変においても BilIN の併存率は 11％と報告されている[19,20]。（レベル D）

BilIN は, しばしば肝内結石症や原発性硬化性胆管炎といった慢性胆道疾患を基礎疾患として発生した胆管癌周囲に高頻度に認められる[21]。（レベル C）

前癌病変とする報告もあるが, 見解は一致していない。

3）Dysplasia

　胆道の上皮性病変には，しばしば上皮内癌か非癌かの鑑別を有する異型病変が観察される。かかる病変をどのように病理診断するかは実臨床における大きな問題であるが，現時点では便宜上 dysplasia（異形成）と診断されている。Dysplasia に関しては以下のような報告があるが，組織学的にその定義が不明瞭であるため一定の見解は得られていない。なお，dysplasia は 2000 年の旧 WHO 分類では良性腫瘍として記載されていたが，2010 年，2019 年の WHO 分類では削除され記載されていない[7,22~24]。

　胆嚢癌の浸潤周囲粘膜には，上皮内癌とともに dysplasia や化生性上皮（幽門腺化生，腸上皮化生），過形成性上皮が 33.4～81.6％の頻度で認められると報告されている[25,26]。（レベル C）

　なかでも dysplasia は，胆石症・慢性胆嚢炎で切除された胆嚢内には 0.4～33.8％の頻度で観察されており，前癌病変であることが示唆される[26~28]。（レベル D）

　分子生物学的にも癌病巣で認められる細胞増殖活性の増加，癌遺伝子（主に K-ras）や癌抑制遺伝子（$p53$, $p16$ など）の異常，loss of heterogeneity, microsatellite instability などが dysplasia にも認められる[29~37]。（レベル D）

　また，dysplasia と化生性上皮，特に腸上皮化生との関連性も指摘され，分子生物学的な検討からも化生上皮→ dysplasia →上皮内癌という sequence が考えられている[27,38~40]。（レベル C）

　胆嚢癌のリスクファクターである原発性硬化性胆管炎では，37％の胆嚢に dysplasia が認められ，胆嚢癌との関連が報告されている[41]。（レベル D）

表 1　WHO 分類（2019 年）による胆道の非浸潤性腫瘍性病変

	肝外胆管	胆嚢	十二指腸乳頭部
乳頭状腫瘍 （肉眼的認識病変）	IPNB 胆管内乳頭状腫瘍	ICPN 胆嚢内乳頭状腫瘍	IAPN 膨大部内乳頭状腫瘍
表在病変 （組織学的認識病変）	Biliary intraepithelial neoplasia（BilIN） 胆管上皮内腫瘍		
良性腫瘍	Pyloric gland adenoma 幽門腺腺腫		Intestinal-type adenoma 腸型腺腫

（文献 4, 42 より改変）

注）Dysplasia は，2000 年の旧 WHO 分類では記載されているが，2010 年，2019 年の WHO 分類では記載されていない。

引用文献

1) Nakanishi Y, Zen Y, Kondo S, Itoh T, Itatsu K, Nakanuma Y. Expression of cell cycle-related molecules in biliary premalignant lesions：biliary intraepithelial neoplasia and biliary intraductal papillary neoplasm. Hum Pathol 2008；39：1153-1161.

2) Itatsu K, Zen Y, Ohira S, Ishikawa A, Sato Y, Harada K, et al. Immunohistochemical analysis of the progression of flat and papillary preneoplastic lesions in intrahepatic cholangiocarcinogenesis in hepatolithiasis. Liver Int 2007；27：1174-1184.

3) Nakanuma Y, Kakuda Y, Uesaka K, Miyata T, Yamamoto Y, Fukumura Y, et al. Characterization of intraductal papillary neoplasm of bile duct with respect to histopathologic similarities to pancreatic intraductal papillary mucinous neoplasm. Hum Pathol 2016；51：103-113.

4) 福村由紀, 大池信之, 中沼安二, 八尾隆史. 胆道癌の前癌病変（IPNB, BilIN, ICPN を含む）. 鬼島　宏, 福嶋敬宜（編）：腫瘍病理鑑別診断アトラス「胆道癌・膵癌」. 文光堂, 2015；pp 66-75.

5) Tsukahara T, Shimoyama Y, Ebata T, Yokoyama Y, Igami T, Sugawara G, et al. Cholangiocarcinoma with intraductal tubular growth pattern versus intraductal papillary growth pattern. Mod Pathol 2016；29：293-301.

6) Onoe S, Shimoyama Y, Ebata T, Yokoyama Y, Igami T, Sugawara G, et al. Clinicopathological significance of mucin production in patients with papillary cholangiocarcinoma. World J Surg 2015；39：1177-1184.

7) Klimstra DS, Lam AK, Paradis V, Schirmacher P（ed.）. WHO classification of tumours. 5th edition. Digestive system（edited by WHO classification of tumours editorial board）. Chapter 9：Tumours of the gallbladder and extrahepatic bile ducts. IARC, Lyon, 2019, pp. 265-294.

8) 日本肝胆膵外科学会編：胆道癌取扱い規約　第7版，金原出版，2021.

9) Tsai JH, Liau JY, Yuan CT, Cheng ML, Yuan RH, Jeng YM. RNF43 mutation frequently occurs with GNAS mutation and mucin hypersecretion in intraductal papillary neoplasms of the bile duct. Histopathology 2017；70：756-765.

10) Onoe S, Shimoyama Y, Ebata T, Yokoyama Y, Igami T, Sugawara G, et al. Prognostic delineation of papillary cholangiocarcinoma based on the invasive proportion：a single-institution study with 184 patients. Surgery 2014；155：280-291.

11) Klimstra DS, Nagtegaal ID, Rugge M, Salto-Tellez N（ed.）. WHO classification of tumours. 5th edition. Digestive system（edited by WHO classification of tumours editorial board）. Chapter 4：Tumours of the small intestine and ampulla. IARC, Lyon, 2019, pp. 110-134.

12) Zen Y, Sasaki M, Fujii T, Chen TC, Chen MF, Yeh TS, et al. Different expression patterns of mucin core proteins and cytokeratins during intrahepatic cholangiocarcinogenesis from biliary intraepithelial neoplasia and intraductal papillary neoplasm of the bile duct--an immunohistochemical study of 110 cases of hepatolithiasis. J Hepatol 2006；44：350-358.

13) Sato Y, Harada K, Sasaki M, Nakanuma Y. Histological characterization of biliary intraepithelial neoplasia with respect to pancreatic intraepithelial neoplasia. Int J Hepatol 2014；2014：678260.

14) Matthaei H, Lingohr P, Strässer A, Dietrich D, Rostamzadeh B, Glees S, et al. Biliary intraepithelial neoplasia（BilIN）is frequently found in surgical margins of biliary tract cancer resection specimens but has no clinical implications. Virchows Arch 2015；466：133-141.

15) Lewis JT, Talwalkar JA, Rosen CB, Smyrk TC, Abraham SC. Precancerous bile duct pathology in end-stage primary sclerosing cholangitis,with and without cholangiocarcinoma. Am J Surg Pathol 2010；34：27-34.

16) Rougemont AL, Genevay M, McKee TA, Gremaud M, Mentha G, Rubbia-Brandt L. Extensive biliary intraepithelial neoplasia（BilIN）and multifocal early intrahepatic cholangiocarcinoma in non-biliary cirrhosis. Virchows Arch 2010；456：711-717.

17) Torbenson M, Yeh MM, Abraham SC. Bile duct dysplasia in the setting of chronic hepatitis C and alcohol cirrhosis. Am J Surg Pathol 2007；31：1410-1413.

18) Hsu M, Sasaki M, Igarashi S, Sato Y, Nakanuma Y. KRAS and GNAS mutations and p53 overexpression in biliary intraepithelial neoplasia and intrahepatic cholangiocarcinomas. Cancer 2013；119：1669-1674.

19) Aishima S, Iguchi T, Fujita N, Taketomi A, Maehara Y, Tsuneyoshi M, et al. Histological and immunohistological findings in biliary intraepithelial neoplasia arising from a background of chronic biliary disease compared with liver cirrhosis of non-biliary aetiology. Histopathology 2011；59：867-875.

20) Devaney K, Goodman ZD, Ishak KG. Hepatobiliary cystadenoma and cystadenocarcinoma. A light microscopic and immunohistochemical study of 70 patients. Am J Surg Pathol 1994；18：1078-1091.

21) Sato Y, Sasaki M, Harada K, Aishima S, Fukusato T, Ojima H, et al. Pathological diagnosis of flat epithelial lesions of the biliary tract with emphasis on biliary intraepithelial neoplasia. J Gastroenterol 2014；49：64-72.

22) Hamilton SR, Aaltonen LA, eds：Pathology and genetics of tumours of the digestive System. WHO classification of tumours. Chapter 9, Tumours of the gallbladder and extrahepatic bile duct. IARC Press, Lyon, 2000, pp. 203-214.

23) 鬼島　宏，羽賀敏博，高綱将史，太田理恵，袴田健一，福田眞作. 胆嚢の前癌病変. 日消誌 2015；112：437-443.

24) Jang KT, Ahn S. Tumoral versus flat intraepithelial neoplasia of pancreatobiliary tract, gallbladder, and ampulla of Vater. Arch Pathol Lab Med 2016；140：429-436.

25) Roa I, de Aretxabala X, Araya JC, Roa J. Preneoplastic lesions in gallbladder cancer. J Surg Oncol 2006；93：615-623.

26) Stancu M, Căruntu ID, Giuşcă S, Dobrescu G. Hyperplasia, metaplasia, dysplasia and neoplasia lesions in chronic cholecystitis - a morphologic study. Rom J Morphol Embryol 2007；48：335-342.

27) Duarte I, Llanos O, Domke H, Harz C, Valdivieso V. Metaplasia and precursor lesions of gallbladder carcinoma. Frequency, distribution, and probability of detection in routine histologic samples. Cancer 1993；72：1878-1884.

28) Laitio M. Histogenesis of epithelial neoplasms of human gallbladder I. Dysplasia. Pathol Res Pract 1983；178：51-56.

29) Stancu M, Căruntu ID, Sajin M, Giuşcă S, Bădescu A, Dobrescu G. Immunohistochemical markers in the study of gallbladder premalignant lesions and cancer. Rev Med Chir Soc Med Nat Iasi 2007；111：734-743.

30) Kim SW, Her KH, Jang JY, Kim WH, Kim YT, Park YH. K-ras oncogene mutation in cancer and precancerous lesions of the gallbladder. J Surg Oncol 2000；75：246-251.

31) Choi HJ, Yun SS, Kim HJ, Choi JH. Expression of p16 protein in gallbladder carcinoma and its precancerous conditions. Hepatogastroenterology 2010；57：18-21.

32) Lynch BC, Lathrop SL, Ye D, Ma TY, Cerilli LA. Expression of the p16（INK4a）gene product in premalignant and malignant epithelial lesions of the gallbladder. Ann Diagn Pathol 2008；12：161-164.

33) Legan M, Luzar B, Marolt VF, Cor A. Expression of cyclooxygenase-2 is associated with p53 accumulation in premalignant and malignant gallbladder lesions. World J Gastroenterol 2006；12：3425-3429.

34) Wistuba II, Gazdar AF, Roa I, Albores-Saavedra J. p53 protein overexpression in gallbladder carcinoma and its precursor lesions：an immunohistochemical study. Hum Pathol 1996；27：360-365.

35) Wee A, Teh M, Raju GC. Clinical importance of p53 protein in gall bladder carcinoma and its precursor lesions. J Clin Pathol 1994；47：453-456.

36) Moreno M, Pimentel F, Gazdar AF, Wistuba II, Miquel JF. TP53 abnormalities are frequent and early events in the sequential pathogenesis of gallbladder carcinoma. Ann Hepatol 2005；4：192-199.

37) Kim YT, Kim J, Jang YH, Lee WJ, Ryu JK, Park YK, et al. Genetic alterations in gallbladder adenoma, dysplasia and carcinoma. Cancer Lett 2001；169：59-68.

38) Inada A, Konishi F, Yamamichi N, Ito H. Histogenesis of gallbladder cancer with special reference to metaplastic changes and distribution of various mucins and CEA. Nihon Geka Gakkai Zasshi 1989；90：894-906.

39) Yamagiwa H, Tomiyama H. Intestinal metaplasia-dysplasia-carcinoma sequence of the gallbladder. Acta Pathol Jpn 1986；36：989-997.

40) García P, Manterola C, Araya JC, Villaseca M, Guzmán P, Sanhueza A, et al. Promoter methylation profile in preneoplastic and neoplastic gallbladder lesions. Mol Carcinog. 2009；48：79-89.

41) Lewis JT, Talwalkar JA, Rosen CB, Smyrk TC, Abraham SC. Prevalence and risk factors for gallbladder neoplasia in patients with primary sclerosing cholangitis：evidence for a metaplasia-dysplasia-carcinoma sequence. Am J Surg Pathol 2007；31：907-913.

42) 鬼島　宏.「胆道癌取扱い規約　第7版」改訂ポイント. 病理と臨 2021；39：584-588.

BQ21 がんゲノム医療に対応した病理検体はどのように取扱うのか？

癌患者から採取された組織標本はゲノム解析への利用を念頭に適切に固定，保管する必要がある。

切除不能例の生検診断の際，不必要な染色は避け，治療関連の分子・ゲノム解析に組織が利用できるように心がける。

組織検体が利用できない症例ではリキッドバイオプシーも考慮する。

解説

　胆道癌では FGFR2 阻害剤や IDH1 阻害剤などの分子標的薬が承認され，分子・ゲノム解析の必要性が高まっている。今後新たな標的分子が同定される可能性もあり，胆道癌患者から採取された組織標本は，将来的な遺伝子解析も念頭に適切に管理する必要がある。

1）組織検体の取り扱い

　ゲノム診断で要求される組織標本・細胞検体のなかで，最も利用されているのがホルマリン固定パラフィン包埋（formalin-fixed paraffin-embedded：FFPE）検体である[1,2]。FFPE 検体は，取り扱い方法により品質に差が生じやすく，シークエンスを含めたゲノム診断の精度に影響を与える可能性がある[3]。ただし，検体を適切に処理および管理すれば，臨床的に利用可能な再現性の高い結果が期待できる[4]。また，検体の取り扱いは病理および遺伝子検査の精度管理に基づいて行われる必要がある[5,6]。

　検体の取り扱いに際して特に重要な因子として，検体サイズ，固定時間，保管期間，保管環境があげられる[7,8]。日本病理学会の『ゲノム診療用病理組織検体取扱い規程』[9] は FFPE 検体の取り扱い方法を，実証データを用いて詳細に解説しており，以下に胆道癌の日常診療で特に重要と考えられる事項を引用する。

a．切除・採取直後の組織の取り扱い

- 手術により切除された組織は，摘出後速やかに冷蔵庫など4℃下で保管し，1時間以内，遅くとも3時間以内に固定を行うことが望ましい。
- 手術により切除された組織においては摘出後30分以上室温で保持することは極力回避する。
- 生検により採取された組織は，速やかに固定液に浸漬し固定を行う。
- FFPE 化を行う細胞検体は，必要な前処理を適切に行ったのちに，可及的速やかに固定液に浸漬し固定を行う。

b．組織固定および固定後のプロセス

- ホルマリン固定液の組成は，酸性や非緩衝ではなく，中性緩衝ホルマリン溶液を固定に用いることが望ましい。
- ホルマリン濃度は 10%（3.7% ホルムアルデヒド）を用いることが望ましい。
- 組織検体では，コンパニオン診断等の推奨を考慮し，6 ～ 48 時間の固定を行うことが望ましい。
- 固定不良による品質劣化は回避しなければならない。
- ホルマリン固定時の処理温度は，室温でよい。

c．FFPE ブロックの保管

- ゲノム診断では薄切後時間の経過した未染色切片を使用するのは避け，可能な限り FFPE ブロックから再薄切する。
- FFPE ブロックの保管は室温でよいが，多湿を避け冷暗所が望ましい。ゲノム診断を目的として作成された FFPE ブロックは，冷蔵下の保存が望ましい。

2）切除不能例の生検診断の取り扱い

　切除不能胆道癌症例では薬物治療に先立ち生検診断が行われる。転移巣から生検（特に肝臓）された際，臨床的に胆道原発が明確である症例では，以前に他臓器癌の既往がある，もしくは組織像が胆道癌に非典型的な場合を除き，不必要な免疫染色は避ける。胆道癌に特異的な免疫染色マーカーはなく，追加染色の診断的価値は一般的に低い。分子・ゲノム解析や，将来的な組織利用も念頭に，生検組織の保管が望まれる[10]。

3）リキッドバイオプシー

　リキッドバイオプシーとは，血液や体液を利用して腫瘍の解析を行うことを意味する。血液循環腫瘍 DNA（ctDNA）解析は高い精度で腫瘍の遺伝子異常を検出することができる。組織検体を用いた解析に比較して，解析が成功する確率が高く，結果が早く得られるなどの利点がある[11]。一方，ctDNA の滲出量が少ない症例では偽陰性となることがあるため，組織検体かリキッドバイオプシーを用いるかは個々の症例で評価する必要がある。

引用文献

1) Maruki Y, Morizane C, Arai Y, Ikeda M, Ueno M, Ioka T, et al. Molecular detection and clinicopathological characteristics of advanced/recurrent biliary tract carcinomas harboring the FGFR2 rearrangements：a prospective observational study（PRELUDE Study）. J Gastroenterol 2021；56：250-260.
2) Tomczak A, Springfeld C, Dill MT, Chang DH, Kazdal D, Wagner U, et al. Precision oncology for intrahepatic cholangiocarcinoma in clinical practice. Br J Cancer 2022；127：1701-1708.
3) Williams C, Pontén F, Moberg C, Söderkvist P, Uhlén M, Pontén J, et al. A high frequency of sequence alterations is due to formalin fixation of archival specimens. Am J Pathol 1999；155：1467-1471.
4) Do H, Dobrovic A. Sequence artifacts in DNA from formalin-fixed tissues：causes and strategies for minimization. Clin Chem 2015；61：64-71.
5) Cree IA, Deans Z, Ligtenberg MJ, Normanno N, Edsjö A, Rouleau E, et al. European Society of Pathology Task Force on Quality Assurance in Molecular Pathology；Royal College of Pathologists. Guidance for laboratories performing molecular pathology for cancer patients. J Clin Pathol 2014；67：923-931.
6) Jennings LJ, Arcila ME, Corless C, Kamel-Reid S, Lubin IM, Pfeifer J, et al. Guidelines for validation of next-generation sequencing-based oncology panels：a joint consensus recommendation of the association for molecular pathology and college of American pathologists. J Mol Diagn 2017；19：341-365.
7) von Ahlfen S, Missel A, Bendrat K, Schlumpberger M. Determinants of RNA quality from FFPE samples. PLoS One 2007；2：e1261.
8) Chen H, Luthra R, Goswami RS, Singh RR, Roy-Chowdhuri S. Analysis of pre-analytic factors affecting the success of clinical next-generation sequencing of solid organ malignancies. Cancers（Basel）2015；7：1699-1715.
9) 小田義直，畑中　豊，桑田　健，森井英一，金井弥栄，落合淳志．ゲノム診療用病理組織検体取扱い規程．日本病理学会．2018．https://pathology.or.jp/genome_med/pdf/textbook.pdf
10) Rushbrook SM, Kendall TJ, Zen Y, Albazaz R, Manoharan P, Pereira SP, et al. British Society of Gastroenterology guidelines for the diagnosis and management of cholangiocarcinoma. Gut 2023；73：16-46.
11) Nakamura Y, Taniguchi H, Ikeda M, Bando H, Kato K, Morizane C, et al. Clinical utility of circulating tumor DNA sequencing in advanced gastrointestinal cancer：SCRUM-Japan GI-SCREEN and GOZILA studies. Nat Med 2020；26：1859-1864.

文献検索式

（データベース，検索年限，検索式，検索件数）

BQ1 胆道癌の危険因子にはどのようなものがあるか？
（1） 医学中央雑誌
#1   胆道腫瘍/TH or 胆道腫瘍/AL
#2   胆道腫瘍/TH or 胆道癌/AL
#3   胆管癌/TH or 胆管癌/AL
#4   胆管腫瘍/TH or 胆管腫瘍/AL
#5   Klatskin/TH or Klatskin 腫瘍/AL
#6   胆嚢腫瘍/TH or 胆嚢腫瘍/AL
#7   胆嚢腫瘍/TH or 胆嚢癌/AL
#8   総胆管腫瘍/TH or 総胆管癌/AL
#9   総胆管腫瘍/TH or 総胆管腫瘍/AL
#10   胆管膨大部/TH or 胆管膨大部/AL
#11   (総胆管腫瘍/TH and 胆管膨大部/TH) or 十二指腸乳頭部癌/AL
#12   #1 or #2 or #3 or #4 or #5 or #6 or #7 or #8 or #9 or #10 or #11
#13   合併症/TH or 合併症/AL
#14   炎症/TH or 炎症/AL
#15   危険因子/TH or 危険因子/AL
#16   リスク/TH or リスク/AL
#17   血統/TH or 家族歴/AL
#18   癌遺伝子/TH or 癌遺伝子/AL
#19   ライフスタイル/TH or 生活習慣/AL
#20   "遺伝的素因（疾患）"/TH or 遺伝的素因/AL
#21   膵胆管合流異常/TH or 膵胆管合流異常/AL
#22   胆管合流異常/TH or 膵・胆管合流異常/AL
#23   胆管炎-硬化性/TH or 原発性硬化性胆管炎/AL
#24   胆嚢結石症/TH or 胆嚢結石症/AL
#25   胆嚢結石症/TH or 胆嚢結石/AL
#26   胆石/TH or 胆石/AL
#27   総胆管結石症/TH or 総胆管結石症/AL
#28   総胆管結石症/TH or 胆管結石/AL
#29   胆嚢腺腫/AL
#30   胆嚢腺筋腫症/TH or 胆嚢腺筋症/AL
#31   (総胆管腫瘍/TH and 胆膵管膨大部/TH) or 十二指腸乳頭部腫瘍/AL
#32   大腸ポリポーシス-腺腫様/TH or 家族性大腸腺腫症/AL
#33   印刷業/AL
#34   塩素系有機溶剤/AL
#35   "Methylene Chloride"/TH or ジクロロメタン/AL
#36   "Propylene Chloride"/TH or ジクロロプロパン/AL
#37   陶器様胆嚢/TH or 陶器様胆嚢/AL
#38   外科手術/TH or 外科手術/AL
#39   治療/TH or 治療/AL
#40   診断/TH or 診断/AL
#41   #13 or #14 or #15 or #16 or #17 or #18 or #19 or #20 or #21 or #22 or #23 or #24 or #25 or #26 or #27 or #28 or #29 or #30 or #31 or #32 or #33 or #34 or #35 or #36 or #37
#42   #12 and #41
#43   #38 or #39 or #40
#44   #42 not #43
#45   (#44) and（DT＝2017：2023（PT＝症例報告除く）and（PT＝原著論文，会議録除く）CK＝ヒト）
検索件数 87 件
（2） PubMed
#1   biliary tract neoplasms［MeSH Terms］
#2   surgical procedures, operative［MeSH Terms］
#3   prognosis［MeSH Terms］
#4   #26 and Filters：Humans, English, from 2017/5/1-2024/1/31
検索件数 271 件

BQ2 膵・胆管合流異常には予防的手術を行うか？
（1） 医学中央雑誌
#1   胆道腫瘍/TH or 胆道癌/AL
#2   胆道腫瘍/TH or 胆道腫瘍/AL
#3   胆管癌/TH or 胆管癌/AL

#4	胆管腫瘍/TH or 胆管腫瘍/AL
#5	Klatskin 腫瘍/TH or klatskin 腫瘍/AL
#6	胆嚢腫瘍/TH or 胆嚢腫瘍/AL
#7	胆嚢腫瘍/TH or 胆嚢癌/AL
#8	総胆管腫瘍/TH or 総胆管腫瘍/AL
#9	総胆管腫瘍/TH or 総胆管癌/AL
#10	胆膵管膨大部/TH or 胆膵管膨大部/AL
#11	(@ 総胆管腫瘍/TH and @ 胆膵管膨大部/TH) or 十二指腸乳頭部癌/AL
#12	#1 or #2 or #3 or #4 or #5 or #6 or #7 or #8 or #9 or #10 or #11
#13	膵胆管合流異常/TH or 膵胆管合流異常/AL
#14	膵胆管合流異常/TH or 膵・胆管合流異常/AL
#15	胆嚢切除/TH or 胆嚢切除/AL
#16	胆管切除術/TH or 胆管切除/AL
#17	#13 or #14
#18	#15 or #18
#19	#12 and #17 and #18
#20	(#19) and（DT＝2017：2025（PT＝症例報告・事例除く）and（PT＝会議録除く））

検索件数　41 件

（2）　PubMed

#1	pancreatobiliary maljunction［MeSH Terms］
#2	surgery［MeSH Subheading］
#3	#1 and #2
#4	#3 and Filters：Human, English, from 2017/1/1-2024/1/1

検索件数　4 件

BQ3　無症状の胆嚢結石症に対して胆嚢摘出術を行うか？
（1）　医学中央雑誌

#1	胆嚢腫瘍/TH or 胆嚢腫瘍/AL
#2	胆嚢腫瘍/TH or 胆嚢癌/AL
#3	胆嚢結石症/TH or 胆嚢結石症/AL
#4	胆嚢結石症/TH or 胆嚢結石/AL
#5	胆石/TH or 胆石/AL
#6	胆嚢切除/TH or 胆嚢切除/AL
#7	胆嚢切除/TH or 胆嚢切除術/AL
#8	外科手術/TH or 外科手術/AL
#9	#1 or #2
#10	#3 or #4 or #5
#11	#6 or #7 or #8
#12	#9 and #10 and #11
#13	(#12) and（DT＝2017：2024（PT＝症例報告・事例除く）and（PT＝会議録除く））

検索件数　64 件

（2）　PubMed

#1	gallstones［MeSH Terms］
#2	cholecystolithiasis［MeSH Subheading］
#3	#1 or #2
#4	surgery［MeSH Terms］
#5	gallbladder neoplasm［MeSH Terms］
#6	#3 and #4 and #5
#7	#6 and Filters：Human, English, from 2017/1/1-2024/1/1

検索件数　36 件

BQ4　どのような胆嚢ポリープに対して癌を疑うのか？
（1）　医学中央雑誌

#1	胆嚢腫瘍/TH or 胆嚢腫瘍/AL
#2	胆嚢腫瘍/TH or 胆嚢癌/AL
#3	(胆嚢疾患/TH and ポリープ/TH) or 胆嚢ポリープ/AL
#4	胆嚢切除/TH or 胆嚢摘出術/AL
#5	外科手術/TH or 外科治療/AL
#6	#1 or #2
#7	#3 and #6
#8	#4 or #5

#9	#7 and #8
#10	(#9) and（DT＝2017：2023（PT＝症例報告除く）and（PT＝原著論文，会議録除く）CK＝ヒト）

検索件数　35 件

（2）　PubMed

#1	gallbladder［MeSH Terms］
#2	polyps［MeSH Terms］
#3	surgery［MeSH Subheading］
#4	#1 and #2 and #3
#5	#4 and Filters：Humans, English, from 2017/5/1-2024/4/30

検索件数　38 件

BQ5　胆道癌の診断に ultrasonography（US），computed tomography（CT），magnetic resonance imaging（MRI）は有用か？

（1）　医学中央雑誌

#1	(胆道腫瘍/MTH or 胆管癌/MTH) and（SH＝診断，画像診断，X 線診断，放射性核種診断，超音波診断）
#2	感度と特異度/TH
#3	#1 AND #2
#4	LA＝日本語，英語
#5	DT＝2005：2022
#6	PT＝会議録除く
#7	#3 AND #4 AND #5 AND #6
#8	観察研究/TH or（RD＝メタアナリシス，ランダム化比較試験，準ランダム化比較試験，比較試験，診療ガイドライン）
#9	#7 AND #8

検索件数　28 件

（2）　PubMed

#1	Biliary Tract Neoplasms/diagnostic imaging［majr］OR Cholangiocarcinoma/diagnostic imaging［majr］
#2	Sensitivity and Specificity［mh］
#3	#1 and #2
#4	English［la］OR Japanese［la］
#5	2005：2022［dp］
#6	#3 AND #4 AND #5
#7	Cohort Studies［mh］OR Clinical Study［pt］OR Meta-Analysis［pt］oOR Practice Guideline［pt］OR Randomized Controlled Trial［pt］OR Systematic Review［pt］
#8	#6 AND #7

検索件数　145 件

（3）　Cochrane Library

#1	［mh］Biliary Tract Neoplasms
#2	［mh］Cholangiocarcinoma
#3	(Title Abstract Keyword)"Intrahepatic Cholangiocarcinoma"
#4	(Title Abstract Keyword)"Cholangiocellular carcinoma"
#5	#1 OR #2 OR #3 OR #04
#6	［mh］diagnostic imaging
#7	#5 AND #6
#8	［mh］Sensitivity and Specificity
#9	#7 AND #8
#10	01/01/2005 ～ 31/12/2022
#11	2002 ～ 2022
#12	English［la］OR Japanese［la］

検索件数　14 件

BQ6　乳頭部癌の診断に内視鏡検査は有用か？

（1）　医学中央雑誌

#1	(胆膵管膨大部/TH and 総胆管腫瘍/TH) and（SH＝診断，画像診断，X 線診断，放射性核種診断，超音波診断，病理学）
#2	乳頭部腫瘍/TA or 乳頭部癌/TA
#3	#1 OR #2
#4	超音波内視鏡検査/TH or 内視鏡/TA
#5	画像強調/TH or 狭帯域光観察/TH or 色素内視鏡法/TH or "Narrow band imaging"/TA or 白色光/TA or IEE/TA or NBI/TA
#6	#4 OR #5

#7	感度と特異度/TH
#8	PT＝会議録除く
#9	LA＝日本語，英語
#10	DT＝2005：2022
#11	#3 AND #6 AND #7 AND #8 AND #9 AND #10
#12	観察研究/TH or（RD＝メタアナリシス，ランダム化比較試験，準ランダム化比較試験，比較研究，診療ガイドライン）
#13	#11 AND #12

検索件数　8 件

（2）PubMed

#1	（Ampulla of Vater［mesh］and Common Bile Duct Neoplasms［mesh］）OR ampullary-cancer*［tiab］OR ampullary-neoplasm*［tiab］OR ampullary-tumor*［tiab］OR ampullary-carcinoma*［tiab］
#2	（Endosonography［mesh］OR Endosonograph*［tiab］OR Endoscop*［tiab］）AND（Diagnosis［mesh］OR diagnosis［sh］OR Diagnosis［tiab］）
#3	"narrow band imaging"［mesh］OR "magnifying endoscopy"［tiab］OR Chromoendoscopy［tiab］OR "White light"［tiab］OR IEE［tiab］OR NBI［tiab］
#4	#2 OR #3
#5	"sensitivity and specificity"［mesh］
#6	English［la］OR Japanese［la］
#7	2005：2022［dp］
#8	#1 AND #4 AND #5 AND #6 AND #7
#9	Cohort Studies［mh］OR Clinical Study［pt］OR Meta-Analysis［pt］OR Practice Guideline［pt］OR Randomized Controlled Trial［pt］OR Systematic Review［pt］
#10	#8 and #9

検索件数　26 件

（3）Cochrane Library

#1	［mh］Ampulla of Vater
#2	［mh］Common Bile Duct Neoplasms
#3	ampullary-cancer*
#4	ampullary-neoplasm*
#5	ampullary-tumor*
#6	"ampullary-tumor"
#7	ampullary-carcinoma*
#8	#1 OR #2 OR #03 OR #04 OR #05 OR #6 OR #7
#9	［mesh］Endosonography
#10	Endosonograph*
#11	Endoscop*
#12	#9 OR #10 OR #11
#13	［mesh］Diagnosis
#14	diagnosis
#15	#13 OR #14
#16	#12 AND #15
#17	［mesh］narrow band imaging
#18	"magnifying endoscopy"
#19	Chromoendoscopy
#20	"White light"
#21	IEE
#22	NBI
#23	#17 OR #18 OR #19 OR #20 OR #21 OR #22
#24	#16 OR #23

検索件数　17,781 件

CQ1　胆道癌の診断に EUS は推奨されるか？
（1）医学中央雑誌

#1	（胆道腫瘍/MTH or 胆管癌/MTH）and（SH＝診断，画像診断，X 線診断，放射性核種診断，超音波診断）
#2	感度と特異度/TH
#3	#1 AND #2
#4	LA＝日本語，英語
#5	DT＝2005：2022
#6	PT＝会議録除く
#7	#3 AND #4 AND #5 AND #6

#8	観察研究/TH or（RD＝メタアナリシス，ランダム化比較試験，準ランダム化比較試験，比較試験，診療ガイドライン）
#9	#7 AND #8

検索件数　28件

（2）　PubMed

#1	Biliary Tract Neoplasms/diagnostic imaging［majr］OR Cholangiocarcinoma/diagnostic imaging［majr］
#2	Sensitivity and Specificity［mh］
#3	#1 AND #2
#4	English［la］OR Japanese［la］
#5	2005：2022［dp］
#6	#3 AND #4 AND #5
#7	Cohort Studies［mh］OR Clinical Study［pt］OR Meta-Analysis［pt］OR Practice Guideline［pt］OR Randomized Controlled Trial［pt］OR Systematic Review［pt］
#8	#6 AND #7

検索件数　145件

（3）　Cochrane Library

#1	［mh］Biliary Tract Neoplasms
#2	［mh］Cholangiocarcinoma
#3	（Title Abstract Keyword）"Intrahepatic Cholangiocarcinoma"
#4	（Title Abstract Keyword）"Cholangiocellular carcinoma"
#5	#1 OR #2 OR #3 OR #4
#6	［mh］diagnostic imaging
#7	#5 AND #6
#8	［mh］Sensitivity and Specificity
#9	#7 AND #8
#10	01/01/2005 ～ 31/12/2022
#11	2002 ～ 2022
#12	English［la］OR Japanese［la］

検索件数　14件

CQ2　胆道癌の診断に FDG PET/PET-CT は推奨されるか？

（1）　医学中央雑誌

#1	（胆道腫瘍/MTH or 胆管癌/MTH）and（SH＝診断，画像診断，X線診断，放射性核種診断）
#2	PET 検査/TH or "Fluorodeoxyglucose F18"/TH
#3	#1 AND #2
#4	LA＝日本語，英語
#5	DT＝2005：2022
#6	PT＝会議録除く
#7	#3 AND #4 AND #5 AND #6
#8	感度と特異度/TH
#9	#7 AND #8
#10	観察研究/TH or（RD＝メタアナリシス，ランダム化比較試験，準ランダム化比較試験，比較試験，診療ガイドライン）
#11	#7 AND #10

検索件数　7件

（2）　PubMed

#1	Biliary Tract Neoplasms/diagnostic imaging［majr］OR Cholangiocarcinoma/diagnostic imaging［majr］
#2	Positron-Emission Tomography［mh］OR Fluorodeoxyglucose F18［mh］
#3	#1 AND #2
#4	English［la］OR Japanese［la］
#5	2005：2022［dp］
#6	#3 AND #4 AND #5
#7	Cohort Studies［mh］OR Clinical Study［pt］OR Meta-Analysis［pt］OR Practice Guideline［pt］OR Randomized Controlled Trial［pt］OR Systematic Review［pt］
#8	#6 AND #7

検索件数　145件

（3）　Cochrane Library

#1	［mh］Biliary Tract Neoplasms
#2	［mh］Cholangiocarcinoma
#3	（Title Abstract Keyword）"Intrahepatic Cholangiocarcinoma"
#4	（Title Abstract Keyword）"Cholangiocellular carcinoma"

#5	#1 OR #2 OR #3 OR #4
#6	［mh］diagnostic imaging
#7	#5 AND #6
#8	［mh］Positron-Emission Tomography
#9	［mh］Fluorodeoxyglucose F18
#10	#8 OR #9
#11	#7 AND #10
#12	01/01/2005 ～ 31/12/2022
#13	2002 ～ 2022
#14	English ［la］OR Japanese ［la］

検索件数　3 件

CQ3　胆道癌の診断に胆道造影（ERC・PTC）は推奨されるか？

（1）医学中央雑誌

#1	（胆道腫瘍/MTH or 胆管癌/MTH）and（SH＝診断，画像診断，X 線診断，放射性核種診断）
#2	内視鏡的逆行性胆道膵管造影/TH or 経皮経肝胆道造影/TA or 経皮経肝胆管造影/TA
#3	#1 AND #2
#4	LA＝日本語，英語
#5	DT＝2005：2022
#6	PT＝会議録除く
#7	#3 AND #4 AND #5 AND #6
#8	PT＝症例報告・事例除く
#9	#7 AND #8
#10	感度と特異度/TH
#11	#7 AND #10
#12	観察研究/TH or（RD＝メタアナリシス，ランダム化比較試験，準ランダム化比較試験，比較研究，診療ガイドライン）
#13	#7 AND #12

検索件数　17 件

（2）PubMed

#1	Biliary Tract Neoplasms/diagnostic imaging ［majr］OR Cholangiocarcinoma/diagnostic imaging ［majr］
#2	Positron-Emission Tomography ［mh］OR Fluorodeoxyglucose F18 ［mh］
#3	#1 AND #2
#4	English ［la］OR Japanese ［la］
#5	2005：2022 ［dp］
#6	#3 AND #4 AND #5
#7	Cohort Studies ［mh］OR Clinical Study ［pt］OR Meta-Analysis ［pt］OR Practice Guideline ［pt］OR Randomized Controlled Trial ［pt］OR Systematic Review ［pt］
#8	#6 AND #7

検索件数　145 件

（3）Cochrane Library

#1	［mh］Biliary Tract Neoplasms
#2	［mh］Cholangiocarcinoma
#3	#1 OR #2
#4	［mh］diagnostic imaging
#5	#3 AND #4
#6	［mh］Cholangiopancreatography, Endoscopic Retrograde
#7	"percutaneous-transhepatic-cholangiography"
#8	PTC
#9	#6 OR #7 OR #8
#10	#5 AND #9
#11	2002 ～ 2022
#12	English ［la］

検索件数　46 件

CQ4　胆道癌の診断に管腔内超音波検査（IDUS）は推奨されるか？

（1）医学中央雑誌

#1	（胆道腫瘍/MTH or 胆管癌/MTH）and（SH＝診断，画像診断，X 線診断，放射性核種診断，超音波診断，病理学）
#2	管腔内超音波診断/TH
#3	#1 AND #2

#4　　　　　PT＝会議録除く
#5　　　　　LA＝日本語，英語
#6　　　　　DT＝2005：2022
#7　　　　　#3 AND #4 AND #5 AND #6
#8　　　　　観察研究/TH or（RD＝メタアナリシス，ランダム化比較試験，準ランダム化比較試験，比較研究，診療ガイドライン）
#9　　　　　#7 AND #8
検索件数　11 件

（2）　PubMed
#1　　　　　Biliary Tract Neoplasms/diagnostic imaging［majr］OR Cholangiocarcinoma/diagnostic imaging［majr］
#2　　　　　Endosonography［Mesh］OR IDUS［tiab］OR intraductal ultrasonography［tiab］
#3　　　　　English［la］OR Japanese［la］
#4　　　　　2005：2022［dp］
#5　　　　　（"biliary tract neoplasms/diagnostic imaging"［MeSH Major Topic］OR "cholangiocarcinoma/diagnostic imaging"［MeSH Major Topic］）AND（"endosonography"［MeSH Terms］OR "IDUS"［Title/Abstract］OR "intraductal ultrasonography"［Title/Abstract］）AND（"English"［Language］OR "Japanese"［Language］）AND 2005/01/01：2022/12/31［Date - Publication］
#6　　　　　Cohort Studies［mh］OR Clinical Study［pt］OR Meta-Analysis［pt］OR Practice Guideline［pt］OR Randomized Controlled Trial［pt］OR Systematic Review［pt］
#7　　　　　#5 AND #6
検索件数　40 件

（3）　Cochrane Library
#1　　　　　［mh］Biliary Tract Neoplasms
#2　　　　　［mh］Cholangiocarcinoma
#3　　　　　#1 OR #2
#4　　　　　［mh］diagnostic imaging
#5　　　　　#3 AND #4
#6　　　　　［mh］Endosonography
#7　　　　　IDUS
#8　　　　　"intraductal ultrasonography"
#9　　　　　#6 OR #7 OR #8
#10　　　　 #5 AND #9
#11　　　　 01/01/2005 〜 31/12/2022
#12　　　　 2002 〜 2022
#13　　　　 English［la］OR Japanese［la］
検索件数　12 件

CQ5　胆道癌の診断に経口胆道鏡検査（POCS）は推奨されるか？
（1）　医学中央雑誌
#1　　　　　（胆道腫瘍/TH or 胆管癌/TH）and（SH＝診断，画像診断，X 線診断，放射性核種診断，超音波診断，病理学）
#2　　　　　胆道鏡法/TH or 経皮経肝胆道鏡法/TH
#3　　　　　#1 AND #2
#4　　　　　PT＝会議録除く
#5　　　　　LA＝日本語，英語
#6　　　　　DT＝2005：2022
#7　　　　　#3 AND #4 AND #5 AND #6
#8　　　　　観察研究/TH or（RD＝メタアナリシス，ランダム化比較試験，準ランダム化比較試験，比較研究，診療ガイドライン）
#9　　　　　#7 AND #8
検索件数　11 件

（2）　PubMed
#1　　　　　Biliary Tract Neoplasms/diagnostic imaging［majr］OR Cholangiocarcinoma/diagnostic imaging［majr］
#2　　　　　POCS［tiab］OR "peroral cholangioscopy"［tiab］OR PTCS［tiab］OR "percutaneous transhepatic cholangioscopy"［tiab］
#3　　　　　English［la］OR Japanese［la］
#4　　　　　2005：2022［dp］
#5　　　　　#1 AND #2 AND #3 AND #4
#6　　　　　Cohort Studies［mh］OR Clinical Study［pt］OR Meta-Analysis［pt］OR Practice Guideline［pt］OR Randomized Controlled Trial［pt］OR Systematic Review［pt］
#7　　　　　#5 AND #6

検索件数　3 件
（3）　**Cochrane Library**
#1　　　　　［mh］Biliary Tract Neoplasms
#2　　　　　［mh］Cholangiocarcinoma
#3　　　　　#1 OR #2
#4　　　　　［mh］diagnostic imaging
#5　　　　　#3 AND #4
#6　　　　　POCS
#7　　　　　"peroral cholangioscopy"
#8　　　　　PTCS
#9　　　　　"percutaneous transhepatic cholangioscopy"
#10　　　　#6 OR #7 OR #8 OR #9
#11　　　　#5 AND #10
#12　　　　#3 AND #10
#13　　　　2005：2022［dp］, English［la］
検索件数　2 件

BQ7　胆道癌の診断に胆汁細胞診・生検を行うか？
（1）　**医学中央雑誌**
#1　　　　　（胆道腫瘍/TH or 胆管癌/TH）and（SH＝診断，画像診断，X 線診断，放射性核種診断，超音波診断，病理学）
#2　　　　　胆汁/TH or 細胞診/TH or 生検/TH
#3　　　　　#1 AND #2
#4　　　　　PT＝会議録除く
#5　　　　　LA＝日本語，英語
#6　　　　　DT＝2005：2022
#7　　　　　#3 AND #4 AND #5 AND #6
#8　　　　　"感度と特異度"/TH
#9　　　　　#7 AND #8
#10　　　　観察研究/TH or（RD＝メタアナリシス，ランダム化比較試験，準ランダム化比較試験，比較研究，診療ガイドライン）
#11　　　　#9 AND #10
検索件数　24 件
（2）　**PubMed**
#1　　　　　"Biliary Tract Neoplasms/diagnosis"［Majr］OR "Cholangiocarcinoma/diagnosis"［Majr］
#2　　　　　Bile［mh］OR Cytodiagnosis［mh］OR Biopsy［mh］
#3　　　　　English［la］OR Japanese［la］
#4　　　　　2005：2022［dp］
#5　　　　　#1 AND #2 AND #3 AND #4
#6　　　　　Cohort Studies［mh］OR Clinical Study［pt］OR Meta-Analysis［pt］OR Practice Guideline［pt］OR Randomized Controlled Trial［pt］OR Systematic Review［pt］
#7　　　　　#5 AND #6
検索件数　134 件
（3）　**Cochrane Library**
#1　　　　　［mh］Biliary Tract
#2　　　　　［mh］Cholangiocarcinoma
#3　　　　　#1 OR #2
#4　　　　　［mh］diagnostic imaging
#5　　　　　#3 AND #4
#6　　　　　［mh］Bile
#7　　　　　［mh］Cytodiagnosis
#8　　　　　［mh］Biopsy
#9　　　　　#6 OR #7 OR #8
#10　　　　#5 AND #9
#11　　　　2005：2022［dp］
検索件数　9 件

CQ6　胆道癌における組織採取法として EUS-TA は推奨されるか？

（1）　医学中央雑誌

#1	(胆道腫瘍/TH or 胆管癌/TH) and（SH＝診断，画像診断，X線診断，放射性核種診断，超音波診断，病理学）
#2	超音波内視鏡下穿刺吸引法/TH or EUS-FNA/TA
#3	PT＝会議録除く
#4	LA＝日本語，英語
#5	DT＝2005：2022
#6	#1 AND #2 AND #3 AND #4 AND #5
#7	観察研究/TH or（RD＝メタアナリシス，ランダム化比較試験，準ランダム化比較試験，比較研究，診療ガイドライン）
#8	#6 AND #7

検索件数　8件

（2）　PubMed

#1	Biliary Tract Neoplasms/diagnostic imaging [majr] OR Cholangiocarcinoma/diagnostic imaging [majr]
#2	"endoscopic ultrasound guided fine needle aspiration" [mesh] OR "EUS-FNA" [tiab] OR "biopsy, fine-needle" [mesh]
#3	English [la] OR Japanese [la]
#4	2005：2022 [dp]
#5	#1 AND #2 AND #3 AND #4
#6	Cohort Studies [mh] OR Clinical Study [pt] OR Meta-Analysis [pt] OR Practice Guideline [pt] OR Randomized Controlled Trial [pt] OR Systematic Review [pt]
#7	#5 AND #6

検索件数　37件

（3）　Cochrane Library

#1	[mh] Biliary Tract Neoplasms
#2	[mh] Cholangiocarcinoma
#3	#1 OR #2
#4	[mh] diagnostic imaging
#5	#3 AND #4
#6	[mh] endoscopic ultrasound guided fine needle aspiration
#7	[mh] biopsy, fine-needle
#8	#6 OR #7
#9	#5 AND #8
#10	2005：2022 [dp]，English [la]

検索件数　2件

CQ7　胆道癌に対して包括的がんゲノムプロファイル検査は推奨されるか？

（1）　医学中央雑誌

#1	(胆道腫瘍/TH or 胆管癌/TH) and（SH＝診断，画像診断，X線診断，放射性核種診断，超音波診断，病理学）
#2	遺伝学的検査/TH or（SH＝遺伝学）
#3	PT＝会議録除く
#4	LA＝日本語，英語
#5	DT＝2005：2022
#6	#1 AND #2 AND #3 AND #4 AND #5
#7	観察研究/TH or（RD＝メタアナリシス，ランダム化比較試験，準ランダム化比較試験，比較研究，診療ガイドライン）
#8	#6 AND #7

検索件数　2件

（2）　PubMed

#1	Biliary Tract Neoplasms/diagnostic imaging [majr] OR Cholangiocarcinoma/diagnostic imaging [majr]
#2	"genetic profile" [mesh] OR genetics [sh]
#3	English [la] OR Japanese [la]
#4	2005：2022 [dp]
#5	#1 AND #2 AND #3 AND #4
#6	Cohort Studies [mh] OR Clinical Study [pt] OR Meta-Analysis [pt] OR Practice Guideline [pt] OR Randomized Controlled Trial [pt] OR Systematic Review [pt]
#7	#5 AND #6

検索件数　40件

（3） **Cochrane Library**

#1　　　［mh］Biliary Tract Neoplasms
#2　　　［mh］Cholangiocarcinoma
#3　　　#1 OR #2
#4　　　［mh］diagnostic imaging
#5　　　#3 AND #4
#6　　　［mh］genetic profile
#7　　　genetics
#8　　　#6 OR #7
#9　　　#5 AND #8
#10　　2005：2022［dp］，English［la］
検索件数　2件

BQ8　閉塞性黄疸を有する胆道癌切除企図例に対して，胆道ドレナージ前に造影 CT を行うか？
（1） **医学中央雑誌**

#1　　　（（（（IDAT＝0001/01/01：2024/01/29）or（PDAT＝0001/01/01：2024/01/29）））and（（@ 胆道腫瘍/TH）or（@ 胆管腫瘍/TH）or（胆管癌/TH）or（胆管癌/AL）or（胆管がん/AL）or（胆管腫瘍/AL）or（胆道閉塞/AL）or（胆管閉塞/AL）or（胆管狭窄/AL）or（胆道狭窄/AL）or（"biliary tract cancer"/AL）or（"biliary tract carcinoma"/AL）or（"biliary tract tumo"/AL）or（"biliary tract obstruction"/AL）or（"biliary tract stricture"/AL）or（"biliary cancer"/AL）or（"biliary carcinoma"/AL）or（"biliary tumo"/AL）or（"biliary obstruction"/AL）or（"biliary stricture"/AL）or（"bile duct cancer"/AL）or（"bile duct carcinoma"/AL）or（"bile duct neoplasm"/AL）or（"bile duct tumo"/AL）or（"bile duct obstruction"/AL）or（"bile duct stricture"/AL）or（"cholangiocarcinoma"/AL）or（Klatskin 腫瘍/TH）or（Klatskin 腫瘍/AL）or（"klatskin's tumo"/AL）or（"pCCA"/AL）or（"MHBO"/AL）or（"MHO"/AL）or（"HMBO"/AL）or（"UMHBO"/AL）））
#2　　　（（（（IDAT＝0001/01/01：2024/01/29）or（PDAT＝0001/01/01：2024/01/29）））and（（（MRI/TH）or（X 線 CT/TH）or（@X 線診断/TH）or（腹部 X 線診断/TH）or（MRI/AL）or（CT/AL）or（造影検査/AL）or（imaging/AL）or（イメージング/AL）or（cholangiograph/AL）or（胆管造影/TH））））
#3　　　（（（（IDAT＝0001/01/01：2024/01/29）or（PDAT＝0001/01/01：2024/01/29）））and（（@ ドレナージ/TH）or（胆道ドレナージ/TH）or（ドレナージ/AL）or（drainage/AL）or（ステンティング/AL）or（stenting/AL）or（術前/AL）or（"operative planning"/AL）or（"planned resection"/AL）or（preoperative/AL）or（pre-operative/AL）or（切除企図/AL）or（切除可能/AL）））
#4　　　#1 and #2 and #3
#5　　　（PDAT＝0000/01/01：2023/03/31）
#6　　　#4 and #5
#7　　　（PT＝原著論文）
#8　　　#6 and #7
検索件数　1,596 件

（2） **PubMed**

#1　　　0001/01/01：2024/01/29［Date－Create］AND（"biliary tract neoplasms"［MeSH Terms：noexp］OR "bile duct neoplasms"［MeSH Terms：noexp］OR "cholangiocarcinoma"［MeSH Terms：noexp］OR "biliary tract cancer*"［Text Word］OR "biliary tract carcinoma*"［Text Word］OR "biliary tract tumo*"［Text Word］OR "biliary tract obstruction*"［Text Word］OR "biliary tract stricture*"［Text Word］OR "biliary cancer*"［Text Word］OR "biliary carcinoma*"［Text Word］OR "biliary tumo*"［Text Word］OR "biliary obstruction*"［Text Word］OR "biliary stricture*"［Text Word］OR "bile duct cancer*"［Text Word］OR "bile duct carcinoma*"［Text Word］OR "bile duct neoplasm*"［Text Word］OR "bile duct tumo*"［Text Word］OR "bile duct obstruction*"［Text Word］OR "bile duct stricture*"［Text Word］OR "cholangiocarcinoma*"［Text Word］OR "Klatskin Tumor"［MeSH Terms］OR "klatskin s tumo*"［Text Word］OR "klatskin tumo*"［Text Word］OR "pCCA"［Text Word］OR "MHBO"［Text Word］OR "MHO"［Text Word］OR "HMBO"［Text Word］OR "UMHBO"［Text Word］）
#2　　　0001/01/01：2024/01/29［Date－Create］AND（"image interpretation, computer assisted"［MeSH Terms：noexp］OR "Radiographic Image Enhancement"［MeSH Terms：noexp］OR "tomography, x ray"［MeSH Terms］OR "Magnetic Resonance Imaging"［MeSH Terms］OR "Tomography"［MeSH Terms：noexp］OR "Diagnostic Imaging"［MeSH Terms：noexp］OR "radiography, abdominal"［MeSH Terms］OR "Cholangiography"［MeSH Terms］OR "contrast enhanced"［Text Word］OR "cholangiograph*"［Text Word］OR "computed tomograph*"［Text Word］OR "3D-CT"［Text Word］OR "3DCT"［Text Word］OR "MDCT"［Text Word］OR "MD-CT"［Text Word］OR "MRI"［Text Word］OR "magnetic resonance imaging*"［Text Word］）
#3　　　0001/01/01：2024/01/29［Date－Create］AND（"operative planning"［Text Word］OR "planned resection"［Text Word］OR "preoperative"［Text Word］OR "pre-operative"［Text Word］OR "drainage"［Text Word］OR "drainage"［MeSH Terms：noexp］OR "stenting"［Text Word］）

#4 #1 AND #2 AND #3
#5 0001/01/01：2023/03/31［Date‐Create］
#6 #4 AND #5
検索件数　2,967 件

（3）　Cochrane Library
#1 ［mh ^"biliary tract neoplasms"］OR［mh ^"bile duct neoplasms"］OR［mh ^cholangiocarcinoma］OR（"biliary tract" NEXT cancer*）：ti,ab,kw OR（"biliary tract" NEXT carcinoma*）：ti,ab,kw OR（"biliary tract" NEXT tumo*）：ti,ab,kw OR（"biliary tract" NEXT obstruction*）：ti,ab,kw OR（"biliary tract" NEXT stricture*）：ti,ab,kw OR（"biliary" NEXT cancer*）：ti,ab,kw OR（"biliary" NEXT carcinoma*）：ti,ab,kw OR（"biliary" NEXT tumo*）：ti,ab,kw OR（"biliary" NEXT obstruction*）：ti,ab,kw OR（"biliary" NEXT stricture*）：ti,ab,kw OR（"bile duct" NEXT cancer*）：ti,ab,kw OR（"bile duct" NEXT carcinoma*）：ti,ab,kw OR（"bile duct" NEXT neoplasm*）：ti,ab,kw OR（"bile duct" NEXT tumo*）：ti,ab,kw OR（"bile duct" NEXT obstruction*）：ti,ab,kw OR（"bile duct" NEXT stricture*）：ti,ab,kw OR cholangiocarcinoma*：ti,ab,kw OR［mh "Klatskin Tumor"］OR（"klatskin s" NEXT tumo*）：ti,ab,kw OR（"klatskin" NEXT tumo*）：ti,ab,kw OR pCCA：ti,ab,kw OR MHBO：ti,ab,kw OR MHO：ti,ab,kw OR HMBO：ti,ab,kw OR UMHBO：ti,ab,kw（with filtering Date added to CENTRAL trials database from 01/01/0001 to 29/01/2024）
#2 ［mh ^"image interpretation, computer assisted"］OR［mh ^"Radiographic Image Enhancement"］OR［mh "tomography, x ray"］OR［mh "Magnetic Resonance Imaging"］OR［mh ^Tomography］OR［mh ^"Diagnostic Imaging"］OR［mh "radiography, abdominal"］OR［mh Cholangiography］OR "contrast enhanced"：ti,ab,kw OR cholangiograph*：ti,ab,kw OR（"computed" NEXT tomograph*）：ti,ab,kw OR 3D-CT：ti,ab,kw OR 3DCT：ti,ab,kw OR MDCT：ti,ab,kw OR MD-CT：ti,ab,kw OR MRI：ti,ab,kw OR（"magnetic resonance" NEXT imaging*）：ti,ab,kw（with filtering Date added to CENTRAL trials database from 01/01/0001 to 29/01/2024）
#3 "operative planning"：ti,ab,kw OR "planned resection"：ti,ab,kw OR preoperative：ti,ab,kw OR "pre operative"：ti,ab,kw OR drainage：ti,ab,kw OR［mh ^"drainage"］OR stenting：ti,ab,kw（with filtering Date added to CENTRAL trials database from 01/01/0001 to 29/01/2024）
#4 #1 AND #2 AND #3
#5 #4 filtering Date added to CENTRAL trials database from 01/01/0001 to 31/03/2023
検索件数　156 件

CQ8　肝門部領域胆管癌切除企図例に対する経乳頭的ドレナージは推奨されるか？
（1）　医学中央雑誌
#1 （胆道腫瘍/TH or 胆道腫瘍/AL）
#2 （胆道腫瘍/TH or 胆道癌/AL）
#3 （胆管癌/TH or 胆管癌/AL）
#4 （Klatskin 腫瘍/TH or 肝門部胆管癌/AL or 肝門部領域胆管癌/AL）
#5 （総胆管腫瘍/TH or 総胆管癌/AL）
#6 （胆嚢腫瘍/TH or 胆嚢癌/AL）
#7 （黄疸/TH or 黄疸/AL）
#8 #1 or #2 or #3 or #4 or #5 or #6 or #7
#9 （胆道ドレナージ/TH or 胆道ドレナージ/AL）
#10 （経皮経肝胆道ドレナージ/TH or ptbd/AL）
#11 （内視鏡的胆道ドレナージ/TH or enbd/AL）
#12 （内視鏡的胆道ドレナージ/TH or erbd/AL）
#13 ebs/AL
#14 #9 or #10 or #11 or #12 or #13
#15 #8 AND #14
#16 （#15）and（DT＝2017：2023 LA＝日本語 PT＝原著論文 CK＝ヒト）
検索件数　156 件

（2）　PubMed
#1 Jaundice［MeSH Terms］
#2 Bile Duct Neoplasms［MeSH Terms］
#3 Cholangiocarcinoma［MeSH Terms］
#4 Klatskin Tumor［MeSH Terms］
#5 ((("biliary"［Title/Abstract］OR "biliary tract"［Title/Abstract］OR "bile duct"［Title/Abstract］)AND("cancer*"［Title/Abstract］OR "neoplasm*"［Title/Abstract］OR "malignan*"［Title/Abstract］OR "tumour*"［Title/Abstract］OR "tumor*"［Title/Abstract］OR "adenoca*"［Title/Abstract］))OR "cholangiocarcinoma*"［Title/Abstract］OR "klatskin tumor"［Title/Abstract］)OR "jaundice"
#6 #1 OR #2 OR #3 OR #4 OR #5
#7 Stents［MeSH Terms］

#8 Drainage ［MeSH Terms］

#9 drain* ［Title/Abstract］ or stent* ［Title/Abstract］ or PTC ［Title/Abstract］ or PTCD ［Title/Abstract］ or PTBD ［Title/Abstract］ or ERCP ［Title/Abstract］ or EBD ［Title/Abstract］ or ENBD ［Title/Abstract］ or endoscopic* ［Title/Abstract］

#10 #7 OR #8 OR #9

#11 #6 AND #10

#12 (2017/05/01 ［PDAT］：2023/10/31 ［PDAT］) AND humans ［MeSH Terms］ AND English ［lang］

#13 #11 AND #12

検索件数 2,398 件

（3）Cochrane Library

#1 ［mh Jaundice］

#2 ［mh "Bile Duct Neoplasms"］

#3 ［mh Cholangiocarcinoma］

#4 ［mh "Klatskin Tumor"］

#5 ((((biliary：ti,ab OR "biliary tract"：ti,ab OR "bile duct"：ti,ab) AND (cancer*：ti,ab OR neoplasm*：ti,ab OR malignan*：ti,ab OR tumour*：ti,ab OR tumor*：ti,ab OR adenoca*：ti,ab)) OR cholangiocarcinoma*：ti,ab OR "klatskin tumor"：ti,ab) OR jaundice

#6 #1 OR #2 OR #3 OR #4 OR #5

#7 ［mh Stents］

#8 ［mh Drainage］

#9 drain*：ti,ab OR stent*：ti,ab OR PTC：ti,ab OR PTCD：ti,ab OR PTBD：ti,ab OR ERCP：ti,ab OR EBD：ti,ab OR ENBD：ti,ab OR endoscopic*：ti,ab

#10 #7 OR #8 OR #9

#11 #6 AND #10

#12 2017 年から 2023 年 Trial

検索件数 646 件

CQ9　閉塞性黄疸を有する肝門部領域胆管癌切除企図例の第一選択術前胆管ドレナージ方法として，内視鏡的経鼻胆管ドレナージ（ENBD）は内視鏡的胆管ステント留置術（EBS），インサイドステント（IS）と比べて推奨されるか？

（1）医学中央雑誌

#1 (胆道腫瘍/MTII or 胆管癌/MTH)

#2 (内視鏡的胆道ドレナージ/TH or 内視鏡的胆道ドレナージ/TA)

#3 (ステント/TH or ステント/TA)

#4 (#2 or #3)

#5 (#1 or #4)

#6 (#5) and (PT＝会議録のぞく)

#7 (#6) and (DT＝2005：2022)

#8 (#7) and (LA＝日本語，英語)

検索件数 682 件

（2）PubMed

#1 (Bile Duct Neoplasms ［Majr］ OR Cholangiocarcinoma ［Majr］)

#2 (Drainage ［mh］ OR "endoscopic nasobiliary drainag*" ［tiab］ OR "endoscopic naso biliary drainag*" ［tiab］ OR "endoscopic biliary drainag*" ［tiab］ or "ENBD" ［tiab］)

#3 (Stents ［mh］ OR "endoscopic biliary stent*" ［tiab］ OR "inside stent*" ［tiab］ OR "EBS" ［tiab］)

#4 (#2 OR #3)

#5 (#1 AND #4)

#6 (#5 AND 2005：2022 ［dp］ AND (english ［la］ OR japanese ［la］))

検索件数 951 件

（3）Cochrane Library

#1 (［mh "Bile Duct Neoplasms"］ OR ［mh "Cholangiocarcinoma"］)

#2 (［mh Drainage］ OR (endoscopic NEXT nasobiliary NEXT drainag*)：ti,ab OR (endoscopic NEXT naso NEXT biliary NEXT drainag*)：ti,ab OR (endoscopic NEXT biliary NEXT drainag*)：ti,ab OR ENBD：ti,ab)

#3 (［mh Stents］ OR (endoscopic NEXT biliary NEXT stent*)：ti,ab OR (inside NEXT stent*)：ti,ab OR EBS：ti,ab)

#4 (#2 OR #3)

#5 (#1 AND #4)

#6 (English：la OR Japanese：la)

#7 (#5 AND #6)

#8 (#7 with Cochrane Library publication date from Jan 2005 to Dec 2022)

検索件数 68 件

CQ10　閉塞性黄疸を有する遠位胆管癌切除企図例に対し，経乳頭的胆道ドレナージは推奨されるか？

（1）　医学中央雑誌

#1	（胆道腫瘍/TH or 胆道腫瘍/AL）
#2	（胆道腫瘍/TH or 胆道癌/AL）
#3	（胆管癌/TH or 胆管癌/AL）
#4	（総胆管腫瘍/TH or 総胆管癌/AL）
#5	（（総胆管腫瘍/TH and 胆膵管膨大部/TH) or 十二指腸乳頭部癌/AL）
#6	#1 or #2 or #3 or #4 or #5
#7	（胆道ドレナージ/TH or 胆道ドレナージ/AL）
#8	（内視鏡的胆道ドレナージ/TH or enbd/AL）
#9	（内視鏡的胆道ドレナージ/TH or erbd/AL）
#10	ebs/AL
#11	ems/AL
#12	（黄疸/TH or 黄疸/AL）
#13	（胆管炎/TH or 胆管炎/AL）
#14	メタリックステント/AL
#15	プラスチックステント/AL
#16	#7 or #8 or #9 or #10 or #11 or #12 or #13 or #14 or #15
#17	#6 and #16
#18	（#17）and （DT＝2017：2023 LA＝日本語 PT＝原著論文 CK＝ヒト）

検索件数　284 件

（2）　PubMed

#1	Jaundice［MeSH Terms］
#2	Bile Duct Neoplasms［MeSH Terms］
#3	Cholangiocarcinoma［MeSH Terms］
#4	（（"biliary"［Title/Abstract］OR "biliary tract"［Title/Abstract］OR "bile duct"［Title/Abstract］）AND （"cancer*"［Title/Abstract］OR "neoplasm*"［Title/Abstract］OR "malignan*"［Title/Abstract］OR "tumour*"［Title/Abstract］OR "tumor*"［Title/Abstract］OR "adenoca*"［Title/Abstract］））OR "cholangiocarcinoma*"［Title/Abstract］OR "jaundice"
#5	#1 OR #2 OR #3 OR #4
#6	Stents［MeSH Terms］
#7	Drainage［MeSH Terms］
#8	drain*［Title/Abstract］or stent*［Title/Abstract］or ERCP［Title/Abstract］or EBD［Title/Abstract］or ENBD［Title/Abstract］or endoscopic*［Title/Abstract］
#9	#6 OR #7 OR #8
#10	#5 AND #9
#11	（2017/05/01［PDAT］：2023/10/31［PDAT］）AND humans［MeSH Terms］AND English［lang］
#12	#10 AND #11

検索件数　2,388 件

（3）　Cochrane Library

#1	［mh Jaundice］
#2	［mh "Bile Duct Neoplasms"］
#3	［mh Cholangiocarcinoma］
#4	（（（biliary：ti,ab OR "biliary tract"：ti,ab OR "bile duct"：ti,ab）AND （cancer*：ti,ab OR neoplasm*：ti,ab OR malignan*：ti,ab OR tumour*：ti,ab OR tumor*：ti,ab OR adenoca*：ti,ab））OR cholangiocarcinoma*：ti,ab）OR jaundice
#5	#1 OR #2 OR #3 OR #4
#6	［mh Stents］
#7	［mh Drainage］
#8	drain*：ti,ab OR stent*：ti,ab OR PTC：ti,ab OR PTCD：ti,ab OR PTBD：ti,ab OR ERCP：ti,ab OR EBD：ti,ab OR ENBD：ti,ab OR endoscopic*：ti,ab
#9	#6 OR #7 OR #8
#10	#5 AND #9
#11	2017 年から 2023 年 Trial

検索件数　671 件

CQ11　閉塞性黄疸を有する遠位胆管癌切除企図例に対する経乳頭的胆道ドレナージで covered self-expandable metallic stent（covered SEMS）を留置することは推奨されるか？

（1）　医学中央雑誌

#1	（胆道腫瘍/TH or 胆道腫瘍/AL）

#2	(胆道腫瘍/TH or 胆道癌/AL)
#3	(胆管癌/TH or 胆管癌/AL)
#4	(総胆管腫瘍/TH or 総胆管癌/AL)
#5	((総胆管腫瘍/TH and 胆膵管膨大部/TH) or 十二指腸乳頭部癌/AL)
#6	#1 or #2 or #3 or #4 or #5
#7	(胆道ドレナージ/TH or 胆道ドレナージ/AL)
#8	(内視鏡的胆道ドレナージ/TH or enbd/AL)
#9	(内視鏡的胆道ドレナージ/TH or erbd/AL)
#10	ebs/AL
#11	ems/AL
#12	(黄疸/TH or 黄疸/AL)
#13	(胆管炎/TH or 胆管炎/AL)
#14	メタリックステント/AL
#15	プラスチックステント/AL
#16	#7 or #8 or #9 or #10 or #11 or #12 or #13 or #14 or #15
#17	#6 and #16
#18	(#17) and（DT＝2017：2023 LA＝日本語 PT＝原著論文 CK＝ヒト）

検索件数　284 件

（2）　PubMed

#1	Jaundice［MeSH Terms］
#2	Bile Duct Neoplasms［MeSH Terms］
#3	Cholangiocarcinoma［MeSH Terms］
#4	((("biliary"［Title/Abstract］OR "biliary tract"［Title/Abstract］OR "bile duct"［Title/Abstract］) AND ("cancer*"［Title/Abstract］OR "neoplasm*"［Title/Abstract］OR "malignan*"［Title/Abstract］OR "tumour*"［Title/Abstract］OR "tumor*"［Title/Abstract］OR "adenoca*"［Title/Abstract］)) OR "cholangiocarcinoma*"［Title/Abstract］OR "jaundice"
#5	#1 OR #2 OR #3 OR #4
#6	Stents［MeSH Terms］
#7	Drainage［MeSH Terms］
#8	drain*［Title/Abstract］or stent*［Title/Abstract］or ERCP［Title/Abstract］or EBD［Title/Abstract］or ENBD［Title/Abstract］or endoscopic*［Title/Abstract］
#9	#6 OR #7 OR #8
#10	#5 AND #9
#11	(2017/05/01［PDAT］：2023/10/31［PDAT］) AND humans［MeSH Terms］AND English［lang］
#12	#10 AND #11

検索件数　2,388 件

（3）　Cochrane Library

#1	［mh Jaundice］
#2	［mh "Bile Duct Neoplasms"］
#3	［mh Cholangiocarcinoma］
#4	(((biliary：ti,ab OR "biliary tract"：ti,ab OR "bile duct"：ti,ab) AND (cancer*：ti,ab OR neoplasm*：ti,ab OR malignan*：ti,ab OR tumour*：ti,ab OR tumor*：ti,ab OR adenoca*：ti,ab)) OR cholangiocarcinoma*：ti,ab) OR jaundice
#5	#1 OR #2 OR #3 OR #4
#6	［mh Stents］
#7	［mh Drainage］
#8	drain*：ti,ab OR stent*：ti,ab OR PTC：ti,ab OR PTCD：ti,ab OR PTBD：ti,ab OR ERCP：ti,ab OR EBD：ti,ab OR ENBD：ti,ab OR endoscopic*：ti,ab
#9	#6 OR #7 OR #8
#10	#5 AND #9
#11	2017 年から 2023 年 Trial

検索件数　671 件

FRQ1　EUS ガイド下胆道ドレナージは，閉塞性黄疸を有する切除企図胆管癌に対して有用か？

（1）　医学中央雑誌

#1	(((((IDAT＝0001/01/01：2024/01/29) or (PDAT＝0001/01/01：2024/01/29)))) and ((@胆道腫瘍/TH) or (@胆管腫瘍/TH) or (胆管癌/TH) or (胆管癌/AL) or (胆管がん/AL) or (胆管腫瘍/AL) or (胆道閉塞/AL) or (胆管閉塞/AL) or (胆管狭窄/AL) or (胆道狭窄/AL) or ("biliary tract cancer"/AL) or ("biliary tract carcinoma"/AL) or ("biliary tract tumo"/AL) or ("biliary tract obstruction"/AL) or ("biliary tract stricture"/AL) or ("biliary cancer"/AL) or ("biliary carcinoma"/AL) or ("biliary tumo"/AL) or ("biliary obstruction"/AL) or ("biliary stricture"/AL) or ("bile duct cancer"/AL) or ("bile duct carcinoma"/AL)

or（"bile duct neoplasm"/AL) or（"bile duct tumo"/AL) or（"bile duct obstruction"/AL) or（"bile duct stricture"/AL) or（"cholangiocarcinoma"/AL) or（Klatskin 腫瘍/TH) or（Klatskin 腫瘍/AL) or（"klatskin's tumo"/AL) or（"pCCA"/AL) or（"MHBO"/AL) or（"MHO"/AL) or（"HMBO"/AL) or（"UMHBO"/AL)))

#2　（（（（IDAT＝0001/01/01：2024/01/29) or（PDAT＝0001/01/01：2024/01/29)))and（（（EUS-BD/AL) or（（超音波内視鏡検査/TH or 内視鏡下超音波/AL or 内視鏡的超音波/AL and or 超音波内視鏡/AL or EUS/AL or エコー内視鏡/AL) and（（@ ドレナージ/TH) or（胆道ドレナージ/TH) or（ドレナージ/AL) or（drainage/AL))))))

#3　#1 and #2
#4　（PDAT＝0000/01/01：2023/03/31)
#5　#3 and #4
#6　（PT＝原著論文)
#7　#5 and #6
検索件数　62 件

（2）PubMed

#1　0001/01/01:2024/01/29 [Date－Create] AND（"biliary tract neoplasms"[MeSH Terms：noexp] OR "bile duct neoplasms"[MeSH Terms：noexp] OR "cholangiocarcinoma"[MeSH Terms：noexp] OR "biliary tract cancer*"[Text Word] OR "biliary tract carcinoma*"[Text Word] OR "biliary tract tumo*"[Text Word] OR "biliary tract obstruction*"[Text Word] OR "biliary tract stricture*"[Text Word] OR "biliary cancer*"[Text Word] OR "biliary carcinoma*"[Text Word] OR "biliary tumo*"[Text Word] OR "biliary obstruction*"[Text Word] OR "biliary stricture*"[Text Word] OR "bile duct cancer*"[Text Word] OR "bile duct carcinoma*"[Text Word]OR "bile duct neoplasm*"[Text Word]OR "bile duct tumo*"[Text Word] OR "bile duct obstruction*"[Text Word] OR "bile duct stricture*"[Text Word] OR "cholangiocarcinoma*"[Text Word] OR "Klatskin Tumor"[MeSH Terms] OR "klatskin s tumo*"[Text Word] OR "klatskin tumo*"[Text Word] OR "pCCA"[Text Word] OR "MHBO"[Text Word] OR "MHO"[Text Word] OR "HMBO"[Text Word] OR "UMHBO"[Text Word])

#2　0001/01/01:2024/01/29 [Date－Create] AND（（（"Endosonography"[MeSH Terms] OR "endosonograph*"[Text Word] OR "endoscopic ultraso*"[Text Word] OR "echo endoscop*"[Text Word] OR "eus guided"[Text Word]) AND（"drainage"[Text Word]OR "drainage"[MeSH Terms：noexp])) OR（"eusbd"[Text Word] OR "eus-bd"[Text Word]))

#3　#1 AND #2
#4　0001/01/01：2023/03/31 [Date－Create]
#5　#3 AND #4
検索件数　539 件

（3）Cochrane Library

#1　[mh ^"biliary tract neoplasms"]OR[mh ^"bile duct neoplasms"]OR[mh ^cholangiocarcinoma]OR（"biliary tract" NEXT cancer*)：ti,ab,kw OR（"biliary tract" NEXT carcinoma*)：ti,ab,kw OR（"biliary tract" NEXT tumo*)：ti,ab,kw OR（"biliary tract" NEXT obstruction*)：ti,ab,kw OR（"biliary tract" NEXT stricture*)：ti,ab,kw OR（"biliary" NEXT cancer*)：ti,ab,kw OR（"biliary" NEXT carcinoma*)：ti,ab,kw OR（"biliary" NEXT tumo*)：ti,ab,kw OR（"biliary" NEXT obstruction*)：ti,ab,kw OR（"biliary" NEXT stricture*)：ti,ab,kw OR（"bile duct" NEXT cancer*)：ti,ab,kw OR（"bile duct" NEXT carcinoma*)：ti,ab,kw OR（"bile duct" NEXT neoplasm*)：ti,ab,kw OR（"bile duct" NEXT tumo*)：ti,ab,kw OR（"bile duct" NEXT obstruction*)：ti,ab,kw OR（"bile duct" NEXT stricture*)：ti,ab,kw OR cholangiocarcinoma*：ti,ab,kw OR [mh "Klatskin Tumor"] OR（"klatskin s" NEXT tumo*)：ti,ab,kw OR（"klatskin" NEXT tumo*)：ti,ab,kw OR pCCA：ti,ab,kw OR MHBO：ti,ab,kw OR MHO：ti,ab,kw OR HMBO：ti,ab,kw OR UMHBO：ti,ab,kw（with filtering Date added to CENTRAL trials database from 01/01/0001 to 29/01/2024)

#2　（（[mh Endosonography] OR endosonograph*：ti,ab,kw OR（"endoscopic" NEXT ultraso*)：ti,ab,kw OR（"echo" NEXT endoscop*)：ti,ab,kw OR "eus guided"：ti,ab,kw) AND（drainage：ti,ab,kw OR [mh ^drainage])) OR（eusbd：ti,ab,kw OR eus-bd：ti,ab,kw)（with filtering Date added to CENTRAL trials database from 01/01/0001 to 29/01/2024)

#3　#1 AND #2
#4　#4 filtering Date added to CENTRAL trials database from 01/01/0001 to 31/03/2023
検索件数　97 件

CQ12　閉塞性黄疸を有する非切除肝門部領域胆管癌に対して，uncovered self-expandable metallic stent（uncovered SEMS）は推奨されるか？

（1）医学中央雑誌
#1　（胆道腫瘍/TH or 胆道腫瘍/AL)
#2　（胆道腫瘍/TH or 胆道癌/AL)

#3	（胆管癌/TH or 胆管癌/AL）
#4	#1 or #2 or #3
#5	（胆道ドレナージ/TH or 胆道ドレナージ/AL）
#6	（内視鏡的胆道ドレナージ/TH or 内視鏡的胆管ドレナージ/AL）
#7	（経皮経肝胆道ドレナージ/TH or 経皮経肝胆道ドレナージ/AL）
#8	（黄疸/TH or 黄疸/AL）
#9	（胆管炎/TH or 胆管炎/AL）
#10	メタリックステント/AL
#11	プラスチックステント/AL
#12	#5 or #6 or #7 or #8 or #9 or #10 or #11
#13	#4 and #12
#14	（外科手術/TH or 手術/AL）
#15	#13 not #14
#16	（#15）and （DT＝2014：2024 LA＝日本語 PT＝原著論文 CK＝ヒト）

検索件数　32件

（2）　PubMed

#1	biliary tract neoplasms［MeSH Terms］
#2	jaundice［MeSH Terms］
#3	biliary drainage［All Fields］
#4	#1 AND #2 AND #3 Limits：humans AND English, Japanese

検索件数　170件

（3）　Cochrane Library

#1	MeSH descriptor：（Biliary Tract Neoplasms）explode all trees
#2	jaundice
#3	drainage
#4	#1 and #2 and #3

検索件数　35件

CQ13　閉塞性黄疸を有する非切除遠位胆管癌に対して，covered self-expandable metallic stent（covered SEMS）を用いた経乳頭的胆道ドレナージは，uncovered SEMS と比較して推奨されるか？

（1）　医学中央雑誌

#1	（非切除/AL）or（切除不能/AL）or（悪性/AL）or（malignant/AL）or（unresectable/AL）or（non-resectable/AL）or（nonresectable/AL）or（inoperable/AL）or（palliat/AL）or（黄疸/AL）or（jaundice/AL）or（icter/AL）
#2	（肝門/AL）or（hilar/AL）or（perihilar/AL）
#3	（@ 胆道腫瘍/TH）or（@ 胆管腫瘍/TH）or（胆管癌/TH）or（胆管癌/AL）or（胆管がん/AL）or（胆管腫瘍/AL）or（胆道閉塞/AL）or（胆管閉塞/AL）or（胆管狭窄/AL）or（胆道狭窄/AL）or（"biliary tract cancer"/AL）or（"biliary tract carcinoma"/AL）or（"biliary tract tumo"/AL）or（"biliary tract obstruction"/AL）or（"biliary tract stricture"/AL）or（"biliary cancer"/AL）or（"biliary carcinoma"/AL）or（"biliary tumo"/AL）or（"biliary obstruction"/AL）or（"biliary stricture"/AL）or（"bile duct cancer"/AL）or（"bile duct carcinoma"/AL）or（"bile duct neoplasm"/AL）or（"bile duct tumo"/AL）or（"bile duct obstruction"/AL）or（"bile duct stricture"/AL）or（"cholangiocarcinoma"/AL）
#4	#2 and #3
#5	（Klatskin 腫瘍/TH）or（Klatskin 腫瘍/AL）or（"klatskin's tumo"/AL）or（"pCCA"/AL）
#6	#4 or #5
#7	#1 and #6
#8	（"MHBO"/AL）or（"MHO"/AL）or（"HMBO"/AL）or（"UMHBO"/AL）
#9	#7 or #8
#10	（（@ ステント/TH）or（自己拡張型金属ステント/TH）or or（@ ドレナージ/TH）or（胆道ドレナージ/TH）or（ステンティング/AL）or（ステント/AL）or（"stent"/AL）or（sems/AL））
#11	#9 and #10
#12	（PDAT＝0000/01/01：2023/03/31）
#13	#11 and #12
#14	（PT＝原著論文）
#15	#13 and #14

検索件数　233件

（2）　PubMed

#1	"malignant"［Text Word］OR "unresectable"［Text Word］OR "non-resectable"［Text Word］OR "nonresectable"［Text Word］OR "inoperable"［Text Word］OR "palliat*"［Text Word］OR "jaundice"［Text Word］OR "icter*"［Text Word］
#2	"hilar"［Text Word］OR "perihilar"［Text Word］

#3　"biliary tract neoplasms" [MeSH Terms：noexp] OR "bile duct neoplasms" [MeSH Terms：noexp] OR "cholangiocarcinoma" [MeSH Terms：noexp] OR "biliary tract cancer*" [Text Word] OR "biliary tract carcinoma*" [Text Word] OR "biliary tract tumo*" [Text Word] OR "biliary tract obstruction*" [Text Word] OR "biliary tract stricture*" [Text Word] OR "biliary cancer*" [Text Word] OR "biliary carcinoma*" [Text Word] OR "biliary tumo*" [Text Word] OR "biliary obstruction*" [Text Word] OR "biliary stricture*" [Text Word] OR "bile duct cancer*" [Text Word] OR "bile duct carcinoma*" [Text Word] OR "bile duct neoplasm*" [Text Word] OR "bile duct tumo*" [Text Word] OR "bile duct obstruction*" [Text Word] OR "bile duct stricture*" [Text Word] OR "cholangiocarcinoma*" [Text Word]

#4　#2 AND #3

#5　"Klatskin Tumor" [MeSH Terms] OR "klatskin s tumo*" [Text Word] OR "klatskin tumo*" [Text Word] OR "pCCA" [Text Word]

#6　#4 OR #5

#7　#1 AND #6

#8　"MHBO" [Text Word] OR "MHO" [Text Word] OR "HMBO" [Text Word] OR "UMHBO" [Text Word]

#9　#7 OR #8

#10　"stents" [MeSH Terms：noexp] OR "self expandable metallic stents" [MeSH Terms] OR "drainage" [MeSH Terms：noexp] OR "stent*" [Text Word] OR "sems" [Text Word]

#11　#9 and #10

#12　0001/01/01：2023/03/31 [Date - Create]

#13　#11 and #12

検索件数　833 件

（3）Cochrane Library

#1　((malignant：ti,ab,kw OR unresectable：ti,ab,kw OR non-resectable：ti,ab,kw OR nonresectable：ti,ab,kw OR inoperable：ti,ab,kw OR palliat*：ti,ab,kw OR jaundice：ti,ab,kw OR icter*：ti,ab,kw) AND (((hilar：ti,ab,kw OR perihilar：ti,ab,kw) AND ([mh ^"biliary tract neoplasms"] OR [mh ^"bile duct neoplasms"] OR [mh ^"cholangiocarcinoma"] OR ("biliary tract" NEXT cancer*)：ti,ab,kw OR ("biliary tract" NEXT carcinoma*)：ti,ab,kw OR ("biliary tract" NEXT tumo*)：ti,ab,kw OR ("biliary tract" NEXT obstruction*)：ti,ab,kw OR ("biliary tract" NEXT stricture*)：ti,ab,kw OR ("biliary" NEXT cancer*)：ti,ab,kw OR ("biliary" NEXT carcinoma*)：ti,ab,kw OR ("biliary" NEXT tumo*)：ti,ab,kw OR ("biliary" NEXT obstruction*)：ti,ab,kw OR ("biliary" NEXT stricture*)：ti,ab,kw OR ("bile duct" NEXT cancer*) OR ("bile duct" NEXT carcinoma*) OR ("bile duct" NEXT neoplasm*)：ti,ab,kw OR ("bile duct" NEXT tumo*)：ti,ab,kw OR ("bile duct" NEXT obstruction*)：ti,ab,kw OR ("bile duct" NEXT stricture*)：ti,ab,kw OR cholangiocarcinoma*：ti,ab,kw)) OR ([mh "Klatskin Tumor"] OR ("klatskin s" NEXT tumo*)：ti,ab,kw OR ("klatskin" NEXT tumo*)：ti,ab,kw OR pCCA：ti,ab,kw))) OR (MHBO：ti,ab,kw OR MHO：ti,ab,kw OR HMBO：ti,ab,kw OR UMHBO：ti,ab,kw)

#2　[mh ^stents] OR [mh "self expandable metallic stents"] OR [mh ^drainage] OR stent*：ti,ab,kw OR sems：ti,ab,kw

#3　#1 and #2

#4　#3 filtering Date added to CENTRAL trials database from 01/01/0001 to 31/03/2023

検索件数　116 件

FRQ2　閉塞性黄疸を有する非切除胆道癌に対する胆管ドレナージ時の胆管内ラジオ波焼灼療法は有用か？

（1）医学中央雑誌

#1　(胆道腫瘍/MTH or 胆管癌/MTH)

#2　(内視鏡的胆道ドレナージ/TH or 内視鏡的胆道ドレナージ/TA)

#3　(カテーテルアブレーション/TH or ラジオ波焼灼術/TA)

#4　(#2 or #3)

#5　(#1 and #4)

#6　(#5) and (PT＝会議録のぞく)

#7　(#6) and (DT＝2005：2022)

#8　(#7) and (LA＝日本語, 英語)

検索件数　319 件

（2）PubMed

#1　(Bile Duct Neoplasms [Majr] OR Cholangiocarcinoma [Majr])

#2　(Drainage [mh] OR "endoscopic nasobiliary drainag*" [tiab] OR "endoscopic naso biliary drainag*" [tiab] OR "endoscopic biliary drainag*" [tiab] or "ENBD" [tiab])

#3　("catheter ablation" [tiab] OR "radiofrequency ablation" [tiab])

#4　(#2 OR #3)

#5　(#1 AND #4)

#6 (#5 AND 2005：2022［dp］AND（english［la］OR japanese［la］））
検索件数 638 件

FRQ3 閉塞性黄疸を有する非切除胆道癌肝門部胆管閉塞では肝容積 50% 以上のドレナージが必要か？
（1） 医学中央雑誌
#1 （胆道腫瘍/TH or 胆道腫瘍/AL）
#2 肝門部/AL
#3 （胆汁うっ滞/TH or 胆管狭窄/AL）
#4 （肝臓/TH or 肝容積/AL）
#5 #1 and #2 and #3 and #4 and（PT＝原著論文）
検索件数 11 件
（2） PubMed
#1 hilar strictures（All Field）
#2 liver volume（All Field）
#3 liver volumetry（All Field）
#4 #1 and（#2 or #3）
検索件数 11 件
（3） Cochrane Library
#1 （hilar strictures）ti,ab,kw（word variations have been searched）
#2 liver volume
#3 liver volumetry
#4 #1 and（#2 or #3）
検索件数 10 件

BQ9 術前胆道ドレナージ中の発熱にはどのように対応するか？
（1） 医学中央雑誌
#1 （胆道腫瘍/MTH or 胆管癌/MTH）
#2 （内視鏡的胆道ドレナージ/TH or 内視鏡的胆道ドレナージ/TA）
#3 （ステント/TH or ステント/TA）
#4 （#2 or #3）
#5 （#1 or #4）
#6 （#5）and（PT＝会議録のぞく）
#7 （#6）and（DT＝2005：2022）
#8 （#7）and（LA＝日本語，英語）
検索件数 682 件
（2） PubMed
#1 （Bile Duct Neoplasms［Majr］OR Cholangiocarcinoma［Majr］）
#2 （Drainage［mh］OR "endoscopic nasobiliary drainag*"［tiab］OR "endoscopic naso biliary drainag*"［tiab］OR "endoscopic biliary drainag*"［tiab］or "ENBD"［tiab］）
#3 （Stents［mh］OR "endoscopic biliary stent*"［tiab］OR "inside stent*"［tiab］OR "EBS"［tiab］）
#4 （#2 OR #3）
#5 （#1 AND #4）
#6 （#5 AND 2005：2022［dp］AND（english［la］OR japanese［la］））
検索件数 951 件
（3） Cochrane Library
#1 （［mh "Bile Duct Neoplasms"］OR［mh "Cholangiocarcinoma"］）
#2 （［mh Drainage］OR（endoscopic NEXT nasobiliary NEXT drainag*）：ti,ab OR（endoscopic NEXT naso NEXT biliary NEXT drainag*）：ti,ab OR（endoscopic NEXT biliary NEXT drainag*）：ti,ab OR ENBD：ti,ab）
#3 （［mh Stents］OR（endoscopic NEXT biliary NEXT stent*）：ti,ab OR（inside NEXT stent*）：ti,ab OR EBS：ti,ab）
#4 （#2 OR #3）
#5 （#1 AND #4）
#6 （English：la OR Japanese：la）
#7 （#5 AND #6）
#8 （#7 with Cochrane Library publication date from Jan 2005 to Dec 2022）
検索件数 68 件

BQ10 外瘻胆汁はどのように利用するか？
（1） 医学中央雑誌
#1 （胆道腫瘍/TH or 胆道腫瘍/AL）

#2   (胆道腫瘍/TH or 胆道癌/AL)
#3   (胆管癌/TH or 胆管癌/AL)
#4   (遠位胆管癌/TH or 中下部胆管癌/AL)
#5   (総胆管腫瘍/TH or 総胆管癌/AL)
#6   #1 or #2 or #3 or #4 or #5
#7   (胆道ドレナージ/TH or 胆道ドレナージ/AL)
#8   (経皮胆道ドレナージ/TH or ptbd/AL)
#9   (内視鏡的胆道ドレナージ/TH or enbd/AL)
#10   (黄疸/TH or 黄疸/AL)
#11   (胆管炎/TH or 胆管炎/AL)
#12   #7 or #8 or #9 or #10
#13   #6 and #12
#14   "#19 (#18) and (DT＝2018：2023 LA＝日本語 PT＝原著論文 CK＝ヒト)"
検索件数　171 件
（2）　PubMed
#1   biliary tract neoplasms ［MeSH Terms］
#2   biliary ［All Fields］
#3   tract ［All Fields］
#4   neoplasms ［All Fields］
#5   biliary tract neoplasms ［All Fields］
#6   jaundice ［MeSH Terms］
#7   jaundice ［All Fields］
#8   drainage ［MeSH Terms］
#9   drainage ［All Fields］
#10   ((#1 OR (#2 AND #3 AND #4) OR #5) AND (#6 OR #7)) AND (#2 AND (#8 OR #9)) AND (2018/01/01 ［PDAT］：2023/12/31 ［PDAT］) AND humans ［MeSH Terms］ AND English ［lang］)
検索件数　101 件
（3）　Cochrane Library
#1   biliary tract neoplasms
#2   biliary tract cancer
#3   (biliary) and (tract) and (neoplasm)
#4   jaundice
#5   drainage
#6   (#1 or #2 or #3) and (#4 OR #5)
検索件数　65 件

BQ11　胆道癌切除後の予後因子はどのようなものか？
（1）　医学中央雑誌
#1   胆道腫瘍/TH or 胆道腫瘍/AL
#2   胆道腫瘍/TH or 胆道癌/AL
#3   胆管癌/TH or 胆管癌/AL
#4   Klatskin 腫瘍/TH or 肝門部胆管癌/AL
#5   総胆管腫瘍/TH or 総胆管癌/AL
#6   胆嚢腫瘍/TH or 胆嚢癌/AL
#7   (総胆管腫瘍/TH and 胆膵管膨大部/TH) or 十二指腸乳頭部癌/AL
#8   #1 or #2 or #3 or #4 or #5 or #6 or #7
#9   外科手術/TH or 手術/AL
#10   #8 and #9
#11   予後/TH or 予後/AL
#12   予後因子/AL
#13   #11 or #12
#14   #10 and #13
#15   (#14) and (DT＝2017：2023 LA＝日本語 (PT＝症例報告除く) and (PT＝会議録除く) and RD＝メタアナリシス，ランダム化比較試験，準ランダム化比較試験，比較研究，診療ガイドライン CK＝ヒト)
検索件数　46 件
（2）　PubMed
#1   biliary tract neoplasms ［MeSH Terms］
#2   surgical procedures, operative ［MeSH Terms］
#3   prognosis ［MeSH Terms］
#4   #1 AND #2 AND #3 Filters：Clinical Trials, Meta-Analysis, Practice Guideline, Randomized Controlled Trial, Review, Humans, English, Japanese, from 2017/1/1-3000/12/12

検索件数　203 件
（3）　**Cochrane Library**
#1　　　　biliary tract neoplasms
#2　　　　prognosis
#3　　　　#1 AND #2
検索件数　69 件

BQ12　腫瘍の進展度からみた切除不能胆道癌とはどのようなものか？
（1）　**医学中央雑誌**
#1　　　　（胆道腫瘍/TH or 胆道腫瘍/AL）
#2　　　　（胆道腫瘍/TH or 胆道癌/AL）
#3　　　　（胆管癌/TH or 胆管癌/AL）
#4　　　　（Klatskin 腫瘍/TH or 肝門部領域胆管癌/AL）
#5　　　　（総胆管腫瘍/TH or 総胆管癌/AL）
#6　　　　（胆嚢腫瘍/TH or 胆嚢癌/AL）
#7　　　　((@ 総胆管腫瘍/TH and @ 胆膵管膨大部/TH) or 十二指腸乳頭部癌/AL)
#8　　　　（外科手術/TH or 手術/AL）
#9　　　　非切除/AL
#10　　　切除不能/AL
#11　　　手術不能/AL
#12　　　#1 or #2 or #3 or #4 or #5 or #6 or #7
#13　　　#8 and #12
#14　　　#9 or #10 or #11
#15　　　#13 and #14
#16　　　#15 and （DT＝2017：2023 PT＝原著論文）
検索件数　77 件
（2）　**PubMed**
#1　　　　biliary tract neoplasms［MeSH Terms］
#2　　　　cholangiocarcinoma［MeSH Terms］
#3　　　　klatskin tumor［MeSH Terms］
#4　　　　#1 OR #2 OR #3
#5　　　　nonoperative
#6　　　　"non operative"
#7　　　　inoperative
#8　　　　"in operative"
#9　　　　unresectable
#10　　　"locally advanced"
#11　　　#5 OR #6 OR #7 OR #8 OR #9 OR #10
#12　　　#4 AND #11 Filters：Abstract, Clinical Study, Clinical Trial, Comparative Study, Controlled Clinical Trial, Guideline, Meta-Analysis, Multicenter Study, Observational Study, Practice Guideline, Randomized Controlled Trial, Review, Systematic Review, Humans, English, Japanese, from 2017 – 2023
検索件数　318 件

BQ13　門脈塞栓術（PVE）はどのような症例に行われるか？
（1）　**医学中央雑誌**
#1　　　　胆道腫瘍/TH or 胆道腫瘍/AL
#2　　　　胆道腫瘍/TH or 胆道癌/AL
#3　　　　胆管癌/TH or 胆管癌/AL
#4　　　　Klatskin 腫瘍/TH or 肝門部胆管癌/AL
#5　　　　総胆管腫瘍/TH or 総胆管癌/AL
#6　　　　胆嚢腫瘍/TH or 胆嚢癌/AL
#7　　　　(総胆管腫瘍/TH and 胆膵管膨大部/TH) or 十二指腸乳頭部癌/AL
#8　　　　#1 or #2 or #3 or #4 or #5 or #6 or #7
#9　　　　外科手術/TH or 手術/AL
#10　　　#8 and #9
#11　　　門脈塞栓術/AL
#12　　　経皮経肝門脈塞栓術/TH or ptpe/AL
#13　　　#11 or #12
#14　　　#10 and #13
#15　　　DT＝2017：2023 and LA＝日本語 and PT＝原著論文 and CK＝ヒト
#16　　　#14 and #15

検索件数　17 件

（2）　PubMed

#1	biliary tract neoplasms［MeSH Terms］
#2	biliary［All Fields］
#3	tract［All Fields］
#4	neoplasms［All Fields］
#5	biliary tract neoplasms［All Fields］
#6	2017/01/01：3000/12/31［Date－Publication］AND "humans"［MeSH Terms］AND "English"［Language］
#7	percutaneous［All Fields］
#8	portal［All Fields］
#9	embolization, therapeutic［MeSH Terms］
#10	embolization［All Fields］
#11	therapeutic［All Fields］
#12	therapeutic embolization［All Fields］
#13	portal vein embolization［All Fields］
#14	portal embolization［All Fields］
#15	（（#1 OR（#2 AND #3 AND #4）OR #5）AND #6）AND （（（（#7 AND #8 AND（#9 OR（#10 AND #11）OR #12 OR #10））OR #13）OR #14）AND #6）

検索件数　76 件

（3）　Cochrane Library

#1	biliary tract neoplasms［MeSH Terms］
#2	biliary［All Fields］
#3	tract［All Fields］
#4	neoplasms［All Fields］
#5	biliary tract neoplasms［All Fields］
#6	percutaneous［All Fields］
#7	portal［All Fields］
#8	embolization, therapeutic［MeSH Terms］
#9	emboliation［All Fields］
#10	thrapeutic［All Fields］
#11	therapeutic embolization［All Fields］
#12	portal vein embolization［All Fields］
#13	portal embolization［All Fields］
#14	2017/1/1［PDAT］：2023/8/31 ¦PDAT］AND（（（#1 OR（#2 AND #3 AND #4）OR #5）AND（（（（#6 AND #7 AND（#8 OR（#9 AND #10）OR #11 OR #9））OR #12）OR #13））

検索件数　17 件

BQ14　術前の残肝予備能評価はどのように行われるか？

（1）　医学中央雑誌

#1	胆道腫瘍/TH or 胆道腫瘍/AL
#2	Klatskin 腫瘍/TH or Klatskin 腫瘍/AL
#3	#1 or #2
#4	肝切除/TH or 肝切除/AL
#5	#3 and #4
#6	肝不全/TH or 肝不全/AL
#7	肝機能検査/TH or 肝機能検査/AL
#8	肝予備能評価/AL
#9	肝臓/TH or 肝臓/AL
#10	体積/TH or 体積/AL
#11	#9 and #10
#12	#6 or #7 or #8 or #11
#13	#5 and #12
#14	(#13) and（DT＝2017：2023 LA＝日本語（PT＝症例報告・事例除く）AND（PT＝会議録除く）CK＝ヒト）

検索件数　45 件

（2）　PubMed

#1	biliary tract neoplasms［Mesh Terms］
#2	cholangiocarcinoma［Mesh Terms］
#3	#1 OR #2
#4	hepatectomy［MeSH Terms］
#5	#3 AND #4
#6	liver failure［MeSH Terms］

#7	indocyanine green［MeSH Terms］
#8	liver function tests［MeSH Terms］
#9	postoperative complications［MeSH Terms］
#10	"liver volume"
#11	"future liver remnant"
#12	mortality［MeSH Terms］
#13	#6 OR #9 OR #12
#14	#7 OR #8 OR #10 OR #11
#15	#5 AND #14 AND #13
#16	Search：#15 AND（"2017/01/01"［Date－Publication］："2023/08/31"［Date－Publication]）Filters：Humans

検索件数　27 件

BQ15　胆道癌肝切除後の死亡率の現状はどうか？
（1）　医学中央雑誌

#1	（胆道腫瘍/TH or 胆道腫瘍/AL）
#2	（胆道腫瘍/TH or 胆道癌/AL）
#3	（胆管癌/TH or 胆管癌/AL）
#4	（Klatskin 腫瘍/TH or 肝門部領域胆管癌/AL）
#5	（Klatskin 腫瘍/TH or 肝門部胆管癌/AL）
#6	#1 or #2 or #3 or #4 or #5
#7	（外科手術/TH or 手術/AL）
#8	（肝切除/TH or 肝切除/AL）
#9	#7 or #8
#10	#6 and #9
#11	（手術死亡率/TH or 手術死亡率/AL）
#12	（術後合併症/TH or 術後合併症/AL）
#13	#11 or #12
#14	#10 and #13
#15	（#14）and（DT＝2017：2023 LA＝日本語（PT＝症例報告・事例除く）AND（PT＝会議録除く）CK＝ヒト）

検索件数　271 件

（2）　PubMed

#1	"biliary tract neoplasms"［MeSH Terms］
#2	"cholangiocarcinoma"［MeSH Terms］
#3	#1 OR #2
#4	"hepatectomy"［MeSH Terms］
#5	"pancreaticoduodenectomy"［MeSH Terms］
#6	#4 OR #5
#7	#3 AND #6
#8	"mortality"［MeSH Terms］
#9	operative complication
#10	#8 OR #9
#11	#7 AND #10
#12	Clinical Study, Clinical Trial, Meta-Analysis, Multicenter Study, Humans, English, from 2017 - 2023

検索件数　110 件

CQ14　肝動脈切除再建を伴う肝切除は推奨されるか？
（1）　医学中央雑誌

#1	胆道腫瘍/TH or 胆道腫瘍/AL
#2	胆道癌/TH or 胆道癌/AL
#3	胆管癌/TH or 胆管癌/AL
#4	胆嚢腫瘍/TH or 胆嚢癌/AL
#5	#1 or #2 or #3 or #4
#6	肝動脈/TH or 肝動脈/AL
#7	動脈合併切除/AL
#8	外科手術/TH or 外科手術/AL
#9	#6 and #7 and #8
#10	#5 and #9
#11	（#10）and（DT＝2017：2023 LA＝日本語（PT＝症例報告・事例除く）AND（PT＝会議録除く）CK＝ヒト）

検索件数　8 件

（2） **PubMed**
#1   biliary tract neoplasms［MeSH Terms］
#2   cholangiocarcinoma［MeSH Terms］
#3   #1 or #2
#4   hepatectomy［MeSH Terms］
#5   hepatic artery［MeSH Terms］
#6   resection
#7   #4 and #5 and #6
#8   #3 and #7
#9   Filters：Publication date from 2017/1/1-2023/5/31, Human
検索件数　27 件

CQ15　肝葉切除を伴う膵頭十二指腸切除は推奨されるか？
（1）　**医学中央雑誌**
#1   （胆道腫瘍/TH or 胆道腫瘍/AL）
#2   （Klatskin 腫瘍/TH or Klatskin 腫瘍/AL）
#3   #1 or #2
#4   （肝切除/TH or 肝切除/AL）
#5   （膵頭十二指腸切除/TH or 膵頭十二指腸切除/AL）
#6   #4 and #5
#7   肝膵同時切除/AL
#8   HPD/AL
#9   #7 or #8
#10   #6 or #9
#11   #3 and #10
#12   （#11）and（DT＝2017：2023 LA＝日本語（PT＝症例報告除く）and（PT＝会議録除く）CK＝ヒト）
検索件数　93 件
（2）　**PubMed**
#1   biliary tract neoplasms［MeSH Terms］
#2   cholangiocarcinoma［MeSH Terms］
#3   #1 OR #2
#4   hepatectomy［MeSH Terms］
#5   pancreaticoduodenectomy［MeSH Terms］
#6   #4 AND #5
#7   hepatopancreatoduodenectomy
#8   hepatopancreaticoduodenectomy
#9   #6 OR #7 OR #8
#10   #3 AND #9
#11   #10 Filters：Publication date from 2017/01/01 to 2023/07/01；Humans
検索件数　65 件

CQ16　遠位胆管癌，十二指腸乳頭部癌に対する低侵襲手術（腹腔鏡下 / ロボット支援下膵頭十二指腸切除術）は推奨されるか？
（1）　**医学中央雑誌**
#1   胆道腫瘍/TH or 胆道癌/AL
#2   胆管癌/TH or 胆管癌/AL
#3   （総胆管腫瘍/TH and 胆膵管膨大部/TH）or 十二指腸乳頭部癌/AL
#4   （総胆管腫瘍/TH or 総胆管癌/AL）
#5   遠位胆管癌/AL
#6   #1 or #2 or #3 or #4 or #5
#7   膵頭十二指腸切除/TH or 膵頭十二指腸切除/AL
#8   腹腔鏡法/TH or 腹腔鏡下手術/AL
#9   腹腔鏡下膵頭十二指腸切除/AL
#10   （#7 and #8）or #9
#11   ロボット手術/TH or ロボット手術/AL
#12   ロボット支援下膵頭十二指腸切除術/AL
#13   （#7 and #11）or #12
#14   最小侵襲手術/TH or 低侵襲手術/AL
#15   （#10 or #13）and #14
#16   #6 and #15
#17   LA＝日本語 and PT＝会議録除く

#18   #16 and #17
検索件数　84 件
（2）　PubMed
#1   pancreatectomy ［MeSHTerms］
#2   pancreaticoduodenectomy ［MeSH Terms］
#3   whipple ［All Fields］
#4   #1 or #2 or #3
#5   minimally invasive ［All Fields］
#6   laparoscopy ［MeSH Terms］
#7   laparoscopic ［All Fields］
#8   robotic surgical procedure ［MeSH Terms］
#9   #5 or #6 or #7 or #8
#10   biliary tract neoplasm ［MeSH Terms］
#11   cholangiocarcinoma ［MeSH Terms］
#12   biliary ［All Fields］ AND carcinoma ［All Fields］
#13   biliary ［All Fields］ AND tumor ［All Fields］
#14   biliary ［All Fields］ AND neoplasm ［All Fields］
#15   ampullary cancer ［MeSH Terms］
#16   ampullary ［All Fields］ AND carcinoma ［All Fields］
#17   ampullary ［All Fields］ AND tumor ［All Fields］
#18   ampullary ［All Fields］ AND neoplasm ［All Fields］
#19   #10 or #11 or #12 or #13 or #14 or #15 or #16 or #17 or #18
#20   #4 and #9 and #19
検索件数　397 件

CQ17　深達度 T2 までの胆囊癌に対する低侵襲手術（腹腔鏡下 / ロボット支援下）は推奨されるか？
（1）　医学中央雑誌
腹腔鏡：
（（（胆囊腫瘍/TH or 胆囊腫瘍/AL））and （（腹腔鏡法/TH or 腹腔鏡手術/AL）））and（DT＝2017：2023 LA＝日本語（PT
＝症例報告・事例除く）AND（PT＝会議録除く）CK＝ヒト PDAT＝2017/5/1：2023/6/30）
検索件数　63 件
ロボット：
（（（胆囊腫瘍/TH or 胆囊腫瘍/AL））and （（ロボット/TH or ロボット/AL）））and（LA＝日本語（PT＝症例報告・事
例除く）AND（PT＝会議録除く）CK＝ヒト PDAT＝2017/5/1：2023/6/30）
検索件数　5 件
（2）　PubMed
腹腔鏡：
"Gallbladder Neoplasms"［Mesh］
"laparoscopy"
Publication date from 2017/5/1 to 2023/06/30
検索件数　82 件
ロボット：
"Gallbladder Neoplasms"［Mesh］
"Robotic Surgical Procedures"
Publication date from 2017/5/1 to 2023/06/30
検索件数　12 件

FRQ4　肝門部領域胆管癌に対する低侵襲（腹腔鏡下 / ロボット支援下）手術は有用か？
（1）　医学中央雑誌
#1   （Klatskin 腫瘍/TH or 肝門部胆管癌/AL）
#2   （Klatskin 腫瘍/TH or 肝門部領域胆管癌/AL）
#3   （総胆管腫瘍/TH or 総胆管癌/AL）
#4   #1 or #2 or #3
#5   肝切除/TH or 肝切除/AL
#6   腹腔鏡法/TH or 腹腔鏡下手術/AL
#7   腹腔鏡下肝切除/AL
#8   （#5 and #6) or #7
#9   ロボット手術/TH or ロボット手術/AL
#10   ロボット支援下肝切除/AL
#11   （#5 and #9) or #10
#12   最小侵襲手術/TH or 低侵襲手術/AL

#13   （#8 or #11）and #12
#14   #4 and #13
#15   LA＝日本語 and PT＝会議録除く
#16   #14 and #15
検索件数　21 件

（2）　PubMed
#1   minimally invasive ［MeSH Terms］OR minimally invasive ［Title/Abstract］
#2   laparoscopy ［MeSH Terms］OR laparoscopy ［Title/Abstract］
#3   laparoscopic ［MeSH Terms］OR laparoscopic ［Title/Abstract］
#4   laparoendoscopic ［MeSH Terms］OR laparoendoscopic ［Title/Abstract］
#5   robotic ［MeSH Terms］OR robotic ［Title/Abstract］
#6   robot ［MeSH Terms］OR robot ［Title/Abstract］
#7   robotassisted ［MeSH Terms］OR robotassisted ［Title/Abstract］
#8   hybrid ［MeSH Terms］OR hybrid ［Title/Abstract］
#9   handassisted ［MeSH Terms］OR handassisted ［Title/Abstract］
#10   #1 or #2 or #3 or #4 or #5 or #6 or #7 or #8 or #9
#11   klatskin tumor ［MeSH Terms］OR klatskin tumor ［All Fields］
#12   klatskin ［All Fields］AND tumor ［All Fields］
#13   perihilar ［All Fields］AND cholangiocarcinoma ［All Fields］
#14   perihilar cholangiocarcinoma ［All Fields］
#15   #11 or #12 or #13 or #14
#16   #10 and #15
検索件数　130 件

BQ16　肝外胆管に直接浸潤のない胆囊癌に肝外胆管切除を行うか？
医学中央雑誌
#1   胆囊腫瘍/TH or 胆囊癌/AL
#2   外科手術/TH or 手術/AL
#3   #1 and #2
#4   腫瘍進行度/TH or 腫瘍深達度/AL
#5   胆管切除術/TH or 胆管切除/AL
#6   #4 or #5
#7   （#3 and #6）and （DT＝2018：2023 PT＝会議録除く）
検索件数　107 件

BQ17　肝浸潤を疑う胆囊癌にはどのような肝切除を施行するか？
（1）　医学中央雑誌
#1   胆囊腫瘍/TH or 胆囊癌/AL
#2   外科手術/TH or 手術/AL
#3   #1 and #2
#4   肝切除/TH or 肝切除/AL
#5   肝切除範囲/AL
#6   #4 or #5
#7   #3 and #6
#8   （#7）and （DT＝2017：2023 LA＝日本語（PT＝症例報告除く）and （PT＝会議録除く）CK＝ヒト）
検索件数　83 件

（2）　PubMed
#1   gallbladder cancer
#2   gallbladder carcinoma
#3   gallbladder neoplasms
#4   #1 OR #2 OR #3
#5   surgical procedures, operative ［MeSH Terms］
#6   #4 AND #5
#7   cancer invasion
#8   tumor invasion
#9   cancer involvement
#10   tumor involvement
#11   #7 OR #8 OR #9 OR #10
#12   hepatectomy ［MeSH Terms］
#13   #6 AND #11 AND #12 Limits：Humans, Clinical Trials, Meta-Analysis, Practice Guideline, Randomized Controlled Trial, Review, English, Japanese, Publication date from 2017/6/1 to 2023/6/30

検索件数　24 件

BQ18　胆嚢摘出後深達度 ss 以上の胆嚢癌が判明した場合に追加切除を行うか？
（1）医学中央雑誌
#1　　　胆嚢腫瘍/TH or 胆嚢癌/AL
#2　　　外科手術/TH or 手術/AL
#3　　　#1 and #2
#4　　　腫瘍進行度/TH or 腫瘍深達度/AL
#5　　　胆管切除術/TH or 胆管切除/AL
#6　　　#4 or #5
#7　　　#3 and #6
#8　　　(#7) and（DT＝2017：2023 LA＝日本語（PT＝症例報告除く）and（PT＝会議録除く）CK＝ヒト）
検索件数　52 件
（2）PubMed
#1　　　gallbladder cancer
#2　　　gallbladder carcinoma
#3　　　gallbladder neoplasms
#4　　　#1 OR #2 OR #3
#5　　　surgical procedures, operative［MeSH Terms］
#6　　　#4 AND #5
#7　　　cancer invasion
#8　　　tumor invasion
#9　　　cancer involvement
#10　　tumor involvement
#11　　#7 OR #8 OR #9 OR #10
#12　　#6 AND #11　Limits：Humans, Clinical Trials, Meta-Analysis, Practice Guideline, Randomized Controlled Trial, Review, English, Japanese, Publication date from 2017/1/1 to 2023/7/27
検索件数　38 件

CQ18　十二指腸乳頭部腫瘍に内視鏡的／外科的乳頭切除術は膵頭十二指腸切除術に比し推奨されるか？
（1）医学中央雑誌
#1　　　(総胆管腫瘍/TH and 胆膵管膨大部/TH) or ((十二指腸乳頭部/AL or ファーター膨大部/AL or ファーター乳頭部/AL) and (がん/AL or 腫瘍/AL or 癌/AL))
#2　　　十二指腸鏡法/TH or ((乳頭/AL or 局所/AL) and (切除/AL or 切開/AL)) or ((臓器温存治療/TH or 温存/AL or 低侵襲/AL) and (膵頭十二指腸切除/TH or 十二指腸切除/AL))
#3　　　#1 AND #2
#4　　　予後/TH or 予後/AL or ステージ/AL or 進行度/AL or 深達度/AL or 適応/AL or 成績/AL or 効果/AL or 転帰/AL or 経過/AL or アウトカム/AL or 死亡率/TH or 死亡率/AL or 無再発生存/AL or 生存率/AL or 腫瘍再発/TH or 再発/AL or 追跡研究/TH or フォローアップ/AL
#5　　　#3 AND #4
#6　　　#5 and（DT＝2018：2024 LA＝日本語（PT＝症例報告除く）and（PT＝会議録除く）and CK＝ヒト）
検索件数　64 件
（2）PubMed
#1　　　"Common Bile Duct Neoplasms"［MH］
#2　　　"Ampulla of Vater"［MH］
#3　　　#1 AND #2
#4　　　Ampulla*AND Vater*
#5　　　duoden*AND Papilla*
#6　　　periampullary
#7　　　(carcin*or cancer*or neoplas*or tumour*or tumor*or cyst*or adenocarcin*or malig*)
#8　　　(#4 OR #5 OR #6) AND #7
#9　　　#3 OR #8
#10　　Duodenoscopy［MH］
#11　　papillotomy
#12　　papillectomy
#13　　ampullectomy
#14　　# 10 OR # 11 OR # 12 OR # 13
#15　　"Minimally Invasive Surgical Procedures"［MH］
#16　　preserving OR Minimally invasive OR local
#17　　#15 OR #16
#18　　Pancreaticoduodenectomy［MH］

#19	duodenectomy
#20	pancreatoduodenectomy
#21	pancreaticoduodenectomy
#22	surgical procedures, operative [MH] OR surgery [subheading] OR surgery OR surgical*OR operati* OR resect*OR excision
#23	#18 OR #19 OR #20 OR #21 OR #22
#24	# 17 AND # 23
#25	#14 OR #24
#26	#9 AND #25
#27	Prognosis [MH] OR Prognos*OR Stag*
#28	Outcome*OR Effective*OR Efficacy
#29	"Neoplasm Recurrence, Local" [MH] OR Recurrence*
#30	"Survival Rate" [MH] OR surviv*
#31	progress*OR cohort*OR validat*OR predict*OR mortalit*OR "follow up"
#32	#27 OR #28 OR #29 OR #30 OR #31
#33	#26 AND #32
#34	("clinical trial" [Publication Type] OR "practice guideline" [Publication Type] OR "randomized controlled trial" [Publication Type] OR "review" [Publication Type] OR "Retrospective Studies" [MH] OR Retrospective*)
#35	2018/01/01：2024/12/31 [Date - Publication]
#36	"english" [Language] OR "japanese" [Language]
#37	NOT ("Animals" [MH] NOT ("Animals" [MH] AND "Humans" [MH]))
#38	((((("Common Bile Duct Neoplasms" [MH] AND "Ampulla of Vater" [MH])) OR (((Ampulla*AND Vater*) OR (duoden*AND Papilla*) OR periampullary) AND (carcin*or cancer*or neoplas*or tumour* or tumor*or cyst*or adenocarcin*or malig*))) AND ((Duodenoscopy [MH] OR papillotomy OR papillectomy OR ampullectomy) OR ((("Minimally Invasive Surgical Procedures" [MH] OR preserving OR "Minimally invasive" OR local)) AND (Pancreaticoduodenectomy [MH] OR duodenectomy OR pancreatoduodenectomy OR pancreaticoduodenectomy OR surgical procedures, operative [MH] OR surgery [subheading] OR surgery OR surgical*OR operati*OR resect*OR excision)))) AND (Prognosis [MH] OR Prognos*OR Stag*OR "Treatment Outcome" [MH] OR Outcome*OR Effective*OR Efficacy OR "Neoplasm Recurrence, Local" [MH] OR Recurrence*OR "Survival Rate" [MH] OR surviv*OR progress*OR cohort*OR validat*OR predict*OR mortalit*OR "follow up") AND ((clinicaltrial [Filter] OR meta-analysis [Filter] OR practiceguideline [Filter] OR randomizedcontrolledtrial [Filter] OR review [Filter] OR "Retrospective Studies" [MH] OR Retrospective*) AND (2018：2024 [pdat]) AND (english [Filter] OR japanese [Filter]))) NOT ("Animals" [MH] NOT ("Animals" [MH] AND "Humans" [MH]))

検索件数　290 件

CQ19　術中胆管切離断端上皮内癌陽性例に胆管の追加切除は推奨されるか？
（1）　医学中央雑誌

#1	胆道腫瘍/TH or 胆道腫瘍/AL
#2	胆道腫瘍/TH or 胆道癌/AL
#3	胆管癌/TH or 胆管癌/AL
#4	Klatskin 腫瘍/TH or 肝門部胆管癌/AL
#5	総胆管腫瘍/TH or 総胆管癌/AL
#6	#1 or #2 or #3 or #4 or #5
#7	外科手術/TH or 手術/AL
#8	#6 and #7
#9	病理診断/AL
#10	術中/AL
#11	#9 and #10
#12	#8 and #11
#13	細胞診/TH or 細胞診/AL
#14	#12 NOT #13

検索件数　114 件
（2）　PubMed

#1	Biliary Tract Neoplasms [MeSH Terms]
#2	Margins of Excision [MeSH Terms]
#3	(Frozen section [MeSH Terms]) OR (Frozen section [Title/Abstract])
#4	Carcinoma in situ OR (Carcinoma in situ [Title/Abstract])
#5	Stump [Title/Abstract]

#6   Ductal margin［Title/Abstract］
#7   Margin status［Title/Abstract］
#8   Intraoperative pathology［Title/Abstract］
#9   High grade dysplasia［Title/Abstract］
#10   #2 or #3 or #4 or #5 or #6 or #7 or #8 or #9
#11   #1 and #10（（（（（（（（Margins of Excision［MeSH Terms］）OR（（Frozen section［MeSH Terms］）OR（Frozen section［Title/Abstract］）））OR（（Carcinoma in situ［MeSH Terms］）OR（Carcinoma in situ［Title/Abstract］）））OR（Stump［Title/Abstract］））OR（Ductal margin［Title/Abstract］））OR（Margin status［Title/Abstract］））OR（Intraoperative pathology［Title/Abstract］））OR（High grade dysplasia［Title/Abstract］））AND（（Biliary Tract Neoplasms［MeSH Terms］））
#12   #11 Filters applied：English, Japanese, from 2017/1/1 - 2023/6/30
検索件数　69 件

（3）　Cochrane Library
#1   Biliary Tract Neoplasms
#2   Margins of Excision
#3   Frozen section
#4   Carcinoma in situ
#5   Stump
#6   Ductal margin
#7   Margin status
#8   Intraoperative pathology
#9   High grade dysplasia［Title abstract keyword］
#10   #2 or #3 or #4 or #5 or #6 or #7 or #8 or #9
#11   #1 and #10
検索件数　21 件

CQ20　術前生検で確定診断がつかないが，胆管癌を否定できない症例に対する外科治療は推奨されるか？
（1）　医学中央雑誌
#1   胆道腫瘍/TH or 胆道腫瘍/AL
#2   胆道腫瘍/TH or 胆道癌/AL
#3   胆管癌/TH or 胆管癌/AL
#4   Klatskin 腫瘍/TH or 肝門部胆管癌/AL
#5   総胆管腫瘍/TH or 総胆管癌/AL
#6   #1 or #2 or #3 or #4 or #5
#7   診断/TH or 診断/AL
#8   生検/TH or 生検/AL
#9   病理/AL 病理/AL
#10   #7 or #8 or #9
#11   #6 and #10
#12   外科手術/TH or 手術/AL
#13   #11 and #12
#14   狭窄/TA
#15   #13 and #14
#16   (#15) and （（PT＝症例報告・事例除く）AND（PT＝会議録除く））
検索件数　438 件
（2）　PubMed
#1   Biliary Tract Neoplasms［MeSH Terms］
#2   Diagnosis［MeSH Terms］
#3   Biopsy［MeSH Terms］
#4   Pathology［MeSH Terms］
#5   #2 or #3 or #4
#6   #1 and #5
#7   Surgery［MeSH Terms］
#8   #6 and #7
#9   Constriction, Pathologic［MeSH Terms］
#10   #8 and #9
#11   mimick
#12   #1 and #11
#13   #12 not "case report" Filters：English, Japanese
検索件数　22 件

CQ21　胆道癌の周術期における胆汁返還，シンバイオティクス投与，運動・栄養療法は推奨されるか？
PubMed

#1	biliary tract cancer［MeSH Terms］
#2	preoperative care［MeSH Terms］
#3	#1 and #2
#4	drainage / methods［MeSH Terms］
#5	intestines / microbiology［MeSH Terms］
#6	intestines / physiopathology［MeSH Terms］
#7	jaundice, obstructive / etiology［MeSH Terms］
#8	jaundice, obstructive / therapy［MeSH Terms］
#9	#4 or #5 or #6 or #7or #8
#10	synbiotics［All Fields］
#11	bacteremia［MeSH Terms］
#12	perioperative care / methods［MeSH Terms］
#13	enteral nutrition［MeSH Terms］
#14	postoperative complications［MeSH Terms］
#15	feces / microbiology［MeSH Terms］
#16	#10 or #12 or #13 or #14 or #15
#17	frail elderly［MeSH Terms］
#18	muscular atrophy［MeSH Terms］
#19	psoas muscles / diagnostic imaging［MeSH Terms］
#20	exercise［MeSH Terms］
#21	nutrition therapy［MeSH Terms］
#22	care, self rehabilitation［MeSH Terms］
#23	#17 or #18 or #19 or #20 or #21 or #22
#24	#9 or #16 or #23
#25	#3 and #24

検索件数　332 件

CQ22　胆道癌手術は手術数の多い施設が推奨されるか？
（1）　医学中央雑誌

#1	(胆道腫瘍/TH or 胆道腫瘍/AL)
#2	(Klatskin 腫瘍/TH or Klatskin 腫瘍/AL)
#3	#1 or #2
#4	(外科手術/TH or 外科手術/AL)
#5	(肝切除/TH or 肝切除/AL)
#6	(膵頭十二指腸切除/TH or 膵頭十二指腸切除/AL)
#7	#4 or #5 or #6
#8	#3 and #7
#9	(手術死亡率/TH or 手術死亡率/AL)
#10	(術後合併症/TH or 術後合併症/AL)
#11	#9 or #10
#12	#8 and #11
#13	(#12) and (DT＝2012：2017 LA＝日本語（PT＝症例報告・事例除く）AND (PT＝会議録除く) CK＝ヒト)
#14	(#12) and (DT＝2017：2023 LA＝日本語（PT＝症例報告・事例除く）AND (PT＝会議録除く) CK＝ヒト)

検索件数　245 件
（2）　PubMed

#1	hepatectomy［Mesh Terms］
#2	pancreaticoduodenectomy［Mesh Terms］
#3	"bile duct resection"
#4	hepatopancreatoduodenectomy
#5	#1 OR #2 OR #3 OR #4
#6	hospital mortality［Mesh Terms］
#7	intraoperative complications［Mesh Terms］
#8	postoperative complications［Mesh Terms］
#9	#6 OR #7 OR #8
#10	hospitals, high-volume［MeSH Terms］
#11	hospitals, low-volume［MeSH Terms］
#12	#10 OR #11

#13 　　　#5 AND #9 AND #12
#14 　　　#5 AND #9 AND #12 Filters：Humans
#15 　　　#5 AND #9 AND #12 Filters：Humans, from 2017 - 2023
検索件数　50 件

FRQ5　胆道癌における borderline resectable 症例とはどのようなものか？
（1）　医学中央雑誌
#1 　　　胆道腫瘍/TH or 胆道腫瘍/AL
#2 　　　胆道癌/TH or 胆道癌/AL
#3 　　　胆管癌/TH or 胆管癌/AL
#4 　　　胆嚢腫瘍/TH or 胆嚢癌/AL
#5 　　　#1 or #2 or #3 or #4
#6 　　　切除可能性/TH or 切除可能性/AL
#7 　　　Borderline Resectable/AL
#8 　　　非切除/AL
#9 　　　#6 or #7 or #8
#10 　　　解剖学的因子/TH or 解剖学的因子/AL
#11 　　　血管浸潤/TH or 血管浸潤/AL
#12 　　　リンパ節転移/TH or リンパ節転移/AL
#13 　　　術前補助療法/TH or 術前補助療法/AL
#14 　　　予後/TH or 予後/AL
#15 　　　#10 or #11 or #12 or #13 or #14
#16 　　　#5 and #9 and #15
#17 　　　(#16) and（DT＝2017：2023 LA＝日本語（PT＝症例報告・事例除く）AND（PT＝会議録除く）CK＝ヒト）
検索件数　44 件
（2）　PubMed
#1 　　　"Biliary Tract Neoplasms"［MeSH Terms］
#2 　　　"Cholangiocarcinoma"［MeSH Terms］
#3 　　　"Gallbladder Neoplasms"［MeSH Terms］
#4 　　　"Ampulla of Vater"［MeSH Terms］
#5 　　　#1 OR #2 OR #3 OR #4
#6 　　　"Resectability"
#7 　　　"Borderline Resectable"
#8 　　　"Unresectable"
#9 　　　#6 OR #7 OR #8
#10 　　　"Anatomical Factors"
#11 　　　"Vascular Invasion"
#12 　　　"Lymph Node Metastasis"
#13 　　　"Neoadjuvant Therapy"
#14 　　　"Prognosis"
#15 　　　#10 OR #11 OR #12 OR #13 OR #14
#16 　　　#5 AND #9 AND #15
#17 　　　Filters：English, Humans, from 2017/1/1 - 2023/5/31
検索件数　168 件

FRQ6　切除不能胆道癌に対するコンバージョン手術は有用か？
（1）　医学中央雑誌
#1 　　　胆道腫瘍/TH or 胆道腫瘍/AL
#2 　　　胆道腫瘍/TH or 胆道癌/AL
#3 　　　胆管癌/TH or 胆管癌/AL
#4 　　　Klatskin 腫瘍/TH or 肝門部胆管癌/AL
#5 　　　総胆管腫瘍/TH or 総胆管癌/AL
#6 　　　#1 or #2 or #3 or #4 or #5
#7 　　　コンバージョン/AL or conversion /AL
#8 　　　オリゴメタ/ AL or oligometastasis/AL
#9 　　　#7 or #8
#10 　　　#6 and #9
検索件数　286 件
（2）　PubMed
#1 　　　Biliary Tract Neoplasms［MeSH Terms］
#2 　　　conversion surgery

#3	oligometastasis
#4	#2 or #3
#5	#1 and #4

検索件数　154 件

（3）　Cochrane Library

#1	Biliary Tract Neoplasms
#2	conversion surgery
#3	oligometastasis
#4	#2 or #3
#5	#1 and #4

検索件数　6 件

FRQ7　肝門部領域胆管癌に対する肝移植は有用か？

（1）　医学中央雑誌

#1	Klatskin 腫瘍/TH or 肝門部胆管癌/AL
#2	Klatskin 腫瘍/TH or 肝門部領域胆管癌/AL
#3	肝臓移植/TH or 肝移植/AL
#4	#1 or #2 and #3 and 会議録除く

検索件数　25 件

（2）　PubMed

#1	hilar cholangiocarcinoma
#2	perihilar cholangiocarcinoma
#3	liver transplantation
#4	#1 OR #2
#5	#4 AND #3

検索件数　216 件

FRQ8　残肝容積不足例に対する計画的二期的肝切除術，liver venous deprivation は有用か？

計画的二期的肝切除術

（1）　医学中央雑誌

#1	ALPPS/AL
#2	"Liver Partition and Portal Vein Ligation for Staged Hepatectomy"/AL
#3	#1 or #2
#4	(#3) and （DT＝2016：2023 PT＝会議録除く CK＝ヒト）

検索件数　31 件

（2）　PubMed

#1	ALPPS［All Fields］
#2	"Liver Partition and Portal Vein Ligation for Staged Hepatectomy"［All Fields］
#3	#1 OR #2
#4	#3 AND humans［Filter］
#5	#4 AND 2016：2023［pdat］

検索件数　317 件

Liver venous deprivation

（1）　医学中央雑誌

#1	"Liver Venous Deprivation"/AL
#2	LVD/AL
#3	#1 or #2
#4	（肝切除/TH or Hepatectomy/AL）
#5	#3 and #4
#6	（肥大/TH or hypertrophy/AL）
#7	#3 and #6
#8	(#7) and （DT＝2016：2023）
#9	(#8) and （CK＝ヒト）

検索件数　4 件

（2）　PubMed

#1	"Liver Venous Deprivation"［All Fields］
#2	#1 AND humans［Filter］
#3	#2 AND 2016：2023［pdat］

検索件数　30 件

FRQ9　胆道癌に対する術後経過観察はどのように行うか？
PubMed
#1　　　"Biliary Tract Neoplasms/surgery"［Majr］OR "Cholangiocarcinoma/surgery"［Majr］
#2　　　Follow-Up Studies［MeSH］
#3　　　Neoplasm Recurrence, Local［MeSH］OR Recurrence［MeSH：noexp］
#4　　　#1 AND #2 AND #3
#5　　　("biliary"［ti］OR "bile duct"［ti］OR cholangio*［ti］OR Klatskin［ti］OR gallbladder［ti］OR ampulla
　　　　［ti］OR Vater［ti］) AND (carcinom［ti］OR cancer*［ti］OR neoplasm*［ti］OR malignan*［ti］
　　　　OR tumo*［ti］) OR cholangiocarcinoma*［ti］
#6　　　resect*［tiab］OR postoperative［tiab］
#7　　　surveillance*［tiab］OR follow-up［tiab］
#8　　　recurren*［tiab］
#9　　　#5 AND #6 AND #7 AND #8
#10　　#4 OR #9
#11　　#10 NOT (case reports［pt］OR case report*［ti］)
検索件数　446 件

CQ23　切除不能胆道癌に対してファーストラインの薬物療法は何が推奨されるか？
（1）　医学中央雑誌
#1　　　胆道腫瘍/TH or 胆道癌/AL
#2　　　ランダム化比較試験/TH or ランダム化比較試験/AL
#3　　　薬物療法/TH or 化学療法/AL
#4　　　第 3 相/AL
#5　　　#1 AND #2 AND #3 AND #4
#6　　　#5 and (PT＝原著論文)
検索件数　0 件
（2）　PubMed
#1　　　Biliary tract cancer
#2　　　Randomized trial
#3　　　Chemotherapy
#4　　　Phase III
#5　　　#1 AND #2 AND #3 AND #4
#6　　　Second-line
#7　　　#5 NOT #6
#8　　　Phase II
#9　　　#7 NOT #8
#10　　Refractory
#11　　#9 NOT #10
#12　　Resected
#13　　#11 NOT #12
検索件数　23 件

CQ24　切除不能胆道癌に対するセカンドラインの薬物療法は推奨されるか？
PubMed
1　切除不能胆道癌に対するセカンドラインの薬物療法を提案する。
#1　　　((biliary tract cancer［Title/Abstract］)) OR (cholangiocarcinoma［Title/Abstract］) Sort by：Most
　　　　Recent
#2　　　Search：((advanced［Title/Abstract］) OR (recurrent［Title/Abstract］)) OR (metastatic［Title/
　　　　Abstract］) Sort by：Most Recent
#3　　　((second-line［Title/Abstract］) OR (salvage［Title/Abstract］)) OR (refractory［Title/Abstract］) Sort
　　　　by：Most Recent
#4　　　#1 AND #2 AND #3
　　　　Filters applied：Clinical Trial, Meta-Analysis, Randomized Controlled Trial
検索件数　72 件
2　ただし特定の遺伝子異常を有する場合は当該遺伝子異常に対する標的療法を推奨あるいは提案する。
2-1　*FGFR2* 融合遺伝子・再構成陽性胆道癌に対する FGFR 阻害薬
#1　　　((biliary tract cancer［Title/Abstract］)) OR (cholangiocarcinoma［Title/Abstract］) Sort by：Most
　　　　Recent
#2　　　FGFR2［Title/Abstract］
#3　　　＃1 AND #2
　　　　Filters applied：Clinical Trial, Meta-Analysis, Randomized Controlled Trial

検索件数　13 件

2-2　*IDH1* 変異陽性胆道癌に対する IDH 1 阻害薬 *(2025 年 3 月現在保険適用外)

#1	((biliary tract cancer [Title/Abstract])) OR (cholangiocarcinoma [Title/Abstract]) Sort by：Most Recent
#2	isocitrate dehydrogenase 1 [Title/Abstract]
#3	＃1 AND #2
	Filters applied：Clinical Trial, Meta-Analysis, Randomized Controlled Trial

検索件数　8 件

2-3　*HER2* 陽性胆道癌に対する HER 2 阻害薬 *(2025 年 3 月現在保険適用外)

#1	((biliary tract cancer [Title/Abstract])) OR (cholangiocarcinoma [Title/Abstract]) Sort by：Most Recent
#2	(HER2 [Title/Abstract]) OR (ERBB2 [Title/Abstract]) Sort by：Most Recent (metastatic [Title/Abstract]) Sort by：Most Recent
#3	＃1 AND #2
	Filters applied：Clinical Trial, Meta-Analysis, Randomized Controlled Trial

検索件数　11 件

2-4　*BRAF* V600E 変異陽性固形癌に対する BRAF 阻害薬＋ MEK 阻害薬

#1	((biliary tract cancer [Title/Abstract])) OR (cholangiocarcinoma [Title/Abstract]) Sort by：Most Recent
#2	BRAF [Title/Abstract]
#3	＃1 AND #2
	Filters applied：Clinical Trial, Meta-Analysis, Randomized Controlled Trial

検索件数　9 件

2-5　MSI-H 陽性固形癌に対する抗 PD 1 抗体薬

#1	((biliary tract cancer [Title/Abstract])) OR (cholangiocarcinoma [Title/Abstract]) Sort by：Most Recent
#2	(MSI-High [Title/Abstract]) AND (Microsatellite instability [Title/Abstract])
#3	＃1 AND #2
	Filters applied：Clinical Trial, Meta-Analysis, Randomized Controlled Trial

検索件数　0 件

2-6　TMB-H 陽性固形癌に対する抗 PD 1 抗体薬

#1	((biliary tract cancer [Title/Abstract])) OR (cholangiocarcinoma [Title/Abstract]) Sort by：Most Recent
#2	TMB-High [Title/Abstract]
#3	＃1 AND #2
	Filters applied：Clinical Trial, Meta-Analysis, Randomized Controlled Trial
	Hand search

検索件数　0 件

2-7　*NTRK1/2/3* 融合遺伝子陽性固形癌に対する TRK 阻害薬

#1	((biliary tract cancer [Title/Abstract])) OR (cholangiocarcinoma [Title/Abstract]) Sort by：Most Recent
#2	NTRK [Title/Abstract]
#3	＃1 AND #2
	Filters applied：Clinical Trial, Meta-Analysis, Randomized Controlled Trial

検索件数　0 件

CQ25　切除可能胆道癌に対する術前化学療法は推奨されるか？
（1）　医学中央雑誌

#1	neoadjuvant
#2	preoperative
#3	ネオアジュバント
#4	術前
#5	#1 OR #2 OR #3 OR #4
#6	胆道癌
#7	胆管癌
#8	胆嚢癌
#9	乳頭部癌
#10	#6 OR #7 OR #8 OR #9
#11	臨床試験
#12	#5 AND #10 AND #11

検索件数　122 件

（2）　**PubMed**
#1	neoadjuvant
#2	preoperative
#3	#1 OR #2
#4	biliary tract cancer
#5	bile duct cancer
#6	cholangiocarcinoma
#7	gallbladder cancer
#8	gallbladder carcinoma
#9	ampullary cancer
#10	ampullary carcinoma
#11	#4 OR #5 OR #6 OR #7 OR #8 OR #9 OR #10
#12	#3 AND #11
#13	#12 AND（Meta-Analysis［PT］OR systematic［SB］）
#14	"randomized controlled trial［pt］OR controlled clinical trial［pt］OR randomized［tiab］OR placebo［tiab］OR clinical trials as topic［mesh：NoExp］OR randomly［tiab］OR trial［ti］NOT（animals［mh］NOT humans［mh］）"
#15	#12 AND #14
#16	#13 AND #15

検索件数　331 件

（3）　**Cochrane Library**
#1	neoadjuvant：ti,ab,kw
#2	preoperative：ti,ab,kw
#3	#1 OR #2
#4	biliary tract cancer：ti,ab,kw
#5	bile duct cancer：ti,ab,kw
#6	cholangiocarcinoma：ti,ab,kw
#7	gallbladder cancer：ti,ab,kw
#8	gallbladder carcinoma：ti,ab,kw
#9	ampullary cancer：ti,ab,kw
#10	ampullary carcinoma：ti,ab,kw
#11	#4 OR #5 OR #6 OR #7 OR #8 OR #9 Or #10
#12	#3 AND #11

検索件数　301 件

CQ26　根治切除後胆道癌に対する補助化学療法は推奨されるか？
（1）　**医学中央雑誌**
#1	胆道腫瘍/TH or 胆道癌/AL
#2	胆道腫瘍/TH or 胆道腫瘍/AL
#3	胆管癌/TH or 胆管癌/AL
#4	胆管腫瘍/TH or 胆管腫瘍/AL
#5	Klatskin 腫瘍/TH or Klatskin 腫瘍/AL
#6	胆囊腫瘍/TH or 胆囊腫瘍/AL
#7	胆囊腫瘍/TH or 胆囊癌/AL
#8	総胆管腫瘍/TH or 総胆管癌/AL
#9	Klatskin 腫瘍/TH or 肝門部胆管癌/AL
#10	（（総胆管腫瘍/TH and 胆膵管膨大部/TH）or 十二指腸乳頭部癌/AL）
#11	#1 or #2 or #3 or #4 or #5 or #6 or #7 or #8 or #9 or #10
#12	（#11）and（DT＝2012：2023 and PT＝会議録除く and CK＝ヒト）
#13	アジュバント化学療法/TH or 術後化学療法/AL
#14	アジュバント化学療法/TH or 術後補助化学療法/AL
#15	補助療法/AL
#16	アジュバント化学療法/TH or アジュバント化学療法/AL
#17	アジュバント/AL
#18	集学的治療/TH or 集学的治療/AL
#19	集学的治療/TH or 集学的療法/AL
#20	補助化学療法/AL
#21	adjuvant/AL
#22	#13 or #14 or #15 or #16 or #17 or #18 or #19 or #20 or #21
#23	#12 and #22

| #24 | （#23）and（DT＝2012：2023 and LA＝日本語 and（PT＝症例報告除く）and（PT＝原著論文）and CK＝ヒト） |

検索件数　42 件

（2）　PubMed

#1	biliary tract neoplasms［MeSH Terms］
#2	drug therapy［MeSH Subheading］
#3	drug therapy［MeSH Terms］
#4	chemotherapy
#5	((drug therapy［MeSH Subheading］) OR (drug therapy［MeSH Terms］)) OR (chemotherapy)
#6	(biliary tract neoplasms［MeSH Terms］) AND (((drug therapy［MeSH Subheading］) OR (drug therapy［MeSH Terms］)) OR (chemotherapy))
#7	chemotherapy, adjuvant［MeSH Terms］
#8	chemoradiotherapy, adjuvant［MeSH Terms］
#9	neoadjuvant therapy［MeSH Terms］
#10	#7 OR #8 OR #9
#11	#6 AND #10 Limits：Humans, Clinical Trial, Meta Analysis, Practice Guideline, Randomized Controlled Trial, Comparative Study, Controlled Clinical Trial, English, Japanese, Publication Date from 2012 to 2023

検索件数　88 件

CQ27　閉塞性黄疸を伴う切除不能胆道癌に対する薬物療法はどこまで減黄して開始することが推奨されるか？

PubMed

#1	Biliary tract cancer
#2	Cholangiocarcinoma
#3	#1 OR #2
#4	chemotherapy
#5	gemcitabine
#6	cisplatin
#7	S-1
#8	anti tumor therapy
#9	#4 OR #5 OR #6 OR #7
#10	#6 AND #9
#11	safety
#12	toxicities
#13	bilirubin
#14	#11 OR # 12 OR #13
#15	jaundice
#16	liver dysfunction
#17	hepatic dysfunction
#18	#15 OR #16 OR #17
#19	radiotherapy
#20	#3 AND #9 AND #14 AND #18 NOT #19

検索件数　29 件

FRQ10　切除不能胆道癌に放射線治療，または化学放射線療法は有用か？

（1）　医学中央雑誌

#1	（胆道腫瘍/TH or 胆道癌/AL）
#2	胆道腫瘍/TH or 胆道腫瘍/AL
#3	胆管癌/TH or 胆管癌/AL
#4	胆管腫瘍/TH or 胆管腫瘍/AL
#5	Klatskin 腫瘍/TH or Klatskin 腫瘍/AL
#6	胆嚢腫瘍/TH or 胆嚢腫瘍/AL
#7	胆嚢腫瘍/TH or 胆嚢癌/AL
#8	総胆管腫瘍/TH or 総胆管癌/AL
#9	Klatskin 腫瘍/TH or 肝門部胆管癌/AL
#10	（総胆管腫瘍/TH and 胆膵管膨大部/TH）or 十二指腸乳頭部癌/AL
#11	#1 or #2 or #3 or #4 or #5 or #6 or #7 or #8 or #9 or #10
#12	放射線化学療法/TH or 放射線化学療法/AL
#13	放射線化学療法/TH or 化学放射線療法/AL
#14	密封小線源治療/TH or 腔内照射/AL
#15	密封小線源治療/TH or 腔内照射法/AL
#16	放射線療法/TH or 放射線療法/AL

#17	非切除/AL
#18	切除不能/AL
#19	手術不能/AL
#20	#17 or #18 or #19
#21	#12 or #13 or #14 or #15 or #16 or #20
#22	#11 and #21
#23	#20 and #22
#24	(#23) and（DT＝2018：2023 and LA＝日本語 and（PT＝症例報告・事例除く）and（PT＝会議録除く）and CK＝ヒト）

検索件数　194 件

（2）　PubMed

#1	biliary tract neoplasms［MeSH Terms］
#2	radiotherapy［MeSH Subheading］
#3	radiotherapy［MeSH Terms］
#4	#2 OR #3
#5	radiotherapy
#6	radiation
#7	#4 OR #5 OR #6
#8	chemoradiotherapy［MeSH Terms］
#9	chemoradiotherapy
#10	radiochemotherapy
#11	#8 OR #9 OR #10
#12	#7 OR #11
#13	#1 AND #12
#14	non operative OR nonoperative OR in operative OR inoperative OR unresectable OR locally advanced
#15	#13 AND #14 AND（(humans［Filter］) AND (english［Filter］OR japanese［Filter］) AND (2018：2023［pdat］))

検索件数　509 件

FRQ11　胆道癌切除例に対する術後放射線療法・術後化学放射線療法は有用か？
（1）　医学中央雑誌

#1	(胆道腫瘍/TH or 胆道癌/AL)
#2	胆道腫瘍/TH or 胆道腫瘍/AL
#3	胆管癌/TH or 胆管癌/AL
#4	胆管腫瘍/TH or 胆管腫瘍/AL
#5	Klatskin 腫瘍/TH or Klatskin 腫瘍/AL
#6	胆嚢腫瘍/TH or 胆嚢腫瘍/AL
#7	胆嚢腫瘍/TH or 胆嚢癌/AL
#8	総胆管腫瘍/TH or 総胆管癌/AL
#9	Klatskin 腫瘍/TH or 肝門部胆管癌/AL
#10	(総胆管腫瘍/TH and 胆膵管膨大部/TH) or 十二指腸乳頭部癌/AL
#11	#1 or #2 or #3 or #4 or #5 or #6 or #7 or #8 or #9 or #10
#12	アジュバント放射線療法/TH or 術後放射線療法/AL
#13	アジュバント放射線化学療法/TH or 術後放射線化学療法/AL
#14	アジュバント放射線化学療法/TH or 術後化学放射線療法/AL
#15	アジュバント放射線化学療法/TH or アジュバント化学放射線療法/AL
#16	アジュバント放射線化学療法/TH or アジュバント放射線化学療法/AL
#17	#12 or #13 or #14 or #15 or #16
#18	#11 and #17
#19	(#18) and（DT＝2017：2023（PT＝症例報告・事例除く）AND（PT＝会議録除く）CK＝ヒト）

検索件数　29 件

（2）　PubMed

#1	biliary tract neoplasms［MeSH Terms］
#2	radiotherapy, adjuvant［MeSH Terms］
#3	chemoradiotherapy, adjuvant［MeSH Terms］
#4	neoadjuvant therapy
#5	#2 OR #3 OR #4
#6	radiotherapy［MeSH Terms］
#7	radiotherapy［Mesh subheading］
#8	#6 OR #7
#9	#6 OR #8

#10	radiotherapy
#11	radiation
#12	#9 OR #10 OR #11
#13	chemoradiotherapy［MeSH Terms］
#14	chemoradiotherapy
#15	radiochemotherapy
#16	#14 OR #15 OR #13
#17	#16 OR #9 OR #12
#18	#5 AND #17
#19	#18 AND #1
#20	#19 Filters：Humans, English, Clinical Study, Clinical Trial, Clinical Trial, Phase I, Clinical Trial, Phase II, Clinical Trial, Phase III, Clinical Trial, Phase IV, Comparative Study, Controlled Clinical Trial, Meta-Analysis, Observational Study, Randomized Controlled Trial, Systematic Review, from 2018/1/1 - 2023/2/28

検索件数　49 件

BQ19　胆道における腫瘍類似病変にはどのようなものがあるか？
PubMed

#1	Biliary Tract Neoplasms［MeSH Terms］
#2	Pathology［MeSH Terms］
#3	Diagnosis［MeSH Terms］
#4	#1 and #2
#5	#3 and #4
#6	Publication date from 2020 to 2025
#7	#5 and #6
#8	cholangitis, sclerosing［MeSH Terms］
#9	#7 and #8
#10	Polyps
#11	#7 and #10
#12	Adenomyomatosis
#13	#7 and #12

検索件数　14 件

BQ20　胆道の IPNB，BilIN，dysplasia とはどのようなものか？
PubMed

#1	Biliary Tract Neoplasms［MeSH Terms］
#2	Pathology［MeSH Terms］
#3	Diagnosis［MeSH Terms］
#4	#1 and #2
#5	#3 and #4
#6	Publication date from 2020 to 2025
#7	#5 and #6
#8	BilIN
#9	#7 and #8
#10	IPNB
#11	#7 and #10
#12	ICPN
#13	#7 and #12
#14	Dysplasia
#15	#7 and #14

検索件数　72 件

BQ21　がんゲノム医療に対応した病理検体はどのように取扱うのか？
PubMed

#1	biliary tract neoplasms［MeSH Terms］
#2	cholangiocarcinoma［MeSH Terms］
#3	#1 or #2
#4	sequencing
#5	formalin fixed
#6	#4 and #5

#7   #3 and #6
#8   Publication date from 2017/01/01 to 2023/12/31
検索件数　28 件

索　引

エビデンスに基づいた

胆道癌診療ガイドライン　改訂第4版

発行日	2007 年 11 月 29 日	第 1 版第 1 刷発行
	2009 年 3 月 31 日	第 1 版第 2 刷発行
	2013 年 6 月 4 日	第 1 版第 3 刷発行
	2014 年 11 月 1 日	第 2 版第 1 刷発行
	2015 年 5 月 15 日	第 2 版第 2 刷発行
	2019 年 6 月 30 日	第 3 版第 1 刷発行
	2020 年 1 月 30 日	第 3 版第 2 刷発行
	2022 年 4 月 25 日	第 3 版第 3 刷発行
	2025 年 6 月 30 日	第 4 版第 1 刷発行

定　価　4,950 円（本体 4,500 円＋税 10％）

編　集　大塚将之
　　　　OTSUKA MASAYUKI

発行者　鈴木文治

発行所　医学図書出版株式会社
　　　　〒 113-0033 東京都文京区本郷 2-29-8 大田ビル
　　　　電話 03（3811）8210（代）　FAX 03（3811）8236
　　　　郵便振替口座　東京 00130-6-132204
　　　　http://www.igakutosho.co.jp

印刷所　株式会社木元省美堂

無検印
承　認

Published by IGAKU TOSHO SHUPPAN Co. Ltd. 2-29-8 Ota Bldg. Hongo Bunkyo-ku, Tokyo
© 2025, IGAKU TOSHO SHUPPAN Co. Ltd. Printed in Japan.

0401 ISBN 978-4-86517-644-5 C 3047